U0127931

臺灣出版
中國文學史書目提要
(1949—1994)
附中國文學史總書目（1880-1994）

黃文吉⊙編撰

黃惠菁
張惠淑
林明珠　　撰稿
孫秀玲
連文萍

國立彰化師範大學國文系研究叢刊③

目　　次

分類目次

壹、文學思想史編

貳、古代文學史編

一、通史

二、斷代史

參、現代文學史編

肆、各體文學史編

一、詩史

1. 通代

2. 斷代

3. 詩經、辭賦史

三、小說史

四、散、駢文史

五、民間文學史編

六、民族文學史

七、兒童文學史

伍、臺灣文學史編

作者索引

二畫

三畫

四畫

五畫

六畫

七畫

八畫

九畫

十畫

十一畫

十二畫

十五畫

廿──廿三畫

李　序

　　中國歷史文化悠久，民族性一向愛好文學藝術，幾千年來留下的文學作品，多得不勝枚舉，而如何縱貫這些作品並做史的考察，那是有絕對的必要。自民國以來，有關中國文學史的著作也為數不少，從這些著作中，不難看出中國文學的發展源流，以及文學思潮、歷代文學特色、各類文體間的關係等。雖在民國 38 年（1949）兩岸因政治因素而有了隔閡，在研究訊息的流通上確實有些不便，不過不管在臺灣或大陸，有關文學史的著述風氣，還算相當的蓬勃，可惜至今卻還沒有較完備的中國文學史著作目錄的書。國立彰化師範大學國文學系教授黃文吉博士，於民國 82 年完成一千二百多頁的《詞學研究書目》大作後，又花了將近二年的時間，在國科會的獎助下完成本書——《中國文學史書目提要》，時間斷在 1949 年至 1994 年，取材來自有關臺灣出版的各類中國文學史的著作，還附有 1880 年至 1994 年的中國文學史總書目，這可說是臺灣文壇上的一大盛事，它一來給有志於中國文學史或文學相關研究者，提供了最方便的資料；二來也給想了解中國文學概況的人，有簡捷的門徑可尋。

　　目錄、提要一類著作的編纂，至為艱辛，這是大家所知道的事實。本書不但將中國文學史有關著作蒐集得至為完整；而且還為每部著作一一寫了提要，包括作者介紹、出版情況、成書經過、內容簡介、評論得失及對學界的影響等項，使讀者透過本書，對民國 38 年後臺灣文學史研究情形，能夠一目了然。又本書是依「文學思想編」、「古代文學史編」、「現代文學史編」、「各體文學史編」、「臺灣文學史編」分類，簡明扼要，查考起來十分方便。

　　黃教授答應將本書列入國立彰化師範大學國文學系研究叢刊，足以展現國

文學系的研究成果。筆者又在本書出版前，能夠先讀爲快，且寫下這段心得作爲序言，更感榮幸。

民國84年夏日　李威熊序於

國立彰化師範大學教務處

自　序

　　自光緒 30 年（1904），林傳甲完成國人自著的第一部中國文學史以來，有關中國文學史的著作，便如雨後春筍，紛紛產生。除文學通史外，各朝代文學斷代史、各類文學專史，著作如林，洋洋大觀，蔚爲風尙。欲瞭解中國文學史著作的發展過程，則必須編纂書目。

　　中國文學史書目的輯錄，始於梁容若、黃得時兩位先生（見 1960 年 7 月東海大學《圖書館學報》2 期），以後曾加重訂（1967 年 5 月《幼獅學誌》6卷 1 期）、三訂（1967 年 9 月《文壇》87 期），因尙有闕漏，於是靑霜先生又加以增補，寫成〈中國文學史書目新編〉（見 1976 年 8、9、11、12 月《書評書目》40、41、43、44 期）。

　　從上述目錄，固然可瞭解歷來中國文學史著作的出版情況，但對其內容梗概得失則無從窺曉。1986 年 8 月，大陸黃山書社出版了一本《中國文學史書目提要》，作者陳玉堂先生，他把 1949 年以前有關中國文學史的著作都寫成提要，分爲「通史」、「斷代史」、「分類史」三大部分，共收錄 346 種，使讀者對這些著作有一個輪廓的認識。筆者在 1988 年 11 月出版的《國文天地》（4 卷 6期），曾撰〈文學史的歷史一談《中國文學史書目提要》〉一文加以評介，文末並提出呼籲：「我們在檢閱方便之餘，也希望海峽兩岸的學術界，繼續努力，把民國 38 年到今天出版的有關中國文學史著作，再寫成提要。」可是事隔多年，卻未見回響，在「求人不如求己」的激勵下，便於 1992 年以「中國文學史書目提要（臺灣部分，1949－1993）」爲題，向國科會申請專題研究計畫補助，希望先將臺灣出版的中國文學史相關著作撰成提要，以顯現臺灣近四十年研究中國文學史之成果。

　　湊巧的是專題計畫獲國科會審查通過的同時，大陸由吉平平、黃曉靜編著《中國文學史著版本概覽》（瀋陽：遼寧大學出版社，1992 年 6 月初版）也剛

好出版，該書著錄 1949－1991 年海峽兩岸及香港等地出版的各類中國文學史著作版本和內容簡介，正符合筆者先前的呼籲。但經仔細閱讀內容、核對資料後，發現該書實不足以反映臺灣近四十年研究中國文學史之總成績，其理由如下：一、表面上該書著錄臺灣出版的中國文學史專著有 75 種，但將翻印 1949 年以前的舊著，如謝无量《中國大文學史》、趙景深《中國文學小史》等 23 種扣除後，則只剩 52 種，其中又將楊宗珍與孟瑤誤為兩人，而將所著的《中國文學史》重複著錄，另有 9 種只錄存目，未見原書，再扣除後，則實際著錄介紹者只剩 42 種。而筆者所搜集到的專書有 172 種，比該書多出 130 種，如再加上尚未正式出版的博碩士論文 78 種（這些論文其實也是不可忽視的研究成果，在臺灣要參考這些論文並不難），則筆者所搜集的中國文學史著作高達 250 種，比該書多出 208 種，足足有六倍之多。二、該書著錄外文著作的譯本時，若臺灣與大陸各有譯本，皆以介紹大陸譯本為主，如青木正兒《清代文學評論史》，臺灣有陳淑女譯本（台北：台灣開明書店，1969 年 12 月初版），大陸有楊鐵嬰譯本（北京：中國社會科學出版社，1988 年 1 月初版），該書在介紹陳淑女譯本時僅寥寥數語：「本書共分十章，凡三十節，目次、內容與楊鐵嬰譯本基本相同，詳見楊譯本。」其他如鄭樑生、張仁青譯青木正兒《中國文學思想史》（臺北：臺灣開明書店，1977 年 10 月初版）、劉向仁譯吉川幸次郎《中國詩史》（臺北：明文書局，1983 年 4 月初版）也是如此，而洪順隆譯鈴木虎雄《中國詩論史》（臺北：臺灣商務印書館，1972 年 9 月初版），則連條目都沒有，僅在許總譯本（南寧：廣西人民出版社，1989 年 9 月初版）條下一筆帶過，該書所採取的主從態度甚為明顯。三、該書實際著錄介紹臺灣著作雖有 42 種，但作者介紹部分僅見 16 位，而李曰剛、羅錦堂、張健、王金凌等作者介紹都付之闕如，該書對臺灣學術界瞭解有限可見一斑。

因此筆者在國科會補助下，與共同主持人林慶彰教授、協同主持人鄭靖時教授、及研究助理連文萍、黃惠菁、張惠淑、林明珠、孫秀玲等五位講師、研究生，花了一年半的時間，合作完成了「中國文學史書目提要（臺灣部分，1949－1993)」專題研究計畫，計收錄臺灣出版的各類中國文學史著作 250 種，已大致將臺灣近四十年研究中國文學史的成果網羅其中。每部著作提要主要包

括: 作者介紹、出版情況、成書經過、內容簡介、評論得失、及其對學界之影響，並將每部著作的目次章節加以著錄，若著作有人撰寫書評，亦將書評之作者、篇名、刊名、卷期、頁次、年月，一一註明，以便查閱參考。本研究所撰的提要確實比大陸所撰的內容詳備許多。

當專題研究計畫成果報告呈交國科會之後，承蒙《國文天地》雜誌社社長、萬卷樓圖書公司發行人許錟輝教授的熱心幫忙，向國科會申請出版事宜，筆者於是再將 1994 年及部分 1995 年出版的中國文學史專著撰成提要，共增補了 13 種，則本書著錄各類中國文學史著作達 263 種。此外，筆者為了方便學界瞭解世界各地有關中國文學史著作的總成績，又將 1880－1994 年在臺灣、大陸、香港、新加坡、韓國、日本、歐洲、美國、蘇聯等地出版的中國文學史著作編成總書目，作為本書的附錄，所收的著作多達 1606 種，是目前最新、最全的中國文學史書目，如此，整個中國文學史著作之成果及發展軌跡則斑斑可考。

本書之所以能夠順利面世，除了感謝國科會的專題研究計畫經費補助外，共同及協同主持人的提供寶貴意見、五位研究助理的辛苦撰擬初稿，都功不可沒。尤其萬卷樓圖書公司肯斥資為本書出版，支持學術研究的用心令人敬佩。國立彰化師範大學國文學系前主任李威熊先生，自接掌教務長工作後，仍對本系同仁關懷備至，在百忙中不吝為本書寫序，亦至為銘感。

本書無論在蒐集資料、分類安排、或評介論述時，皆花費不少心血，力求完整、正確、平允，但由於著錄的各類中國文學史著作甚多，內容廣泛，個人才能有限，所以疏漏之處在所難免，還懇請海內外方家賜教。

民國84年8月　黃文吉謹誌於
國立彰化師範大學國文學系

編撰說明

一、本書收錄 1949－1994 年間（含部分 1995 年）臺灣出版之各類中國文學史著作，並包括尚未正式出版之博碩士論文，以反映臺灣四十多年有關中國文學史之研究成果。

二、本書共收錄各類中國文學史著作 263 種，其中專書 185 種，論文 78 種。臺灣出版的各類中國文學史著作，以在臺灣初版的新書爲限，對於翻印 1949 年以前的舊著，或翻印 1949 年以後的大陸、香港版圖書，皆不在收錄之列。大陸、香港學者在臺灣初版的著作，則予以收錄。

三、本書編例按「文學思想編」、「古代文學史編」、「現代文學史編」、「各體文學史編」、「臺灣文學史編」等五大類，大類之下依需要再分小類。

四、本書通史性的著作以初版年月先後爲序進行著錄，斷代性的著作則按歷史時代的先後排列，再按初版年月先後爲序排列。譯本以原著初版時間爲準。各體文學之理論、批評史，則排在各體文學史之末。

五、本書著錄版本，以撰寫提要所用之版本爲據，一般皆用新版、修訂版爲主。著錄方式，專書依次註明：書名、作者、譯者、出版地、出版者、頁數、出版年月。博碩士論文則依次註明：篇名、作者、畢業學校所別、頁數、論文完成年月、指導教授。

六、每部著作提要主要包括：作者介紹、出版情況、成書經過、內容簡介、評論得失、及其對學界之影響。

七、每部著作的「目次」，一般皆著錄章、節，少數節目過於繁複，則從略，僅錄章而已。

八、每部著作如有人撰寫書評，亦設有「書評」一項，將書評之作者、篇名、刊名、卷期、頁次、年月，一一註明，有多篇書評，則按發表時間爲序，皆加以著錄，以供查閱參考。

九、本書屬於集體著作，每篇提要皆由專人負責撰擬初稿，並在文末具名。初稿完成後，再由主編潤飾、修訂、增補，如有不周之處，率由主編負責。

十、本書後附有「中國文學史總書目」，收錄 1880－1994 年間（含部分 1995年）世界各地出版之中國文學史著作，其凡例詳見附錄的編輯說明。

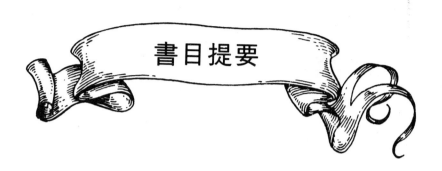

書目提要

壹、文學思想史編

一、思想史

中國文學思想史

青木正兒著，鄭樑生、張仁青譯，臺北，臺灣開明書店，147頁，1977年10月初版。

青木正兒（1887－1964），日本山口縣人。京都帝國大學中國哲學文學科畢業，1935年獲文學博士。曾任京都帝國大學教授，山口大學文學部教授，當選日本學士院會員。著有《支那文學概論》、《支那文學思想史》、《清代文學評論史》、《元人雜劇序說》、《支那近世戲曲史》、《青木正兒全集》等。

鄭樑生（1929－　），桃園楊梅人。省立臺北師範學校、國立臺灣師範大學、日本國立東北大學畢業，獲日本國立筑波大學文學博士。現任私立淡江大學歷史系教授。著有《明史日本傳正補》、《中日關係研究論集》、《明·日交涉和中國文化的流入》等。

張仁青（1939－　），臺灣花蓮人。國立臺灣師範大學國文研究所碩士班、博士班畢業，國家文學博士。曾任教於國立臺灣師範大學、國立臺灣大學、國立中央大學、中央警官學校等校，現任國立中山大學中文系所教授。著有《中國駢文發展史》、《六十年來之駢文》、《魏晉南北朝文學思想史》、《駢文學》、《六朝唯美文學》等。

本書原著於1943年4月由東京：岩波書店初版。乃是作者為岩波講座執筆之文稿，以其原有的兩篇文章〈支那文學藝術考〉、〈支那文學思想〉為藍本，加以若干補充，附增其他有關思想史之雜著，成此斯作。全書涵蓋時代起自上古周秦，終於近古明清。在分論各朝文學思想之前，作者先立緒論一章，探討文學的幾項重要主題，包括文學之地方色彩、文藝思潮之三大變遷、儒道

兩大思潮與文學思想、在創作態度及表現方式中見文學思想之兩極。篇章設立，均能掌握各朝的文學思潮脈動，就其突出特色，加以立說，文簡意賅，可作爲中國文學思想史導論的範本。本書另有汪馥泉譯本，書名爲《中國文學思想史綱》，上海：商務印書館印行，150頁，1936年初版。又有孟慶文譯本，書名爲《中國文學思想史》，瀋陽：春風文藝出版社印行，278頁，1985年5月初版。

〈目次〉

一、緒論（文學之地方色彩，文藝思潮之三大變遷，儒道兩大思潮與文學思想，在創作態度及表現方式中見文學思想之兩極）；二、周漢之文學思想（原始的審美意識及古代文學觀，詩經所見詩之觀念，孔門之詩教，漢儒之道義的文學思想，賦家之貴遊的風氣，王充論衡之儒學文學協調說）；三、魏晉南北朝之文學思想（魏晉時代純文學評論之興起，南北朝之修辭主義）；四、唐代之文學思想（初唐時代修辭主義之餘波，盛唐中唐之復古思想，晚唐時代詩格之尊重）；五、宋代之文學思想（仁宗朝達意主義氣格主義之確立，南渡前後元祐紹述黨爭之反映，南宋之詩論、文論、詞論）；六、元明之文學思想（邁向擬古主義之路程，擬古派之興盛，創造派之抗爭，口語文學之尊重）；七、清代之文學思想（明詩之攻擊與神韻派宋元派之興起，詩壇之自成一家的思潮，古文駢文之並行）。　　　　　　　　　　　　　　　（黃惠菁）

魏晉南北朝文學思想史

張仁青著，臺北，文史哲出版社，828頁，1978年12月初版。

作者譯有《中國文學思想史》（青木正兒著），已著錄，生平見前。

本書乃作者就讀國立臺灣師範大學國文研究所，於1978年通過的博士論文，題目原作《魏晉南北朝文學思想史論》，林尹指導。其撰作目的有六：其一，指明六朝文學理論所受時代思潮與社會環境之影響，以便窮其源委，窺其全豹，具有統體觀察之實；其二，從歷史研究方法著眼，了解文學相互間的遞嬗關係，以及所受思潮變化之原因；其三，各家論文之作，多承蘇氏〈韓公廟

碑〉之語，至目六朝文學爲不值一錢，瓊章麗曲，概從摒棄，即有論列，亦失公允，故是作矯俗之心，良有以也；其四，世人多以功利主義與道德觀念進行文學之評騭，之中鮮有客觀，所以，作者有意突破視野之礙，重新評定六朝文學之地位；其五，各家以現代邏輯觀念，律論六朝之作，忽略文學所具有之情感特質，此法爲過，值得商榷；最後，世人時以今之標準，繩律前人之作，偶有不合，隨意韃伐，漠視學術進化之公理。基於以上之理，作者以爲前作種種值得檢討省視，特將六朝文學及其思想做有系統的探討，俾世人對此一時代之麗製瑋篇，妙諦勝義，能有正確之認識。

〈目次〉

（黃惠菁）

清代文學評論史

青木正兒著，陳淑女譯，臺北，臺灣開明書店，229 頁，1991 年 3 月二刷。

作者另有《中國文學思想史》（鄭樑生、張仁青譯），已著錄，生平見前。

陳淑女（1935－　　　），臺灣嘉義人。私立東海大學中文系畢業，曾任敎

於私立淡江大學日文系。著有《大學現代日語》、《大學現代日語讀本》，譯有《我的讀書經驗》、《世界博物館總覽——地球與人類的全部遺產》等。

本書乃是作者將《中國文學思想史》第七章清代文學思想三十頁加以擴充而成，由東京：岩波書店於 1950 年 1 月初版，本譯本於 1969 年 12 月初版。此書雖名爲「評論史」，其實就撰述的內容角度而言，也就是「思想史」，洵如作者所言：「全體思想的動向，總是成爲評論表現出來，讀評論是瞭解思潮的捷徑。思想是底流，評論是蕩漾於表面的波。」由此可以看出作者的創作意圖，不僅僅止於追尋蹤跡，同時亦想藉此辨別思想的動向。書中內容涉及層面極廣，包括詩、詞、文、戲曲等文體的評述，唯一遺憾處，乃是小說付之闕如，除此，有關清代文學的全部領域，幾乎含括殆盡。此書之成，足以反映出作者治學之精、鑑賞之深的學術根柢。全書詳徵博引，獨出機杼，是研究清代文學思想的重要書籍。此書大陸亦有楊鐵嬰譯本，北京：中國社會科學出版社，243 頁，1988 年 1 月初版。

〈目次〉

一、清初的反擬古運動（錢謙益，馮班，吳喬與賀裳）；二、清初尊唐派的詩說（施閏章，王夫之，金人瑞、徐增的分解說，有關古詩換韻法諸說）；三、神韻說的提倡和宋元詩的流行（王士禎的神韻說，王漁洋與宋元詩，宋元詩的流行，王漁洋及趙執信的聲調說）；四、清初唐宋八家文的流行（侯方域、方以智、魏禧、汪琬、朱彝尊、姜宸英、邵長蘅）；五、詩壇上自成一家思想的擡頭（葉燮，查愼行，厲鶚、薛雪、吳雷發）；六、格調與性靈兩詩說的對立（沈德潛的格調說，袁枚的性靈說，李重華、黃子雲、蔣士銓與趙翼）；七、神韻、格調、性靈三詩說的餘波（翁方綱的肌理說，洪亮吉、方東樹）；八、中期以後的桐城派及其他文說（方苞、劉大櫆、姚鼐，惲敬、阮元，包世臣、曾國藩）；九、填詞評論（清初諸家，浙西派，常州派）；十、戲曲評論（金聖嘆、毛聲山、李笠翁，李調元、焦循、梁廷枏、楊恩壽）。　　　　（黃惠菁）

晚清文學思想論

李瑞騰著，臺北，漢光文化事業公司，229頁，1992年6月初版。

李瑞騰（1952-　　），臺灣南投人。私立中國文化大學中國文學研究所碩士、博士。曾任私立淡江大學中文系所副教授，現任教於國立中央大學中文系，著有《六朝詩學研究》、《詩心與國魂》、《臺灣文學風貌》等。

本書為作者於1987年通過之博士論文，題目原作《晚清文學思想之研究》，黃永武指導。從鴉片戰爭以來，中國知識份子在不斷的覺醒運動中，體驗個己與群體間共辱共榮的依存關係，具體表現在洋務運動、維新變法、立憲和革命運動上面，加以西潮東漸的影響，晚清的文學思想家在文學現象與文學問題的思考上，皆有著突破性的發展，往下開啟民國新文學機運。本書即著重在文學思想的新、舊對抗研究上，認為晚清文學乃是「中國新舊文學交界的關口」，一個中國文學發展的關鍵時刻，而新、舊思想如何在這轉捩點中進行交替？彼此之間存在著什麼樣的一種對抗和互動的關係？凡此種種，均為本書研究的根本命題所在，因此，其研究的終極目標，也就鎖定在對民國以後新文學思想源頭的探索。而這也正是本書別為殊出之處。

〈目次〉

自序；緒論；上篇：古文學思想之總結：一、章炳麟的文學思想；二、王國維的文學思想；三、劉師培的文學思想；下篇：新文學思想的產生：四、古文學思想所受的衝擊；五、文界的維新思想；六、小說界革命；七、晚清白話文運動的意義；附錄：晚清文學年表（初稿），徵引及參考書目。（黃惠菁）

二、理論史

古代文學剖析

海清編著，臺北，哲志出版社，178 頁，1969 年 7 月初版。

本書是對我國先民時代，周漢以至南北朝間，有關詩歌與文學，以時代為主的研究意見。全書共分三編，第一編簡介我國文學的起源情況，並對文學的定義，中外文學的概括區分，與文學作品中的重要原素等加以說明。第二編為周漢諸家的詩歌論，主要集中在論述孔子及孔門諸子的詩歌意見。第三編為魏晉南北朝的文學論，從曹魏的文學自覺期談起，對齊梁時代的聲韻說、文學的取捨標準說、文體和修辭的方法說等有較詳細的探究。

本書是根據嵇哲《中國歷代詩詞史》、孫俍工譯鈴木虎雄著《中國古代文藝論史》、郭月祥《文學源流》、易蘇民《中國文學史初稿》等多種參考書編撰而成，其中以孫俍工譯《中國古代文藝論史》為主要參考資料，作者編此書之目的，在擇取日本學者研究之長，以供讀者參考，故沒有作者多少意見。

〈目次〉

文化文學文藝簡釋；序；一、我國文學的起源（文學概論，我國文學的起源，唐堯舜時代，夏商時代，周時代）；二、周漢諸家的詩歌論（周代以前的概況，周時代，孔子對於詩的意見，孔門諸子的詩歌論，子夏的說詩，諸子的說詩，漢時代）；三、魏晉南北朝的文學論（我國文學上的自覺期，晉時代，宋時代，齊梁時代，北朝的文學論）；結論；後記。　　　　　（黃文吉）

中國文學理論史（上古篇）

王金凌著，臺北，華正書局，405頁，1987年4月初版。

王金凌（1949－　　），廣東豐順人。私立輔仁大學中文系學士、中文研究所碩士，私立東吳大學中文研究所博士。曾任輔仁大學中文系教授，現任國立中山大學中文系所教授兼主任、所長。著有《劉勰年譜》、《文心雕龍文論術語析論》、《中國文學理論史——六朝篇》等。

本書為作者於1986年通過之博士論文，題目原作《先秦兩漢文學理論研究》，王靜芝指導。作者撰述本書之目的，在於研究中國文學觀念的發展，廣言之，亦即中國文學理論的發展。書前緒論，作者特就「文學」、「觀念」、「理論」等詞，加注說明，並指出，本書的研究對象，本應定名為「先秦兩漢文學觀念」，蓋彼時學者對文學的看法或判斷多由道德或政治思想延伸出來，即使有若干文學法則，亦無意構成理論，這情形一直要到魏晉以後，才有所發展。魏晉以後，文學已成為研究的單元，具有比較普遍的系統法則，不再雜揉學術思想，過度環繞哲學、歷史、政治等學問的外圍，所以，其時產生的文學思想，已可以稱為「文學理論」，然作者自言，為了他日研究魏晉以後文學理論之便，還是將本書定名為《中國文學理論史—上古編》。書中所探討的範圍，以先秦兩漢文學理論材料中，關涉文、文學和文學作品等觀念和論述為主。全書論證詳實，有關理論的淵源、影響、內容，均能援引合度，掌握其中遞變之跡。對研究文學理論者，樹立一個佳範。

〈目次〉

緒論（論題與選材說明，方法，各章大意）；一、文學理論的模式（模式的性質與目的，文學研究的領域與文學理論的產生，模式圖形與說明）；二、文的起源與發展（問題與方法，新石器時代文的產物及其意義，甲骨文中「文」字的意義，西周與春秋「文」的意義）；三、禮文的迴響（背景，革新，漠視，超越）；四、經學餘影（背景，教化，諷諭，言志與頌德）；五、天文與人文（論衡的性質與中心問題，王充的文學觀念，影響）；六、蛻變的軌跡

（東漢士風與文章增變，文類概念的發展與文學觀念的關係，人倫識鑒與文學批評，文學理論的關係，名教、自然與文學理論的關係）；結論；附錄一：詩序作者及其時代；附錄二：兩漢文類的發展；徵引書目。　　　　（黃惠菁）

兩漢文學理論之研究

朱榮智著，臺北，聯經出版事業公司，185 頁，1982 年 12 月二刷。

朱榮智（1949－　　），臺灣新竹人。國立臺灣師範大學國文系、國文研究所碩士班、博士班畢業，國家文學博士。曾任海峽兩岸文教基金會文教處處長，現任國立臺灣師範大學國文系教授，著有《元代文學批評之研究》、《文氣論研究》、《文氣與文章創作關係研究》、《莊子的美學》等。

本書為作者於 1976 年通過之碩士論文，葉慶炳指導。曾刊登於國立臺灣師範大學國文研究所集刊，21 期，頁 705－785，1977 年 6 月。1978 年 9 月由聯經出版事業公司初版。作者以為中國文學理論非始於《文心雕龍》，意欲探索其淵源之所自，遂撰成本書。中國文學理論之濫觴，廣言之，或不得謂僅始於《文心雕龍》；然嚴格地看待「文學理論」的系統、內涵，則又不可強謂《文心》之前，定有文學理論之作出。其中的關鍵，端在於「文學理論」的定義解釋，從寬者，上自孔子：「誦詩三百，授之以政，不達；使於四方，不能專對；雖多，亦奚以為。」（《論語・子路》）乃至王充論文，貴乎「稱實」（《論衡・物勢》），均可視為文學理論之發萌。從嚴者，上述種種，充其量，或但謂為「文學觀念」，而非「文學理論」，後人對起源之說有所糾葛，即是在此認知角度上，有所差異。本書所採者，乃廣泛的「文學理論」之說，以為兩漢之文學理論，雖乏體密而思精，不免疏略以碎亂，然後世之文學批評，多有淵源於此者，其開創之功，豈可淹忽。

〈目次〉

序；一、緒論；二、先秦學者文學觀概說（孔子之文學觀，孟、荀之文學觀，墨子之文學觀，老、莊之文學觀，韓非子之文學觀）；三、兩漢文學理論產生之背景（兩漢學者對文學之認識，漢賦之高度發展，儒家道統之影響）；

四、兩漢之文學理論家及其主張（揚雄，桓譚，王充，其他學者之文學理論）；
五、兩漢文學理論於中國文學批評史之地位（承繼前代之文學理論，反映當代之文學創作，影響後代之文學批評）；附錄：重要參考書目。 （黃惠菁）

中國文學理論史（六朝篇）

王金凌著，臺北，華正書局，330 頁，1988 年 4 月初版。

作者另有《中國文學理論史——上古篇》，已著錄，生平見前。

本書乃是作者繼《中國文學理論史——上古篇》之後，另一本著作，主要在於討論魏晉南北朝的文學理論，故定名《六朝篇》。六朝文學批評風氣雖然繁盛，文學理論蠭出，但文獻所出，多有殘闕，敍論不易，故作者特取各家代表之作，加以分析，影響較小者，則廁於大家之作的中間或之後並論，彼此照應，以見其淵源影響之流布。除此，為了彰顯六朝文學理論的論題殊出，作者在結論中除了標舉此期文學理論的基本動力之外，又綜述論題及其不足，以使六朝文學理論的推移，更加清晰、條達。另外，為了上接前書《上古篇》，聯絡兩書思想、理論的經脈發展，作者特將《上古篇》中第六章「蛻變的軌跡」，加以重寫增補，而列於《六朝篇》的第一、二章，這些用心，無非是提供讀者思考的線索，尋繹玩味我國文學理論的發展遠流，從本書的寫作結構和內容特色來看，作者的努力，是具有一定程度的啟發意義。

〈目次〉

一、緒論；二、文學概念的蛻變（東漢士風與文章增變，文類概念的發展與文學概念的關係）；三、清談映照（漢魏之際清談述要，人倫識鑒與文學批評，文學理論的關係，名教與自然在文學理論上的反映，言意之辨中所涵蘊的文學理論，清談的文學傾向）；四、禮義與才情（典論論文的論題次第，文類、文體、與才性，禮義與才情的抉擇）；五、言意之間（文學理論中的個人意識與文化意識，言意之間）；六、儒玄疊璧（文心雕龍體系，文學原理，文類論與文體論，想像、情志、與技巧）；七、媚情的詩論（媚道、媚情、與媚形，媚情的詩論，矛盾與憂悶的歸宿）；結論；附錄：曹丕論文撰述緣起及其年代；

主要徵引書目。 （黃惠菁）

北宋理學家的文學理論研究

孟英翰著，國立臺灣大學中國文學研究所碩士論文，178 頁，1989 年 5 月，張健指導。

孟英翰（1962 – ），韓國人。國立臺灣大學中文研究所碩士。

中國文學理論的系統建立，雖然要到魏晉南北朝才具備規模，但有關文學批評的觀念，卻早在先秦諸子的思想中見諸端倪。他們對於文學的態度，以社會與個人關係為主，尤其是儒家，特別注重文學的個人人格修養與社會作用。所謂個人人格修養的過程，也就是求道的歷程，而文章便是以表達這種歷程來引起社會作用。因此，儒家認為道與文是二位一體的關係，注意道與文的協調。此種觀念，後來也成為了中國文學批評的重要依據。到了宋初，因對道與文的見解不同，出現文學家、理學家與政治家的分派，其中理學家不僅繼承了先秦儒家有關「道」、「文」聯繫的文學觀，之後也啟發了南宋以及後代文人的儒家文學觀。所以，在儒家文學觀演變中，北宋理學家實居有承先啟後的地位，這正是本論文所以撰作的動機所在。

〈目次〉

一、緒論（先秦、兩漢、六朝、唐代傳統文學觀念概述，北宋初期文壇中的傳統文學觀念）；二、邵雍的文學理論（原理論，方法論）；三、周敦頤與張載的文學理論（周敦頤的文學理論，張載的文學理論）；四、二程的文學批評（原理論，方法論，實際批評）；五、結論；六、參考書目。 （黃惠菁）

明洪、建二朝文學理論研究

龔顯宗著，臺北，華正書局，238 頁，1986 年 6 月初版。

龔顯宗（1943 – ），臺灣嘉義人。國立政治大學中文研究所碩士班、私立中國文化大學中文研究所博士班畢業，國家文學博士。曾任國立臺南師範

學院語文教育系教授兼主任，現任國立中山大學中文系教授。著有《謝茂秦之生平及其文學觀》、《明七子派詩文及其論評之研究》、《談新論舊》、《詩話初探》、《廿卅年代新詩論集》等。

明洪武、建文二朝，凡三十五載（西元 1368－1402 年），俱都於南京，政治重心在東南，文學重心亦復如此。本書作者鑑於此時期爲歷史上之一大變局，且在文學批評史上，上承宋元，下開明、清兩代論詩風氣，而學界致力研究者又鮮見，乃以之爲研究命題。

本書發掘明初重要文學批評家，以「派」繫人，分別論述，其中如越派之貝瓊、宋濂、劉基、瞿佑、方孝孺；閩派之林鴻、高棅；吳派之高啓；江右派之劉崧等，其理論見解均不無可觀之處，本書先以個人爲單位，剖析各家文論之精髓，再加以結合，綜論各派理論的同異，並給予評價、評估其影響，從而整體的探究洪、建二朝文學理論的業績與成就。由於本書所論既多、關照面較廣，對於各家各派之批評觀點，只能擇要點言之，是故日後又有《明初越派文學批評研究》等專書的深入探討，宜並觀之。

〈目次〉

　　　　　　　　　　　（連文萍）

三、批評史

中國文學批評

張健著，臺北，五南圖書出版公司，356 頁，1992 年 8 月二刷。

張健（1939－　　　），浙江嘉善人。國立臺灣大學中文研究所碩士，現任臺灣大學中文系所教授。著有《滄浪詩話研究》、《朱熹的文學批評研究》、《宋金四家文學批評研究》、《明清文學批評》、《中國文學批評論集》、《文學概論》、《文學批評論集》等。

本書於 1984 年 9 月初版，爲作者多年研究中國文學批評的重大結晶，可說是一部重點式的中國文學批評史。本書共分二十三章，除首二章綜論中國文學批評的方法外，第三章起，由先秦的文學批評家孔子論詩出發，六朝則取劉勰、鍾嶸爲一代重鎮，唐代舉司空圖爲論詩巨擘，北宋以大文豪蘇軾爲抽樣，輔之以江西派首領黃庭堅；朱熹集北宋文學理論之大成且發揚之，更具有理學家和藝術家雙重色彩，嚴滄浪爲神韻（興趣）派最早的宗師，王若虛爲金朝第一人。方回則爲元代批評界之典範。明代的李東陽是格調派代表；而謝榛，一方面是復古主義者，一方面又是全世界第一位象徵主義文學理論家；胡應麟則爲古典主義大師、格調派的大將，公安派爲浪漫主義者。清代的李漁是戲劇批評家之魁首，葉燮兼包性靈、格調、神韻，而別有建樹；王士禎爲正宗神韻派，沈德潛是心胸開闊的格調派，袁枚是徹底的性靈派，陳廷焯爲一代詞學高手，以沈鬱論詞，別有會心，王國維則綜貫中西，兼包並蓄，開創批評史的新紀元。一共闡述了二十一位批評家（公安派不止一人，但以袁宏道爲主）的批評業績，大致將各代的重要批評家皆已論及，全書言簡意賅，各家之重要論點分析深刻，讀畢本書，中國傳統文學批評的要義大致皆可掌握。作者研究中國

文學批評用力甚深，著作頗豐，如果能以本書爲基礎加以擴充，必能寫出一部詳盡的中國文學批評史，造福學界。

〈目次〉

　　自序；一、中國文學批評的方法；二、中國的分等評鑑法；三、孔子的詩論：興觀群怨；四、劉勰的詩論與創作論；五、鍾嶸的詩學；六、司空圖的詩學；七、蘇軾的文學批評；八、黃庭堅的詩論；九、朱熹的文學理論；一〇、王若虛的文論；一一、嚴羽的詩學；一二、方回的詩學；一三、李東陽的文學批評；一四、謝榛的詩論；一五、胡應麟的詩學；一六、公安派前後的文學評論；一七、李漁的戲劇理論；一八、葉燮的詩學；一九、王士禎的詩論；二〇、沈德潛的詩學；二一、袁枚的詩學；二二、陳廷焯的詞學；二三、王國維的文學批評。

（黃文吉）

唐代文學批評研究

蔡芳定著，國立臺灣師範大學國文研究所博士論文，281 頁，1990 年 5 月，李鍌、楊昌年指導。

　　蔡芳定（1954 － 　　　），臺灣嘉義人。國立臺灣師範大學國文研究所碩士、博士。曾任建國中學教師，現任教於國立中興大學法商學院。著有《中國文學批評史上之美學批評法》等。

　　唐代文學批評風氣雖不若宋明之鼎盛，然就轉變的意義上來看，唐代實居樞紐之地位，其文學批評如同其文化特質，既具客觀，又含攝理性，既是通俗，又具實感，其批評理論及實際批評均具有內在發展的不得不然動力，因緣此一動力，而爲後代與當代的文學批評與創作，提供了一個活躍寬闊的存在空間，既有復古繼往之精神，又兼擅創新開來之特質，正因如此，卒能成就唐代總體文學之璀璨，乃至宋元之中興與明清之鼎盛。基於以上之體識，作者書成此文，初論唐代文學批評之內容、當朝環境之影響，復論其對後代文學批評之影響，尋求其於中國文學批評史上之定位與價值。全文均能把握重點，直指核心，言簡意賅，闡析各家，俱見功力，適足以做爲研究唐代文學發展的重要參

考書籍。

〈目次〉

　　自序; 一、唐代文學批評之歷史背景 (政治環境, 經濟概況, 文化背景, 文學發展); 二、唐代文學批評理論之淵源與發展 (唐代文學批評理論之淵源, 唐代文學批評理論之發展); 三、唐代詩評之㈠——復古革新派 (主復古與創新者, 主載義與寫實者, 主實用與教化者); 四、唐代詩評之㈡——藝術派 (重意境韻味者, 重技巧形式者); 五、唐代文評之㈠——古文運動之醞釀期與開創期 (古文運動之醞釀期, 古文運動之開創期); 六、唐代文評之㈡——古文運動之成熟期、興盛期與銷沈期 (古文運動之成熟期, 古文運動之興盛期, 古文運動之銷沈期); 七、結論——唐代文學批評對後代文學批評之影響; 附錄: 主要參考書目。　　　　　　　　　　　　　　　(黃惠菁)

金代文學批評研究

鄭靖時著, 臺中, 弘祥出版社, 408 頁, 1992 年 4 月初版。

　　鄭靖時 (1947－　　　　), 福建福州人。國立政治大學中文系學士、中文研究所碩士、博士。曾任教於國立勤益工專、私立中國醫藥學院。現任國立彰化師範大學國文系教授兼主任。著有《魏晉六朝詩聲律說研究》、《王若虛及其詩文論》、《金代文學之研究》等。

　　本書作者有感於金代之文學, 多乏人問津, 遠不如元代文學之受重視, 然若缺金代文學, 非僅吾國文學未能窺見全貌, 抑且斬斷文學發展之統緒。有鑑於此, 作者曾撰就博士論文《金代文學之研究》, 由此發端, 先述論該朝之文學創作情形, 考述作家達三十餘人, 惜未能進一步深究當朝之文學批評, 殊以為憾。故論文殺青之後, 即繼續作「金代文學批評研究」, 而完成本書。全書論及有金一代之文學批評, 先細披因革, 再抉發脈絡, 期能貫通, 以竟研究金代文學之功, 董理出金代文學批評之內容與特色, 彰顯其殊要的時代性意義。綜觀此書之作, 在呈現金代文學批評的真象與體系上, 的確斐然有成。

元代文學批評研究

朱榮智著，臺北，聯經出版事業公司，375 頁，1982 年 3 月初版。

作者另有《兩漢文學理論之研究》，已著錄，生平見前。

本書爲作者就讀國立臺灣師範大學國文研究所，於 1981 年通過之博士論文，高明指導。攤開中國文學發展史可知，元代之文壇，只有新興之散曲、雜劇，足爲文學史增色添光，而其文學批評，則上不能與唐、宋比肩，下無法與明、清齊步。故元代之文學批評素爲學者所輕忽，或附於宋末，或雜於明初，鮮能賦予獨立之地位。其實，元代之文學批評雖不甚發達，然前繼兩宋，後開明清，要言之，仍居重要之地位。作者因鑑於近人對元代文學批評理論論述有欠周詳，而思欲踵繼前人之功，薈集眾家之長，重估其於中國文學批評史之地位。俾使當時作者之心，千載猶存，風雅之規，後世可循。在寫作內容上，舉凡元人之別集、詩文評、詞曲評，其勒爲一書，或零篇散見者，作者皆盡力蒐集，並旁及近人之著述與相關學報之論文，以求賅備。全書博採眾說，較爲長短，俾使元代之文學批評大明於世。

〈目次〉

揭傒斯，范椁、傅若金，楊維楨，其他，結語）；五、元代之詞論（緒論，陸輔之，吳師道，其他，結語）；六、元代之曲論（緒說，芝菴，周德清，鍾嗣成，陶宗儀，其他，結語）；七、元代文學批評之價值（承繼前代之文學理論，反映當代之文學創作，影響後代之文學批評）；重要參考書目。　　（黃惠菁）

明清文學批評

張健著，臺北，國家出版社，337頁，1983年1月初版。

作者另有《中國文學批評》，已著錄，生平見前。

明、清兩代，是中國文學批評史上的鼎盛時期，有彙粹舊說，有創新開展，而人才輩出，尤足稱道。本書作者綜合多年的研究成果及教學心得，特以身為一位詩人的敏銳獨到眼光，在明、清兩代諸多名家、理論體系中，擢選其中六十餘位具代表性的大家及其理論，予以析論評介，除了文學理論的探看，兼及實際批評的品評。全書共分三編，收有四十四篇獨立的論述，其中，明代佔十五篇，清代前期十六篇、後期十三篇。

本書各篇均綱舉目張，簡潔明快，前附各批評家的簡歷；內文部分，於重要字詞或觀念，酌加按語，或予解析，或予評論，言簡意賅，頗有神來之筆。書名為《明清文學批評》，其實無異於一部明清文學批評史，當世的文學批評業績於此可以概觀。

〈目次〉

上編：明代——由復古到浪漫（宋濂，朱權，李東陽，李夢陽與何景明，徐禎卿，楊慎，謝榛，王世貞，胡應麟，胡震亨，屠隆，李維楨，公安派前後，鍾惺，陳子龍）；中編：清代前期——性靈、神韻與格調（錢謙益，金聖嘆，徐增，李漁，吳喬，王夫之，葉燮，朱彝尊及浙西詞派，王士禛，趙執信，沈德潛，吳雷發，薛雪，李重華，袁枚，紀昀）；下編：清代後期——由肌理說到境界說（翁方綱，桐城派，章學誠，焦循，方東樹，常州詞派，曾國藩，劉熙載，李慈銘，施補華，陳廷焯，況周頤，王國維）；參考書目。

　　　　　　　　　　　　　　　　　　　　　　　　　　　（連文萍）

明代文學批評研究

簡錦松著，臺北，臺灣學生書局，395 頁，1989 年 2 月初版。

簡錦松（1954－　　　），臺灣臺北人。國立臺灣師範大學國文系學士，國立臺灣大學中文研究所碩士、博士，曾任南投明潭中小學教師，現任教於國立中山大學中文系。著有《李何詩論研究》、《築室松下》、《錦松詩稿》等。

本書爲作者於 1987 年通過的博士論文，題目原作《明代中期文壇與文學思想研究——自成化至嘉靖中期（1465－1544）》，張健指導，後加以修訂擴充而成。今人研究明代文學批評，多由明代之文壇活動入手，如郭紹虞有〈明代的文人集團〉之作，橫田輝俊及黃志民嘗注意明人的詩社等，本書亦著眼於此，然指出明成化至嘉靖中期的文學活動，係由臺閣、蘇州、復古派三大文人集團所主導，並以之爲論述綱目及重點。

本書題爲明代文學批評研究，實際只討論成化至嘉靖中期文學批評之形成、現象與變化。作者盡量由詳讀原典入手，欲設身處地，明察當世的文學問題與眞象，故書中所論詳實，非一般陳陳相因之作可比，如論臺閣體之形成，由考察明代政治制度、教育體系，進而研究該集團實體在當代文學環境中的地位與作用，確實勾勒出臺閣體的面貌，給予客觀的評價。

〈目次〉

張序；正編：一、序說（緣起題旨，資料處理，研究方法，本文結構）；二、臺閣體（前言，文官制度與臺閣文風，臺閣體之名稱與相關問題，臺閣文權之衰落，結語）；三、蘇州文苑（前言，蘇州文人之觀點舉例，科舉與蘇州文苑之構成，古文詞之意義及其有關問題，北學影響下蘇州文學批評之變與不變，結語）；四、復古派（前言，由詩集結構論復古派與臺閣蘇州之異同，宗主與體裁高下論，李夢陽「法」論之相關問題，結語）；五、正、嘉理學與復古派文學批評之轉變（前言，復古派之性格淵源試論，正德時代陽明學影響下之復古派作家，嘉靖時期程朱理學與復古派文學批評之變化，結語）；六、結論；附編：參考書目、本書主要人物生卒簡表。　　　　　　　　（連文萍）

貳、古代文學史編

一、通史

中國文學史問答

王集叢編，臺北，帕米爾書店，102 頁，1967 年 9 月二刷。

王集叢（1907－　　　），四川南充人。上海中華藝術大學畢業，中央訓練團黨政班 25 期畢業。歷任中央黨部編審、中央日報及自立晚報主筆、政工幹校、成功大學、東海大學教授。著有《三民主義文學論》、《寫作與批評》、《文藝新論》、《文藝評論》、《戰鬥文藝論》等。

作者爲協助學生把握所學的要點，故採用「問答體」的形式，將中學生階段所需的中國文學史常識編列成講義，爾後由帕米爾書店於 1951 年 8 月初版，102 頁。

全書共分八章，自周秦文學寫至文學革命，依時代爲序，各章再細分爲有韻文、無韻文兩部份，就所立之主題，擬訂若干問題，再一一回答。書中的「問」，多屬重要而基本的問題；「答」，也力求簡要明晰。爲便於敍述，往往於一個問題中，包括許多子題。此外，每一組「問答」之後，都有一「註」，或說明解答的根據，或解說不同的意見，或註明作家的生平等，屬參考性質。書前有作者自序一篇，書末有再版後記一篇。

本書所記述之論題，皆有益於初學者，但因爲只供中學生參考的常識性書籍，故內容非常簡單，不夠詳備，又由於編成年代距今甚遠，其中諸多論見已經落伍，讀者參閱時，尤需謹愼取捨。

〈目次〉

一、概說；二、周秦文學（有韻文，無韻文）；三、兩漢文學（有韻文，無韻文）；四、魏晉南北朝文學（有韻文，無韻文）；五、唐五代文學（有韻

文，無韻文）；六、宋元文學（有韻文，無韻文）；七、明清文學（有韻文，無韻文）；八、文學革命。　　　　　　　　　　　　　　　　（張惠淑）

中國文學史

姜渭水著，臺北，和平出版社，160 頁，1954 年 9 月初版。

姜渭水，湖南應初人。著有《歷代人物詩史》、《英國侵華史》等。

　　本書所論上自周代，下迄清代的文學，凡十二章，依朝代為序，論述各朝的文學現象、特色及相關論題。由章節之安排而言，不容易看出作者的文學觀，也難以對中國文學有系統性的認識。其中又時而穿插〈中國哲學大綱〉、〈中國語言文字學大綱〉、〈宋明理學大綱〉等章節，並附有許多相關的圖表，實已超乎「文學」的領域，故有前後章節無法連貫之感。

　　此外，末章〈中國文學的特質〉，乃為「修辭學綱要」，文中每每以中國文學作品為例證，或可豐富文學賞析的角度。綜論之，本書誠如作者自序所言，其取材著重提綱挈領，故對於人物的個別敘述，及某一種文學的詞章舉例等，均付之闕如，因此，本書只能視若「大綱」性質，而不是很詳盡的文學史。

〈目次〉

　　一、周代前後文學（口頭文學、文字、文學，最早的一些作品，中國哲學大綱，詩經，中國舊文學作品的幾種體式，十三經要義，楚辭，散文、歷史著作，中國經學大綱，諸子百家總表）；二、秦文學（中國文學第一次統一，隸書、小篆文學的創始，呂氏春秋，秦韻文、小說）；三、兩漢文學（賦，樂府詩，建安時期的文學，史學、評論文學，中國語言文字學大綱，今古文派系之爭，小說，目錄學大綱及其緣起）；四、兩晉六朝文學（兩晉文學概述，南朝文學發達的原因、文學批評，南朝文學，北朝文學，歷史著作、散文、小品文）；五、唐代文學（緒論，詩，詞，駢文、古文運動，傳奇小說，中國史學大綱）；六、五代文學（詞，歌謠、變文，詩、小說）；七、北宋、遼文學（兩宋文學緒論，宋明理學大要，詞，詩，散文，從「大曲」到「諸宮調」說話話本小說，遼文學）；八、南宋、金文學（詞，詩，文學批評、散文，金文學、

院本);九、元代文學 (戲曲的發展、雜劇,散曲,小說、詩詞散文);一〇、明代文學 (北曲、散曲,傳奇,小說,詩、詞、散文、文學批評);一一、清代文學 (緒論,戲曲,小說、文學批評,詩,詞,結句);一二、中國文學的特質 (修辭學綱要)。　　　　　　　　　　　　　　　　　　　(張惠淑)

中國文學

高明著,臺北,復興書局,80 頁,1978 年 10 月六刷。

高明 (1908－1992),江蘇高郵人。國立東南大學 (後更名為中央大學) 中文系畢業。大陸期間,曾任教於中央政治學校、國立西北大學、國立政治大學等校;來臺後,先後任教於國立臺灣師範大學、國立政治大學、香港聯合書院、新加坡南洋大學、國立高雄師範大學、私立輔仁大學、中國文化大學、逢甲大學等校。著有《高明文輯》、《孔學管窺》、《禮學新探》、《大戴禮記今註今譯》等。

本書由中國青年寫作協會主編,於 1956 年初版。全書自頭至尾可視為一篇對青年學子的演講稿,作者由中國文學的價值寫起,以啓發讀者對中國文學的重視,並概述各家對中國文體分類的見解,以下則分別就散文、駢文,詩、詞、曲,小說及戲劇等四大類,做簡單的敍述。

作者透過極口語化的方式,語重心長地在非常簡短的篇幅中,寄託學人沈重的使命感,於最後一章中,作者更提出研究中國文學的十二種方法,其實質內容,猶可推及國學的研究,頗具參考價值。

〈目次〉

一、中國文學的價值與體類;二、散文與駢文;三、詩、詞與曲;四、小說;五、戲劇;六、中國文學的研究法。　　　　　　　　　　　　(張惠淑)

中國文學史

趙海金著,臺南,興文齋,122 頁,1956 年初版。

趙海金（1915-?　），江蘇溧陽人。國立政治大學行政系畢業。歷任溧陽縣立初級中學、臺灣省立臺南二中教師、國立成功大學中文系教授。著有《韓非子研究》、《荀子校釋》等。

此書由國立成功大學中文系教授獲得瞭解，為趙教授擔任「中國文學史」課程之講義，屬於大綱性質。國立中央圖書館有目無書，其他各大學圖書館也都未藏。原書待訪。　　　　　　　　　　　　　　　　　　（黃文吉）

中國文學史

柳存仁著，臺北，莊嚴出版社，270頁，1979年1月初版。

柳存仁（1917-　　），英國倫敦大學哲學博士，澳洲國立大學名譽教授。著有《佛道影響中國小說考》、《倫敦所見中國小說書錄》、《清代及民國初期流行小說》、《和風堂讀書記》等。

本書最初由香港：大公書局於1956年出版，258頁。後由臺北：臺灣東方書店於1958年出版，255頁。書中所敘述的年代遠溯自西周，而終止於清末，作者以口語化的散文，精練而流暢地概述成六編十八章的《中國文學史》，乃作者繼1935年出版的《中國文學史發凡》及1948年出版的《上古秦漢文學史》之後，較完整而深入的文學史專著。

全書先以朝代為別，其次再就各朝代重要文體的發展，作較周密的論述，兼論及文學與時代背景、地理環境的關係。尤值得注意的，是〈引論〉部份，作者明確地畫分中國文學的領域，使其有別於一般的學術文字及經籍，故先秦散文不在論述之列。

就內容而言，作者對詩、詞、小說、戲曲的重視，較其他文學史專著為甚，對於上述的每一種體裁，均以簡易而周密的寫法，予讀者一系統而整體的概念。相對地，作者有意忽略唐宋八大家及清代桐城派的文章，此乃因其認為各級學校對該種文體已過分強調之故。

本書的另一特色，是介紹了像Arthur Waley及E. D. Edwards等西洋漢學家的成就；此外，附錄記載自孔子至劉師培等三百多位文學名人的生卒年，

有助於瞭解作家的時代先後順序。

〈目次〉

　　引論；一、漢以前（詩經，楚辭）；二、漢代文學（漢賦、漢代的民歌，建安文學）；三、魏晉南北朝（從玄談到近體詩的凝成，繼續發展的民歌，小說的起源和發達）；四、唐代文學（唐代文學的時期及社會，初唐和盛唐的詩，中晚唐的詩，唐代的小說，晚唐和五代的詞）；五、宋代文學（宋代的詩詞，宋代的小說）；六、元明清文學（元代戲曲的特別發展，明代的戲曲和小說，清代的戲曲和小說）；附錄：中國文學名人生卒考。

〈書評〉

1. Yang, V. T. Journal of Oriental Studies（東方文化），Ⅲ, 2. p. 333 –
　　336, 1958.　　　　　　　　　　　　　　　　　　　　　（張惠淑）

中國文學簡述

谷世榮著，臺北，臺灣中華書局，158 頁，1974 年 10 月四刷。

　　本書於 1963 年初版。作者以一般青年學生爲對象，試圖以最通俗、最淺顯、最扼要的敍述，編寫成一部文學史專著，其內容以詩歌、辭賦、樂府、散文、詞曲、小說、戲曲、唱詞各成獨立的單元，作有系統的介紹，俾能使青年學子略窺大體而得門徑。至於文學的意義、起源、性質、體裁，及中國最早的韻文、散文，皆另立專章敍述，書前並有作者自序一篇。

　　由於本書非爲專門學者而寫，故內容非常簡略，除偶有徵引作品爲例，餘皆未引述原文，亦不另加評論，作者旨在淺顯地介紹中國文學，故於深度、廣度，均未免有所不足。

〈目次〉

　　一、總說（文學的意義，文學的起源，文學的性質，文學的體裁）；二、中國最早的韻文作品（詩經，楚辭）；三、中國最早的散文作品（幾部最早的史書，幾部最早的子書）；四、詩歌（概說，漢、魏、六朝的詩歌，詩的黃金時代，宋、元、明、淸的詩）；五、辭賦（概說，賦的黃金時代，晉代以後的

辭賦）；六、樂府（樂府的產生與演進，樂府中的兩大佳作）；七、散文（自漢至南北朝散文的概況，唐代至清代的散文概況）；八、詞曲（概說，詞，散曲）；九、小說（中國小說的初幕，傳奇，話本，章回小說）；一〇、戲曲（概說，雜劇，傳奇）。一一、唱詞（概說，寶卷，彈詞，鼓詞）；一二、中國文學的新局面（舊時代的終結，新文學運動）。　　　　　　　　　　（張惠淑）

中國文學史

李曰剛著，臺北，文津出版社，189 頁，1978 年 5 月訂正版。

李曰剛（1907－1985），江蘇鹽城人。國立中央大學教育系中國文學輔系畢業。歷任陝西省教育廳編審室主任、江蘇學院教授、江南日報社長、臺灣師範大學教授兼國文系主任、中國文化學院中文系主任等職。著有《先秦文彙》、《國學概論》、《中國詩歌流變史》、《辭賦流變史》、《文心雕龍斠詮》等。

本書原為作者所著《國學概要》之下編，該書於 1951 年 12 月由臺北：勝利出版社初版。後抽出單行，由省立臺灣師範大學於 1964 年 11 月初版，書名作《中國文學史（簡本）》，140 頁。1972 年由台北：白雲書屋再版時，內容有所增補，並除去「簡本」兩字，計 189 頁。本書概述周秦至現代的各種文學，依文體分為文章、辭賦、詩歌、詞曲、戲劇、小說等六大類，再就諸相關概念，設立標題，逐一分說。所論皆言簡意賅，屬於「概要」、「略說」的性質。書末附錄「中國文學名人生卒考」一表，所載人物自周代以至清末，頗有利於研讀中國文學史之需。

〈目次〉

一、文章（總論，散文，駢文，語體文——白話文）；二、辭賦（總論，辭——楚辭，賦——各體賦）；三、詩歌（總論，詩經，樂府，古詩，絕律——近體詩，新詩——語體詩）；四、詞曲（總論，詞，曲——散曲）；五、戲劇（總論，樂曲，戲文，雜劇——北曲，傳奇——南曲，亂彈）；六、小說（總論，筆記——漢魏六朝小說，傳奇——隋唐五代小說，平話——宋元小說，章回——明清小說）；附錄：中國文學名人生卒考。　　　　　　　（張惠淑）

中國文學史初稿

易蘇民著，臺北，昌言出版社，804頁，1965年初版。

　　易蘇民（1929－　　），湖南人。曾任教於東南訓練團、政工幹校、淡江文理學院、中原理工學院、銘傳女子商專、實踐家政專校等，主編《大學文選》。著有《王粲登樓賦研究》、《范曄後漢書研究》、《三蘇年譜彙證》、《三蘇著述考》等。

　　本書爲作者在1965年於淡江文理學院夜間部講授中國文學史的講義所編輯而成。全書共分十章，除首章概述中國文學之定義、起源與體類之外，以下九章則依朝代爲序，列舉當代最主要的文體，並以之爲敍述的核心，探述各文體形成的背景、原因；再分期、分類地介紹重要的代表作家及作品，以表彰各類文體的特質。各章之末另附有作業習題，提供學生習作之用。

　　作者嘗於首章之末附註聲明：「本稿爲便於學者記憶及代板書之勞而趕寫，僅屬資料性質，有待整理，故不得對外發表。」則不需以中國文學史專著論之，是以本書內容上的不足，編排上的錯亂，以及引文的訛誤等缺失，均在所難免，故不宜過份苛責求全。

〈目次〉

唐作家，晚唐作家，唐詩的藝術，兩宋的作家，宋詩研究）；八、詞的黃金時代（詞的源流，晚唐五代詞人，北宋詞派，南宋詞派）；九、唐宋古文運動（古文運動的發軔，古文運動的極盛，古文運動的再起）；一〇、宋四六與清駢文之復興（宋之四六文，清代駢文之復興）。　　　　　　（張惠淑）

中國文學史

葉慶炳著，臺北，臺灣學生書局，2 冊（499、434 頁），1987 年 8 月增訂本。

葉慶炳（1926－1993），浙江餘姚人。國立臺灣大學中文系畢業。歷任國立臺灣大學中文系所教授兼主任，私立輔仁大學中文研究所教授等。著有《諸宮調定律》、《唐詩散論》、《晚鳴軒愛讀詩》、《晚鳴軒愛讀詞》、《漢魏六朝鬼怪小說》等。

本書原為作者在國立臺灣大學等校講授「中國文學史」課程之講義，於 1965 年印行上冊，1966 年印行下冊，皆由作者自己印行。後為適合更廣泛的讀者，於 1980 年增訂上冊，1986 年增訂下冊，交由臺灣學生書局重排印行。

本書之編撰目的，是作為大學授課之教材，因此比給一般讀者閱讀的文學史較富學術性，如介紹作家生平，作者都儘量引用相關的傳記資料原文，並註明出處，而不加以改寫。對於作家作品的評論，作者也常列舉前人之意見，即使前人之意見不同，亦一一列出比較，如潘岳、陸機、陶淵明等人之評價皆是。另外有些涉及考證之問題，作者亦以學術嚴謹之態度，不憚其煩提供論證資料。尤其作者對魏晉南北朝小說素有研究，所以這一部分的論述特別詳盡，為其他文學史所不及。雖然本書早期印行時，難免有許多參考劉大杰《中國文學發展史》的地方，但經過作者增訂之後，加入許多現代人的研究成果，及作者自己的意見，已經有一番新面貌。而作者處理文學發展的觀點也比較持平，不像劉大杰偏重唯物史觀。當然作為一般讀者閱讀的話，本書用文言文寫成，恐怕不如劉大杰《中國文學發展史》的深入淺出，明白曉暢，但作為大學教材，本書確有其過人之處，它能成為臺灣地區目前最通行的中國文學史教材之

一，其來有自。

〈目次〉

代傳奇與變文（傳奇發生之背景，唐人傳奇之文體，唐人傳奇之題材，傳奇名篇論述，紀聞，玄怪錄，續玄怪錄，傳奇，甘澤謠，遊仙窟，變文）；附錄：中國文學作家生卒年表（上）。二一、晚唐五代詞（詞之興起，西蜀詞與花間集，南唐二主，馮延巳）；二二、北宋詞（宋詞興盛之原因，北宋詞壇概況，晏殊，歐陽修，張先，柳永，蘇軾，周邦彥，晏幾道，秦觀，賀鑄，李清照）；二三、南宋詞（南宋詞壇概況，朱敦儒，陸游，辛棄疾，劉過、劉克莊，姜夔，史達祖，吳文英，王沂孫，張炎）；二四、宋詩（宋詩之特色與流變，西崑體，歐陽修、蘇舜欽、梅堯臣，王安石，蘇軾，黃庭堅，江西詩派，南宋四大家，永嘉四靈，江湖詩派，遺民詩，附：元好問）；二五、宋代散文（四六文之盛衰，宋初散文，宋六大家，道學家與散文）；二六、宋代話本與諸宮調（傳奇之衰與話本之興，說話四家數，宋人話本之結構，現存宋代話本，諸宮調之源流與影響，劉知遠、董西廂）；二七、元代散曲（元代文學環境，北曲之興起，元代散曲之演變，關漢卿，白樸，馬致遠，張養浩，貫雲石，喬吉，張可久）；二八、元代雜劇（元代雜劇與盛之原因，雜劇之結構，元代雜劇作家之分期，關漢卿，王實甫，白樸，馬致遠，高文秀，紀君祥，鄭光祖，宮天挺，秦簡夫）；二九、明代文學思想與散文（八股文對明代文學之影響，前後七子，公安派，竟陵派，嘉靖三大家，晚明小品文）；三〇、明代散曲（明代散曲概況，康海、王九思，馮惟敏，沈仕，梁辰魚，沈璟，施紹莘）；三一、明代傳奇（新劇之衰與傳奇之興，元明間四大傳奇，高明琵琶記，崑腔與梁辰魚浣紗記，湯顯祖玉茗堂四夢，明代短劇）；三二、明代小說（明代小說發達之原因，三國志演義，水滸傳，西遊記，金瓶梅，三言，二拍）；三三、清代詩文（清初詩壇，王士禎，趙執信，沈德潛，袁枚，鄭燮，晚清詩人，桐城派散文，陽湖派、湘鄉派）；三四、清代詞曲（清代詞壇概況，納蘭性德，陽羨派，浙西派，常州派，蔣春霖，清代曲壇概況，李漁十種曲，洪昇長生殿，孔尚任桃花扇，平劇之興起）；三五、清代小說（聊齋志異，儒林外史，紅樓夢，鏡花緣，兒女英雄傳，七俠五義、官場現形記，二十年目睹之怪現狀，老殘遊記）；附錄：中國文學作家生卒年表（下）。　　　　　　　　　　（黃文吉）

中國文學史論

華仲麐編著，臺北，臺灣開明書店，467 頁，1965 年 12 月初版。

華仲麐（1910－　　　），貴州遵義人。畢業於中央大學國文系，後赴英獲倫敦大學文學碩士學位。曾任貴州大學、浙江大學、重慶大學教授，來臺後，曾任私立東吳大學、國立臺灣師範大學、國立政治大學教授，及考試院考試委員。退休後現旅居美國。著有《文心雕龍要義申說》、《經學通論》、《諸子講話》等。

本書是作者在東吳大學講授「中國文學史」課程所編成的講義。全書以朝代爲序，上自先秦，下迄清代，共十一章，凡四十五節，每節再依相關專題，簡要地敍述各時代的重要文學體裁、代表作家及作品，對於各期的學術思想、社會因素、政治背景、生活狀況等，也有明確的論述。書前有洪陸東序和作者敍例各一篇，書末並有後語一篇，做爲全書之總結。作者立論力求客觀，首尾一貫，凡敍事，必徵信史，所舉範例，不好奇異，且標明出處，以備檢查。全書尙稱簡要，於初學者不無裨益。

〈目次〉

一、緒論（文學的意義，文學史的詮釋，文體分類和演變，時代背景與文學特徵）；二、先秦文學（中國文學的創造與長成，詩經，楚辭）；三、秦代文學（秦文學特質的形成，寂寞文壇的點綴）；四、漢代文學（兩漢文學的重心與全貌，漢代散文，漢賦，漢代詩歌）；五、魏晉文學（玄理文學的精神與態度，魏晉詩人及其成就，五柳先生陶靖節）；六、南北朝文學（純文學的黃金時代，南北詩人，南北樂府）；七、唐代文學（附隋及五代）（啓承間的隋代政治與文學，有唐文壇的一般成就，唐詩分期問題的商榷，初唐詩壇，盛中唐詩壇，晚唐詩壇，晚唐五代詞）；八、兩宋文學（宋代文學的背景與內涵，宋詞，宋詩，宋代散文，宋代小說與劇曲）；九、元代文學（正統文學的式微與新興歌劇的勃興，元代散曲，元代雜劇，散曲的作家與作品，雜劇的作家與作品）；一○、明代文學（文化傳統的重建與復古思潮的勃興，文學改革運動的理論與

成果，明代傳奇，明代小說，明代散曲與小調）；一一、清代文學（正統文學的總結與新舊文學的交替，清代散文與騈文，清代詩詞，清代劇曲與小說）；後語——回顧與展望。　　　　　　　　　　　　　　　　　　（張惠淑）

中國文學史

李鼎彝著，臺北，傳記文學出版社，2 冊，384 頁，1978 年 6 月新版。

李鼎彝（1899－1955），吉林扶餘人。北京大學文學士，曾任教於吉林大學。

本書是作者在吉林大學講授「中國文學史」課程，爲授課之需，所編成的講義。曾於 1966 年 3 月，由台北：文星書店初版，1969 年 改由傳記文學出版社出版。全書以朝代爲序，上溯邃古，下迄明代，共十四篇，每篇又分章、節、目，組織相當細密。由於作者認爲：「歷史的責任，是明因知變，它的因與變，或者在各作家的口供中，就可以找得出。」因此，上、下兩冊，俱以時代爲軸，列舉最具代表性的作家，簡要地敍述其生平、文學主張、作品的特色及其影響，並於各篇、各章之下，略論該時期文學發展的概況，但詞與戲曲等史，則不在論述之列。第一篇緒論可視同自序，書後另附有〈中國文學源流略圖〉，及由是圖所得的五個結論。

作者以有限的篇幅，介紹歷朝文學變遷之勢，故文句相當精簡，然因受限於以作家爲點，再鋪敍成數千年的文學發展史，故僅能表現出作家個別的特色，至於文體的興替，各家各派之文學主張，前後期之文學現象等，其彼此之間的互動關係，均未能顧及，是本書最大的缺憾。但作者善於以條列式爲文，頗有助於記憶，所附之〈中國文學源流略圖〉，也有參考價值。

〈目次〉

一、緒論；二、傳疑時代的文學概論；三、三代文學（略論，本期的重要材料）；四、春秋戰國時代的文學；五、秦代文學概論；六、西漢時代的文學（西漢的貴族文學，西漢的平民文學）；七、東漢與三國兩時代的文學（東漢的貴族文學，建安體，三國文學）；八、兩晉文學（緒論，代表人物）；九、南北

朝（緒論，南朝，北朝）；一〇、隋代文學概論；一一、唐代文學（總論，初唐，盛唐，中唐，晚唐）；一二、宋代文學（緒論，宋初文學，文學復古時代，江西詩派，南渡後江西詩派的勢力，江西派的反動與亡國之音，南渡後的文章）；一三、遼金元的文學（遼代概論，金代概論，元代文學）；一四、明代文學（概論，明代之平民文學，明代之貴族文學）。　　　　　　　　（張惠淑）

中國文學史

黃公偉著，臺北，帕米爾書店，713 頁，1967 年 9 月初版。

黃公偉（1908－　　　），河北定縣人。北平燕京大學中文系畢業，日本東京帝大東語研究部畢業。曾任國立政治大學、臺灣大學哲學系教授，私立輔仁大學哲學系所教授。著有《中國文化概論》、《法家哲學體系指歸》、《中國哲學史》、《宋明清理學體系論史》、《印度哲學史話》等。

本書內容包括〈緒說〉在內，共分八篇，二十二章。含「編年」與「列傳」為一體，以文體為經，以作家為緯，依時代先後為序，凡分遠古、上古、中古、近古、近世、近代六時代，敍述其思想背景、文學風尚、作家與作品之特色；並兼及評論，以客觀態度，論述其得失。

本書取材以純文學為範圍，凡有關詩歌、樂府、辭賦、詩詞、戲曲、小說、駢文、筆記、雜文、應用文，無不羅舉在內，詳而無冗，精而不略。除每章附列參考書以明取材之由來而外，並於重要部份各附圖表，以為綜合貫通瞭解之便利。每篇末又各附「文學年表」，對每一階段之重要作家的先後關係，可一目瞭然。

是書綜攬古今文學變遷的大勢，以史實為據，採納古今文學家的論衡，剖析文學內容與形式的演進關係，文藝思潮的升降變化，揭示中國文學的源流，使世人對中國文學的傳統與價值，獲得正確而有系統的具體瞭解。

作者有鑑於早期的「中國文學史」著述，其立論或含有唯物的觀念，故欲藉本書之完成，重申中國學術文化的嚴正立場。此外，本書不僅可供大學以上施教參考之用；對專門性的研究作業，亦有助益。唯本書之章節過於繁複，致

內文雖標有節次，仍未足以明悉前後篇章的關係，此乃組織、體式上之缺失。

〈目次〉

一、緒說（中國文學的特質與效用，中國文學史的方法與目的）；二、遠古文學（開創時代）（中國文學的起源，開創時代文學的認識）；三、上古時代（詩歌時代）（西周時代的文學〈公元前 1123～771〉，東周時代的文學〈公元前 770～256〉）；四、中古文學（上）（辭賦時代）（騷體文學與辭賦之發端〈公元前 320～207〉，西漢文學與辭賦的昌盛〈公元前 206～公元後 8 年〉，東漢文學與辭賦的衰落〈公元 25～219〉）；五、中古文學（下）（駢體時代）（建安文學〈公元 190～239〉，西晉文學〈公元 240～317〉，東晉文學〈公元 317～419〉，南北朝文學）；六、近古文學（古文時代）（文學復古與隋唐文學，古文運動與中晚唐文學，隋唐文學的轉變與發展，北宋文學復古的新發展〈公元 960～1126〉）；七、近世文學（語體文時代）（南宋語體文學之代興〈公元 1127～1277〉，元代語體文學的發展〈公元 1277～1367〉）；八、近代文學（革新時代）（明代文學的轉變〈公元 1368～1644〉，清代文學的復古與趨新〈公元 1644～1911〉，結語）。　　　　　　　　　　　　　　（張惠淑）

古代中國文學

武茲生（Watson, Burton）著，羅錦堂譯，臺北，華岡出版部，232 頁，1969 年 12 月初版。

武茲生（Watson, Burton），美國漢學家。文學博士，哥倫比亞大學教授。著有《Gold Mountain: 100 Poems by the T'ang Poet Han - shan》、《The Columbia Book of Chinese Poetry: From Early Time to the Thirteenth Century》等。

羅錦堂（1931－　　），甘肅隴西人。國立臺灣大學中文系、中文研究所碩士班、國立臺灣師範大學國文研究所博士班畢業，國家文學博士。曾任日本京都大學人文科學研究所研究員、香港大學中文系講師、臺灣大學中文研究所及外文研究所合聘客座教授等，現任美國夏威夷大學東亞語文系教授。著有

《中國散曲史》、《現存元人雜劇本事考》、《北曲小令譜》、《南曲小令譜》、《錦堂論曲》、《明清傳奇選註》等，譯有《明代劇作家研究》等。

本書是哥倫比亞大學東方研究委員會所編的《東方思想及文學研究叢書》之一，由武茲生（Watson, Burton）撰寫，哥倫比亞大學出版社於 1962 年初版。全書凡四章，書前有譯者序言、Dr. De Bary 序言及著者中譯本序言三篇，書末並附有大事記三頁。作者基於政治、思想對文學的影響為考量，將本書所探討的年代定於初有文字起，至公元一百年止（約值東漢中期），幾近千年。旨在答覆一般讀者，對古代中國文學的重要形式、主題及名著等可能詢及的問題。

首章為緒論，以下則分古代中國文學為歷史、哲學及詩歌三部份，各立專章以論述之，故可知書中所論之「文學」，並不限於純文學，而是泛指凡目的在運用清晰、洗鍊的筆調，表達思想與情懷的所有歷史、哲學及詩篇而言。本書試圖敍述古代中國文學中，流傳至今的重要作品，並摘譯其中片段，以便讀者對各書內容能有所認識——尤其是至今猶未全部譯成英文者。此外，針對語文上的差異，作者特於每一篇後列有篇內所討論各書的英譯本書名，給予讀者莫大的便利。

作者於章節的安排與資料的取捨上，帶有強烈的個人色彩；於論述上，更明顯地加入個人的研究成果與獨特觀感。較諸臺灣地區的中國文學史著作，本書確實更成功地運用西方的文學理論於中國文學之上，且時而出現中西作品的對照與比較。對於作者所提出的種種論見，姑且不論其得失、是非，透過本書行文上獨特的風格，已足以啓發讀者邁向更寬廣的思考層面。基於斯，本書無論於中國文學之傳播，或於中國文學史的研究，均有其重要的成就及影響；再則，譯者適切而流暢的筆法，精妙而準確的用字，同樣地功不可沒。

〈目次〉

一、緒論；二、歷史（尚書，春秋，左傳，國語，戰國策，史記，漢書，漢紀，中國古代史學與羅馬史學的比較，漢代散文）；三、哲學（儒家著作，墨家著作，道家著作，法家著作，折衷派著作）；四、詩歌（詩經，楚辭，漢賦，短歌及樂府）；附錄：大事記。　　　　　　　　　　　（張惠淑）

中國文學史綱

劉必勁著，臺北，環球書局，2 冊，686 頁，1970 年 2 月初版。

劉必勁，湖南人。曾任教於竹山中學。著有《老子哲學》等。

本書共分十六章，六十四節，起自邃古文學，終至五四運動以後的白話文學。無論散文、韻文、小說、戲劇，作者由各文體的興起寫至近代的文學革命，使其均自成完整體系；然而，於篇章的安排上，仍依時代爲序，分列各種文體，並別立若干目，概述起源、背景、特質、代表作家、作品等相關論題。

作者以精簡的文句綱要式地敍述中國數千年來的文學進程，蒐羅的範圍超乎其他文學史著作，〈文學革命〉一章尤爲其他同類書籍所鮮見，故爲本書的一大特色。再則因本書以「史綱」性質成書，於諸論述均力求扼要、精鍊，故僅顧及全面性而難見深刻；雖多引證古籍，卻往往流於堆砌，而乏於解說。然則作者舉證用典甚爲詳妥，適明其寫作態度的認眞與謹愼，頗有利於讀者閱讀。

〈目次〉

一、文史導論（文史意義，文學關聯，文學作風，文史研究）；二、邃古文學（蒙昧文學，唐虞文學，夏商文學，卜巫文學）；三、詩三百篇（詩的引述，詩的體類，詩的作法，詩的餘論）；四、新興楚辭（楚辭引述，內容第一，內容第二，楚辭餘論）；五、先秦文學（史傳第一，史傳第二，哲理第一，哲理第二）；六、秦漢文學（秦代文學，漢代散文，漢代樂府，漢代古詩）；七、漢代的賦（漢賦引述，前漢賦家，後漢賦家，漢賦餘韻）；八、混亂文學（三國文學，兩晉文學、二朝文學、隋代文學）；九、唐代的詩（初唐的詩，盛唐的詩，中唐的詩，晚唐的詩）；一〇、唐代散文（唐代散文，唐代傳奇，唐代變文，戲曲成長）；一一、宋代的詞（宋詞引述，北宋的詞，南宋的詞，詞的餘緒）；一二、宋代散文（宋代散文，宋代的詩，宋代小說，宋代戲曲）；一三、元代的曲（前期散曲，後期散曲，前期雜劇，後期雜劇）；一四、明代文學（明代散文，明代詩曲，明代小說，明代戲曲）；一五、清代文學（清代散

文，清代詩曲，清代小說，清代戲曲）；一六、文學革命（散文革命，詩歌革命，小說革命，戲劇革命）。　　　　　　　　　　　　　　　（張惠淑）

中國文學概論

褚柏思著，臺北，幼獅文化事業公司，165 頁，1970 年 8 月初版。

褚柏思（1909 - 　　　），安徽人。上海中國公學法學士，南京軍事政治研究院研究。曾任北平北方日報編輯、南京軍事新聞通訊社總社長，國立廣西大學兼任教授，越南中正中學校長、董事長等。著有《中國文學史類編》、《中國文學史話》、《文學的趣味》、《中國哲學史本義》、《中國思想史話》、《國學新論》、《中國政治史話》、《中國佛學史論》等。

作者有感於西方《美國文學概論》一書的問世，遂著手編寫多種選集序目，以宣揚中國文化之博大，〈中國文學概論序目〉是其中之一。後來依序目分別著成專論，又集之而成專著。於此之外，關乎中國文學史方面，作者另著有《中國文學史類編》、《中國文學史話》等書。

有別於上述二書之體例，本書共分八章，依文學體裁為別，逐一概述各文體之源流與發展，但因屬「概論」性質，故不免稍嫌簡略。其間並舉稱各文體中傑出的作家與作品，但僅限於節選，未能遍舉。全書以淺近的文言文寫成，論述通順而簡要，可供初學者參考之用。

〈目次〉

自序；一、詩歌文學（詩經系，楚辭系，樂府系，古詩系，近體詩系，民歌系，新詩系）；二、詞曲文學（詞的系統，曲的系統）；三、文章（文章奧府的四經，秦漢前後的散文，六朝時代的駢文，唐宋以後的散文，唐宋以後的駢文）；四、小說（小說的源流，小說的發展）；五、戲劇（戲劇的源流，戲劇的發展）；六、傳記文學（論語孟子，二十五史，歷代筆記，各家語錄，書信日記）；七、遊記文學（遊記略史，遊記例選）；八、文學評論（序跋，書翰，詩話，論文，專著）；附錄：從歐美文藝思潮論中華文藝復興。　　（張惠淑）

中國文學史

蘇雪林著，臺中，光啓出版社，276 頁，1970 年 10 月初版。

蘇雪林（1897 -　　　），本名蘇梅，安徽太平人。畢業於安徽省立女師，後入北京女子高等師範，不久留學法國，就讀中法學院，後轉里昂國立藝術學院。大陸期間，曾任教於東吳大學、安徽省立大學、武漢大學等；來臺後，任教於國立臺灣師範大學、國立成功大學，並曾赴新加坡南洋大學任教。著有《玉溪詩謎》、《唐詩概論》、《遼金元文學》、《屈原與九歌》、《屈賦論叢》、《崑崙之謎》、《天問正簡》、《楚騷新詁》、《中國二三十年代作家與作品》、《現代中國的小說與戲劇》等。

自清代以降，論及中國文學史者，多因襲焦循的文學觀，於每一朝代的文學，僅論其所勝，如唐代以詩爲勝，則棄其他文學之發展，獨論詩學。作者有鑑於此，力圖藉由本書之編撰，建立起一套完整而正確的文學史觀。本書內容可分爲四編，共三十章，記述自甲金文至現代文學，此間多元而繁複的文學現象。作者文筆流暢而簡鍊，近似史話的寫作方式，確能使讀者一窺中國文學的全貌；再則，文中於作家的作品並不引證，預留給讀者一處更開闊的學習空間，徹底打破「代表作」式的主觀認定，足見作者用心之深。更值得一提的，是作者累積長期的創作經驗，以及對現代文壇的深刻瞭解，簡要地記錄清代以後，中國文學史上種種強烈的轉型，及其前因後果，此部分往往爲通史性的文學史專著所忽略。本書具體而微地涵括中國數千年的文學發展，其著作之初衷，可謂影響深遠，然所論博而不精，廣而不深，卻也在所難免。

〈目次〉

一、古代文學（商代的甲骨金文與商書，詩經時代，周書與周易，楚辭時代，春秋至戰國的散文，秦代文學）；二、漢魏六朝文學（兩漢的樂府，漢代的五言詩，兩漢的辭賦，兩漢的散文，南北朝的樂府，魏晉六朝的五言詩，魏晉六朝的散文）；三、唐宋文學（初唐及開元時代的詩歌，天寶以後至唐末的詩歌，中唐的古文運動，兩宋的詩歌，宋代古文的復興，晚唐及兩宋的詞，唐

宋傳奇和話本，遼金文學）；四、元明清及近代文學（元明的詩歌，清代的詩歌，元明清的散文，元代的雜劇與散曲，明清的傳奇與散曲，元明清的長篇小說，西洋文化的輸入與五四運動，現代文壇鳥瞰）。

〈書評〉

1. 趙塋，〈蘇雪林著中國文學史〉，臺灣新生報，10 版，1971 年 6 月 18 日。
2. 陳致平，〈蘇雪林著中國文學史〉，華學月報，4 期，頁 18－27，1972 年 4 月。
3. 胡一貫，〈重調文學文物的焦距──評蘇雪林中國文學史〉，中央日報，17 版（長河），1989 年 4 月 29 日。
4. 許世旭，〈重新評詁蘇雪林教授著中國文學史〉，慶祝蘇雪林教授九秩晉五華誕國際學術研討會論文集，頁 4（1－7），國立成功大學中國文學系，1992 年 4 月。 （張惠淑）

中國文學大綱

易君左編著，臺北，信明出版社，2 冊，1971 年 6 月初版。

易君左（1899－1972），湖南漢壽人。國立北京大學、日本早稻田大學、上海中國公學畢業。歷任安徽大學教授、民國日報社社長、星島日報副刊主編、香港浸會學院教授、政工幹校教授兼臺灣銀行監察人。著有《中國文學史》、《中國政治史》、《中國社會史》、《社會學史要》、《君左詩選》等。

本書爲易君左先生《中國文學史》的另一伯仲篇。《中國文學史》是縱的記敘；本書則採橫向論述，期能全盤深切地認知中國文學的組成，以及解析構成中國文學的各項條件與技巧。

本書取材源於作者任敎香港浸會學院中語系時之講稿，內容排定則依中國文學之體裁酌劃爲詩歌、散文、小說、戲劇四部，分爲上、下二冊敍述。作者雖側重從橫斷面剖析中國文學的內涵及其特質之品鑒。然對各類文類文體的縱承關係，亦兼有適切的論述。其中，作者對於史料的引證頗爲謹愼，考究精詳，確能簡要地勾畫各體文學的演進全貌。惟未能列舉引證參考之書目資料，

是一缺憾。書前並附有中國歷代著名文學家之畫像，以供參閱。本書初版分爲上、下二冊，但迄今未見下冊，故只錄上冊之目次。

〈目次〉

插圖，自序，凡例，緒言；第一篇、詩歌：一、古代歌謠；二、詩經（廓清兩個疑點，詩經的內容，詩經的文學技巧，詩經的押韻）；三、楚辭（南方文學的崛起，楚辭的內容，屈原與離騷，楚辭的文學技巧）；四、賦（賦的淵源，漢賦及其他，賦的結構）；五、樂府詩系統（漢代樂府，南北朝樂府，唐代樂府）；六、古體詩系統（四言古詩，五言古詩，七言古詩）；七、近體詩系統（近體詩的醞釀與成立，律體，絕句，律絕各式舉例）；八、詞（詞的起源，詞的體制與聲調，詞的平仄和句式，詞的流派）；九、曲（曲的起源，曲的體制與音韻，四聲與襯字，散曲的流派）；一○、新體詩（新體詩的規律，新體詩的動向）。第二篇、散文：一、古代散文及其體制（古代散文名著，古代散文的體制）；二、駢文（駢文的醞釀及成立，駢文的特徵，駢偶的實例，駢文的掙扎與沒落）；三、散文的新生（第一次古文復興運動，第二次古文復興運動，古文由盛而衰）；四、語體文（語體文的崛起，語體文與駢散）。

（孫秀玲）

中國文學史分論

賓國振著，臺北，大中書局，184 頁，1971 年 10 月再版。

賓國振，湖南湘潭人。著有《晚悔樓詞》、《晚悔樓詩餘集》等。

本書共分九章卅四節，作者將中國文學的興起及其分類，搜羅群籍，擇要敍述，並將詩歌、辭賦、散文、詞曲、小說、八股文，分門別類，追溯原始，窮其流變。其間名家作者、風格體裁，亦引徵前人之說，間出己見，略加論次。所述自創體以迄清末民初，以文體爲綱，以時代爲緯，文詞淺白，極便於初學。

〈目次〉

一、緒論（文學之定義，文學之起源，文學分類，文學之遭變）；二、詩

歌（詩歌之含義及其原起，樂府，古近體詩，歷代著名詩人及其風格）；三、散文（散文之含義及其原起，散文中衰與古文運動，八大家之古文作家，晚明小品文）；；四、辭賦（辭賦界說，楚辭探源及其內容，賦之體制及其源流）；五、駢文（駢文章法及其源流，六朝駢文，唐宋四六，清代駢文之盛）；六、詞（詞之原起，詞之體制，詞與樂律，唐宋以來著名詞人及其風格）；七、曲（曲之含義及其原起，曲之體例，元明清作曲名家及其風格）；八、小說（小說之原起及其影響，小說分類，歷代小說名著及其演變，當代小說之流別）；九、八股文（八股文之特徵，八股文之沿革，明清兩代之八股名家，八股文之影響）。　　　　　　　　　　　　　　　　　　　　　　　　　　　（張惠淑）

中國文壇四千年

張迅齊著，臺北，康乃馨出版社，180 頁，1972 年 1 月初版。

　　張迅齊（1906－1986），江蘇上海人。私立日本大學畢業。曾任中央軍校、臺灣省訓練團講師，臺北市立二女中、大同高中教師。著有《中國現代語法發凡》、《文言助詞用法新解》、《菜根譚解說》、《菜話與茶經》等。

　　本書乃作者據其早年受業於王鑑秋先生時所錄的筆記整理而成。全書凡四篇十六節，記唐虞三代至清代之文學，通篇以淺近文言文寫成，節次雖繁，內容卻極簡略，或受限於取材較狹，致論述不豐，且未引錄名家作品，無法給讀者較直接的印證，甚爲可惜。

〈目次〉

　　緒論；一、上古文學——唐虞三代之文學（上古文學概觀，唐虞文學，三代文學，春秋戰國之文學，秦代文學）；二、中古文學——漢魏六朝文學（西漢文學，後漢文學，魏晉文學，宋齊梁陳之文學，北朝文學，隋代文學）；三、近古文學——唐宋元明之文學（唐代文學，宋代文學，元代文學，明代文學）；四、近世文學——清代文學（清代文學）。　　　　　　　　　　　　（張惠淑）

中國文學史略

李寶位編著，臺北，大聖書局，334 頁，1972 年 2 月初版。

本書起自先秦，終於晚清，上下凡三千年，各種文體，燦然略備。作者認為文學史以政治時代劃分，雖嫌勉強，但文學與政治實有至為密切的關係，文體得政治之援奧而發達，軌迹極為明顯。故本書仍以朝代為經，以文學各部門的發展為緯，分述主流，兼及旁支，共分八章三十四節。

本書對各種文體的淵源流變，與時代背景、文學思潮，均有所論述；對作家的評價，或詳或略，乃視其在當時文壇的地位與對後世的影響為斷。作者文筆流暢，於內容之取裁上，略嫌過簡，雖不致索然寡味，卻無法面面俱到，誠為「史略」之作。

〈目次〉

一、先秦的文學（詩經，楚辭，最早的散文）；二、秦漢三國的文學（秦漢文壇概觀，辭賦，樂府，五言詩，散文）；三、魏晉南北朝的文學（魏晉南北朝的文學思潮，駢儷文及文學批評，五言詩的極盛時期，民間文學的興起——新樂府詩，小說的萌芽）；四、唐代的文學（初唐詩，盛唐詩，中晚唐詩，古文運動，短篇小說，變文）；五、五代兩宋的文學（五代詞，北宋詞，南宋詞，兩宋的詩文，平話）；六、金元的文學（鼓子詞與諸宮調，散曲㈠、散曲㈡，雜劇）；七、明代的文學（散文，傳奇的繁興，小說）；八、清代的文學（小說，戲曲，正統文學）。　　　　　　　　　　　　（張惠淑）

中國文學史類編

褚柏思編著，臺北，臺灣商務印書館，263 頁，1972 年 4 月初版。

作者另有《中國文學概論》，已著錄，生平見前。

本書異於通史性的文學史專著，其寫作方式，是以文學體裁為類，再依照朝代為序，論述各文體的發展與流變過程，使文學與時代澈底結合，有助於更

清晰地瞭解文學史的意義。作者首先於緒論中簡述中國文學的性質和分類，以下分別就七種不同的文學形式，敍述各文體於各朝之發展，並結合作品及作家，分類編纂成書。本書述而不論，或因篇幅所限，致內容稍嫌簡略。

〈目次〉

一、緒論（中國文學的性質及其分類）；二、詩歌史（詩歌，詞曲）；三、文章史（散文，駢文）；四、小說史（小說演變，唐人傳奇，宋代小說，明代小說，清代小說）；五、戲劇史（戲劇發展，元代北曲，明代南曲，清代戲曲）；六、傳記文學史（古代，中世，近代）；七、遊記文學史（六朝時代，唐宋時代，元明清時代）；八、文學評論史（先秦時代，秦漢時代，六朝時代，隋唐時代，宋元時代，明清時代）。　　　　　　　　　　　　（張惠淑）

中國文學發展史

蔡慕陶編著，臺北，帕米爾書店，382 頁，1972 年 9 月初版。

蔡慕陶，湖南衡陽人。著有《中國通史》、《中國文化概論》等。

作者為推進文化復興運動，發憤將自己多年來研究教學的心得，寫成本書。全書共分十三章三十四節，始於周秦，迄於清代，書前有尉素秋序一篇。書中列舉歷代文學家及其重要著述，間或指出各時代的文風及其特色。

本書使用現代語言，活潑簡練；對於資料的處理，繁簡適中，態度謹慎，堪稱佳構。許多文學史的著作，以資料的堆積取勝，本書則試圖以治史的方法與態度，著重於文學遞嬗變遷的軌迹，以使讀者能瞭解文學的演進，同於其他各種歷史文化，確有其脈絡可循。

然而，作者於內容的安排上，似乎未能全面的反映出各代文學的風貌。如首章先秦文學部份，僅列示《詩經》與《楚辭》二書，雖可分別代表北方與南方的文學特質，卻只是先秦文學的一環，先秦散文的發達，亦不容忽視，其地位應與詩歌文學並駕齊驅。再則作者雖重視「史觀」的陳述，於各文體的興衰，各代文風之承轉及影響等，均缺乏解釋性，僅有少數的章節，如漢代、南北朝及明代，曾粗略地介紹當代的文學現象，然尚未能提示一可循的發展脈

絡。

〈目次〉

一、先秦文學（詩經，楚辭）；二、漢代文學（漢代的文學潮流，策論與傳記，漢賦的發展，漢賦的演變，漢代的樂府）；三、建安時期文學（曹氏父子的文學，建安七子的文學）；四、晉代文學（正始時期的文學，太康時期的文學，永嘉時期的文學，陶潛的田園文學）；五、南北朝文學（南北朝的文風，南北朝的詩歌，南北朝的評論文學）；六、唐代文學（古文運動，初唐詩歌，盛唐詩歌，晚唐詩歌，唐人小說）；七、五代文學（五代的歌詞）；八、宋代文學（北宋的詞，南宋的詞，北宋的詩，南宋的詩，宋代的散文，宋代的小說與戲曲）；九、元代文學（散曲、雜劇）；一〇、明代文學（明代的文風，明代的戲曲，明代的小說）；一一、清代文學（清代的散文，清代的詩詞，清代的戲曲，清代的小說）。　（張惠淑）

中國文學史

宋海屏著，臺北，臺灣學生書局，466 頁，1974 年 10 月初版。

宋海屏，安徽廬江人。安徽大學文學士。曾任國立重慶大學、上海法學院、東吳大學、臺灣師範大學、政治大學、中央大學等校教授，政工幹部學校一般學科系主任。著有《文史小言》、《文史論叢》、《詩經新譯》、《文章作法概要》等。

本書原為作者於各公、私立大學講授中國文學史課程的講義，茲因國立中央大學在臺復校第二屆中國文學系全體同學，請作者將此講義刊印成書，並負責繕稿校正等工作，遂將此講義提前付梓，曾由臺北：中國美術出版社於1972 年 9 月初版，466 頁。

全書分為上、下篇，共三十章，上篇含首章至第十五章，敘述先秦至五代十國的文學；下篇含第十六章至末章，敘述趙宋至遜清各代的文學。至於民國以降的「現在文學」，則不在論述之列。

作者認為文學史應以時代為經，以文體為緯，以作者為中心，以作品為證

據；從而探索其根源，理清其發生、演進、變化的脈絡；然後考定其眞僞，品評其優劣；由經驗中求啓示，在陳蹟中尋新路，此方爲研究中國文學史的正確途徑。可惜作者在撰述時，引文過多，分析說明太少，缺乏自己的見解，尤其在引用資料時，未詳加考辨，故疏漏之處甚多。

〈目次〉

一、上篇：先秦至五代（先秦韻文，先秦散文，秦漢文學，建安文學，魏晉文學，南朝文學，北朝文學，隋唐文學，初唐詩歌，盛唐詩歌，中唐詩歌，晚唐詩歌，唐代歌詞，唐代傳奇，五代文學）；二、下篇：宋代至淸代（北宋散文，北宋詩歌，北宋歌詞，理學文人，南宋詩歌，南宋歌詞，宋代小說，元代戲曲，元曲作家，明代文學，明代戲曲，明代小說，淸代文學，淸詩、詞、曲，淸代小說）；附：參考書目。

〈書評〉

1. 宋海屛，〈關於我的文學史〉，中華日報，9 版，1972 年 8 月 17 日。收入《文史論叢》，頁 213－217，臺北，新文豐出版公司，1978 年 5 月。
2. 齊孝維，〈評宋著中國文學史〉，書評書目，88 期，頁 60－65，1980 年 8 月。 （張惠淑）

中國文學史話

褚柏思著，臺北，黎明文化事業公司，379 頁，1982 年 12 月初版。

作者另有《中國文學概論》，已著錄，生平見前。

本書曾由臺北：東方出版社於 1973 年初版，285 頁。作者希望透過本書的選輯，讓下一代靑年能夠略微知道一些「國寶」；更讓外國人士，正確地認識中國文化。全書從孔子——文藝之祖寫起，至「五四」以後的梁寒操——國際詩人止，凡六十二位作家，各篇先示該作家的傳略，再選列其部分代表作，最後是一段評論，多依序引用前人之論，再略表作者個人的觀感。書末並附有〈褚柏思敎授著六大史話評介〉一文及本書作者著述表。

作者認爲本書所選作家，多因其承先啓後，有所開創，完全由客觀上的作

品來決定，故雖無法窺得中國文學的全貌，也已能經由本書之選介，有較直接的感受與認識。〈序言〉可視爲一篇中國文學的簡史，內文部分與其他名爲「史話」、「講話」的專著相較，似乎稍嫌缺乏敍述性，或因受限於體例所致。

〈目次〉

學運動家；六〇、于右任──革命詩人；六一、徐志摩──新月派詩人；六二、梁寒操──國際詩人；附錄一：褚柏思教授著六大史話評介；附錄二：本書作者著述表。

〈書評〉

1. 李梅溪，〈褚柏思教授著六大史話評介〉，國風雜誌，1 卷 6 期。又收入《中國文學史話》附錄。
(張惠淑)

中國文學通論

王宇綏著，臺北，五洲出版社，186 頁，1974 年 8 月初版。

王宇綏，編有《俗語典》、《不朽的歷史文獻》、《汽車工業名詞辭典》等。

本書分為八章，並有四項附錄，由中國的文字寫起，再依各種文體以簡短的篇幅敘述其要，最後以〈中國文學之發展〉作結。附錄則均係古今韻的分類表，屬於聲韻學的專業知識領域。

全書雖分成八章，但內容多寡不均，如第三章〈詩詞曲〉篇幅最巨，全文長達百頁；而第四章〈小說〉篇幅最短，僅約兩百字。故雖別立專章，實不足以合併成書，此於架構的安排上，無疑是一大缺失。而文中收錄許多作品，缺少分析解說，只是拼湊篇幅，更顯示出內容之貧乏。

整體而言，本書固名之曰《中國文學通論》，首頁之編輯大意又云：「本書以編著多年，查證詳確，合于一般社會青年進修，在復興文化運動推行中，希望可以予青年朋友們以新中國文化之基本認識，從而發展現時代中國文學。」然以本書之水準，恐難有任何成效。

〈目次〉

一、文字起源。二、文學與文體。三、詩詞曲；四、小說；五、散文；六、駢文；七、新文學；八、中國文學之發展；附錄一：今韻之古分表。附錄二：古十七部諧聲表；附錄三：古十七部合用類別；附錄四：陳煥編修表。
(張惠淑)

中國文學史

孟瑤編著，臺北，大中國圖書公司，763 頁，1974 年 8 月初版。

孟瑤（1919－　　），本名楊宗珍，湖北漢口人。國立中央大學畢業。曾任國立臺灣師範大學、私立東海大學、新加坡南洋大學、國立中興大學等校教授。著有《中國小說史》、《中國戲曲史》、《杜甫傳》等。

作者貢獻十年敎讀中國文學史所得，編寫成本書，縱橫自先秦以迄淸代的文學現象，全書按朝代劃分為八章，各章再分述各種文體的起源、分類、特色、影響及評價。作者秉持較圓融的文學觀，認為中國文學有詩、散文、小說、戲劇等四個源頭，棄一不可，故本書以此為講述範圍；又文學，是由內容與形式相輔完成，且輾轉遞嬗，故不論文人雅製或民間創作，於本書則希望兩者兼顧，作者的用心與宏觀，已能發揮史學、史識之長。

全書涵括的內容豐富，但構篇稍嫌煩瑣且缺乏一貫性，致讀者未能淸楚地掌握前後章節之間的關係。作者於立論時，雖已力求客觀、公正，僅並列各方意見，而不加評斷，但於作品的優劣與作家的成就之論，卻又每每失之於主觀；於論點之闡述，喜見作者多有創新，可惜於成說往往略而不論，如論詞的長成，元曲的興起等，皆有言之未盡的缺憾。故於各文體產生的原因，及其彼此間的關連性，以至於文學與時代、環境的關係，均可再做更深入的闡釋。

〈目次〉

一、先秦（原始文學，詩，文）；二、兩漢（詩，文）；三、魏晉南北朝（學術思潮，人生哲學，文學風貌，詩，文）；四、隋唐五代（詩，散文，變文，小說，詞）；五、宋遼金（詩，詞，散文，小說，戲劇）；六、元（舊傳統的詩文，新創作的曲）；七、明（詩歌，散文，小說，戲劇）；八、淸（詩歌，散文，小說，戲劇）。　　　　　　　　　　　　　　　（張惠淑）

中國文學史

陶友蘭著，臺北，新陸書局，378 頁，1974 年 9 月初版。

陶友蘭（1902－　　　），上海人。南京中央大學歷史系畢業，曾任敎於安徽大學。來臺後，任臺灣省政府敎育廳會計主任退休。

本書所述，上自周代，下迄民初，依朝代爲序，綜合敍述各類文體的興衰與特質，尤其著重各種文學現象建構下的發展歷程，故於個別作家的論述，則特別標舉於中國文學史上具有承先啓後的地位者。全書無層次分明的標題，僅由作者就所定章節，一一敍述各朝之間文學遞嬗的軌道，間而列舉最具代表性的作家、作品爲例，可見作者前後一貫的文學史觀。書中引文多詳實而完整，爲一編寫嚴謹的文學史專著。

〈目次〉

一、詩經（詩經以前，詩經本身，從詩經看周代社會，名詩簡介）；二、楚辭（從詩經到楚辭，屈原及其離騷，宋玉及其他）；三、先秦散文（尙書，春秋，戰國策，諸子）；四、漢賦及樂府（策論及傳記，賦，樂府及詩歌，建安文學）；五、兩晉及南北朝文學（從阮籍到陶潛，駢文和律詩，文學批評、新樂府、小說，北朝文學與隋文學）；六、唐詩（唐詩鳥瞰，初唐詩，盛唐詩，中唐詩，晚唐詩，唐詩結語）；七、唐文及傳奇小說（韓愈以前，韓愈，韓愈以後，傳奇小說）；八、晚唐五代及宋詞（晚唐五代詞，北宋詞，南宋詞）；九、宋詩文及小說戲劇（宋詩，宋文，宋小說戲劇）；一〇、元曲（金元文學，元曲體制，南北曲，宮調，聲調，元曲名家及名作）；一一、明代文學（文字獄與八股文，散文，詩詞，戲曲，小說）；一二、淸代文學（散文，詩詞，小說和戲曲）；一三、民初文學革命。　　　　　　　　　　（張惠淑）

中國文學史

丁平著，臺北，黎明文化事業公司，342 頁，1984 年 8 月初版。

丁平，曾任教於香港華僑工商學院、清華學院、廣大學院等校。著有《散文小說的寫作研究》等。

　　本書係作者自 1953 年起，便斷斷續續地開始逐章編寫，至 1973 年夏天，遂把歷年所寫的和收集的零章斷節，加以編排整理，於 1974 年 5 月完成，由香港：新文化事業供應公司初版，計 330 頁。

　　本書內容，除了取材於我國歷代的集、志舊籍外，也參考了謝无量的《中國文學史》及劉大杰的《中國文學發展史》；更有不少是採自胡雪天、劉玉書二位教授早年的講義；至於有關春秋戰國時期的散文部份，則選用蘇雪林教授的見解。

　　全書共分八編，凡三十五章，上自先秦，下迄民初，以時代為經，以文學的各種形式的演變和發展的歷程為緯，對於每一個時代的主要作家和重要作品，都盡力以較客觀的角度敘述。書末並附錄〈中國文學史上的作家聯稱〉及〈中國文學史上的同類作家聯稱〉二表。

　　本書雖多援引諸家之說而成，然而作者編寫得宜，使每一章節之間能環環相扣，並兼顧及各朝代文學的全面性。全書簡明扼要，又兩項附錄頗有助於學習，是為本書的重要特色。

〈目次〉

　　一、先秦文學（中國文學史的序幕，詩三百篇，楚辭，春秋戰國時期的散文）；二、兩漢文學（兩漢的辭賦，兩漢的散文，五古詩與樂府詩，建安時期的文學）；三、魏晉南北朝文學（魏晉南北朝的文學思潮，魏晉南北朝的貴族及文人詩歌，魏晉南北朝的平民詩歌，魏晉文，魏晉小說及文學批評，南北朝的總集與文學批評）；四、唐五代文學（唐詩，中唐的古文運動，唐代的傳奇，五代文學）；五、宋代文學（宋代文學的趨向，宋代的古文運動語錄及文學批評，北宋詞，南宋詞，宋代的詩，宋代的小說）；六、元代文學（元代的雜劇，元代的傳奇，元代的長篇小說，元代的詩詞及散文）；七、明清文學（明代的小說，明代復古派的詩文，明清的崑曲與地方劇，清代的小說，清代的駢文和散文，清代的詩詞）；八、文學革命的前夜（文學革命的前幕）；九、附章（中國文學史上的作家聯稱，中國文學史上的同類作家聯稱）。　　　　（張惠淑）

中國文學概論

尹雪曼著，臺北，三民書局，346 頁，1991 年 8 月四刷。

尹雪曼（1918－　　），本名尹光榮，河南汲縣人。畢業於國立西北大學，美國米蘇里大學新聞學院文學碩士。原從事新聞記者工作，後曾擔任國立成功大學、臺灣藝術專科學校及私立中國文化大學、世界新聞專科學校教授。著有《中國新文學史論》、《現代文學與新存在主義》等。

本書於 1975 年 12 月初版。作者多年教授「文學概論」課程，因鑑於坊間許多「文學概論」之書，不僅亦中亦西，而且各有所偏，為使一般科系學生閱讀受益，所以撰作本書，期望大專院校一般科系的學生在選讀「文學概論」這門課程時，能先對我國文學有個概略的認識，諸如對我國歷朝歷代之文人、學者對文學的觀念和認識、我國文學的演變、儒家、道家以及佛教對我國文學的影響等等。基礎認識建立後，作者在本書章節安排上，也分詩詞、文章、小說、戲劇四大類，探討我國文學以往的各項成就。由於本書乃是針對一般性學生讀者（非中文系）而作，所以，撰作內容趨於簡易，文字淺白，對一般讀者而言，閱讀上當不會有太大的困難。

〈目次〉

一、緒論（我國文學作品的演進，儒家思想與我國文學創作，道家思想與我國文學創作，佛家經典與我國文學創作）；二、詩歌詞曲論（詩歌詞曲的演變，詩經與楚辭的比較，唐詩的光芒與價值，宋詞元曲的透視）；三、文章論（我國文章的演變，秦漢文章的特色，古文運動與唐宋古文家，明清文章的概貌）；四、小說論（我國小說的演變，筆記和傳奇的特色，從平話到章回小說，著名章回小說評介）；五、戲曲論（我國戲曲的演變，元代的雜劇，明清的傳奇，地方戲和國劇）。

〈書評〉

1. 彭歌，〈似易實難—談尹雪曼著中國文學概論〉，聯合報，12 版，1976 年 3 月 20 日。　　　　　　　　　　　　　　　　　　　　　　　（黃惠菁）

增訂中國文學史初稿

王忠林、左松超、皮述民、金榮華、邱燮友、黃錦鋐、傅錫壬、應裕康合著，臺北，福記文化圖書公司，1290 頁，1985 年 5 月修訂三版。

王忠林（1929－　　），吉林懷德人。國立臺灣師範大學國文研究所碩士班、博士班畢業，國家文學博士，曾任教於臺灣師範大學、私立中國文化大學、南洋大學、國立高雄師範大學等校。著有《周易正義引書考》、《中國文學之聲律研究》、《元曲六大家》等。

左松超（1935－　　），江蘇鎮江人。國立臺灣師範大學國文研究所碩士班、博士班畢業，國家文學博士。曾任教於臺灣師範大學、清華大學、東吳大學、中央大學等校，現任香港浸會學院中文系教授。著有《古聲紐演變考》、《左傳虛字集釋》、《說苑集證》等。

皮述民（1932－　　），湖南沅江人。國立臺灣師範大學國文研究所碩士。曾任南洋大學教授、香港大學客座教授。現任私立中國文化大學中文系所教授。著有《宋代小說考證》、《短篇小說構成論例》、《紅樓夢考論集》等。

金榮華（1936－　　），江蘇無錫人。國立臺灣師範大學國文研究所碩士，美國威斯康辛大學圖書館學研究所碩士，法國巴黎比較文學研究所研究。曾任墨西哥學院東方研究所客座教授，現任私立中國文化大學中文系所教授兼主任、所長。著有《史記屈賈列傳疏證》、《比較文學》、《真臘風土記校注》、《敦煌俗字索引》等。

邱燮友（1931－　　），福建龍巖人。國立臺灣師範大學國文研究所碩士，現任國立臺灣師範大學國文系所教授，曾兼主任、所長。著有《古文運動史略》、《白居易》、《中國歷代故事詩》、《散文結構》、《品詩吟詩》、《唐詩朗誦》、《唐宋詞吟唱》等。

黃錦鋐（1922－　　），福建莆田人。國立臺灣師範大學國文系畢業，日本國立九州大學文學博士。曾任國立臺灣師範大學國文系所教授兼主任、所長，現已退休，為兼任教授。著有《莊子讀本》、《莊子及其文學》、《莊子與郭

— 51 —

象》、《中學國文教學法》、《秦漢思想研究》等。

傅錫壬（1938－　　　），浙江東陽人。國立臺灣大學中文研究所碩士班、國立臺灣師範大學國文研究所博士班畢業，國家文學博士。曾任國立臺灣大學講師，現任私立淡江大學中文系教授兼文學院院長。著有《楚辭語法研究》、《楚辭古韻考釋》、《李清照》、《唐代牛李黨爭與當時文學之關係析論》等。

應裕康（1932－　　　），浙江鄞縣人。國立臺灣師範大學國文研究所碩士班、國立政治大學中文研究所博士班畢業，國家文學博士。曾任教於政治大學、南洋大學，現任國立高雄師範大學國文系所教授。著有《唐韻集韻切語上字異同考》、《清代韻圖之研究》等。

本書於 1978 年 11 月，由臺北：石門圖書公司初版，1278 頁，1983 年 5 月增訂後，改由臺北：福記文化圖書公司出版。此書由八位在各大學中文系或國文系擔任「中國文學史」的教授，採用集體分工的方式，依據「歷史的重心在民生」之民生史觀，就各人所長撰寫而成。

本書自上古三代寫至清代，共分八編四十六章，簡要地敍述歷朝各種文體之發展軌跡。文中多以分期的方式介紹當代的重要作家及作品，並分析各種文學現象，進而探索其背景與導因。在內容上，本書確能於既有之基礎更加擴充，如「中國神話不發達的原因」、「敦煌變文」等，均可補其他文學史著作之不足。在體例上，多依該時期所發展之各種文體為主，別立成章，順序論列，前後一貫，堪稱完備。在編寫工作上，因採個人執筆、集體討論的方式完成，故能力排主觀之失；又文中常列舉標題，頗利於讀者對全文重點之掌握。全書以通俗流暢的語言，極簡要地記述我國文學發展的進程，為八位專研中國文學史學者之結晶，故常被各大學援為「中國文學史」教材之用，影響深遠。

〈目次〉

一、上古三代文學（中國文字的起源，古代的神話與傳說，殷商時代文學的斷片，卜筮之書——周易，北方詩歌總集——詩經，春秋戰國的散文，南方詩歌總集——楚辭）；二、秦漢文學（秦代文學概述，兩漢的辭賦，漢代的史傳散文，樂府與民歌，五七言詩的興起）；三、魏晉南北朝文學（建安詩歌與正始詩歌，兩晉詩歌，南北朝詩歌，南北朝樂府及民歌，魏晉南北朝的賦、駢

文與散文，魏晉南北朝的小說）；四、隋唐五代文學（隋代文學，唐代詩歌（上），唐代詩歌（下），唐代古文運動，唐代傳奇小說，唐代通俗文學，唐五代詞）；五、宋代文學（宋代的散文，北宋的詩歌，南宋的詩，北宋的詞，南宋的詞，宋代的戲曲，宋代的小說，宋代的文學批評，遼金文學）；六、元代文學（元代的詩文，元代散曲，元代雜劇）；七、明代文學（明初的詩文，明代的戲劇，明代散曲及民歌，明代的小說與話本）；八、清代文學（清代詩詞，清代的駢文與散文，清代的戲劇，清代的民歌與講唱文學，清代小說）。

（張惠淑）

中國文學史

前野直彬主編，連秀華、何寄澎譯，臺北，長安出版社，380 頁，1979 年 9 月初版。

前野直彬（1920－　　），日本東京人。東京大學文學部畢業，京都大學文學碩士。曾任名古屋大學講師，東京教育大學副教授，東京大學文學部中國語中國文學系系主任兼研究所所長等。著有《中國文學序說》、《唐代的詩人們》、《唐詩鑑賞辭典》、《中國小說史》、《中國小說史考》、《六朝唐宋小說選》等。

連秀華（1944－　　），臺北市人。國立臺灣大學哲學系學士，日本東京大學博士班研究。現任國立編譯館副編審。

何寄澎（1950－　　），河南扶溝人。私立輔仁大學中文系學士，國立臺灣大學中文研究所碩士、博士。現任臺灣大學中文系教授兼夜間部主任。著有《總是玉關情——唐代邊塞詩初探》、《唐宋古文新探》、《北宋的古文運動》等。

本書是日本東京大學的學者，在前野直彬博士主持下，各就其專精部分執筆，集體著作而成，於 1975 年 6 月由東京大學出版會初版。此書在日本漢學界享有極高評價，其特點有二：第一、能提供讀者一個清晰而完整的文學史觀；第二、此書是在一種史觀下，由眾多學者集體著作而成。日本學者在研究態度上，格外重視文學背景的了解，藉此基礎，其對文學現象所作之結論，就

不致流於空泛，而文學世界的真象也容易浮顯。全書按時代分章，之後分別文體，加以論述。由於係以「史」之角度觀察文學，因之能將各文體之間的關係、傳承，以及自身的演變、相互影響等現象，賦予清晰面貌。其不僅指陳了各種文學的表層現象，更進一步對底層變化加以探究，就一部文學史的著作而言，本書便具有了特殊的意義與價值。

〈目次〉

　　　　　　　　　　　（黃惠菁）

中國文學發展探源（上）

李道顯著，臺北，文史哲出版社，327 頁，1981 年 10 月初版。

李道顯（1930－　　　），雲南牟定人。私立中國文化大學中文研究所碩士班、博士班畢業，國家文學博士。曾任教於文化大學中文系，現任教於國立臺北師範學院語文教育系。著有《詩品研究》、《杜甫詩史研究》、《文學名著研評舉隅》等。

本書僅出版上冊，自《詩經》以迄唐代，共分十二章，除首章為「緒論」，敘述文學的各項特質之外；其下依朝代為序，分別簡述當代的時代背景及重要的文學作品。並品評各作家、作品的價值及其對後世的影響。

作者於章節的安排上略顯繁簡不一，如同屬文風鼎盛的漢唐兩代，漢朝的文學分為三章論述，其篇幅卻與唐代詩歌一章相當。又全書疏於校對，多有文字及標點等號上的錯誤，如「豳風」常作「幽風」、「摽有梅」作「摽梅」、「哀哀父母，生我劬勞」作「哀哀父母，生我勛勞」。凡此種種，均需讀者於閱讀時更加謹慎，以免訛誤。

中國文學的發展概述

王夢鷗等著，臺北，中央文物供應社，388頁，1982年9月初版。

王夢鷗（1907－　　），福建長樂人。福建學院畢業，日本早稻田大學文學研究所研究。曾任教於廈門大學、國立臺灣師範學院、中興大學、政治大學等校，現任政治大學、東吳大學中文研究所兼任教授。著有《唐人小說研究

(1-4集)》、《文藝美學》、《文學概論》、《唐人小說校釋（上、下）》、《傳統文學論衡》等。

　　本書另有簡宗梧、羅聯添、吳宏一、呂正惠、黃志民、陳萬益、李豐楙等多位作者，其生平從略。本書係由中華文化復興運動推行委員會所主編，為《中華文化叢書》之一。全書共分七篇，由八位作者共同執筆，一面配合時代的順序進行，一面也注重文類變遷的歷史；再就各人平日所專意的部份，分章撰寫。

　　本書就一般文學史家所共認的中國文學歷代相承的情形，從中把握其發展之大勢，作一鳥瞰式的敘述。對於各文體產生之原因、背景及興衰的現象，也都有簡要的論述。自詩書騷賦寫起，依序以各時期的代表文體為主，逐次編寫，至清末民初的文學為止。涵括的時代相當久遠，但由於僅限以歷代的代表文體為範疇，故可免蕪雜、交錯之苦，致力於更深入的探究，能使讀者對各朝最鮮明的文學現象有較系統的認識。

　　本書為力求篇幅精簡，凡涉及歧義疑情，有須徵引前人意見或原典例證者，悉以附註出之；附註各具書名、卷數及其篇目，以便讀者按索。雖各篇之體例不盡相同，卻多能掌握主題，適度地發揮其所長，故可供欲觀我國文學發展大勢者入門之助。

〈目次〉

　　一、詩書騷賦發展之迹緒（從口傳文學到詩書的完成，士大夫文學的興起，漢賦與漢代的文學發展）（簡宗梧）；二、魏晉南北朝文學之發展（引言，建安正始元康之文風，南朝踵事增華的文學發展，北朝文學之演變）（王夢鷗）；三、唐宋古文的發展與演變（引言，唐代古文的開端與發展，唐代古文的興盛，宋代古文的再生，宋代古文的中興，宋代古文的傳承與轉變）（羅聯添）；四、詩詞曲的遞嬗與發展（引言，詩的演進與發展，詞的興起與發展，曲的興起與發展）（吳宏一、呂正惠）；五、明清詩文的發展（時代背景，明清詩文發展概述，明清詩文發展情勢的檢討）（黃志民）；六、明清小說的發展（引言，明初到嘉靖，明萬曆至清乾隆，清乾隆以後）（陳萬益）；七、近代中國文學的發展（引言，新文藝運動與文藝思潮，新詩的發展與流派，散文的類

型及其發展，小說的理論與作品，話劇的發展與劇運）（李豐楙）。（張惠淑）

中國文學講話

中華文化復興運動推行委員會、國家文藝基金管理委員會主編，臺北，巨流圖書公司，10 冊〔610、532、489、546、537、565、537、629、467、669 頁），1982 年 12 月——1987 年 11 月初版。

中華文化復興運動推行委員會與國家文藝基金會聯合舉辦的中國文藝研究班，自第七期起，專門講授中國古典文學，其課程蓋以中國文學史乘爲次第，由經入史而子集百家，再進入專人、專書及專題之研究。本書乃將每次授課的內容筆錄整理成書，歷時六年，始全部出版。

全套書共分十冊，五十篇，每篇之下再細分若干目。每一目均由一位教授擔任主講，經錄音筆記整理成章後，交予教授寓目，再編輯、出版。全書除首冊爲概說之外，以下依時代爲序，記述自周代以迄清代的文學，將各類文體於各朝代的發展情形及其成就、影響，一一別立專章論述。至於「文學價值」的部分，則統合於首章論述。

本書採取廣義的文學觀，故無論經、史、子、集，皆屬於中國文學的範疇，是以本書收羅宏富，且各章均延請學有專精的教授負責講授，則章章皆爲精闢、獨到之論文。但由於授者的析解各有其法，整理人的文體各有其風格、標準，故在文章的章法、範式上，難免有風格殊異的情形。

本書之內容除概述中國文學之外，仍有部分篇章是屬於研究性質的專論，如〈研究中國文學的幾個層面〉及〈佛教對中國文學的影響〉等。又於第八冊收有〈詩文吟誦例說〉一文，亦非中國文學史的範圍，但由於本書係依該研究班所開列的課程內容整理而成，故不得不然也。基於此項限制，也使本套書在章節的安排上，迥異於其他的文學通史，而有所偏廢。然而，藉由本書之出版，可提供一般社會大眾認識中國文學，其影響也必然更甚於學術性的專論，故其貢獻不容忽視。

的散文形態（王仁鈞），從莊子談藝術創造的原理（顏崑陽）。二、墨子之部：墨子——熱情救世的鉅子（王冬珍），墨子的文學觀（王冬珍），墨子的辯術（王冬珍），墨子書的文學價值及影響力（王冬珍）。三、孟子之部：孟子的辯論術（余培林），孟子中的小說雛型（王熙元），孟子的譬喻技巧及其對後世文學影響（張學波），孟子的文人性格（魏子雲）。四、荀子之部：荀子——一個奇特的思想（陳修武），荀子學說在人群共同生活中的建設性價值與潛在災難性（陳修武），荀子的文學觀——他如何看詩（陳修武），荀子的文學觀——他如何看音樂（陳修武），荀子一書的文學價值（陳修武）。五、韓非子之部：韓非——一位悲劇性的思想家（周富美），韓非的文學觀（周富美），韓非散文的藝術（周富美）。六、其他：晏子春秋及其散文特色（王更生），公孫龍子及其文學（劉兆祐），李斯之生平、著述及其文學（李威熊），李斯的文學（蔡信發），呂不韋與呂氏春秋（田鳳台），呂氏春秋的思想與文學（董金裕）。

第四冊：兩漢文學。兩漢文學概述（葉慶炳）。一、史記之部：司馬遷與史記（黃錦鋐），史記選讀——項羽本紀（李鍌），史記選讀——留侯世家（黃永武），史記選讀——淮陰侯列傳（李殿魁），史記選讀——魏公子列傳（胡自逢），史記選讀——刺客列傳（吳宏一），史記選讀——遊俠列傳（吳宏一）。二、漢書之部：漢書的成書及其體例（李威熊），漢書藝文志的讀法（劉兆祐），漢書選讀——霍光傳（劉兆祐），漢書選讀——李廣蘇建傳（羅宗濤），漢書選讀——范滂傳（魏子雲）。三、漢賦之部：賈誼與枚乘（齊益壽），漢賦名家——司馬相如（簡宗梧），漢賦名家——東方朔（魏子雲），漢賦名家——揚雄（簡宗梧），漢賦名家——班固（胡自逢），漢賦名家——張衡與王褒（黃錦鋐）。四、漢詩之部：漢初的詩（方祖燊），漢樂府綜論及選讀（邱燮友），漢五言詩綜論（汪中），古詩十九首（方瑜），蔡琰悲憤詩（李鍌），孔雀東南飛（葉慶炳）。

第五冊：魏晉南北朝文學。一、魏晉之部：魏晉文學概說（葉慶炳），曹丕典論論文對魏晉文風的影響（黃錦鋐），曹氏父子（林文月），建安七子（魏子雲），阮籍（黃錦鋐），嵇康（方瑜），三張（張夢機），二陸（黃春貴），兩潘（邱燮友），左思（吳宏一），劉琨（王熙元），郭璞（李豐楙），陶淵明（方

祖燊）。二、南北朝之部：南北朝文學概說（葉慶炳），南北朝文學風尚（李威熊），魏晉南北朝的散文與賦（簡宗梧），謝靈運（汪中），鮑照（呂正惠），謝朓（傅錫壬），文心雕龍（潘重規），詩品（汪中），蕭氏父子（李鎏），昭明文選（蔡信發），江淹吳均等人（周何），玉臺新詠（尤信雄），庾信（杜松柏），南朝民歌（邱燮友），北朝民歌（羅宗濤），志怪小說（葉慶炳），志怪小說與笑話書（劉兆祐）。

　　第六冊：隋唐文學。一、隋唐概說：隋唐文學概說（葉慶炳），王績、陳子昂（黃錦鋐）。二、唐代詩：初唐──王梵志、寒山（陳慧劍），初唐四傑詩選講（黃景進），沈佺期、宋之問（洪順隆）；盛唐詩──王維（杜松柏），孟浩然（杜松柏），高適、岑參（阮廷瑜），李白（方瑜），杜甫（汪中）；中唐詩──韋應物、白居易、元稹（邱燮友），韓愈（董金裕），孟郊、賈島（王次澄），李賀（楊文雄）；晚唐詩──李商隱（張夢機），杜牧（張夢機）。三、唐代文：唐代古文的發展與演變（羅聯添），韓愈古文之淵源、創作與特徵（羅聯添），柳宗元山水記與論辯文的分析（羅聯添），韓柳比較（羅聯添）。四、唐代傳奇：唐代傳奇㈠（傅錫壬），唐代傳奇㈡（傅錫壬），唐代傳奇㈢（魏子雲）。五、其他：敦煌變文中詩歌形式之探討（羅宗濤），唐五代詞（王熙元），唐代文學批評（張健）。

　　第七冊：兩宋文學。一、兩宋文學概說：兩宋文學概說（黃錦鋐）。二、宋代散文：歐陽脩（王更生），曾鞏（王更生），王安石（蔡信發），蘇洵（廉永英），蘇軾（許錟輝），蘇轍（許錟輝）。三、宋代詩歌：歐陽脩（汪中），三蘇（黃啓方），黃庭堅（汪中），南宋四大家（黃志民），江西詩社宗派（龔鵬程），宋詩的特色（杜松柏）。四、宋代詞曲：張先、柳永（張子良），大小晏（王熙元），歐陽脩（王熙元），蘇軾（張夢機），秦觀（丁原基），周邦彥（洪惟助），李清照、朱淑眞（林玫儀），陸游（傅錫壬），姜夔（洪惟助），辛棄疾（張夢機），吳文英（陳滿銘），張炎（閔宗述）。五、宋代小說：話本小說緒論（賴芳伶），短篇話本的常用佈局（葉慶炳）。六、宋代戲曲：南戲綜說（李殿魁）。七、宋代文學批評：宋代文學批評（張健）。

　　第八冊：遼金元文學。一、概說：遼金元文學概說（葉慶炳），宋末遺民

文學之研究（蘇文婷）。二、遼金元詩詞及散文：金元詩歌析論（林明德），元代詩學（包根弟），金元兩代詞（張子良），遼金元散文（王更生）。三、金元散曲及話本：逍遙自適的元散曲世界（王熙元），金元散曲（賴橋本），董西廂（弦索話本）（呂凱）。四、元雜劇及其各家：元雜劇與唐傳奇之關係（何寄澎），元人雜劇的搬演（曾永義），王實甫（魏子雲），關漢卿（李殿魁），馬致遠（洪惟助），白樸（黃麗貞），元劇四大家之外（廖玉蕙），元雜劇的趙氏孤兒與水滸傳（李殿魁），談元代戀愛劇的寫作技巧（叢靜文）。五、遼金元小說：元建安虞氏新刊五種平話試探（羅宗濤）。六、批評：金元文學批評（張健）。七、詩文吟誦例說：詩詞吟唱面面觀（王更生），詩文美讀與元曲吟唱（邱燮友），元曲吟唱（賴橋本），詩詞的韻律音（魏子雲）。

第九冊：明代文學。一、概說：明代文學概說（葉慶炳）。二、詩、散文、小品：明代詩文的庸俗化與反庸俗化（簡錦松），明代散文（周志文），晚明小品（廖玉蕙）。三、小說：三國演義（張健），水滸傳（尉天驄），西遊記（鄭明娳），金瓶梅（魏子雲），楊家將（魏子雲），平妖傳（魏子雲），三言（王國良），二拍（楊昌年），話本（王三慶），寶卷（曾子良），其他各類小說和散文（李殿魁）。四、戲曲：明代雜劇演進的情勢（曾永義），明初五大傳奇（王安祈），梁辰漁及其浣紗記（朱昆槐），李開先及其寶劍記（李殿魁），沈璟及其作品（曾永義），湯顯祖及其牡丹亭（張敬），吳炳及其粲花五種（張敬）。五、民歌：明代民歌（鹿憶鹿）。六、批評：明代文學批評（張健），晚明文學批評（邵紅）。

第十冊：清代文學。一、概說：清代文學概說（黃錦鋐），二、詩詞：清代詩（包根弟），清代詞曲（王熙元），清代民歌衍說（魏子雲）。三、散文：清代古文（尤信雄），清代小品文（周志文），桐城派（尤信雄）。四、小說：通論——講史小說（王國良），人情小說（陳萬益），狹邪小說（楊昌年），晚清社會與晚清小說（尉天驄）；專書——紅樓夢（王三慶），紅樓夢（康來新），儒林外史（鄭明娳），兒女英雄傳（尉天驄），鏡花緣（林連祥），野叟曝言（王瓊玲），浮生六記（王仁鈞），聊齋誌異（羅敬之），閱微草堂筆記（葉慶炳），子不語（新齊諧）（王國良）。五、戲曲：概論——清代傳奇及雜劇（王

安祈），談皮黃戲（魏子雲），清代各種地方戲（魏子雲），清代的講唱文學（王友蘭）；專書：桃花扇（黃麗貞），長生殿（曾永義），笠翁十種曲（張敬），吟風閣雜劇（曾永義）。六、批評、考據、翻譯：清代文學批評（張健），談考據（魏子雲），晚清西洋文學之譯介（何欣）。

〈書評〉

1. 魏子雲，〈中國文學講話〉，中央日報，10 版，1984 年 1 月 2 日。
2. 王熙元，〈古典文學的壓軸戲—評介中國文學講話（十）清代文學〉，文訊，35 期，頁 168－171，1988 年 4 月。　　　　　　　　　　　　　（張惠淑）

中國文學述論

周紹賢著，臺北，臺灣商務印書館，429 頁，1983 年 9 月初版。

　　周紹賢（1907－　　　），山東海陽人。山東大學文科畢業。曾任中學教員。來臺後，曾任私立東吳大學、國立臺灣師範大學、國立政治大學哲學系、私立輔仁大學哲學研究所等校教授。著有《魏晉清談述論》、《老子要義》、《佛學概論》、《中國文學論衡》、《論李杜詩》等。

　　本書係以專題述論的方式寫成，全書共分二十七個主題，分別論述文學的功用、思想、流變、主張等，並針對各種文體作簡要的敍述。此外，對於文學的技巧，包括對偶、音律、用典等法則，也有專門的探討。

　　作者並非作一完整的文學史論，故採用主題式的寫作方式，更容易使讀者對文學的內涵、特質與諸多相關論題有較清晰的概念。

〈目次〉

　　一、何謂文學及文學之功用；二、文學之思想；三、文學之流變；四、文學之根本；五、語與文；六、語文不能合一；七、言之無文行而不遠；八、文學革命家之主張；九、文言與白話有難易之別乎；一〇、批評文學；一一、文章之法則；一二、文體；一三、散文；一四、駢文；一五、詩；一六、詩經；一七、樂府；一八、五七言詩及古體近體詩；一九、歷代詩評；二〇、詩體；二一、對偶；二二、音律；二三、用典；二四、賦；二五、詞；二六、曲——

戲曲；二七、小說。 （張惠淑）

中國文學史探索

王小虹著，臺北，新文豐出版公司，194 頁，1986 年 2 月初版。

王小虹（1938－　　），浙江人。私立淡江大學中文系學士。曾任臺北二女中教師、私立中國海專、世界新聞傳播學院講師。著有《葡萄樹——王小虹散文集》等。

作者反對偏執著某一種文學「史觀」及批評流派演化文學史，故於本書之寫作，單純從作品本身出發，以創作心理、文學鑑賞、文學批評，三者合一的角度，寫出作者所處的心理因素、外在環境，及其所產生的創作動力，三者之間的互動關係，打破傳統的文學史寫作模式。全書共分十五章，由《詩經》寫至明清長篇章回小說，所論述的作品，均為傳播力、感動力、生命力和影響力較深廣者，不可避免地，帶有作者的主觀偏好，也因此未能反映文學史的全面。

由於本書的寫作形式非常獨特，使作者能運用歷代傑出的文學作品，充分地傳達其獨到而一貫的文學觀，故能將每一個主題作較深入而全面的探索，用語簡明、清新，則有助於讀者的閱讀，本書已開創文學史編寫的新風貌，也提供廣大讀者另一個評賞、研究的角度，是一部值得參考的著作。

〈目次〉

一、中國文學的開端（詩經——其所代表的時代與編纂的時代，詩經的內涵，詩經的形式，詩經的寫實主義與人本主義，散文的開端——尚書）；二、文學意境的開拓——從寫實主義到浪漫主義（屈原的生與死——文學家的人生追尋，楚辭是什麼，離騷及其他，宋玉及其作品，浪漫主義）；三、百家爭鳴之際（中國思想的大奔放時代，散文的成長，散文的發展，寓言的發生，神話領域的開拓，於後世文學的影響）；四、千古絕響的史記（司馬遷的文筆、思想，人物刻劃、布局，司馬遷的藝術）；五、漢朝詩歌透視（樂府民歌——歌謠一大寶典，古詩的成熟樣本，漢朝詩歌的承先啟後）；六、泛論漢朝文學

(漢朝的散文，時代走向的產物——漢賦，辭賦大家，文學批評的初展，政論文字與政論家，唯美主義與浪漫主義)；七、文學獨立運動成立 (文學家的覺醒，魏晉詩人與老莊思想，竹林七賢與清談面貌，世界性的文學家陶淵明，「文學」確立)；八、小說的登場 (意識凝結的表現——情緒，人間模式的鬼，南方產物、娛樂創作，中國小說史的開展)；九、本格化批評之頁開啓 (批評的巨擘——劉勰精神，開啓「詩」的欣賞心扉，西方「批評」與中國傳統之間，不是判決、非可霸式)；一〇、南朝文學的光輝 (純形式主義的彫琢與造作，聲韻發現——唐詩的準備期，民歌、情愛、輕豔、宮體詩，同一時期的北朝民歌，從文學的唯美到完美)；一一、唐詩的魅力 (中國文學遺產的瑰寶，三大巨擘——李白、杜甫、白居易，兩位奇才——李商隱、李賀，詞的發生，目迷五色、空前絕後)；一二、民間文學起自唐朝 (唐朝的社會，唐人傳奇的文學評價，唐朝變文，韓愈倡導的古文運動)；一三、宋詞價值的評估 (詞的成熟走向，幾乎落入同一窠臼的所謂宋詞，可喜是宋詩)，一四、戲曲的盛景 (戲曲演進的方向，關漢卿的藝術，王實甫的藝術，明清戲曲，元曲興盛的原因)；一五、中國長篇章回小說的理念世界 (章回小說的先聲，三國演義，水滸傳，金瓶梅，紅樓夢，長篇小說的演進)。　　　　　　　(張惠淑)

中國文學概要

張書文編，國立中興大學法商學院出版課，428 頁，1987 年 9 月初版。

張書文 (1916 －　　　)，遼寧錦縣人。曾任國立中興大學法商學院院長、教授，現任中興大學法商學院、東吳大學兼任教授。著有《楚辭到漢賦的衍變》等。

作者因感於教授「文學概論」多年，向無專書，遂先將手邊舊稿略加增刪，調整目次，而定名爲《楚辭到漢賦的衍變》，之後，又續行撰述，擴充並延展前書之內容，唯因身體不適，後段部分，只好委託周益忠先生 (1956 年生，臺灣彰化人。國立臺灣師範大學國文研究所博士，現任教於國立彰化師範大學國文系) 接續，遂成斯作。本書敍述體例，乃是按時代先後，除了對文學

外緣如時代風潮、作者生平及文學體裁加以敘述外，更著重推介作品本身。又因坊間所見文學史或文學概論罕有介紹民國以來之文學，所以，本書也廣收資料，加以折衷，分別就新詩、散文、小說、戲劇的作者、作品，敘述其發展，以使讀者既能認識古人，復能通曉當代，全書文字淺白，提綱挈領，頗具通俗性。

〈目次〉

弁言；一、詩經（詩經的起源及演變，詩經的編集和流傳，詩經的內容，詩經的文學技巧和特色，詩經的政教價值及影響）；二、楚辭（楚辭的名稱，楚辭的淵源，楚辭的篇目，楚辭的作家和作品，南北文學的比較及楚辭的影響）；三、漢賦（漢賦興盛的因由，漢賦的特質，漢賦發展的趨勢及其主要作品，漢末賦體文學的演變）；四、駢文（駢文形成的原因，駢文之發展演進及主要作品，駢文的特色）；五、唐詩（唐詩形成的原因，唐以前的古詩，唐代的近體詩，唐代的古詩）；六、古文（古文的特色及內容，古文的淵源，古文的發展及成就，古文的價值）；七、宋詞（詞的源起，詞的體制，詞的演變及流派）；八、元曲（散曲的起源，散曲的體制，散曲的發展，元雜劇概述）；九、明清小說（小說的定義及起源，早期小說的演進，明清的章回小說，清代的短篇小說及翻譯小說）；一○、民國以來的新文學（新文學運動的發展，新詩的發展，散文的發展，小說的發展，戲劇的發展）；參考書目。（黃惠菁）

中國文學概論

李鍌、邱燮友、王更生、鄭明娳、沈謙編著，臺北，國立空中大學，2 冊（409、576 頁），1987 年 11 月、1988 年 1 月初版。

李鍌（1927－　　），福建林森人。國立臺灣師範大學國文研究所碩士。曾任臺灣師範大學訓導長、國文系主任、國文研究所所長。現任教育部人文及社會學科教育指導委員會指導委員兼執行秘書、教育部國語推行委員會主任委員、臺灣師範大學國文研究所兼任教授。著有《昭明文選通假文字考》、《法言探微》、《揚雄》、《中國文學家故事》、《中國文字表現的精神與內涵》等。

邱燮友，與王忠林等合著有《增訂中國文學史初稿》，已著錄，生平見前。

王更生（1928－　　），河南汝南人。國立臺灣師範大學國文系、國文研究所碩士班、博士班畢業，國家文學博士。現任臺灣師範大學國文系所教授。著有《文心雕龍研究》、《文心雕龍范注駁正》、《文心雕龍讀本》、《中國文學的本源》、《中國文學講話》等。

鄭明娳（1950－　　），湖北武漢人。國立臺灣師範大學國文研究所碩士班、博士班畢業，國家文學博士。現任臺灣師範大學國文系教授。著有《現代散文縱橫論》、《現代散文類型論》、《現代散文構成論》、《現代散文現象論》、《西遊記探源》、《儒林外史研究》等。

沈謙（1947－　　），江蘇東臺人。國立臺灣師範大學國文研究所碩士班、博士班畢業，國家文學博士。現任國立空中大學人文學系教授。著有《文心雕龍批評論發微》、《文心雕龍之文學理論與批評》、《期待批評時代的來臨》、《書評與文評》等。

國立空中大學為因應開設「中國文學概論」課程之需，特邀李鍌等五位教授共同參與設計、纂寫與教學工作，前後歷時四個月，適足以提供初學者研究中國文學入門的途徑。

本書共分八章，以縱的文學發展與變遷為經，以橫的文學性質與種類為緯，依次而述。除首章緒論為略述中國文學的若干基本概念外，第二章至第七章則各以「辭賦」、「詩歌」、「散文與駢文」、「詞曲」、「小說」、「戲劇」為主題，分別撰述其名義、特質、起源及發展；除理論之外，並列舉各家代表作品，以資佐證，進而論述其於中國文學史上的藝術價值及影響。末章為文學理論與文學批評，乃綜合而通盤地探討中國文學創作的基礎，並確立從事文學批評的基本原則。

本書為國立空中大學的專門用書，故於各章首列「學習目標」、「摘要」，文末又有「本章重點」及「自我評量題目」，堪稱為全書的最大特色；又因其依文體為別，逐次概論其發展歷程，實有助於讀者對各文體流變興替之認識，而不致滯限於零星、單一的文學現象之中。

中國文學史

王孝編著，臺北，臺灣商務印書館，756 頁，1989 年 5 月初版。

王孝（1923 －　　），湖南漢壽人。國立政治大學畢業，曾任職於江蘇省高郵縣政府、北平市政府、遼寧省政府、立法院等機關，現任臺灣省政府新聞處專門委員。著有《流亡雜記》等。

作者於數十年前便已計劃編寫本書，並陸續蒐集許多資料，卻不幸在對日抗戰之後，盡隨船沈沒，化為烏有，及至入臺後，方得勉為撰寫成書。

本書係從先民殘留文學敍起，而下及清代，共分八章，二十節。為了著重歷代文學主流，致本書之編排，體例未能統一，但均係以年代為經，流派為緯。復為兼及保存文學史料，有關作者生平與作品介紹，特別詳為記述，作品甚至以不常見者所錄尤多，更是本書的一大特色。

此外，作者於流派的敍述，多從史的觀點著眼，將有助於使研究文學的讀者瞭解全貌。然而，在作者用心而系統的介紹下，仍不免有所遺闕，如先秦散文乃後世散文之祖，本書卻未論及。復因全書之體例不盡完備，致內容稍嫌雜

陳；作品舉列之餘，若能多加論述，則更能提升本書之可讀性。

〈目次〉

中國文學講話

王更生著，臺北，三民書局，323 頁，1990 年 7 月初版。

作者與李鍌等合著有《中國文學概論》，已著錄，生平見前。

本書初稿，曾經以「中國文學探源」的名義，在臺北軍中（現改稱漢聲）廣播電臺文藝橋節目播出，爾後濃縮改寫，移至《國語日報》分期刊出，最後由三民書局改名為《中國文學講話》，並正式鑄版問世。

全書將中國文學的內涵，分為韻文、散文、駢文、小說、戲曲、文學批評等六大部門，其下依內容多寡，以朝代為序，別為若干章，凡六部六十六章。每部例先介紹該文體的名義、起源及流變，再將自商周以至民國以來，各部的代表作家、作品和文風的興廢等重要論點，於各章中簡要敘述。

作者試圖將文學回歸於學術之中，以突破陳陳相因的政治格局，改採以文學體裁為基礎，以紀事本末為寫作的方式，使讀者有一氣呵成之快。於文字上，精確扼要，措辭淺白，不廣徵博引，故於必須徵引成說時，均作適度的濃縮或潤飾，甚或改寫，但力求忠於原著。本書平淺易讀，雅俗共賞，每章之末，多列有該專題的入門書籍，可視為中國文學史的導讀。

〈目次〉

文，史傳散文，兩漢散文㈠，兩漢散文㈡，魏晉南北朝散文，唐宋八大家散文㈠，唐宋八大家散文㈡，元明散文，清代散文，民國以來的散文）；三、騈文之部（先秦的騈文，兩漢三國的騈文，魏晉六朝的騈文㈠，魏晉六朝的騈文㈡，隋唐時代的騈文，兩宋的四六文，元明時代的騈文，清代的騈文，民國以來的騈文）；四、小說之部（先秦時代的小說，兩漢時代的小說，魏晉南北朝的小說㈠，魏晉南北朝的小說㈡，唐代的小說㈠，唐代的小說㈡，兩宋時代的小說㈠，兩宋時代的小說㈡，元代的小說，明代的小說㈠，明代的小說㈡，明代的小說㈢，清代的小說㈠，清代的小說㈡，清代的小說㈢，民國以來的新小說）；五、戲曲之部（周秦時代的戲曲，漢魏南北朝的戲曲，隋唐五代的戲曲，兩宋時代的戲曲㈠，兩宋時代的戲曲㈡，元代的戲曲㈠，元代的戲曲㈡，明代的戲曲㈠，明代的戲曲㈡，清代的戲曲㈠，清代的戲曲㈡，民國以來的戲曲）；六、文學批評之部（先秦時期的文學批評，兩漢時期的文學批評，魏晉六朝時期的文學批評，隋唐五代的文學批評，兩宋時期的文學批評，金元時期的文學批評，明代的文學批評，清代的文學批評，民國以來的文學批評）。

（張惠淑）

中國文學史綱

吳復生編著，臺北，文史哲出版社，467 頁，1994 年 2 月初版。

　　吳復生（1917 -　　　），福建福州人。陸軍工兵學校畢業，高考及格。曾任台灣省議會主任秘書，台灣日報及晚報社務委員兼主筆，中國醫藥學院兼任教授，現已退休。著有《荀子思想解讀》、《鋤惡草堂文集》等。

　　作者爲了嘗試配合大學文選的講授，希望增進教學的效果，也希望一般讀者費時不多而能瀏覽中國文學的名山大川，並幫助讀者由此入門邁向文學的殿堂，因而編撰此書。書名定爲「史綱」，是以略所當略，詳所當詳爲原則，同時力求敍述的文學性，而以文從字順爲本。

　　全書共分十章，第一至三章爲基礎篇，包括文學起源，基礎理論及文學批評之梗概。第四、五兩章爲古典篇，包括周秦兩漢文學，以敍述古典文學與雜

文學階段之流衍。第六至九章爲演進篇，包括魏晉以下至民國之前的文學流變，以純文學爲主要的敘述而並重說理文學的取材。第四至九章均以人物爲經，文學創作爲緯，敘述歷代作家之背景、文體、格律、文論及其代表作，以見各期文學家承傳流衍之事實。第十章則以民國新文學爲主，而以戊戌、辛亥爲序幕，以見新舊文學之代謝及五四至今的脈絡。

本書是供初學者認識中國文學的入門書，從書後的參引書目可知作者是將坊間一些中國文學史的著作加以彙整汰擇，使其簡明扼要，以便讀者，但其中也有一些疏陋之處，如第六章介紹魏晉六朝詩，標題卻作「近體詩」；又如第七章介紹唐宋詩詞時，所舉張志和的〈漁歌子〉，竟將兩首合併爲一首，其它所舉詞人的作品，分片之間皆無空格；另外介紹元曲時，只述戲曲，散曲作家及作品卻無一道及等等，都需要再加訂正補充。

〈目次〉

自序；第一編、基礎之篇：一、文學的溯源（西方的持說，中國的起源觀，近人的考定）；二、文學的基本理論（文學的特質、背景與要素，文學界說，文學觀念）；三、文學形式（文字與文學的形式，文體分類，文體與格律）；第二篇、古典之篇：四、先秦的三大文學（詩經，楚辭，先秦散文）；五、兩漢文學的多元發展（漢賦，漢代的民歌與樂府，建安文學，漢代的小說，漢代的駢散文）；第三篇、演進之篇：六、魏晉六朝的遁世、唯美文學（近體詩，六朝的民歌，六朝的小說，六朝的古文、散文與駢文）；七、唐宋的文學盛況（復古的散文，唐宋的詩詞，唐宋的小說）；八、遼金元的漢化文學（遼代文學，金代文學，元代文學）；九、明清文學的演化與迴流（明代文學，清代文學）；一〇、民國的新文學（新文學的醞釀，新文學的開創，新文學的成長，新文學的發展，新文學的淨化，篇後語）；附錄：編者詩詞選；參引書目。　　　　　　　　　　　　　　　　　　　　　　　　　　（黃文吉）

二、斷代史

中國古代文學史講義

傅斯年著，台北，聯經出版事業公司，《傅斯年全集》冊 1，頁 1－182，1980 年 9 月初版。

傅斯年（1896－1950），山東聊城人。字孟眞，北京大學畢業，倫敦及柏林大學研究。歷任中山大學文史科主任、中央研究院歷史語言研究所所長、北京大學教授及代理校長、臺灣大學校長、中央研究院院士。著有《傅斯年全集》。

本書爲作者於 1927－1928 年任廣州中山大學教授所編的講義，作者去世後，始由傅孟眞先生遺著編輯委員會編入《傅孟眞先生集》，冊 2，頁 1－159，台北：國立台灣大學於 1952 年 12 月初版。後又編入聯經出版事業公司出版的《傅斯年全集》。

作者所謂「中國古代文學史」的「古代」，是以自殷商至西漢末爲古代文學之正身，以東漢至隋八代爲古代文學之殿軍。因此講義開首所列的擬目，除十二篇泛論爲文學界說外，其他則以時代爲序，分爲三篇，第一篇爲〈殷商遺文〉，接著將周秦西漢分爲「著作前」、「著作大成」兩個時期，作者認爲春秋及戰國前半的文書，官籍而外，記言而已，方技而已，且著作前期有文學而無文人。楚辭宋賦和漢賦爲一氣，而遠於戰國前半的文學，且又是指名作者之文學，著作出來，文人出來，自然必是開新世紀的事。因此作者將這兩期分爲兩篇敍述，在第三篇最後有一節「泛論八代之衰」，算是古代文學的餘緒。這個擬目是作者撰寫講義的一個構想，可惜作者僅完成了少數幾個部分，因此這本講義並不完整。但作者在講義中的一些論點是頗有見地的，如他在〈敍語〉提

到作文學史應注意三項工作：第一、文學史也是史學，要運用一般史料的方法；第二、若干文體的生命彷彿是有機體，要把發生學引進文學史來；第三、文學不是一件獨立的東西，而是時代中的政治、思想、藝術、生活等等一切物事的印跡。又如論五言詩之起源，作者先辨明五言詩起於枚乘、李陵兩種傳說之不當，最後提出「五言詩是漢朝的民間出產品，若干時代漸漸成就的出產品」之見解，目前大家還是相信這樣的說法。固然學術不斷進步，後出轉精，以今日的眼光看作者的論證有些難免流於粗疏，但其識見還是值得肯定的。

〈目次〉

擬目及說明；敘語；泛論（思想和語言──一個文學界說，語言和文學──所謂文言，成文的文學和不成文的文學，文人的職業）；史料論略；論伏生所傳書二十八篇之成分；詩部類說；最早的傳疑文人──屈原、宋玉、景差；楚辭餘音；賈誼；儒林；五言詩之起源。　　　　　　　　（黃文吉）

建安文學之探述

張芳鈴著，國立臺灣師範大學國文研究所碩士論文，179 頁，1976 年 7 月，邱燮友指導。

張芳鈴（1949 －　　　），臺灣花蓮人。國立臺灣師範大學國文研究所碩士。現任教於陸軍軍官學校文史系。

本論文曾刊登於《國立臺灣師範大學國文研究所集刊》21 期，頁 787 － 887，1977 年 6 月。全文共分七章，四十一節。作者以淺近的文言文將建安時期的文學做一有系統的概述。首先由建安時期的時代背景論「建安風骨」的形成；次就《文心雕龍》中舉稱的二十種文體，將此間的作品，一一分列其下；至於作品的內涵、思想，及其運用的技巧，均立有專章予以分析、探述。此外，針對建安時期成果豐碩的文學批評，作者就各家之文學觀、批評原理、效用及得失等方面，加以敘述。書末並有〈建安文學年表〉及〈建安文學彙評〉兩項附錄。

本論文可視為建安時期文學的總整理，然而，就其取材的範圍觀之，並未

顧及全面性，多以「舉要」性質，夾雜於敍述之中。「結論」則側重建安文學於中國文學史中的承先啓後作用；對於本時期的文學特質，僅將各家的論評彙編於附錄之中，實未能一覽作者苦心探述之具體成果。整體而言，本論文長於彙整重要資料，引文用典，俱詳實明確，唯置於章節之中，稍嫌缺乏解釋性，除此而外，本論文已將建安文學於中國文學的進程中，尋得一適切而重要的地位，其努力仍不容忽視。

〈目次〉

曹魏文學研究

楊德本著，高雄，作者自印本，71頁，1971年3月初版。

楊德本（1935－　　），安徽人。國立臺灣大學中文系學士。現任敎於國立高雄師範大學國文系。著有《袁中郎之文學思想》、〈曹魏文學批評理論的建樹〉等。

曹魏文學，在中國文學史上，有人以爲是一個很有創造力的時代，認爲當時能控御要津的建安文學，事實上，也就是曹家文學，蓋政治足以影響一切，曹氏父子旣然掌握了政治的大權，在文壇上又各領一時風騷，不論是「豪邁縱橫」的曹操，或「洋洋淸綺」的曹丕，抑「詞采華茂」的曹植，都被認爲是一流的文學家，沒有曹氏父子，便無以構成建安的文壇，曹魏文學也就失去依傍的重心。這般認知，也就是本書作者所以著作的強烈動機。全書行文簡扼，幾

個重點特色也一併指出，可做爲研究建安文學的一項重要參考。

〈目次〉

　　前言；一、曹魏文學興盛的原因；二、曹魏文學之時代背景；三、賦的演進；四、五言詩之發展與成熟；五、文學批評理論的建樹；六、曹魏文學之風格。
（黃惠菁）

魏晉南北朝文學略論

阮雋釗著，臺北，作者自印本，210 頁，1964 年 5 月初版。

阮雋釗，國立西南聯合大學畢業。著有《共匪中等敎育的批評》、《共匪學制改革後的高等敎育》等。

　　作者以爲，南北朝文學乃與儒、道、史、陰陽各科並列，而趨於獨立；捨事功言志一途，而走上爲文學而文學之純美藝術之途。此乃生命解脫之新人生觀所發展之必然結果，故不以「放誕虛無，浮豔卑靡」爲魏晉南北朝文風之病，遂撰本書以倡言之。

　　本書自漢魏之際寫起，共分七章二十四節，遞序記述至南北朝末年之間各種文風轉變、傳承的現象。對於各時期的社會、政治等文學背景均有簡要的敍述；於列舉代表作家、作品以爲參證時，亦兼有評論；至於諸文學現象之產生，也有合理的解析。

　　作者經由本書之闡發，不僅頗能呈顯魏晉南北朝之文風，也重新賦予其於中國文學上應有的地位。

〈目次〉

　　一、漢魏之際的政治環境與曹魏文壇（漢魏之際的政治環境，曹魏文壇的形成）；二、曹魏父子的風尙與文學——兼論建安七子（魏武的風尙與文學，魏文的風尙與文學，曹植的風尙與文學，論建安七子）；三、魏晉文風的轉變與兩晉浪漫文學思潮的起伏（魏晉文風轉變的原因，正始年間浪漫文學的主流——阮籍與嵇康，太康年間浪漫文學的低潮——張華、陸機、潘岳，浪漫文學的迴瀾——太康永嘉年間文壇三傑——左思、劉琨、郭璞）；四、浪漫文學的

淨化者陶淵明 (陶淵明的生平與思想，陶淵明文學地位的評價)；五、從兩晉浪漫文學到南朝唯美文學 (唯美文學發展的條件，唯美文學的純文學，唯美文學的雜文學，反唯美文學的浪潮)；六、北朝文學的南朝化 (北朝文學產生的背景，北朝文學的兩部代表作，南朝世族北國衣冠的庾信及其他作家，北朝兩首樸質的民歌)；七、文學理論的建設與發展 (曹丕典論論文——文學理論建設的首創者，從曹丕典論論文到陸機的文賦，劉勰文心雕龍——中國第一部系統性的文學理論專著，鍾嶸詩品——論詩人的品第及流派)。　　　(張惠淑)

魏晉風氣與六朝文學

朱義雲著，臺北，文史哲出版社，117頁，1980年8月初版。

朱義雲，曾任教於陸軍軍官學校。著有《隱哀二世春秋三傳之比較與研究》等。

本書論文曾發表於《黃埔學報》10期，頁27－76，1977年4月。作者把六朝特別是魏晉士大夫們的特有風氣，分別寫在各朝代的文學特徵裡，並概述有關的世族問題、宗教發展與民生狀況等，藉以印證在時代學術思想影響下的六朝文學，以及政治演變的因果關係。

全書共分七章，首章為引言，以下則自探究魏晉玄風形成之原因寫起，順序寫出魏、晉、宋、齊、梁、陳各代之文學特徵，蓋以文學遞嬗的軌跡，配合作家、作品為例，敘述經過魏晉玄風浸染後的文學面貌。

作者以口語化的筆法，在極有限的篇幅中，概述六朝的文學史，屬於縱向的論述。若能於行文中加列標題，並細分出綱目，使形式上更顯得條理井然、層次分明，將有助於讀者之閱讀，進而掌握住全文之旨要。

〈目次〉

一、引言；二、魏晉玄學清談形成的遠因；三、魏晉風氣與文學的特徵；四、宋文學的遞嬗；五、齊梁文學的軌跡；六、陳代的萎靡文學；七、結論；附：參考書目。　　　(張惠淑)

六朝唯美文學

張仁青著，臺北，文史哲出版社，170 頁，1980 年 11 月初版。

作者與鄭樑生合譯有《中國文學思想史》（青木正兒著），已著錄，生平見前。

本書之作，在研究方法上，作者是從兩方面著手：一為作品內在結構與組織成分之探討，一為作品外在環境與時代背景之研究。文學者，乃時代環境之結晶，所謂「時運交移，質文代變」（《文心雕龍·時序》），事異世變，文學隨之，所以，外在環境與時代背景之影響，不可不察；除外緣條件外，凡物丕變，必有其因，內在蘊發，亦有線索可尋。在六朝三百八十餘年間，政治篡奪，內亂迭作，士大夫處於其間，或感身世飄零，或傷國勢搖落，百端交集，薈為作品，當時作家之多，作品之富且美，誠如江海。作者特就內在、外緣因素，參稽各書，撰作本文。檢視內容，僅屬於概述性質，缺乏較深入之探討，或可做為六朝唯美文學入門之用。

〈目次〉

一、引言；二、六朝唯美文學概述（魏代文學，西晉文學，東晉文學，宋代文學，南齊文學，梁代文學，陳代文學，北朝文學）；三、六朝唯美文學之內涵（對偶精工，韻律和諧，典故繁多，辭藻華麗）；四、六朝唯美文學之主流（蕭統之文學理論，昭明文選）；五、六朝唯美文學之別流（經學家之散文，史學家之散文，子學家之散文，詩家之散文，駢文家之散文）；六、六朝唯美文學分類。

（黃惠菁）

魏晉志怪文學之研究

張榮基著，私立東吳大學中國文學研究所博士論文，272 頁，1992 年 6 月，邱燮友指導。

張榮基（1956－　　　），韓國淸州人，私立東吳大學中國文學研究所碩士、

博士。著有《李白樂府詩之研究》等。

本書探討魏晉志怪文學，作者對「志怪」所下定義，與一般理解者不同，即平常所謂神話、仙話、佛話、鬼話等產物，固然是「志怪」的範圍，即由此而衍生的遊仙詩、反遊仙詩、隱逸詩等作品，因爲都是以神仙夸誕之事爲素材，所以列爲「志怪」；其他如〈讀山海經〉、〈神女賦〉、〈洛神賦〉、〈桃花源記〉、〈大人賦〉、〈大人先生傳〉等等，也是探討重心所在，體裁包羅詩、散文、賦、小說各類，使原本不易並列齊觀的各類作品，在「志怪」此一特殊觀點的統攝之下，得以綜合考察，並且因而發展出對個別作品更豐富的詮釋，這也是本書的特色所在。

〈目次〉

一、導言（志怪文學的界說，志怪文學的淵源，魏晉志怪文學發生的原因及其社會背景，魏晉志怪文學的內涵）；二、魏晉志怪文學之一——詩（魏晉遊仙詩的全盛期，魏晉遊仙詩中的神仙，陶淵明〈讀山海經〉十三首的志怪世界，阮籍〈詠懷詩〉中的神仙，郭璞〈遊仙詩〉，樂府詩中的志怪）；三、魏晉志怪文學之一——賦（魏晉時代的〈神女賦〉，〈洛神賦〉中的愛情與寄託）四、魏晉志怪文學之一——散文（理想國度的塑造，陶淵明的〈桃花源記〉，理想國的迴響，阮籍〈大人先生傳〉）；五、魏晉志怪文學之一——筆記小說（魏晉志怪小說的種類，魏晉志怪小說的內容）；六、魏晉志怪文學對後代文學的影響（魏晉志怪文學對詩歌的影響，魏晉志怪文學對傳奇的影響，魏晉志怪文學對話本的影響，魏晉志怪文學對聊齋的影響）；七、結論。　　（林明珠）

北朝文學研究

吳先寧著，臺北，文津出版社，209 頁，1993 年 9 月初版。

吳先寧（1957－　　），浙江諸暨人。浙江紹興師專畢業，廈門大學中文系碩士、中國社會科學院研究生院文學博士。著有〈南北朝經學異同與社會政治〉、〈孔子的「君子觀」及其現實意義〉等。

本書爲作者於 1991 年通過之博士論文，曹道衡指導。全書凡五章，論述

的範圍，上自道武帝拓跋珪時期，下迄整個隋代，視隋代爲北朝文學的延伸和發展。

作者從北朝具體的歷史背景出發，進而探討在此特殊環境中，士人的心態與文化觀，同時突顯出南朝文學對北朝文學的深遠影響。最後，藉由此歷史唯物主義的基本理論，澈底觀察北朝的文學現象，探看北朝士族與代北貴族的衝突與融合，便是核心的關鍵所在。

北朝文學在歷來的研究中，往往不受重視，作者卻能以此「消極的史料」，從無處求之，在有限的研究成果中，另闢蹊徑，使北朝文風的義涵、性質及其內在生機，獲得眞確而完整的呈顯。全書中頗多的創見，與附錄中針對庾信的研究，均可提供讀者更多有利而值得參考的線索。無疑地，對於北朝文學的研究，也具有可觀的推助力量。

〈目次〉

導言；一、北朝士族的處境與心態（北朝士族與代北貴族的衝突和融合，北朝士族的生活方式：門第情形述略，儒家傳統及其它，北朝士族心態探略）；二、南風北漸及北人的接受和選擇（南北文化交流的主要途徑，北朝文學的選擇和接受）；三、從蕭條走向復甦──論北朝詩賦（北魏前期的蕭條，遷洛以後的復甦，鄴下邢魏和關右王庾（上），鄴下邢魏和關右王庾（下））；四、實用精神支配下的北朝文（北朝文發展概況；山水淵藪，人文大觀──「北朝三書」之一《水經注》；洛陽興衰有餘哀──「北朝三書」之二《洛陽伽藍記》；家訓文學之大成──「北朝三書」之三《顏氏家訓》）；五、北朝文風的性質及其內在生機（北方文風的內涵、性質及其形成原因，隋代詩歌：北方文風內在生機的繼續顯露）；附錄一：庾信前期創作研究；附錄二：考據五篇；附錄三：主要參考書目。　　　　　　　　　　　　　　　　　　　　　　　（張惠淑）

永明文學研究

劉躍進著，臺北，文津出版社，357頁，1992年3月初版。
劉躍進（1958－　　　），吉林白城人。南開大學中文系畢業，杭州大學古

籍研究所文學碩士、中國社會科學院研究生院文學博士。現任中國社會科學院文學研究所古代文學研究室助理研究員。著有〈《金瓶梅》中商人形象透視〉、〈關於《水經注校》的評價與整理方面的一些問題〉等。

本書為作者於 1991 年 5 月通過的博士學位論文，曹道衡指導。全書包括三大部分：永明文學綜論、永明文學繫年及〈從武力強宗到文化士族──吳興沈氏的衰微與沈約的振起〉等四篇附錄。

其中「永明文學綜論」部分，又別為四章，各章所論皆永明文學中重要的論題，猶可單獨成篇，而「永明文學繫年」則極有助於中國文學史的研究。

本書之特色在於資料的彙整極為精密，從而可知作者所投入的心血與精神，相信透過本書，讀者於研究方法及文學知識上，均有所獲。

〈目次〉

上編：永明文學綜論。導論：從古詩十九首到南朝文學──中國古代文人創作態勢的形成（抒情方式的轉變，獨立精神的尋求，內向收斂的傾向）；一、從隔閡走向融合──竟陵八友及其在六朝文化史上的地位（竟陵八友的形成及其性質，竟陵八友在永明年間的文化活動，竟陵八友的評價）；二、調諧金石，思逐風雲──永明文學思潮概說（永明文學背景，永明詩歌創作，永明文學思想）；三、若無新變，不能代雄──永明詩體辨釋（永明詩體的內涵及其研究範圍，永明詩體的句式辨釋，永明詩體的律句辨釋，永明詩體的用韻辨釋，永明詩體的俳韻辨釋）。下編：永明文學繫年。附錄：一、從武力強宗到文化士族──吳興沈氏的衰微與沈約的振起；二、吳興沈氏考略；三、四聲八病二題；四、周顒卒年新探；主要參考文獻；後記。　　　　　　　（張惠淑）

兩宋文學研究

楊志莊著，臺北，臺灣商務印書館，214 頁，1973 年 12 月初版。

楊志莊，湖南長沙人。國立師範學院畢業，曾任臺灣省立師範專科學校教授。

文學發展遞嬗，及至兩宋各成局面，其中又以古文、詩、詞尤為殊別。宋

代文學的復古運動，乃是以思想爲前提，是繼唐代之後，將古文地位提高至無以復加的重要朝代。至於宋詩，在文學史上，亦能佔有一席之地位。宋人在詩作方面，其實一直是急欲脫離唐人之窠臼，成績亦爲斐然，幾與唐人平分秋色，較之元、明、清各代，更是別爲殊出。至於詞，乃是宋朝的當運文學。詞體雖發始於唐，繁衍於五代，卻大盛於宋，所以，詞一直是宋代文學的重要表徵。本書作者即是就以上宋代三種文體，揭舉特色，直陳其興衰本末，藉此勾劃出宋代文學發展的脈絡。全書內容淺白，是了解兩宋文學的入門書。

〈目次〉

一、緒論（宋代的古文運動及其影響，宋代詩的特色及其流變，宋代詞的興盛及其變化）；二、北宋的古文及詩（西崑體，復古派，駢儷派，擊壤派，隱逸派，古文初期，古文大成期，古文全盛期，江西詩派）；三、南宋的古文及詩（道學派，功利派，四六駢文，江西詩派的改革，江西詩派的重興，宋末詩壇，遺民詩人）；四、北宋的詞（宋初的詞壇，慢詞的起源，詞風的再變，元祐前後詞人，格律派詞人）；五、南宋的詞（白話詞人，樂府詞人，宋末的詞人，宋代的女詞人）。　　　　　　　　　　　　　　　　（黃惠菁）

宋代遺民文學研究

蘇文婷撰，臺北，作者自印本，283 頁，1979 年 3 月初版。

蘇文婷（1951－　　　），安徽合肥人。私立東吳大學中文系學士。曾任東吳大學校長室祕書、私立世界新聞傳播學院講師。現任教於私立華夏工業專科學校。著有〈詞人筆下的「沈鬱」〉、〈龔定盦之詞學研究〉等。

宋末遺民以文學稱世者極多，然坊間文學史卻多不遑詳述，這也正是本書作者撰述的原因所在。歷朝遺民文學中，以宋人爲最，此與宋代政治、文化背景有絕對的關係。宋代文人墨客在國家承平之際，並不見重於朝廷，一旦遭受變革，卻能以氣節自許，或死或遯，人格無疵，這種精神便與宋人向以氣節自尙有很大的關係。所以，前論部分，作者先指出兩宋國勢、學術、文學發展動向，以導引出其對宋人氣節養成之影響。分論部分，則歷述宋代遺民之事蹟及

其文學表現之特色，並略述其對後人之影響。全書分類頗細，文字平易，讀者可從中瞭解時代背景對宋代遺民之影響及其文學特色。

〈目次〉

自序；前論：一、殉國之士，宋前最少（六國之亡，在縱橫捭闔環境中，無氣節之士；魏晉之亡，導因於知識分子之脫離時代；唐代之亡，由於士大夫根本上無忠君愛國的觀念）；二、遺民文學，宋代最多（兩宋之國勢，自內憂至外患——民族精神之凝鑄；兩宋之學術，自人格至國格——理學思想之瀰漫；兩宋之文學，自私情至公義——文學境界之擴大）。分論：一、奮戰不屈的烈士（文天祥與其指南錄，謝皋羽與其晞髮集，謝枋得與其疊山集）；二、歌哭湖山的義民（鄭思肖與其鐵函心史，許月卿與其先天集，林景熙與其霽山集，何夢桂與其潛齋集）；三、促節哀絃的詞人（草窗的故國山川，玉田的怕聽啼鵑，辰翁的人間無路，竹山的悲歡離合）；餘論；參考書目。（黃惠菁）

遼代之文學背景及其作品

陳啓佑著，私立中國文化學院中國文學研究所碩士論文，344 頁，1979 年 6 月，黃永武指導。

陳啓佑（1953－　　），臺灣嘉義人。私立中國文化學院中國文學研究所碩士、博士。曾任國立嘉義農專副教授，現任國立彰化師範大學國文系教授。著有《唐代山水小品文研究》、《分析文學》、《渡也論新詩》、《花落又關情》、《普遍的象徵》、《新詩形式設計的美學》等。

本書共分四章，首章列示遼代典籍保存之現況，並探討其殘闕之因；第二章則概述遼代的地理環境及文化背景，以為研究之基礎；第三章將遼詩分三期，以論述其流變；第四章則專論遼文之流變，就散、駢二類，各分三期研討。書前並有作者自序一篇。

遼本東胡鮮卑族，歷閱九主之後，漢化日深，典章文物日修，故不乏詩文篇章，惜多已散佚。作者因而以遼代文學為研究主題，適足以填補中國文學史研究上之闕遺。由於本書具有開創研究領域之功，又能就史地文化與文學的關

係詳加探討，故頗有參考價值。

〈目次〉

一、緒論（遼代典籍及其殘闕之因，遼代文字，治遼文之基本態度）；二、外在研究（遼史概述，地理環境，文化背景）；三、內在研究之一——遼詩之流變（遼詩啓蒙期，遼詩生長期，遼詩極盛期）；四、內在研究之二——遼文之流變（散文，駢文）。　　　　　　　　　　　　　　　　（張惠淑）

金代文學之研究

鄭靖時著，國立政治大學中國文學研究所博士論文，612 頁，1987 年 7月，羅宗濤指導。

作者另有《金代文學批評研究》，已著錄，生平見前。

金代爲女眞民族建立之王朝，享國百二十年，不論政經、文敎均頗具成就，素爲治吾國歷史學者所側重，惟金代文學，論者甚罕，考述尙希，幾成絕響。清季以來，編撰中國文學史者，不勝其繁，然自其中亦未能備其體例，論述金代文學之全貌，或僅擇元好問附於宋詩並述之，或擇諸宮調、院本附於宋元戲曲略述之，作者對各文學史冊的偏執不全，引以爲憾，所以特擇本題爲研究對象，詳究金代文學之全貌，以明其淵源、流變、成果，以及對後世之影響，希冀非僅彰明一代文學之實況，更能掌握文學發展之互動契機，以補吾國文學史之缺漏。全書資料充備，援引經史，合度適宜，對詳細勾繪金代文學的面貌，有極好的成績。

〈目次〉

一、緒論（本文研究之目的，本文研究之方法，本文研究之限制）。二、金代文學之時代背景（政經狀況，社會環境，學術背景）；三、金代文學概況及其分期（金代文學概況，金代著作概況，金代文學之分期）。四、肇始期重要文學名家考述（宇文虛中，吳激，高士談，蔡松年，施宜生，附：劉著、馬定國、張斛、朱自牧，女眞君王及完顏璹）；五、經營期重要文學名家考述（蔡珪，王寂，邊元鼎，劉迎，趙渢，附：任詢、劉汲、劉仲尹）；六、創新期

重要文學名家考述（黨懷英，王庭筠，周昂，趙秉文，楊雲翼）；七、大成期重要文學名家考述（王若虛，李之純，劉從益，麻九疇，雷淵，元好問，附：李俊民，段克己，段成己）；八、結論（金代文學成就斐然可觀，金代文學與時代關係特為密切，金代文士全力持護中華文化，金代文學開啓元代文學之先路，後續研究之課題）；附錄：重要參考書目。　　　　　　（黃惠菁）

金代文學史

詹杭倫著，臺北，貫雅文化事業公司，438 頁，1993 年 5 月初版。

詹杭倫（1954 －　　　），四川榮縣人。四川師範大學中國古代文學研究所文學碩士。畢業後留校任教至今，曾赴天津南開大學作中國文學批評史訪問學者一年。著有《方回詩學研究》、《金代文學思想史》、《雨村賦話校證》等。

本書原名《金代文學思想史》，於 1990 年由成都科技大學出版社初版，後經作者改寫並改名。本書的撰寫目的，即在於研究金代近一百二十年間文學的發展狀況及其規律，並對金、元交接之際的文學作初步的探索。全書凡五章二十節，書前有屈守元序一篇。

作者按照金代文學發展中自然形成的時間段落，劃分金代文學為五大時期，並在金代政局、經濟、文化思潮的大背景下，敍述士人審美觀及其創作觀的形成和變化；試圖結合文學創作、文學批評與文學理論，俱由文學現象的史實為據，以求得較公正、客觀的評析。

本書可謂為一部完備、有系統的金代文學史研究專著。作者嚴守以史為序的論述方式，材料詳實，立論審慎，為中國文學史的研究，添上極重要的一章。

〈目次〉

引言；一、金初文學準備時期（1115－1160）（統治者的「文治」思想和「借才異代」政策，去國懷鄉的蒼茫悲涼情思，欽仰魏晉諸賢的高情遠韻，由宋入金詩人的審美取向，嶄露頭角的雄偉踔厲文風）；二、金中葉文學發展時期（1161－1189）（世宗的文化政策和「中州文派」的誕生，崇尚「氣格」的

創作傾向，尋求「自適」的創作傾向）；三、金中葉文學興盛與轉折時期
（1190－1208）（由盛而衰的社會歷史進程，黨懷英為首的剛柔兼濟、清真淡宕
文風，尖新、浮豔的創作傾向，反映生民疾苦與走向齊物達觀的創作苗頭）；
四、金末文學復興時期（1209－1234）（由衰而亡的歷史進程與澆薄士風，趙
秉文、李純甫改革文風的創作和理論，戰亂寫實的創作和理論，任氣尚奇的創
作和理論，王若虛與追求平淡的創作傾向）；五、金亡文學總結時期（1234－
1271）（集寫實、雄奇、平淡創作傾向大成的元好問，流落異代的金朝士人的
走向和心態，憂患與達觀交織的創作傾向）；結束語：金代文學對元代的影響
（沾溉後學，師友相傳；復倡唐音，開風氣先；戲曲新聲，蔚為大國）；重要書
目舉要；後記。　　　　　　　　　　　　　　　　　　　　　　（張惠淑）

清代文學史

韓石秋著，高雄，百成書店，235頁，1973年10月初版。
韓石秋，著有《國學概要》等。
　　本書所謂「清代文學」，包括古文、駢文、詩、詞、戲曲及小說等六大文
體，分別介紹著名之作家及作品，兼及相關之評論，並引錄各家原作，藉以窺
出各人之風格與造詣，惟小說一類，因卷帙太冗，乃未引錄原文，以節省篇
幅。所錄之著名作家凡一百八十餘人，大抵可以代表清代文學之業績，惟清代
文學號稱復興，有傳承，有新變，本難評述其原委，而各家作品之精神面貌，
亦非一二篇原文即可探知其精妙，則本書自不免失之簡略，而書後缺乏清代文
學的整體評價及參考書目等，亦稍嫌不足。
〈目次〉
　　一、緒論（中國文學之復興，清代文學興盛之原因）；二、清代古文（清
初三家，桐城派古文，陽湖派古文，折衷派古文）；三、清代駢文（清初駢文
作家，乾嘉駢文作家，晚清駢文作家）；四、清代詩（清初詩人，南施北宋與
文壇通才朱彝尊，神韻派及其反響，性靈派與乾隆三家，清初尊宋詩派，乾嘉
以後之詩風，道咸以後之宋詩派，復古與維新，清代女詩人）；五、清代詞

（清初詞家，浙派詞家，陽羨派詞家，常州派詞家，晚清詞家，清代女詞人）；六、清代戲曲（前期作家，後期作家，四大家，崑曲之衰落）；七、清代小說（社會小說，言情小說，俠義小說，筆記小說，其他小說）。　　　（連文萍）

參、現代文學史編

百年來中國文藝的發展

陳紀瀅著，臺北，重光文藝出版社，114 頁，1977 年 3 月初版。

陳紀瀅（1908－　　），河北安國人。北京民國大學暨哈爾濱法政大學畢業。早年從事新聞工作，抗戰期間擔任天津大公報東北特派員及副刊編輯。勝利後又任國民參政員及立法委員。爲中國文藝協會創辦人之一。著作約有五十餘種，包括小說、傳記、散文等。其中《新中國幼苗的成長》與《華夏八年》二書曾先後獲教育部文學獎。

本書於 1958 年曾由臺北：建設雜誌社出版，其後成爲作者於 1977 年寫就之《逆流時期雜寫叢書》之一，實爲紀念　國父孫中山先生百年誕辰而作。審其內容，則可略分爲兩大部分：一爲透過政治時勢的變化，解析清末以來的文藝發展，包括民間暢銷小說的介紹，清末以降民間戲劇、美術、音樂的傳布情形。繼而概述民國六年白話文運動風起之後的各種文藝發展軌跡。除探討翻譯文學的風潮，並扼要敍述文學革命後肆出的現代文學流派，兼又檢視民間文藝之盛衰景貌。其下的抗戰文學及遷臺以後的中國文藝及大陸文壇的近況，作者亦皆觸其精要。第二部分則擇取文藝思潮爲題旨，縱論六十年來我國文藝思潮的演變，並論述其與歷史的密切關連。

作者以史家之筆，將清末以迄民國的各期文學發展加以分段析介，提綱挈領，言簡意賅，敍述方式如文學大事年表，清晰易辨。惟失之粗略，又未涉及各類文學影響之探討，是其不足之處。

〈目次〉

（孫秀玲）

中國新文學史

周錦著，臺北，逸群圖書公司，943 頁，1983 年 11 月三版。

周錦（1928－　　），江蘇東臺人。國立臺灣師範大學畢業。軍官退役，曾擔任中學教員達 16 年之久。1948 年開始文學創作，後致力於現代文學之研究。著有《中國新文學簡史》、《朱自清研究》、《中國新文學大事記》等。

　　本書於 1970 年 4 月，由臺北：長歌出版社初版，計 940 頁。爲討論中國現代文學的巨構，又是國內第一本記述中國新文學史方面的專著，意義尤爲不凡。之前，大陸地區曾陸續出版過王瑤《中國新文學史稿》、蔡儀《中國新文學史講話》、劉綬松《中國新文學史初稿》、葉丁易《中國現代文學史略》等有關新文學史之專書，就數量言，顯見大陸較此地重視中國新文學，然觀其諸書所載，率皆失之客觀與公正，流爲政治運動的工具之一。因而此書出版以來，普受學界人士之關注與重視。

　　全書計分八章，除精簡勾勒出中國新文學的形相與實質，並對中國新文學運動史之意義作一概述。此外，作者以治史觀點，將新文學的發生與發展依時序分期加以敍論，並給予適切的批判。史論之餘，作者兼採逐年列舉的方式臚列有關的新文學大事記，以期展現新文學的發展軌跡。末章則選錄重要中國新文學論文篇目，於此不難得知中國新文學思潮的起伏變遷。最後附有本書人名索引，以利查檢之用。

　　作者以史家治史態度編纂此書，裁選資料，求全求實，運筆則盡力符合史實，而且對於重要資料則予以全文收錄，求其完備，是爲本書特色。然對於新文學重要作家與作品之評介則著墨較少，尤其漏載臺灣本土文學之演變及作家作品介紹，是一大缺憾。

〈目次〉

　　自序；一、緒論（新文學的形貌，新文學的內涵，中國新文學的發展，中國新文學的厄運，中國新文學史的分期，結語）；二、中國新文學運動史（新文學運動的成因，新文學運動的環境，新文學運動的號角，新文學運動的宣言，新文學運動的響應，新文學運動的具體方案，新文學運動的逆流，新文學運動的影響，新文學運動的花朵）；三、中國新文學初期（新文學初期的政治情況，新文學初期的文學社團，新文學初期的文學刊物，新文學初期的文學主張，新文學初期的詩歌討論，新文學初期的詩歌創作，新文學初期的小說討

論，新文學初期的小說創作，新文學初期的戲劇，新文學初期的散文）；四、
中國新文學第二期（新文學第二期的政治情況，新文學第二期的上海文壇，新
文學第二期的文學社團，新文學第二期的重要刊物，新文學第二期的文藝論
爭，新文學第二期的詩歌創作，新文學第二期的小說創作，新文學第二期的戲
劇創作，新文學第二期的散文創作，新文學第二期的報告文學）；五、中國新
文學第三期（新文學第三期的政治情況，新文學第三期的文壇概況，新文學第
三期的文學社團，新文學第三期的重要刊物，新文學第三期的文學思潮，新文
學第三期的詩歌概況，新文學第三期的詩歌創作，新文學第三期的小說創作，
新文學第三期的戲劇活動，新文學第三期戲劇創作，新文學第三期的散文創
作）；六、中國新文學第四期（新文學第四期的政治情況，新文學第四期的社
會背景，新文學第四期的臺北文壇，新文學第四期的文學社團，新文學第四期
的文學雜誌，新文學第四期的報紙副刊，新文學第四期的文學教育，新文學第
四期的文學思潮，新文學第四期的特出作家，新文學第四期的特出作品）；七、
中國新文學大事記；八、中國新文學重要論文；本書人名索引。

〈書評〉

1. 夏志清，〈現代中國文學史四種合評〉，現代文學，復刊 1 期，頁 41－61，
   1977 年 7 月。收入《新文學的傳統》，頁 3－29，臺北，時報文化出版公
   司，1979 年 10 月。
2. 申明圭，〈周錦著中國新文學史〉，中國語文學（韓國），3 輯，頁 514－
   524，1981 年 10 月。　　　　　　　　　　　　　　　　　（孫秀玲）

現代中國文學史話

劉心皇著，臺北，正中書局，838 頁，1986 年 3 月六刷。

　　劉心皇（1915－　　），河南葉縣人。中華大學教育系畢業、中央訓練團
社會工作人員訓練班結業。1956 年起著手研究中國現代文學，著有《郁達夫
與王映霞》、《抗戰時期淪陷區文學史》、《抗戰時期淪陷區地下文學》等。

　　本書於 1971 年 8 月初版。共分五卷，包括新文學運動的前夕、新文學運

動面面觀、三十年代文學對我國的影響、抗戰時期文藝評述、「自由中國」時代的文藝等五大內容。在寫作體例及評介方法上有兩個特色：一為將新文學當作整個中國文學發展的一個過程來處理，指出其為近代文學延續和發展的必然結果，因此第一卷專門考察新文學與近代文學的關係。二是作者注重文學史料的介紹，同時對於代表性作家和作品作極詳細的分析，頗具參考價值，而非僅是羅列與排比資料。另外，較受爭議的兩點為：一是作為文學史的分期問題，新文學的第一批詩、第一篇散文、第一篇小說等等，作為誕生期的第一批作品，並未交待清楚。二是作者以「三民主義為主流，對各種主義加以批判」的原因，對作家與作品的取捨，頗受影響，如第五卷標題「自由中國」時代的文藝，即是受作者觀點左右下的標題。

〈目次〉

反抗「左翼作家聯盟」的運動；四、民國二十一年文藝自由論辯的眞相〔附錄：關於 1932 年文藝自由論辯（胡秋原），第三者的話（殷作楨）〕；五、關於「幽默、風趣、諷刺、輕鬆」之類；六、再談林語堂系的刊物；七、三談林語堂系的刊物；八、關于周作人〔附錄：從雜文作家的抄書說起，不以人廢言，從周作人的自壽詩談起〕；九、徐志摩與新月派〔附錄：憶《新月》（梁實秋）〕；一〇、從李金髮到戴望舒；一一、戴望舒與現代派；一二、靠槍手起家的何家槐；一三、「三十年代新文藝論叢」讀後。第四卷：抗戰時期文藝述評（1937 至 1945 年）：一、抗戰時期文藝述評；二、抗戰勝利後的文藝界（1946年至 1949 年）。第五卷：自由中國時代的文藝（1949 年至 1971 年）：一、自由中國初期的文壇；後記。

〈書評〉

1. 夏志清，〈現代中國文學四種合評〉，現代文學，復刊 1 期，頁 41–61，1977 年 7 月。收入《新文學的傳統》，頁 3–29，臺北，時報文化出版公司，1979 年 10 月。　　　　　　　　　　　　　　　　　　　　（林明珠）

中華民國文藝史

中華民國文藝史編纂委員會編，臺北，正中書局，1078 頁，1976 年 7 月二刷。

　　本書於 1975 年 6 月初版。共分十二章，七十節，書前有谷鳳翔「序」一篇，書後有附錄二，凡八節。書中總結六十餘年來中華民國文藝的發展過程，縱橫交錯論述，縱的方面是以時間的承流劃爲四個時期，橫的方面是以文藝的門類分別敘述。包括：文藝思潮與文藝批評的演進、新舊詩歌、散文、小說、音樂、舞蹈、美術、戲劇（國劇、話劇、電影）等，並介紹海外華僑文藝與國際文藝交流，是一部文藝資料的大彙集。其寫作體例上，以專章專人負責，故處理史料與評述之方式隨人而異，基本上有水準上的參差，書後並附錄臺灣省光復前的文藝概況及大陸淪陷的文藝概況兩篇，足見本書的編纂力求資料完備的用心。

〈書評〉

1. 陳長華，〈中華民國文藝史今出版——記載六十年演變〉，聯合報，6 版，1975 年 10 月 9 日。

2. 程榕寧，〈中華民國文藝史編纂始末〉，書評書目，30 期，頁 12－16，1975 年 10 月。

3. 姜穆，〈中華民國文藝史評介〉，中華文藝，10 卷 3 期，頁 20－27，1975 年 11 月。

4. 李牧華，〈中華民國文藝史評介〉，新時代，15 卷 12 期，頁 69－71，1975 年 12 月。

5. 王鼎鈞，〈中華民國文藝史評介〉，中央月刊，8 卷 3 期，頁 70－71，1976 年 1 月。

6. 尹雪曼，〈中華民國文藝史之編纂〉，中央日報，10 版，1976 年 1 月 19 日；中原文獻，8 卷 4 期，頁 12－14，1976 年 4 月。

7. 高節，〈從中華民國文藝史談起〉，中國時報，12 版，1976 年 8 月 21－22 日。

8. 尹雪曼，〈中華民國文藝史的增訂〉，臺灣新生報，12 版，1976 年 9 月 24 日。

9. 夏志清，〈現代中國文學史四種合評〉，現代文學，復刊 1 期，頁 41－61，1977 年 7 月。收入《新文學的傳統》，頁 3－29，臺北，時報文化出版公司，1979 年 10 月。

10. 尹雪曼，〈中華民國文藝史的缺失與增訂——兼答夏志清、司馬長風、姜穆等〉，中國時報，12 版，1977 年 11 月 18－19 日；中華文化復興月刊，10 卷 11 期，頁 54－59，1977 年 11 月；中華文藝，14 卷 5 期，頁 37－52，1978 年 1 月。

11. 劉心皇，〈關於中華民國文藝史〉，中國時報，12 版，1978 年 1 月 10 日。

12. 朱榮智，〈尹雪曼著手修訂中華民國文藝史〉，聯合報，12 版，1978 年 12 月 28 日。
（林明珠）

中國新文學簡史

周錦著，臺北，成文出版社，298頁，1980年5月初版。

作者另有《中國新文學史》，已著錄，生平見前。

本書爲《中國現代文學研究叢刊》之十，原爲瞭解我國新文學之發展脈絡、充實當代文學之內涵而編。然名爲「簡史」，推究其書原貌本爲《中國新文學史》一書。而今作者節選原書之第一至第六章，重新予以排版而成，故名《中國新文學簡史》。

區別二書之異同，就內容而論，二書原出一轍，惟簡史較原書短缺第七章、第八章及人名索引三部分。再則目錄之編排，簡史之目次已經整理更見精簡。然就史料觀點而言，著眼中國新文學運動之發展歷程，卻刪除大事紀及相關重要論文目錄，實削弱其史書之價值不貲。此書之出版較晚於原書，作者應可予以增補新資料，惜未見補漏增新，難免令人感到遺憾。

〈目次〉

一、緒論（新文學的形貌，新文學的內涵，中國新文學的發展，中國新文學的厄運，中國新文學史的分期，結語）；二、中國新文學運動史（新文學運動的成因，新文學運動的環境，新文學運動的號角，新文學運動的宣言，新文學運動的響應，新文學運動的具體方案，新文學運動的逆流，新文學運動的影響，新文學運動的花朵）；三、中國新文學初期（新文學初期的詩歌創作，新文學初期的小說討論，新文學初期的小說創作，新文學初期的散文）；四、中國新文學第二期（新文學第二期的詩歌創作，新文學第二期的小說創作，新文學第二期的散文創作，新文學第二期的報告文學）；五、中國新文學第三期（新文學第三期的詩歌創作，新文學第三期的小說創作，新文學第三期的散文創作）；六、中國新文學第四期（新文學第四期的文學社團，新文學第四期的文學思潮，新文學第四期的特出作家，新文學第四期的特出作品，新文學第四期的未來展望）。

〈書評〉

1. 李歐梵，〈三十年代文學的研究——評中國現代文學研究叢刊的二十本書〉，書評書目，89 期，頁 26－32，1980 年 9 月。　　　　　　　　（孫秀玲）

中國新文學大事記

周錦編，臺北，成文出版社，214 頁，1980 年 5 月初版。

作者另有《中國新文學史》，已著錄，生平見前。

本書爲《中國現代文學研究叢刊》之四，全書採取編年體，然後將該年的大事分成四單元敍述：一、文壇大事，二、文學理論，三、文學創作，四、文學刊物。作者在每一單元敍述之前，先將這一年內國內影響于文學的政治情勢和社會狀況，加以介紹。由於本書的敍述採簡單的條列方式，在每一單元下逐年並分月記錄，故作爲資料性的翻檢，不失爲眉目清楚的紀要，可以明白看出從 1917 年至 1948 年三十年間中國現代文學逐年發展的情形。

〈目次〉

民國六年、民國七年、民國八年、民國九年、民國十年、民國十一年、民國十二年、民國十三年、民國十四年、民國十五年、民國十六年、民國十七年、民國十八年、民國十九年、民國二十年、民國二十一年、民國二十二年、民國二十三年、民國二十四年、民國二十五年、民國二十六年、民國二十七年、民國二十八年、民國二十九年、民國三十年、民國三十一年、民國三十二年、民國三十三年、民國三十四年、民國三十五年、民國三十六年、民國三十七年。

〈書評〉

1. 李歐梵，〈三十年代文學的研究——評中國現代文學研究叢刊的二十本書〉，書評書目，89 期，頁 26－32，1980 年 9 月。　　　　　　　　（林明珠）

中國文學的由舊到新

陳敬之著，臺北，成文出版社，214頁，1980年5月初版。

陳敬之（1911-1982），湖南衡山人。湖南省立第一師範畢業。歷任總統府參議、國民黨中央秘書處祕書、國民黨黨史委員會副主任等職。從事新文學史研究，著有《文學研究會與創造社》、《三十年代文壇與左翼作家聯盟》、《中國新文學的誕生》、《中國新文學運動的前驅》、《新月及其重要作家》等。

本書為《中國現代文學研究叢刊》之十一，依著各類文體（詩、小說、散文及戲劇四類），分別從古典到現代加以串連，藉此簡略勾勒中國文學發展的順序，屬於概論性質，用語淺顯，不長篇徵引資料，是一本綜合新舊文學的分類文學簡史。然而由於作者在有限篇幅內欲呈現各類文學的發展歷史，故難免掛一漏萬，顧此失彼，或沿襲定型的文學史觀念，如其中舊詩只談到唐代、新詩僅分三派，容易造成「唐後無詩」及過於粗糙的新詩發展概念，全書探討中，尤以散文最為簡略，為其缺漏最多的部分。

〈目次〉

1. 李歐梵，〈三十年代文學的研究——評中國現代文學研究叢刊的二十本書〉，
   書評書目，89 期，頁 26-32，1980 年 9 月。　　　　　　　（林明珠）

中國新文學史論

尹雪曼著，臺北，中央文物供應社，434 頁，1983 年 9 月初版。

作者另有《中國文學概論》，已著錄，生平見前。

本書之編撰，源於民國六十六年元月，作者應邀爲《國魂》月刊以〈中國
現代文學史話〉爲題撰寫專欄，前後達三十一篇。之後作者欲編著《中國新文
學史》一書，乃整理舊稿，並廣蒐史料，予以增補刪訂，揀選修正後結集付
梓，而成此書。

是書之前原有《中華民國文藝史》及周錦《中國新文學史》二書綜論我國
新文學的發展。本書則著眼更廣，以「史論」方式，全面申論中國新文學運動
興起後六十餘年間文學之流變。全書計十七篇專論，除探究新文學誕生之原
委，並闡述西方文學思潮對我國新文學所產生的影響。其中，論述我國早期翻
譯文學一文，不僅評述翻譯文學在文壇上的價值及影響，並蒐集臚列當代國內
作家翻譯英美俄法等外國文學作品重要目錄，極具目錄史料價值，可供治學參
考。各篇專論之間雖無章節串屬，然內容實則關連相接，可從中窺曉我國新文
學發展以來的軌跡。作者文筆流暢，敍述詳盡，且深淺適切，有益於研究文學
者閱讀參考。

〈目次〉

自序；新文學的誕生；陳獨秀與新青年雜誌；白話與文言之爭；西洋文學
思潮與我國新文學；早期的翻譯文學；人性與階級性的論爭；從「人的文學」
到「普羅文學」；「三十年代」文學與「左翼作家聯盟」；自由人；第三種人與
性靈派；論中國國民黨的文藝運動；國軍新文藝運動的成就；新文學與馬華文
學；從嘗試到獨立創造的新詩；略論我國小說的發展；近三十年來的我國小
說；六十年來的文藝思潮；鄉土文學論爭的發生與發展。　　　　（孫秀玲）

中國現代文學史

政治作戰學校中文系編著，台北，政治作戰學校教育處，230 頁，1989 年10 月初版。

本書爲政治作戰學校學生部敎材，實際的編著者爲該校中文系主任田鳳台先生。田鳳台（1929－　　），河南湯陰人。私立淡江大學英語系、國立政治大學中文研究所碩士班、博士班畢業，國家文學博士。曾任政治作戰學校中文系敎授兼主任，現已退休，爲兼任敎授。著有《王充思想研究》、《先秦八家學述》、《呂氏春秋探微》、《古籍重要目錄書析論》等。

編著者有鑒於中國文學史爲中文系的必修課程，但坊間所售敎本，史料大都編纂至淸代，民國以後的文學發展史料，多付闕如。爲了使中文系學生不致忽略與己身息息相關新時代的文學史料，因而編纂此書。

本書共分五章，從淸末民初文壇概況介紹到抗戰末期，新文學運動的起因、誕生、成長等都已述及。由於本書旨在提要鈎玄，使學生對民國以後的文學演進有一輪廓的認識，以彌補坊間敎本的不足，故內容不求全責備，其資料也大致參酌台灣出版各種新文學史料，別無特殊之處。作爲學生補充敎材，本書確實有簡明扼要、條理淸晰之特點，但如果要更詳盡瞭解中國現代文學的諸多作家及作品，恐怕稍嫌不足。

〈目次〉

序言；一、淸末民初文壇概況（文學作品的蛻變，鴛鴦蝴蝶派盛衰）；二、新文學的發展歷程（新文學運動的成因，新文學運動的經過，新文學運動的內容，新文學運動的逆流，新文學運動的影響，新文學運動的前瞻）；三、新文學運動誕生期（嘗試期的新詩，嘗試期的散文，嘗試期的小說，嘗試期的戲劇）；四、新文學運動的成長（三十年代文壇概況，三十年代作家作品）；五、抗戰時期的文學（抗戰時期文藝活動，抗戰時期文藝作品）。　　　（黃文吉）

從文學革命到革命文學

侯健著，臺北，中外文學月刊社，284 頁，1974 年 12 月初版。

侯健（1926－1991），山東荷澤人。國立臺灣大學外文系學士、美國賓夕法尼亞大學碩士、紐約州立大學哲學博士。歷任國立臺灣大學外文系教授、考試院考試委員。著有《二十世紀文學》、《文學與人生》、《中國小說比較研究》等。

本書論述五四前後的文學革命，和三十年代的革命文學，是中國自封建專制脫殼出來後，力求塑造新文化的兩大運動。作者以史筆寫來，對這兩大運動的種種恩怨糾葛，論述極爲詳盡。其中作者所論，這兩大文學運動，其實都不是以文學本身所具的價值或功能爲標準，而是把文學偏頗地定爲社會改革或政治變更的工具，也轉變了文以載道的觀念。對於這種情形的發展，作者也提出了兩種解釋，可謂鞭辟入裏。其次是關於這兩次運動的歷史，數十年來所出版相關的中外書籍論文不下數十種，卻都缺少一個超然卻又密切相關的理論中心來立說，因此偏頗者多，惟作者由文學革命的反對者的思想與行事當作固定觀點與中心理論，可說是極爲適切的觀察點，此亦爲本書寫作的特色。因此，書後特別附錄有白璧德的介紹，乃因梅光迪、吳宓、梁實秋等先生爲兩大文學運動的反對角色，而這些人又師事白璧德，可知其間關係之密切。

〈目次〉

緒論；文學革命的經過；梅光迪、吳宓與學衡派的思想與主張；革命文學的前因與實際；梁實秋與新月及其思想與主張；結論；附錄：一、從文學革命到革命文學；二、白璧德與當代文學批評；三、白璧德與其新人文主義；四、中國與西方的人文教育；五、後記。

〈書評〉

1. 魏子雲，〈文學革命與革命文學〉，青年戰士報，10 版，1977 年 7 月 11 日。
2. 周玉山，〈評介從文學革命到革命文學〉，仙人掌雜誌，2 卷 2 期，頁 249－268，1977 年 10 月。　　　　　　　　　　　　　　　　　　　　（林明珠）

中國新文學運動發凡

成賢子著，國立臺灣大學中國文學研究所碩士論文，241 頁，1975 年 6 月，黃得時指導。

成賢子（1944 －　　　），韓國人。漢城梨花女子大學韓文系畢業，國立臺灣大學中文研究所碩士。著有〈中國新文學運動之經過〉、〈魯迅小說研究〉、〈魯迅小說之社會與人間〉等。

本論文之作，緣於作者對於韓國現代文學深感興趣，曾爲文論述韓國現代文學中的自然主義。其後，兼對中國現代文學的演變產生關切之意，進而觸發研究中國新文學運動的興趣，來臺攻讀碩士學位便以此爲研究主題，因有此論文之作。

本論文計分五章，十一節。以文學革命與革命文學兩大運動爲核心，論述中國新文學運動由民國六年至十四年期間的種種變遷，及其所衍生的影響內容。其中值得一提者有，作者於緒論中特先就新文學運動的時代加以區隔分期，以利敍述，而究明運動興起之因時，不僅兼及原委、近因，更上溯其遠因，確可見其治學嚴謹。而結論中，作者除肯定新文學運動有其時代意義外，也認爲期間的「整理國故運動」是一具有建設性的運動。書後且附有作者所撰〈韓國新文學運動之概觀〉一文，可作參考之用。

唯本論文之論述不夠深入，且略顯粗淺。然回顧本論文完成之際，國內學界研究此題者爲數甚希，而相關的論著專書亦很有限，作者能提出不少問題，及得此成果，實屬難能可貴。

〈目次〉

一、緒論（新文學運動的時代區分，新文學運動的性質）；二、新文學運動興起的原因（新文學運動興起的遠因，新文學運動興起的近因，小結）；三、新文學運動的經過（新文學運動的形式與內容，新文學運動中反對派的論爭，小結）；四、新文學運動的影響（文學團體之成立，外國名士來華講學，整理

國故運動）；五、結論；附：韓國新文學運動之概觀；參考書籍及論文編目。

（孫秀玲）

中國二三十年代作家

蘇雪林著，臺北，純文學出版社，638 頁，1983 年 10 月初版。

作者另有《中國文學史》，已著錄，生平見前。

本書原名《二三十年代作家與作品》，1979 年 12 月由臺北：廣東出版社初版，1980 年 6 月二刷，計 602 頁。

本書介紹五四以後至抗戰前（1909－1937 年間）新文學作家的活動及其作品的大概情形，原爲作者在國立武漢大學擔任新文學這門課程的講義及發表於報刊之篇章加以增改潤飾，按序排列而成。此書與同類著作不同之處，在於略寫作家身世，而注重派別和其作品的作風。每一作家獨立爲一章，派別同者則附錄於後，全書各門類皆有「前言」「後語」一篇，用以提挈綱領及評騭優劣。作者以人品與文藝並重的觀念貫串全書，對每一作家的剖析涉及文藝技巧、人生觀及政治見解，其中對部分左翼作家寄以同情，可說是能體會時代思潮影響個人深鉅的持平之論，與部分晚出的同類型著作相較，後者雖資料較爲齊整，但不如本書對作家作品評價的深刻，可說是本書的一大特色。

〈目次〉

自序；重排前言；總論；第一編：新詩（前言，胡適的嘗試集，嘗試集之後的幾位年輕詩人，五四左右幾位半路出家的詩人，冰心女士的小詩，郭沫若與其同派詩人，徐志摩的詩，聞一多的詩，詩刊派朱湘的詩，新月派的詩人，神祕的天才詩人白采，頹加蕩派的邵洵美，象徵詩派的創始者李金髮，戴望舒與現代詩派，後語）。第二編：小品文及散文（前言，周作人的思想及其著作，魯迅的性格及其諷刺文學，林語堂所提倡的幽默文學，俞平伯、朱自清的散文，孫福熙等的遊記文學，落華生與王統照的散文，幾位女作家的作品，徐志摩的散文，幾位英才早逝的作家，幾位研究廣博的作家，自傳文學與胡適的「四十自述」，後語）。第三編：長、短篇小說（前言，魯迅的「吶喊」與「徬

徨」，葉紹鈞的作品，王統照與落華生的小說，郁達夫及其作品，多角戀愛小說作者張資平，廢名的晦澀作風，王魯彥、許欽文、黎錦明，冰心及其「超人」等小說，盧隱與淦女士，陳衡哲與凌叔華，幽默作家老舍，曾孟樸的魯男子，心理小說家施蟄存，文體作家沈從文，茅盾作品，巴金作品，丁玲作品，鄭振鐸的神話與歷史小說，描寫農村生活的青年作家，新感覺派穆時英的作風，張天翼的小說，幾位早期寫小說的作家，東北的作家，後語）。第四編：戲劇（前言，愛美劇提倡者與熊佛西，以古事為題材的劇作家，田漢的劇作，袁昌英的「孔雀東南飛」，唯美劇的試作者，丁西林等幾位劇作家，洪深的戲曲，曹禺的三部曲，後語）。第五編：文評及文派（前言，人生文學與寫實主義的文學研究，浪漫主義與藝術至上的創造社，現代評論與「西瀅閒話」，「新月月刊」的理想主義，講究音節格律的詩刊，真善美雜誌與曾氏父子的文化事業，力反文言文的老文評家，幾個超越派別的文評家，「語絲」與「論語」，「創造社」的轉變與革命文學的興起，梁實秋對革命文學的意見，普羅文人圍攻魯迅並招降，魯迅加盟左聯前後的作為，民族主義文學運動，文壇上的第三種人，大眾語與拉丁化，國防文學與民族革命戰爭文學，後語）。

〈書評〉

1. 蘇紹業，〈二三十年代的作家與作品〉，中央日報，11 版，1980 年 5 月 7 日。

2. 彭歌，〈公平論斷〉，聯合報，8 版，1980 年 6 月 7 日。

3. 陳紀瀅，〈蘇雪林先生及其近著——介紹二三十年代的作家與作品〉，中央日報，10 版，1980 年 6 月 25 日。

4. 魏子雲，〈二三十年代的作家與作品〉，青年戰士報，11 版，1980 年 10 月 16 日。　　　　　　　　　　　　　　　　　　　　　　　（林明珠）

抗戰時期淪陷區文學史

劉心皇著，臺北，成文出版社，370 頁，1980 年 5 月初版。
作者另有《現代中國文學史話》，已著錄，生平見前。

本書爲《中國現代文學研究叢刊》之九，是一部研究抗戰時期淪陷區文學的專著，作者自述其寫作目的效法《宋史‧叛臣傳》、《清史‧貳臣傳》的精神，對於抗戰時期的「落水作家」（指依附敵僞的作者）就現有的材料加以評述，「以存史跡，而分忠奸」，向後人提供經驗教訓。

全書共分三卷，全面介紹了上海、南京、華北、東北等地淪陷區「僞組織文學」發展狀況。闡述各淪陷區文藝產生的時代背景、文藝活動概況、文藝特徵和作家作品等內容，其中作家簡歷就有一百六十二名，在抗戰淪陷區文學研究提供許多難得一見的材料，可見作者對現代文學史料的用心。然而從另一角度而言，對於作家的介紹僅止於其簡歷，並未涉及作品的評論或介紹，或止於幾句空泛的評論，如介紹梁鴻志、林柏生、梅思評、穆時英、袁殊等等，這樣的介紹並未能有深一層意義，作爲一部文學史，還有許多等待充實。其次，作者欲就依附敵僞的作者加以評述，以辨忠奸，然而所謂「落水作家」，人人情況不一，作者因欠缺具體評析，故也不能區別對待，因此缺乏客觀性，此爲二點缺失。

〈目次〉

〈書評〉

1. 李歐梵，〈三十年代文學的研究——評中國現代文學研究叢刊的二十本書〉，書評書目，89 期，頁 26－32，1980 年 9 月。　　　　　　　　（林明珠）

抗戰時期淪陷區地下文學

劉心皇著，臺北，正中書局，514 頁，1985 年 5 月初版。

作者另有《現代中國文學史話》，已著錄，生平見前。

本書為研究抗戰時期淪陷區文學的專著，是作者繼續其所著《抗戰時期淪陷區文學史》之後的研究。前者專門討論依附敵偽的作家，此書則專門討論抗敵反偽，在淪陷區從事地下活動的作家，以彰顯從事抗日地下文藝活動的事蹟，達到作者所說「忠奸俱呈」的效果。

全書共分四卷，全面介紹東北、平津、南方等地淪陷區的地下文學概況。內容包括：各淪陷區文藝產生的時代背景、地下文藝的活動情形及作家介紹。另有一卷專述蟄伏淪陷區內，雖不能從事抗敵反偽的工作，也不依附敵偽的作家，這些人只是企盼敵人的失敗及敵偽組織的消滅。此四部分所介紹的作家簡歷多達一百五十二人，可說是相當珍貴的史料，然部分過於簡略，有待充實。

〈目次〉

第一卷：東北的地下文學。一、東北地下文學的時代背景；二、東北地下文學的活動情況；三、東北地下文學的作家。第二卷：北方的地下文學。一、北方地下文學的時代背景；二、北方地下文學的活動情況；三、北方地下文學的作家。第三卷：南方的地下文學。一、南方地下文學的時代背景；二、南方地下文學的活動情況；三、南方地下文學的作家。第四卷：留在淪陷區的作家。一、留在上海者；二、在淪陷期間病故上海者；三、太平洋戰爭爆發，日軍侵入租界，始到抗戰大後方者；四、到抗戰大後方之後，或因病或過不慣困苦生活又返回上海者；五、太平洋戰爭爆發，日軍侵入上海租界和香港，始到南洋者；六、留在北平者；七、留在河南者；八、臺籍作家留在北平者。附錄：淪陷區偽文化團體名錄。（節目從略）　　　　　　　（林明珠）

肆、各體文學史編

一、詩　　史

1.通　　代

中國韻文通論

傅隸樸著，臺北，正中書局，436 頁，1982 年 10 月初版。

傅隸樸（1907－　　），湖北天門人。幼年教育，悉在塾館，成童後，入武昌教會學校文華書院習西文，後入日本明治大學習法律。曾任教於臺灣省立師範學院國文系、日本岡山綜合大學、國立政治大學中文系、南洋大學等。著有《國學概論》、《中文修辭學》、《周易理解》、《春秋三傳比義》等。

本書原名《中國韻文概論》，由臺北：中華文化出版事業委員會於 1954 年 6 月初版，計 2 冊，297 頁，原爲作者執教於臺灣省立師範學院國文系時之講義。本書改爲今名後稍有增訂，但變動不大。書中以中國文學主流——韻文爲探究命題，論列詩經、楚辭、賦、樂府、古詩、唐詩、變文、宋詞、元曲、白話詩之淵源流變等，其特列變文之原因，以時人響應胡適中國俗文學史的號召，而大肆吹捧變文，爲免讀者以疏漏見責，故予納入；至如白話詩部分，本書作者有見於當時作者多虛浮偷薄，乃不輕置許可，僅以民國初年之早期作品爲論述對象。全書大抵明暢周延，惟部分章節劃分過細，如第八章〈宋詞〉之第五節「北宋詞」部分及第六章〈唐詩〉之第一節「唐詩的形成」等，均較爲簡略，想是由於原爲講義的緣故，然不致影響整體成績。本書成書較早，於當時學界頗爲流傳，具影響力。

〈書評〉

1. 高鴻縉,〈中國韻文概論〉, 學術季刊, 3 卷 1 期, 頁 171－172, 1954 年 9
　　月。　　　　　　　　　　　　　　　　　　　　　　　　　　　(連文萍)

中國詩史

葛賢寧著，臺北，中華文化出版事業委員會，2 冊，417 頁，1956 年 6、9 月初版。

葛賢寧（1908－1961），江蘇沭陽人。上海中國公學中文系畢業。曾任政治部主任、臺灣省政府祕書、報社社長等。著有《中國小說史》、《五十年來的中國詩歌》、《民族復興與文藝復興》、《論戰鬥的文學》、《現代小說》等。

本書爲《現代國民基本知識叢書》之第四輯，分上、下冊，其內容以初唐詩爲分界點，上冊由推究詩歌的起源開始，進而詩經、楚辭、兩漢詩、魏晉詩、樂府詩等，至隋代及初唐詩而止；下冊由盛唐詩起首，進而中唐、晚唐五代、北宋、南宋、遼金元、明、清，新詩部分則以「三十餘年來詩歌成就不高」爲由，僅論述民國初年的詩壇概況。

全書以時代爲序，略述詩歌演蛻發展的軌跡，大抵言簡意賅，作者的著述理路，除詩歌形式的演變等必要論述之外，尤側重抉發歷代詩歌中含有民族、民權、民生思想及精神者，如第十六章〈明代的詩〉部分，即特闢「明末的詩人」一節，以相當多的篇幅介紹當時一些反清志士的詩歌，中如熊廷弼、袁崇煥、孫承宗、袁繼咸等，率皆忠烈之武人，一般詩史絕少著錄，然本書作者特標舉之，錄其詩實揚其人。此種寫作方式，與民國四、五十年代的風氣有關，它必須肩負社會教化功能。

本書在編校上不夠嚴謹，如「憔悴」倒字爲「悴憔」、明代志士張同敞誤作「張同廠」等，部分標點亦有錯失，研讀宜加注意。

〈目次〉

一、中國詩歌的起源；二、詩經；三、楚辭；四、兩漢的樂府詩；五、兩漢的五七言詩；六、魏晉的詩；七、南北朝的詩；八、魏晉南北朝的樂府詩；九、隋代及初唐的詩；一〇、盛唐的詩；一一、中唐的詩；一二、晚唐五代的詩；一三、北宋的詩；一四、南宋的詩；一五、遼金元的詩；一六、明代的詩；一七、清代的詩；一八、民初的詩。　　　　　　　　　　（連文萍）

中國歷代韻文文學概論

陸道孚編著，臺北，興漢出版社，53頁，1960年10月二刷。

本書於1957年初版。凡十三章，起自周朝以前，下至清代，原則上以每一代爲一章，分述歷代韻文文學傳佈之概況，而周代以前時期，有關韻文文學之史料太少，因此併列一章。至如周秦之交的楚國，雖不是一獨立朝代，但就文學而言，具有豐富史料，足自成一章；又三國之魏、晉，亦合併以便於敍述。輯錄之範圍則包括民歌、樂府、詩、詞、銘、頌、謠、賦、駢文、元曲、傳奇等。對於各代韻文文學之特質，及其興替之原委與經過，各代之重要作家之生平，皆作中肯扼要之論述。

審其內容，作者頗能撮其體要，精約賅備，要言不煩。惟引證時不附徵引文獻，又乏旁例，介紹名家作者亦不錄其佳作名句，欠缺可供參閱的資料，是其不足。而校勘粗略，訛字肆出，亦爲其短。

〈目次〉

序言；一、周代以前的韻文文學；二、周代的韻文文學；三、周秦之交楚國的韻文文學；四、秦代的韻文文學；五、漢代的韻文文學；六、魏晉的韻文文學；七、南北朝的韻文文學；八、唐代的韻文文學；九、五代的韻文文學；一○、宋代的韻文文學；一一、元代的韻文文學；一二、明代的韻文文學；一三、清代的韻文文學。　　　　　　　　　　　　　　　　（孫秀玲）

中國純文學概論

趙錫民編著，臺中，金氏圖書出版社，110頁，1963年12月初版。

趙錫民，四川宜賓人。著有《胡適學術思想》等。

本書所論述之範圍僅限於「中國純文學」，依作者定義：「純文學是情深而感人的文藝詩歌」，自然不包括歷代的散文作品。作者自三百篇起，分歷代純文學爲九類，擷其精要，敍述其特色、價值，並舉證傑出的作家、作品，辭約

意賅，凡四萬言。

全書共分十一章，六十八節，首章爲「中國純文學」之總論，界定本書論述的範圍。第二章至第十章，依序就詩經、離騷、辭賦、樂府、五言詩、唐詩、詞、曲、詩歌等九大類，敍述其體裁、分類、特質、代表作品。末章結論實爲作者個人重要的研究心得，及其對中國純文學發展的期許。

本書之章節雖很豐富，但部分內容只是幾句簡單的敍述，或僅止於引述一段文字以爲對應，稍嫌粗略。又全書之架構，大部分篇章均是有系統的安排，而部分篇章，如詩經一章，則顯得淆亂、雜錯。此外，第十章論及現代歌曲，爲他書所未論，是本書之一大特色，又本書完全由鍾嘉謨以隸書鈔寫付印，版面美觀、齊整，爲本書更添光彩。

〈目次〉

一、總論（文學的界說，純文學的界說，純文學的主要成分——情感，純文學的特點，純文學發展的途徑，構成純文學的條件，純文學條件在原則上的運用）；二、詩經（詩經是我國的第一部純文學作品，詩經在純文學中的價值，抒情之詩，詩經與歌詠，詩經的文采，詩經在文藝上的技巧，詩言志，詩經的思想，詩經的體裁，鑑賞）；三、離騷（離騷與詩經相同之點，離騷與詩經相異之點，劉勰詩騷異同論，評述，鑑賞）；四、辭賦（概論，賦的分類，鑑賞）；五、樂府（概述，樂府的分類，評述，鑑賞）；六、五言詩（概論，鑑賞）；七、唐詩（唐詩興盛的原因，唐詩的中心思想，絕句，唐詩的分類，唐詩名家，結語，鑑賞）；八、詞（令詞，慢詞，鑑賞）；九、曲（概述，曲與詞的關係，散曲的體裁，散曲的內容，曲中的樂調和文字，散曲名家，散曲鑑賞，元代的劇曲——雜劇，元代雜劇中的曲調，劇曲名家，雜劇鑑賞，明代的劇曲——傳奇，傳奇（南曲）與元代雜劇（北曲）的區別，傳奇名家，傳奇鑑賞）；一〇、詩歌（概述，音名，音調與情感的關係，歌唱，促進音樂發達的因素，詩歌的分類，鑑賞）；一一、結論（時間對於純文學作品的考驗，純文學的正統，純文學發展的歧途，學人的責任，廣博的純文學園地）。

（張惠淑）

中國詩史

吉川幸次郎著，劉向仁譯，臺北，明文書局，501頁，1983年4月初版。

吉川幸次郎（1904－1980），日本兵庫縣人。京都帝國大學文學科畢業，曾到中國大陸留學三年。歷任京都大學敎授、名譽敎授。以《元雜劇研究》獲文學博士學位。著有《中國文學史》、《中國文學入門》、《中國の文學》、《唐代の詩と散文》、《宋詩概說》、《元明詩概說》、《元雜劇研究》、《中國散文論》、《吉川幸次郎全集》等。

劉向仁（1956－　　　），河南洛陽人。私立東吳大學東方語文系學士、中文研究所碩士。現任敎於私立德育護專。著有《懷風藻與六朝詩——中世紀中日文學比較研究》等。

本書原著於1967年10月，由東京：筑摩書房初版，編者高橋和巳從吉川幸次郎博士眾多學術研究成果中，選取了中國詩文學以及詩人的有關論文，按照詩人的時代先後編列而成。由於各篇論文書寫當時，作者並非依年代先後次序逐一完成，所以，文章與文章之間的年代跳躍劇烈，有銜接不夠緊密之感，故全書雖名爲《詩史》，然指涉作家卻十分有限，而以史論居多，含有強烈的理論色彩。一般而言，作「史」的要求，基本上必須前後一致，首尾一貫，本書雖未能達此理想，但作者各篇論文之寫作過程，都能對事物作切實的認識，然後再加以嚴密的敍述，方法獨到，故其文章之視野頗爲寬廣，又具深度，可讀性極高。

譯者譯文尙稱流暢，但原著之出版資料及編者姓名都付之闕如，實美中不足。此譯本之後，大陸亦有兩種譯本，一是章培恆等譯，合肥：安徽文藝出版社，1986年12月初版；一是蔡靖泉等譯，太原：山西人民出版社，1989年11月初版，可見此書受重視之一斑。

〈目次〉

一、序（中國文學史概說）；二、先秦（詩經與楚辭，孔子與「天」）；三、漢（項羽的垓下歌，漢高祖的大風歌，司馬相如，向常識的反抗——司馬遷史

記的立場，短簫鐃歌）；四、三國（曹操的樂府，孔融，曹植，阮籍傳，阮籍的詠懷詩）；五、六朝（陶淵明，燃燒與持續——元朝詩與唐詩）；六、唐（唐詩的精神，李白與杜甫，牡丹花——李白小論，杜甫小傳，韋應物的詩，韓退之的詩，白居易，杜牧，李商隱）；七、宋（宋詩概論，蘇軾，詩人與藥房——黃庭堅，陸游）；八、元明（元好問，高啓，李夢陽的一面）；九、淸（漁洋山人的秋柳詩，淸末的詩）；一〇、終章（中國古典與日本人）；一一、解說。　　　　　　　　　　　　　　　　　　　　　　（黃惠菁）

中國詩歌史

張敬文著，臺北，幼獅書店，416 頁，1970 年 12 月初版。

張敬文（1918 －　　　），山東莒縣人。曾任中學及大專國文教師，著有《唐宋詩詞研究》、《敬文詩詞選》等。

本書定名爲《中國詩歌史》，可知作者有意彙整中國詩歌之流變，呈現一種頗類「文學史」體製之風貌。在書寫過程中，作者是以王朝爲斷代，敘述各朝代的文學發展，顯然，作者所認定的「詩歌」範疇，圈籠極廣，除了詩經、楚辭、五言詩、七言詩外，還包括賦、變文、詞、戲曲、散曲，乃至部分的詩歌理論。另外，全書還有一項殊異於其他同類書籍的地方，作者極爲重視「女性作品」，所以，分就唐代、宋代、淸代，各立一子目，別爲女作家作品之探討。全書章節安排雖爲淸朗，惟因篇幅所限，揭舉問題，不及深入。然其寫作目的，旨在弘揚國粹、復興中華文化，或求詩歌知識之普及，從此觀點來看，此書或已合於一般讀者所需。

〈目次〉

一、詩歌的起源；二、詩經與音樂；三、詩經之集成；四、孔子與詩經；五、詩經之內容；六、詩之六義（風、雅、頌）；七、古代的歌謠；八、楚辭（楚辭的產生，詩經與楚辭，屈原及其作品，宋玉及其作品）；九、賦的產生；一〇、漢代的賦；一一、樂府與民歌；一二、漢代女作家；一三、五七言詩之產生；一四、曹魏詩人；一五、晉代詩人；一六、宋朝的詩；一七、聲律的發

明；一八、文心雕龍與詩品；一九、齊梁陳的詩；二〇、北朝的詩；二一、南北朝的歌謠；二二、隋朝的詩；二三、唐代的詩（緒說，唐詩的第一期，唐詩的第二期，唐詩的第三期，唐詩的第四期）；二四、唐代的女作家；二五、唐代的變文（變文的出現，變文的由來，變文的體例，變文的影響）；二六、唐代的民間歌曲；二七、唐代的詞；二八、五代十國的詩詞；二九、宋代的詞（緒說，北宋的詞，南宋的詞）；三〇、宋代的詩（緒說，北宋的詩，南宋的詩）；三一、宋代的女作家；三二、宋代的戲曲；三三、曲的興起；三四、詞曲的分別；三五、曲的體制；三六、元代的散曲（元曲的前期作家，元曲的後期作家）；三七、元代的雜劇；三八、元代的詩；三九、元代的詞；四〇、明代的傳奇；四一、明代的散曲；四二、明代的詩；四三、明代的詞；四四、明代的民歌；四五、清代的詩（清詩的第一期，清詩的第二期，清詩的第三期）；四六、清代的女詩人（第一期，第二期，第三期）；四七、清代的詞（清詞的第一期，清詞的第二期，清詞的第三期）；四八、清代的女詞人（豪放派，清麗派，悽婉派）；四九、清代的曲（散曲，雜劇，傳奇，花部，道情，俗曲）；五〇、民國的新舊詩（民國的新詩，民國的舊詩）。　　　　　　（黃惠菁）

中國詩歌流變史

李曰剛著，臺北：文津出版社，2 冊（776，940 頁），1987 年 2 月初版。

作者另有《中國文學史》，已著錄，生平見前。

作者有感於先前所撰的《中國文學史》太過簡略，故擬撰較詳細的《中國文學流變史》，共分三編，第一編爲散文編，第二編爲辭賦編，第三編爲詩歌編，可惜第一編並未完成。本書原爲《中國文學流變史》之第三編（詩歌編），於 1976 年由臺北：聯貫出版社初版。作者去世後，經作者後人及國立臺灣師範大學國文系之授權，易名發行。

大凡詩歌之起始，初多盛行於民間，後始播之律呂，而爲文人墨客所仿作，待文學與音樂脫離，民間另一滋長之詩歌又起而替之，此詩歌演進之一大原則也。本書即敍寫詩歌流變之迹，要以詩經爲先驅，漢魏之樂府、古詩繼

— 115 —

之，而自唐以迄於清之近體詩爲後勁，分別評述，井然而有致。其最大特色，在於以「詩家流派」爲論述點，藉由品評各派詩人之行迹造詣，探看各時期詩歌之特色及詩運之嬗替，如論初唐之詩歌，即劃分「元老派」、「隱逸派」、「正始派」、「典型派」、「復古派」四節論述，其下繫以各派詩人及代表作品；又有以詩人所處時代、籍貫郡望或詩社組織等爲論述點者，不一而足。大抵包羅宏富，非一般只著眼於少許大家或時期的詩史可比，而其能觀照眾多小家的詩歌成就，讓他們擁有一席之地，尤具重要意義。惟部分流派的認定、成員的歸屬，缺乏深入考證；部分詩歌分期，仍有爭議，此或即泛論性詩史無法照應周全之處。

〈目次〉

　　總論；一、詩經（詩之名稱，詩之采獻，詩之作者，詩之刪除，詩之體類，詩之作法，詩之四始，詩之時地，詩之功用，詩之傳授，詩之技巧）；二、樂府（樂府之由來，樂府之盛衰，樂府之分類，樂府之形式，樂府之流變）；三、古詩（古詩之名體，古詩之特質，古詩之起源，古詩之流變）；四、絕律（絕律之成因，絕律之由來，絕律之體製，絕律之流變）。　　　　　　（連文萍）

音韻文學演進述要

祁宗漢著，臺北，莒光印刷事業公司，142 頁，1976 年 5 月初版。

　　本書所謂「音韻文學」者，係指詩經、楚辭、漢賦、唐詩、宋詞、元曲等，作者遵循此一演進脈絡，分章敍述其時代意義及特質。本書或由於成書早，故敍述、立論及分章均頗爲粗糙，如第七章標目爲〈元代散曲〉，末節卻爲「元代雜劇及明清作品」，其敍述且下及民國以後胡適、徐志摩、劉大白等人的新詩；而其編校亦十分不精，如標題「荀卿」作「苟卿」；引文「匪寇婚媾」作「亞寇婚媾」；《文心雕龍·物色》「山林皋壤」作「山林卑壤」；《史記·屈原賈生列傳》「舉類邇」作「舉歎邇」、「浮游」作「浮淤」、「不滓」作「不澤」；又庾信作「廋信」、「虞世南」作「虞是南」、「徐渭」作「徐謂」等，不一而足。參考書目亦簡陋且不乏誤失，如漢賦底下列《全唐詩話》、《唐詩三百

首〉；唐詩部分卻無任何參考書目；又「中原音韻」誤作「中原固韻」、「華仲麐」遺漏「麐」字、「李曰剛」作「李日剛」等，研讀時切須注意。

〈目次〉

　　緒言；一、詩經（詩經內容和體裁，社會詩與抒情詩的興起，詩經在文學中的評價）；二、楚辭（楚辭溯源，楚辭誕生的文學背境，楚辭的評價）；三、秦代文學（秦代文學的特色，荀卿李斯在文學上的貢獻）；四、漢賦（貴族宮廷文學的興起，駢體文學點將錄，漢賦文體另一轉變）；五、唐詩（初唐詩壇，盛唐詩壇，中唐詩壇，晚唐詩壇）；六、宋詞（宋詞極盛的原因，詞風轉變，詞風再變，格律詞結束北宋詞壇，格律派兩大詞人，南宋詞壇，音律詞壇）；七、元代散曲（曲的興起，前期散曲作家，散曲的轉變，元代後期散曲作家，元代雜劇及明清作品）；結論。　　　　　　　　　　　（連文萍）

中國歷代詩學通論

　　方子丹著，臺北，大海文化事業公司，1416 頁，1978 年 6 月初版。

　　方子丹（1910－　　　），江蘇灌雲人。曾任行政院簡任參議，退休後，曾受聘為私立輔仁大學、中國文化大學教授，及國史館特約纂修。著有《棄井盦詩》、《應用文》等。

　　作者將我國數千年之詩史，分析歸納，釐分為六篇，二十八章，計一〇三節，凡數十萬言。就詩的溯源、內容、聲韻、體例、製作及展望，作一系統且提要式的論述。其中論詩的溯源時，作者於詩經之餘，又上溯至遠古的古歌古謠，且依循文化的形成差異，分為中原、荊楚、邊塞、綜合、西洋等五部分，辨論各階段詩的流變；除敘述詩的遞嬗軌跡外，作者對於各代詩歌之內容概述，頗能撮其體要，尤其是民國詩的內容，不僅加以分期敘述，且舉列不少名家之作，甚具參考價值。而全書末篇，則一面對舊詩進行整體的檢討，更為新詩的出路，提出針砭的意見，自有其卓犖之處，治詩之學者，或可由此獲得助益。

　　本書緣自作者將其多年課堂之講稿整理而成。綱舉目張，條理顯豁，敘述

淺明適切，可視爲詩學之津梁，惟對於歷代詩話之述介，過於簡略，又未明其價值，是其缺憾。

〈目次〉

　　丁似庵序；成惕軒序；王公嶼序；自序；第一編、詩的溯源：一、中原文化的詩；二、荊楚文化的詩；三、邊塞文化的詩；四、綜合文化的詩；五、西洋文化的詩。第二篇、詩的內容：一、古逸內容述要；二、詩經內容述要；三、楚辭內容概述；四、樂府內容概述；五、兩漢古體詩概述；六、魏晉南北朝古體詩內容述要；七、隋唐古近體詩內容述要；八、宋詩內容述要；九、元詩內容述要；一〇、明詩內容述要；一一、清詩內容述要；一二、民國詩內容簡述；一三、歷代詩話略述。第三篇、詩的聲韻：一、歷代的聲韻的變遷；二、韻書的起源及其遞變；三、詩與韻的關係；第四篇、詩的體例：一、按正格分體；二、按偏格分體。第五篇、詩的製作：一、製作前提；二、製作構想；三、製作技巧。第六篇、詩的展望：一、舊詩的檢討；二、新詩的出路。

（節目從略）　　　　　　　　　　　　　　　　　　　　（孫秀玲）

中國韻文之演變

詹同章編著，臺北，作者自印本，460 頁，1984 年 7 月初版。

詹同章，河南人。國立政治大學法政學系畢業。曾任教於中等學校、軍事學校、國立藝專、中原大學，擔任國文課程。著有《政治學新義》，主編《中文新字典》等。

　　文學與歷史文化有著不可分割的關係，尤其是韻文之流變，在中國文學史上，分布廣袤且形式多變，可謂萬象分呈，甚具重要性。本書即就歷代韻文之演變，作一整理歸類並敍述其間之流傳情形。

　　全書除將詩經、楚辭分置前二章外，餘則就韻文的類別，劃爲八章，分就賦、樂府、古詩、銘、祭、頌、近體詩、詞、曲、新詩等，先槪述其名稱，考其源起，再簡介其作法，代表作家及作品，作品後尙附有作者的評論，可供參考。

此書之編，原爲單篇論著，刊布於《國立藝專藝術學報》，後予補充而成是書。察其編輯旨要，原爲增補大學國文敎材之缺漏，故重在遴介古今韻文之佳作，以爲學生閱讀之參考。對於各類韻文之體製，僅能撮其綱要，難有深入的析論。而評論時未能就作品內容給予公正適切的評價，皆是本書的缺失。故本書或可視爲學者入門指導，不能算是嚴謹學術著作。

〈目次〉

（孫秀玲）

中國詩歌史

張建業著，臺北，文津出版社，339 頁，1995 年 6 月初版。

張建業（1937－　　　），河北南鄆城人。北京師範大學中文系古典文學研究生畢業。現任首都師範大學中文系敎授、文藝理論敎研室主任、北京市文藝理論研究會副會長等。著有《中國詩歌簡史》、《李贄評傳》、《文學概論新編》、《中外文學名著精彩議論辭典》等。

本書爲文津出版社邀請大陸學者劉如仲、李澤奉主編之《中國文化史叢書》第二十二種。作者所認定的「中國詩歌」，是採取大詩歌史的視角，把盛唐以後興起的詞和元代開始繁興的散曲，都包括在詩歌史發展範疇之中，因此本書依照時代順序，將《詩經》、《楚辭》、樂府詩、古體詩、近體詩、詞、曲等各種詩體的發展流變及重要作家、作品都一一論述。有人認爲傳統詩歌到清代已經衰落，但作者並不以爲然，他覺得清代詩歌雖不及唐宋，卻比元明有所發展，而呈現復興之勢，這首先表現在詩歌創作和詩歌理論的發展和豐富上，同時也表現在詩歌內容和藝術的開拓上。這些見解都是本書比較突出的地方。或許由於篇幅的限制，作者對於各時代詩歌都是重點式、選擇性的介紹，因此

書中對於一些名家遺漏不少，就以宋代爲例，詩人未介紹陳師道、詞人未介紹朱敦儒都是一種缺憾，另外遼金元及明代，只介紹詩歌和散曲，詞則付之闕如，清代只介紹詩詞，散曲亦隻字未提，如此對認識詞及散曲在發展上的整體性難免受到影響，不知作者是否曾加考量過？

〈目次〉

（黃文吉）

中國詩論史

鈴木虎雄著，洪順隆譯，臺北，臺灣商務印書館，213 頁，1972 年 9 月初版。

鈴木虎雄（1878－1963），日本新潟縣人。畢業於東京帝國大學漢文科，曾赴中國大陸留學兩年。歷任東京大學講師、東京高等師範學校教授、京都大學教授、名譽教授。以《中國詩論史》獲文學博士學位。著有《賦史大要》、《駢文史序說》、《陶淵明詩解》、《陸放翁詩解》等，所譯《杜少陵詩集》，至今仍爲日本最完備的杜詩譯本。

洪順隆（1934－　），臺灣嘉義人。國立臺灣師範大學國文系畢業，私立中國文化大學中文研究所碩士，日本國立東京大學文學院人文科學專門課程

中國文學博士課程結業。現任中國文化大學中文系所教授。著有《謝宣城集校注》、《六朝詩論》、《由隱逸到宮體》等專書，編有《中外六朝文學研究文獻目錄》，譯有《現代詩探源》（村野四郎著）、《唐代的詩人們》（前野直彬著）等。

　　本書爲作者在大正 8 年（西元 1919 年）發表之〈周漢諸家對於詩的思想〉和〈魏晉南北朝時代的文學論〉二文，及在明治 44 年（西元 1911 年）發表之〈論格調、神韻、性靈三詩說〉一文，集結而成，於大正 14 年（西元 1925 年）5 月由東京：弘文堂書房初版，總名爲《中國詩論史》，然對於隋、唐、五代、宋、遼、金、元等朝代之詩論，並未述及，故不完備。雖然如此，本書實爲早期研究中國詩論之名著，啓迪後人極大，堪稱先驅之作，尤可貴者，其論述甚爲細密，如論清代詩論中之格調、神韻、性靈三說，考證淵源，詳說精義，愼舉例證，頗有發人所未發之處，值得細加研讀。此書有孫俍工譯本，書名作《中國古代文藝論史》，2 冊，314 頁，上海：北新書局於 1928 年 5 月、10 初版。又有許總譯本，由南寧：廣西人民出版社於 1989 年 9 月初版。

〈目次〉

　　張其昀先生題字；作者自序；高序；成序；譯序；一、周漢諸家對於詩的思想（堯舜及夏殷時代，周代，孔子對於詩的意見，孔子及孔門諸子談詩，子夏詩說，諸子的詩說，漢的時代）；二、魏晉南北朝時代的文學論（魏的時代——中國文學上的自覺期，晉的時代，宋的時代，齊梁時代，北朝的文學論，結論）；三、論格調神韻性靈三詩說（緒言，用語的意義及三說關係之大要，三說發生以前詩說的梗概，論格調說，論神韻說，論性靈說，結論）。

（連文萍）

歷代歌詞述要

許建吾著，臺北，華岡出版公司，130 頁，1970 年 11 月初版。

　　民間文學最初表現的方式之一便是歌謠，歌謠在民間的傳佈極爲普遍且深入，由詩經、楚辭，至漢代的樂府，唐宋的詩詞，再至現代的流行歌曲，其間的流變，林林總總，複雜多端，但學者多將其歸入文學史甚至韻文史中論述，

卻未能獨立論之，實一憾事。本書則單將歷代的歌謠析出，做一系統地介紹。

全書依時代為序，歷論上起商周，下迄民國各代之間歌謠的起源及內容。除前言、結論外，分為九講。論述則多採問答及條列方式，敍述極為簡淺。其中論述歌詞內容時，或有舉例，然欠缺分析說明，且部分引例附有歌譜，部分則無，無脈絡可循，莫衷一是。又書中輒有錯字訛辭，俯拾皆是，顯見編校之粗疏。然其中第十講——現代歌詞一章，作者對於現代歌詞——新歌的命名、誕生及流變，有提要式的論述，當能提供研究學者初步的概念，此為本書較具參考價值之處。

〈目次〉

一、序話（為何要講歷代歌詞，何謂歌詞，歌詞的起源，結論）；二、周代歌詞——風雅頌（何謂詩，風雅頌的意義及起源，風例關雎，結論）；三、戰代歌詞——楚辭（何謂楚辭，楚辭的起源，楚辭的篇目，辭例雲中君，結論）；四、漢代歌詞——樂府（何謂樂府，樂府的組織，樂府的任務，樂府歌辭分類，辭例鼓吹及相和歌辭，結論）；五、唐代歌詞——絕律（何謂絕律，絕律的起源，絕律的聲韻，絕律入樂，結論）；六、宋代歌詞——詞（何謂詞，詞的起源，製詞三要，字法句法章法，詞的幅度，詞例羅敷艷、江城子、念奴嬌，結論）；七、元代歌詞——散曲套曲劇曲（何謂曲，曲的起源，曲的發展，曲的體裁，字法句法章法，曲例天淨沙、秋思、西廂記，結論）；八、明代歌詞——傳奇（何謂傳奇，傳奇的起源，傳奇的結構，傳奇的歌詞，傳奇的國劇化，傳奇例牡丹亭，結論）；九、清代歌詞——皮簧（何謂皮簧，皮簧的起源，皮簧的成份，皮簧的文字，皮簧的四大原則，皮簧的劇本，皮簧例宇宙鋒、甘露寺，結論）；一〇、現代歌詞——（新歌的命名，新歌的誕生，新歌詞問題，新歌詞的演變，結論）；一一、結論（共名，起源，章句，聲韻，情景，意境，規律，影響，詞道）。　　　　　　　　　　　　　　　　　　（孫秀玲）

2.斷　　代

兩漢詩歌研究

趙敏俐著，臺北，文津出版社，270 頁，1993 年 5 月初版。

趙敏俐（1954－　　），內蒙古人。瀋陽師範學院文學士、碩士。東北師範大學文學博士。現任青島大學中文系副教授、古代文學教研室主任及青島大學中外文化交流中心主任。著有《文學傳統與中國文化》、《先秦大文學史》（與人合著）等。

本書爲作者於 1988 年通過的博士論文，楊公驥指導，題目原作《漢詩綜論》，修訂後始改爲今名。全書凡七章二十節，書前有自序一篇，書末附有〈徵引書籍論文目錄〉、〈答辯委員會評語〉及〈後記〉各一篇。

本文的主要目標，在於確立兩漢詩歌在文學史中的地位，因此，作者力圖從兩漢詩歌與先秦、魏晉詩歌的相異處，進行比較分析，以辨明其承先啓後的重要地位。同時本文兼論及漢代的社會對詩人創作傾向的關係，並深入探討兩漢詩歌的創作方法與藝術風格，爲一部有系統地研究兩漢詩歌的學術專著。

本論文澈底地否定前人諸多舊說，如「漢代乃詩思消歇的時代」，特別強調漢詩的思想與文化的表徵，以及詩歌觀念的轉變，唯作者仍囿於馬、列思想的意識糾結之中，讀者須有所分辨。

〈目次〉

緒論：兩漢詩歌研究狀況及其方法論（兩漢詩歌研究狀況回顧，本文的指導思想、方法與研究範圍）；一、兩漢詩歌與兩漢社會（漢帝國的統一強盛與漢詩創作的繁榮，新的生活面貌在漢詩創作中的體現，社會生活矛盾與兩漢詩歌創作）；二、兩漢詩歌創作中新的思想傾向（兩漢詩人前期個人主義思想傾向的形成，兩漢詩人對現實生活新的觀察角度與詩歌表現，新的人生體驗與抒情詩創作）；三、兩漢詩歌新的發展道路（兩漢詩歌從「周禮」中解放的必然

趨勢，漢詩反映現實的新特徵，比興之義的擴展與轉化）；四、兩漢詩歌的創作方法與藝術風格（兩漢詩歌的創作方法，兩漢詩歌的藝術風格）；五、兩漢詩歌的語言形式（兩漢詩歌語言形式發展的主要特徵，五言詩的節奏韻律特徵，五言詩的語法結構分析，五言詩的起源及其發展階段問題）；結語：兩漢詩歌的歷史地位及其影響（詩人主體意識的變化，藝術審美觀念的更新，藝術語言形式的發展）。附錄：一、徵引書籍論文目錄；二、答辯委員會評語；三、後記。　　　　　　　　　　　　　　　　　　　　　　　　　　（張惠淑）

魏晉時代詩人與詩歌

方祖燊著，臺北，蘭臺書局，106 頁，未標出版年月。

　　方祖燊（1929－　　），福建福州人。畢業於臺灣省立師範學院。曾任國語日報社《古今文選》編輯。曾任國立臺灣師範大學國文系教授，現已退休。著有《漢詩研究》、《六十年來之國語運動簡史》、《魏晉樂府詩解題》等。

　　本書論文曾刊登於《師大學報》，18 期，頁 39－86，1973 年 6 月。魏晉是承接東漢建安的時代，時間不長，但卻是內有政爭篡奪、外有異族侵犯的動亂時期。然魏晉時期的詩歌卻能獲得後人垂愛及崇高評價，蓋因其能承繼漢代樂府民歌的傳統，深刻反映了時代現實，且有其獨特的浪漫性，值得深入研究，本書即為作者研究之成果。

　　本書蓋以論述魏、晉時期重要知名的詩人為主。除去緒說，全文概分為甲、乙兩部。甲部為魏朝時代，收錄曹叡等八位詩人，乙部則輯錄西晉十二位及東晉四位重要詩人。作者依照詩人之卒年先後，分別論述其生平事蹟與詩歌的寫作時代，產生背景，詳細內容與文學價值。藉由剖析詩人及詩歌的內容，從而闡明魏晉詩學的發展梗概。

　　全書以人物論述為主，其特出之點在所論介之詩人如曹叡、繆襲、左延年、應璩等幾位皆不見文學史中有所著錄，研治此一時期詩學者，恰可藉本書彌補所缺。惟作者不述東吳及西蜀的作家、作品，是一缺憾。

（孫秀玲）

六朝詩發展述論

劉漢初著，國立臺灣大學中國文學研究所博士論文，392 頁，1983 年 5 月，張敬、葉慶炳指導。

　　劉漢初（1948 －　　　），香港人。國立臺灣大學中文研究所碩士、博士，現任教於國立臺北師範學院語文教育系。著有《蕭統兄弟的文學集團》、〈向秀「思舊賦」曲說〉、〈王逸楚辭章句的詮釋理念〉等。

　　自東漢末至南北朝四百多年時間，雖時局紛亂，變動頻仍，然在政治、社會、經濟、思想、文學等各方面，仍呈現著持續而有系統的發展，在整體的歷史觀照下，實自成一個獨立的整體。本書作者即以「六朝詩」爲研究對象，針對詩歌發展洪流中，此一自成體系的階段，加以推溯源流，勾勒其發展脈絡，亦探討詩人及詩作的實際面貌，給予適切的評價。全書以詩歌體裁的分類作爲綱要，主導論述的進行，共區分遊仙詩、隱逸詩、玄言詩、山水詩、詠物詩、宮體詩六個大章節，下繫個別體裁詩歌的興起與發展、代表作家與作品，及其轉化或影響等等探討，而對於歷來批評家給予六朝詩的種種評論，亦加以再次的批評。本書就發掘六朝詩的積極意義，探究六朝詩人自得之處、述說六朝詩史的眞實面等等命題，作了相當的努力。

謝混、殷仲文與玄言詩的衰竭）；四、山水詩（賞愛山水的風氣，山水詩的起源與成長，謝靈運，鮑照、謝朓及其他詩人）；五、詠物詩（詠物詩興起的文學背景，齊梁以前的詠物作品，詠物詩全盛時期的詩人）；六、宮體詩（宮體詩與玉臺新詠，從情詩到宮體，代表作家與作品）；結語；附錄：六朝重要詩人生卒年一覽表；主要參考書目。　　　　　　　　　　　　　（連文萍）

六朝詩學研究

李瑞騰著，私立中國文化大學中國文學研究所碩士論文，168頁，1978年6月，黃永武指導。

作者另有《晚清文學思想論》，已著錄，生平見前。

本篇所論，蓋爲「詩學」之斷代研究。所謂「詩學」，指的是以詩爲研究對象所構成的體系知識。中國詩藝演進至魏晉，衆體粗備，詩學研究風氣始盛。南北朝承魏晉之後，詩律愈密，詩法愈精，遂開唐代光輝燦爛之詩運。詩學研究之盛於斯時，乃勢之必然。自此之後，中國詩學漸漸發達，及到清朝，集其大成。換言之，中國詩學旣始盛於六朝，所以有關六朝詩學之研究，便顯得意義重大。在研究方法上，作者多參考近人劉若愚之說。第一章爲六朝詩學之背景，屬於外緣研究。第二章六朝時代與詩學有關之著述，則爲預備作業。三、四、五章則多內在分析，爲本論文之重心所在。全書結構緊密，綱舉目張，明顯條暢，斟酌取捨，布置適當，讀者當可由此窺知六朝詩學之梗概。

〈目次〉

自序；序說（解題，研究方法）；一、六朝詩學之背景（政治時況，社會風氣，學術思想，文學觀念之自覺）；二、六朝時代與詩學有關之資料；三、六朝詩學內在分析之一：史（歷史觀念論，詩史之建構，六朝詩史之公案）；四、六朝詩學之內在分析之二：論（詩之創作論，詩之區分類，詩之功能論）；五、六朝詩學之內在分析之三：評（批評理論之建立，詩之實際批評）；結論；參考書目。　　　　　　　　　　　　　　　　　　　（黃惠菁）

兩晉五言詩研究

王次澄著，私立東吳大學中國文學研究所碩士論文，218 頁，1976 年 5 月，鄭騫指導。

王次澄（1948－　　），福建林森人。私立東吳大學中文系、中文研究所碩士班、博士班畢業，國家文學博士，曾任教於東吳大學中文系，現旅居英國，任教於倫敦大學。著有《南朝詩研究》等。

五言詩體在兩晉極為蓬勃，作者輩出，中如陶淵明者，雖唐代李白、杜甫之超凡入聖，猶有弗能比埒者，本書作者的寫作動機，即以淵明才性之真樸，詩風之閑逸，欣愛之餘，乃欲上溯其淵源，探看兩晉五言詩之面目與業績。全書凡八萬餘言，首論兩晉文學之時代背景及思潮，次及兩晉詩人與詩作之簡介，最後綜論晉詩之內涵、修辭技巧及詩風、影響等。所評騭之作品，以丁福保輯《全漢三國晉南北朝詩》所錄為主，並參酌各家專集，計三百三十首，而為求內容之統一，五言樂府未予述評。全書大抵論列完備，語言明暢，對於兩晉五言詩的闡揚與探討，有一定的價值。

〈目次〉

　　　　　　　　　（連文萍）

南朝詩研究

王次澄著，臺北，私立東吳大學中國學術著作獎助委員會，414 頁，1984 年 9 月初版。

作者另有《兩晉五言詩研究》，已著錄，生平見前。

本書為作者就讀東吳大學中文研究所，於 1982 年通過的博士論文，鄭騫

指導。所謂「南朝」者，係指宋、南齊、梁、陳四代，然中原淪陷、漢胡對立，實肇端於東晉「永嘉之禍」，則南朝宜起自東晉元帝太興元年（西元 318年），迄陳後主禎明二年（西元 589 年）。於此之時，政局紛亂、異族侵陵，然賦詩寫文，成就卻非凡，尤其是詩歌創作，上承兩漢，下開四唐，不但興起各種詩體形式，開發各種撰述題材，更產生了許多偉大的作家和作品。本書劃分〈南朝詩學背景〉、〈南朝詩人綜述〉、〈南朝詩內涵析論〉、〈南朝詩之特殊體製〉、〈南朝詩之修辭特色〉等五個方向，全面的分析探討，不但兼顧南朝詩的外圍與本體，且以用力之勤、用心之細和論評之深入，獲得極多的佳評。

〈目次〉

一、緒論——南朝詩學背景（南朝之時代環境，南朝之文學思潮）；二、南朝詩人綜述（南朝詩人之政治生涯，南朝詩人之品德操守，南朝詩人與文學集團）；三、南朝詩內涵析論（遊仙詩，玄言詩，田園詩，山水詩，詠物詩，艷情詩）；四、南朝詩之特殊體製（由格律論特殊體製，由命題論特殊體製）；五、南朝詩之修辭特色（疊字傳神，鍊字健句，敷彩設色，儷句逞巧，蟬聯取勢）；結語；參考書目。　　　　　　　　　　　　　　　　　　（連文萍）

齊梁詩探微

盧清青著，臺北，文史哲出版社，269 頁，1984 年 10 月初版。

盧清青（1957 － 　　　），廣西上林人。私立淡江大學中文系學士。現任教於私立華夏工業專科學校。

由於南朝疆域狹隘、變亂頻仍，加上黃老思想之盛行，使得文學風貌產生劇烈的變化，尤其是詩歌的創作，成為由漢、魏風骨轉為唐人律絕的重要橋樑。本書作者以南朝為「文學史上之復興期」，特擇南朝四代中最具代表性的齊、梁二代，探究其詩體創作概貌及藝術成就，論述範圍包括山水詩、詠物詩、宮體詩、樂府詩等，第四章論齊梁詩的修辭方法部分，詳引例證，論列回文、頂眞、擬人等等技巧運用，頗為具體。

（連文萍）

唐宋詩詞研究

張敬文著，臺北，臺灣商務印書館，201 頁，1987 年 10 月六刷。

作者另有《中國詩歌史》，已著錄，生平見前。

本書於 1968 年 8 月初版，收入《人人文庫》，爲早期研究唐宋詩詞的著作，有其影響力。書名爲「研究」，其實係以「文學史」的觀點，逐一探看唐、宋各時期的重要文學流派、文人及其作品，如唐詩分初、盛、中、晚；盛唐詩又分邊塞派、自然派、社會派等，作爲論述區間，而在唐詩、宋詞之前，又以專章倡論唐代的近體詩、對偶、格律及詞的起源、詞的規格等等，然大抵簡略，所列舉之詩作，亦乏深入分析。

本書編校頗有失誤，如目錄「社會派」作「社會流」；詞牌「摸魚兒」作「模魚兒」；「人間詞話」作「人間詞語」；「兩闋」作「雨闋」；「今宵剩把銀釭照」句漏植「銀」字；「四庫全書」作「四康全書」等，歷經六刷，均未更正，研讀時須加注意。

— 129 —

詞：第一期、第二期、第三期；一四、南宋詞：第一期、第二期、第三期；一
五、北宋詩；一六、南宋詩。　　　　　　　　　　　　　　　　（連文萍）

唐代的詩人們

前野直彬著，洪順隆譯，臺北，幼獅文化事業公司，325 頁，1978 年 11
月二刷。

作者另有《中國文學史》(連秀華、何寄澎譯)，已著錄，生平見前。

譯者另譯有《中國詩論史》(鈴木虎雄著)，已著錄，生平見前。

本書原著於 1971 年 12 月，由東京：東京堂初版，320 頁。譯本於 1976
年 5 月初版。古來評述唐代詩人的文章極夥，如《唐詩紀事》、《唐才子傳》
等，倡論詩人生平，堪稱周備，然未能通觀詩人們在大時代中的浮沉、彼此的
人際脈絡，及時事所給予的衝擊，對於唐代詩人詩作的全面了解，仍屬缺憾。
本書作者意欲從唐代的歷史中，選取幾個大事件，作爲論述點，敍述當時詩人
的行動和生活，如此則詩人們與時代的關係，可以清楚的呈現。本書可謂文人
傳記寫作的新嘗試，夾敍夾議，娓娓道來，極利閱讀。然書名爲「唐代」，事
實上只寫到盛唐，是美中不足處；而爲牽就事件，部分與事件無關聯的詩人，
如初唐四傑、陳子昂等，均未述及，反之，亦因此而增入較多的小詩人，如劉
洎、岑文本等，是閱讀本書須注意的。

〈目次〉

作者題辭；成題詩；高序；黃序；一、安德之宴 (楊師道，李百藥，劉
洎，岑文本，楊續，許敬宗，褚遂良，上官儀)；嶺南之旅 (閻朝隱，王無競，
杜審言，沈佺期，宋之問)；慈恩寺大雁塔 (薛據，高適，儲光羲，杜甫，岑
參)；大亂 (王維，王昌齡，李白，杜甫，高適，岑參，儲光羲)；譯者贅言。

〈書評〉

1. 花村，〈盛世的追戀——唐代的詩人們讀後〉，書評書目，65 期，頁 102 -
106，1978 年 9 月。　　　　　　　　　　　　　　　　　（連文萍）

唐代女詩人研究

張慧娟著，私立中國文化學院中國文學研究所碩士論文，177頁，1978年，邱燮友指導。

張慧娟（1953－　　　　），福建仙遊人。私立中國文化學院中文研究所碩士。

唐詩之成就，實爲我國詩歌史上之最高潮，而唐詩因可入樂，故秦樓楚館，笙歌作樂，歌伎吟唱，莫非當時詩人名篇。風氣所趨，遂造成婦女作詩之盛況，且成績斐然，然研究文學者，概以男性爲主體，鮮有重視閨閣婦女之文學者，殊爲缺憾，作者爲彰明唐代女詩人的文學地位及詩作價值，遂以此爲旨，進行研究。

本論文計六章，二十八節，以今所傳唐代女詩人約百餘人，詩作四百五十餘首，包括宮廷婦女、家庭婦女、女冠女尼、娼妓等各階層所創作者爲研究對象，一面考述唐代女詩人之生平傳略及其詩作，分析詩作之特質；一面則對當時婦女之生活情形加以探述，以瞭解女詩人在唐代社會所處的地位。末章則做一總結，並肯定唐代女詩人的成就及對唐詩所作的貢獻。

本論文所取材之資料源自於現存之唐詩，包括《全唐詩》、《樂府詩集》、《名媛詩歸》等書，擇錄唐代女詩人之作。考辨時則盡量運用出土文物以爲佐證。作者獨具卓見對唐代女詩人進行研究，實爲特色，可作爲婦女文學研究者之參考。

〈目次〉

娼妓）；五、唐代女詩人作品之特質（女詩人生活背景之差異，詩歌之形式，詩歌之內涵，寫作技巧）；六、結論；參考書目。　　　　　　（孫秀玲）

唐人絕句研究

黃盛雄著，臺北，文史哲出版社，197 頁，1979 年 7 月初版。

黃盛雄（1944－　　），臺灣苗栗人。國立臺灣師範大學國文研究所碩士。現任國立臺中師範學院語文教育系教授兼主任。著有《通鑑史論研究》、《王符思想研究》、《李義山無題詩研究》等。

本書為作者就讀國立臺灣師範大學國文研究所，於 1972 年通過的碩士論文，李漁叔指導。作者認為唐詩之絕句於中國文學史上之評價極高，醉心其中者甚眾，名句每輒播諸人口，口誦心惟，迄今不絕，實具探討研究之價值。然揆諸文學批評史，雖有連篇累牘之詩話觸及絕句之論評，卻多為片斷雜碎之語，通盤探究則寥為可數。作者因而起筆，以彰明唐絕句承繼傳遞之軌跡。

全書約可區劃為兩大部分，凡六章。第一部分包含有五章，首論絕句之起源、本質及題材、作法、聲律。第二部分則縱論唐絕句三百年來遞變之跡，敘述襲因高棅之法，分初、盛、中、晚四期，以西元標其年代，詳論各期詩風，並繫以名家，述其生平及風格，以明風氣推動。唯論述限於絕句，各期詩風不涉絕句者，如復古思潮、中唐社會詩運動，概不論例；唐詩名家，專長不在絕句者，如韓愈、杜甫等，亦不述及。

唐人絕句經三百年之發展，嬗變之跡甚為明顯。作者一方面縱論其濫觴流變，一方面則橫加剖析其本質、內涵，兼及闡釋其作法。行文明淺，略無冗言，是一部研究近體詩之佳作。

〈目次〉

一、起源（以體製言，以內涵言，絕截律半辨誤）；二、本質（緒論，本質，思想淵源）；三、題材（邊塞，宮閨，別離，感懷，自然，詠物與時令，旅遊，贈答，懷古，樂府題）；四、作法（鍊字，鍊句，謀篇，用事，鍊意，結論）；五、聲律（聲律興起之因，平仄之探討，押韻之探討，八病之探討）；

六、流變（絕句極盛之因，初唐絕句，盛唐絕句，中唐絕句，晚唐絕句，四唐綜論）。　　　　　　　　　　　　　　　　　　　　　　　　（孫秀玲）

唐七律藝術史

趙謙著，臺北，文津出版社，428 頁，1992 年 9 月初版。

趙謙，華中師範大學畢業，現任華中師範大學中文系副教授。

本書凡七章二十節，係針對唐代七言律詩的藝術結構及其美學特徵，作一主題式的歷史探索。故本書依史爲序，分別就初、盛、中、晚唐四期，論述七言律詩所呈現的音韻風格，各期代表作家的詩風特色與成就，以及七律嬗變的層層軌跡。

本書雖於章節的安排上略感晦澀，未盡能彰顯出章與章之間，或節與節之間的關係，但各章皆就七律的藝術層面，作詳細的剖析，頗異於一般通論式的文學史著作，而能專注於藝術表徵的形成、流演與歷史價值，予以適切的論述與評價，故有相當的參考價值。

〈目次〉

一、初唐七律音韻風格的考察（音韻：蹣跚而顛躓的步履，音樂：七律艱難分娩的助產婆，風格：一元與多元，轉變：契機與出路）；二、盛唐七律創作的不平衡局面（題材與風格的長足發展，渾融完整與神韻未揚，入律古風及中唐情調）；三、杜甫七律的主要美學特徵——悲愴（悲愴美的內核：強烈的憂患意識，婉麗之悲、宏闊之悲，連章抒懷、長歌當哭，首創拗律、聲拗情蟠）；四、從外部世界走向內省世界——中唐前期七律嬗變軌跡（心態：冷漠情緒對七律創作的輻射，結構：心靈世界的直接外化，風格：清冽、纖細、蒼古）；五、唐七律的首次繁榮（白居易對七律的巨大貢獻，元稹七律的細微嬗變，韓詩本色的再次展現，賈島給七律詩壇輸入新信息，劉禹錫七律：時間的空間化藝術，柳宗元七律：主觀情緒的外化）；六、唐七律的持續繁榮（杜牧七律的整合性風格及其寫實詩的價值，李商隱七律的內在結構效應與風格的多元觀照，趙嘏、李群玉、許渾、溫庭筠等人的七律）；七、唐七律的燦爛晚霞

（晚唐後期七律的歷史價值，姿態萬方色彩繽紛的自然美，晚唐後期七律的其他成就）；結語；附錄：杜甫五律的藝術結構與審美功能。　　　　（張惠淑）

唐詩形成的研究

方瑜著，國立臺灣大學中國文學研究所碩士論文，184 頁，1970 年 5 月，臺靜農指導。

方瑜（1945－　　　），江蘇儀徵人。國立臺灣大學圖書館系學士、中文研究所碩士。現任教於國立臺灣大學中文系。著有《中晚唐三家詩析論》、《沾衣花雨——唐詩論集》、《杜甫夔州詩析論》等。

本書爲作者的碩士論文，曾由臺北：嘉新水泥公司文化基金會於 1972 年 3 月初版，116 頁；1975 年又由臺北：牧童出版社出版，185 頁。

在中國政治、社會與文學史上，唐代都佔有極爲特殊的地位，而其中表現尤爲出色的應推唐代的詩歌。唐詩可說是新舊思想交替，胡漢音樂雜揉，經過長期衝激後產生的全新作品，不同於漢魏六朝的詩歌作品。而詩在唐朝能發達興盛，必有種種相依相附的原因，值得探尋研究，此書即本此而作。

本論文計有五章，十五節，作者試從形式、內容與精神三方面探求唐詩的特質。首篇即從學術之消長及詩體之變革爲觀點，追索唐詩形成的淵源與背景；其後則探論唐詩形成過程中體製聲律的演革；三、四章除介紹唐代流行一時的新樂府詩外，並論析唐詩的風格及表現題材。最後，作者並以積極的生命態度與濃郁的人間性，及兼具個性與時代爲由，肯定唐詩所以能傳誦千年，在時空遙隔的讀者心中，仍能引起深刻共鳴的重要原因。作者於論文中一面究明唐詩形成之因，一面則又著力彰明唐代詩風的特徵，頗能掌握重點，可爲治唐詩者之參考。

〈目次〉

一、緒論：唐詩形成的淵源與背景（經學、玄學的消長與南北文化的匯流，六朝文學新體對唐詩的影響）；二、唐詩形成過程中體製聲律的演革（唐律用韻的問題，平仄的格式與特殊的補救方法，對偶的講求，近體詩的語法，

絕句與排律); 三、唐代的新樂府──古風 (古風的用韻, 古風平仄的特殊形式, 古風的對偶, 古風特殊的語法); 四、唐詩形成過程中內容的擴大 (唐詩風格的特徵, 唐詩所表現的幾種類型及其前承與擴延); 五、結論: 唐詩本身的內涵孕育 (積極的生命態度與濃郁的人間性, 個性與時代性的並行); 參考書目; 主要參考論文。　　　　　　　　　　　　　　　　(孫秀玲)

唐詩演變之研究
──唐詩近代化特質形成初探

高大鵬著, 國立政治大學中國文學研究所博士論文, 366 頁, 1985 年 6 月, 王夢鷗、羅宗濤指導。

高大鵬 (1949 ─ 　　　), 山東臨朐人。國立臺灣大學中文系學士, 私立東吳大學中文研究所碩士, 國立政治大學中文研究所博士。現任教於國立臺北商專。著有《陶詩新論》、《造化的鑰匙──神仙傳》等。

本書斷唐代為中國正式近代化的開始, 與現今史學家往往斷宋為中國近代之始迥異, 作者因以唐詩中具有近代文明精神的特質加以證明, 基本上在以史明詩、以詩證史, 兼具外緣研究與內緣研究兩種途徑。作者意在以歷史文化精神以觀唐詩近代化之走向, 大抵前三章以外緣研究揭其外部結構, 後三章以內緣研究探其深層結構, 並採社會學與文化學觀點為參考, 得出唐代之具備近代特徵──客觀化、理性化、凡俗化、實感化, 皆比西方為早 (西方學者咸以文藝復興時代為近代之伊始, 上變中古之風, 下開現代世界。) 作者並語重心長地指出: 近代化不必等於西化, 古今亦不需互相為敵, 知中國自有其內在發展之動力, 因此, 商量舊學, 培養新知, 本書可為中國文化之現代化提供一平和中正的線索。

〈目次〉

一、緒論; 二、集團文學之延續與突破; 三、普遍人性之肯定與個人風格之發揚; 四、社會流動與文化流動; 五、由政治文化背景看唐詩典範精神之成立; 六、唐詩凡俗化之特質; 七、唐詩客觀化之特質; 八、唐詩實感性之特

質；結語；主要參考書目。（節目從略）　　　　　　　　　（林明珠）

中晚唐詩研究

馬楊萬運著，國立臺灣大學中國文學研究所博士論文，3 冊，1974 年 6
月，鄭騫指導。

馬楊萬運（1930－　　　），四川廣安人。國立臺灣大學中文研究所碩士班、
博士班畢業，國家文學博士。現任教於國立臺灣師範大學英語系。著有《李長
吉研究》等。

唐代詩歌，向有初、盛、中、晚四期之分，論者多半崇初盛而薄中晚，實
則唐詩至中晚已另闢新境，發展出其獨特的風格，並對後代詩壇產生深遠的影
響，具有不可輕忽的價值。本論文特就此期之重要詩人及其作品，加以綜合研
究，以期為中晚唐之詩尋求一公允之評價。

本論文計分為四章，十一節。首章重在論析歷代文學發展的趨勢，及列舉
歷代詩人對唐詩分期的意見；其次則敘述中唐時期唐詩所產生的轉變過程及內
因外緣，並羅列詩評家對中晚唐詩的批評，詳加分析。第二章則參考史書及歷
代筆記雜論，綜述中晚唐的政治、社會環境，以助瞭解中晚唐詩風之形成，接
之而評述的是中晚唐時期具有獨特風格的重要詩家。末章則對中晚唐次要作
家，作簡單之敘述，並提出總結。

本論文之研究範圍，主依高棅《唐詩品彙》中所提的分期標準，時代係起
自唐憲宗元和時期，至唐末為止。全文篇章則重在評述各作家詩風之淵源及特
色，尤其自各作家全集中，提出佳篇警句，逐一詳加分析，並引述歷代詩評家
的評論，加以綜合研討，作平允之批評，且檢驗各作家對當時和後代詩壇的影
響，此皆為本論文之特色。

〈目次〉

愈，善寫謫居生活之柳宗元，寒瘦苦吟之孟郊與賈島，白居易、元稹、張籍、王建之諷諭詩與新樂府附劉禹錫，唯美派詩人李賀、杜牧與李商隱附溫庭筠，韓偓、韋莊之亂離傷感作品）；四、結論。　　　　　　　　　（孫秀玲）

大曆詩人研究

王小琳著，國立臺灣大學中國文學研究所碩士論文，193 頁，1983 年 12 月，羅聯添指導。

王小琳（1957－　　　），廣東晉寧人。國立臺灣大學中文研究所碩士。

「大曆」是唐代宗年號，前後計十四年，在文學史上，可謂爲「中唐」前期，尤其當時的詩壇因缺乏堪與杜甫、李白等匹敵的大家，不免黯淡失色。而文學史上論及大曆時期，率皆簡略。作者因此著眼深入探究，以作補缺之用。

本論文旨在綜論大曆時期詩歌的因革演變及作品特色。全文除緒言、結論外，分爲三章，共十一節。首先就大曆時代背景作一提要鉤玄的概述，接之考訂大曆詩人的生平、事蹟、交遊，以藉此明瞭此期間詩壇的活動狀況。其次以「史傳」的批評方法，探討大曆詩歌的特色。其中，並就詩人活動地域不同，考察南、北兩地詩人團體創作的異同特點，時有獨特的見解。末則總論大曆詩歌的成績、貢獻。

作者依研究所得，以爲大曆詩人不顯於世，除缺少個別特色，又少有一流的大家，未能超越或突破前人格局，故削弱其重要性。但大曆詩以清新爲尙，常見佳構，從唐詩發展的過程觀之，大曆詩實承繼王孟自然詩派，並爲此派之終結，具有承上啓下之貢獻。

〈目次〉

緒言；一、時代背景（政治概況，經濟的轉變和人口的移動，詩歌發展背景）；二、詩人研究（「大曆十才子」名稱，詩人事蹟考，詩人交遊，大曆時期的兩個詩人團體）；三、作品討論（作品特色分析，大曆詩的風格，大曆時期的詩論及其與創作的關係，大曆詩在唐代詩史的地位和意義）；結論；參考書目。　　　　　　　　　　　　　　　　　　　　　　　　　（孫秀玲）

元和詩人研究

呂正惠著，私立東吳大學中國文學研究所博士論文，356 頁，1983 年 4 月，臺靜農指導。

呂正惠（1948－　　），臺灣嘉義人。國立臺灣大學中文研究所碩士班、私立東吳大學中文研究所博士班畢業，國家文學博士。現任教於國立清華大學中國語文系。著有《元白詩比較研究》、《抒情傳統與政治現實》、《杜甫與六朝詩人》、《小說與社會》，編有《唐詩論文選集》等。

本書主要由詩歌發展的立場，討論元和詩介於唐、宋之間的關鍵地位，焦點雖在分析文學現象，然對當時的政治、社會變遷，詩人的生平、交遊以及政治、社會關係，皆加以討論，以明當時詩歌的流變。其次，就元和詩的特質加以探討，作者特別由「流變」的觀點來認識元和詩的創造，諸如：元和詩人創先肯定及推崇杜甫詩、元和詩人對六朝詩的反省、元和詩寫實及日常生活化的特色。另外在體式上，元和詩人重視樂府詩；五古走縱橫雄肆、沉著痛快一體；七古著力歌行；七律勝過五律；七絕學杜甫晚年作品等等，皆是作者細心體察，發人之所未發，頗具參考價值。

〈目次〉

一、緒論（元和體，元和與唐詩，元和與宋詩，研究元和詩人的意義與旨趣）；二、元和詩之時代背景（文學背景：從天寶到元和，政治背景：貞元、元和前後的政治情況，社會背景：進士與中唐文學）；三、元和文學集團及其與政治之關係（柳宗元、劉禹錫集團，元稹、白居易集團，韓愈集團，賈島、姚合集團，元和文學集團之關係；四、元和詩之特質（上）（元和詩人與杜甫，元和詩人與六朝詩，元和詩人的寫實精神，詩與日常生活，詩的散文化與詩的議論傾向，元和詩的語言）；五、元和詩之特質（下）──元和詩體之演進（樂府，五言古詩，七言古詩，律詩，七言絕句）；結論；參考書目。

（林明珠）

現存唐人詩格著述初探

許清雲，私立東吳大學中國文學研究所碩士論文，149 頁，1978 年 5 月，鄭騫指導。

許清雲（1948－　　　），臺灣澎湖人。私立東吳大學中文系、中文研究所碩士班、博士班畢業，國家文學博士。曾任敎於私立銘傳商專，現爲東吳大學中文系所敎授。著有《方虛谷之詩及其詩學》、《皎然詩式輯校新編》、《皎然詩式研究》、《唐詩三百首新編》等。

李唐乃是中國詩歌的黃金時代，非惟質精，抑且量多。清聖祖御修的《全唐詩》，錄詩達四萬八千九百餘首，上自帝王貴族、文士，下至僧尼、婦女、野老、市氓，計收二千二百餘家，詩學之盛，莫過於此。爲探究詩體致盛之因，作者四處尋索、查閱資料，自空海《文鏡秘府論》、南宋陳應行編纂的《吟窗雜錄》中，獲得許多靈感，以上書籍，輯錄唐人詩格著述多種，係屬罕見難得之資料，復得明代鍾惺硃評《詞府靈蛇》、梁橋《冰川子詩式》，及清人顧龍振《詩學指南》等書，合以撰成本文。文中屢有新見，或駁論前人之非，或推擴前賢之說，對研究唐人詩學甚有貢獻。

〈目次〉

　　　　　　　　　　　　　　　（黃惠菁）

五代詩人及其詩

何金蘭著，國立臺灣大學中國文學研究所博士論文，436 頁，1977 年 6 月，鄭騫、葉慶炳指導。

何金蘭（1945－　），越南華裔。國立臺灣大學中文研究所碩士班、博士班畢業，國家文學博士。法國巴黎第七大學博士。現任私立淡江大學中文系教授。著有《蘇東坡與秦少游》、《文學社會學》等。

詩歌發展至唐代已達巔峰。入宋以後，復開創新局。歷來研究唐詩及宋詩者不乏其人，唯獨對此兩個偉大時代的過渡時期——五代，卻甚少論及，編寫文學史者亦往往略而不談。

本論文旨在研究此一冷落的時代中之詩人及其詩，並給予公允的評述。全書凡五章，十四節。首先泛論五代的歷史年代與文學年代。第二章則探論影響五代詩歌創作的政治及社會背景。繼之則就體製、風格、題材三方面析述五代詩的特色。第四章則選取較具代表性的重要詩人韋莊、韓偓、司空圖等十位，細分十節加以個別詳述其生平、作品的題材與風格，並給予公允的綜評。末章總結詩人的特色及成就，並綜述五代詩作的特色、成績，及對宋詩的影響，以彰明其在詩學史上有不可磨滅的貢獻。

〈目次〉

一、緒論；二、五代詩的政治及社會背景（政局紛亂，朝綱敗壞，風俗奢靡，民生疾苦）；三、五代詩的特色（體製、風格、題材）；四、五代詩之重要作家（韋莊，韓偓，司空圖，羅隱，杜荀鶴，和凝，花蕊夫人，徐鉉，貫休，齊己）；五、結論；附錄：參考書目。　　　　　　　　　　　　（孫秀玲）

宋詩概論

嚴恩紋著，臺北，華國出版社，128 頁，1956 年 10 月初版。

嚴恩紋，曾任私立銘傳商業專科學校兼任教授，著有〈東坡詩淵源之商榷〉、〈略論宋代理學體詩〉、〈黃庭堅〉等。

本書概論宋詩，以分派分體爲敘述方式，大致以《四庫全書》爲準，區分「白體、晚唐體」、「西崑體」、「歐陽梅蘇」、「王安石」等十二個章節，探討宋詩由未能擺落唐音，而初放曙光，而拓展到極峰，終而從極峰折降的歷程，大抵簡明清晰，其論述筆法，尤在多引前人詩話或論詩文字爲佐證，如論宋詩之

分派分體，引嚴羽《滄浪詩話》分宋詩為八派、方回分宋詩為十體、袁桷分宋詩為七派、戴表元分宋詩為五體、宋犖分宋詩為七體等，分別並列參證，存舊說復出以新見，惟有時不免瑣碎。此外，本書編校亦頗見疏漏，如「高棅」誤作「高棟」、「錢惟演」誤作「錢惟濱」等，研讀時應注意。

〈目次〉

　　題詞（代序）；緒言；一、白體、晚唐體；二、西崑體；三、歐陽梅蘇；四、王安石；五、蘇軾；六、黃庭堅；七、江西派；八、尤楊范陸；九、擊壤派；一○、永嘉四靈；一一、江湖派；一二、遺民血淚詩。　　　　（連文萍）

宋詩概說

吉川幸次郎著，鄭清茂譯，臺北，聯經出版事業公司，288 頁，1977 年 4 月初版。

　　作者另有《中國詩史》（劉向仁譯），已著錄，生平見前。

　　鄭清茂（1933 －　　　　），臺灣嘉義人。國立臺灣大學中文研究所碩士，美國普林斯頓大學遠東學博士。曾任美國麻州大學亞洲語文系教授。著有《中國桑樹神話傳說研究》，譯有《元明詩概說》等。

　　本書為作者《中國文學史》撰寫計畫的一部分，旨在論述宋詩的歷史，包括宋詩的特質、各時期代表詩人及詩作等，於 1962 年 10 月由東京：岩波書店初版，1968 年 2 月再收入東京：筑摩書房《吉川幸次郎全集》第十五卷。作者寄望藉由此書拋磚引玉，喚起更多學人從事宋詩的研究。

　　本書立論精確，行文流暢，多見精彩之處，如首章論及唐詩、宋詩的不同，以酒與茶為喻：「唐詩是酒，是很容易令人興奮的東西。不能晝夜不停地喝。宋詩是茶，茶雖然不能像酒那樣令人興奮，卻能給人以寧靜的喜悅。」已成為流傳極廣的定說；其他如宋詩內容特色的討論，亦極具啟發性。作為一部引領入門的概論性書籍，本書成功的達成使命。

〈目次〉

　　著者序；著者詩四首；序章——宋詩的性質（宋的時代，詩在宋文學的地

— 141 —

位，宋詩的敍述性，宋詩與日常生活，宋詩的社會意識，宋詩的哲學性論理性，宋詩的人生觀——悲哀的揚棄，唐詩與宋詩，寧靜的追求，宋詩的表現法，宋詩在詩史上的意義，宋詩中的自然）；一、北宋初過渡期（西崑體——晚唐詩的模倣，林逋，寇準，王禹偁）；二、北宋中期（歐陽修，梅堯臣，蘇舜欽，范仲淹、韓琦、邵雍）；三、北宋後期（王安石，蘇軾，黃庭堅，陳師道）；四、北宋南宋過渡期（江西詩派，陳與義）；五、南宋中期（民間詩人，永嘉四靈，江湖派，戴復古，劉克莊，「三體詩」、「詩人玉屑」、「滄浪詩話」，宋末的抵抗詩人）；宋詩年表；宋代詩人生日忌日表；宋疆域圖；跋。

〈書評〉

1. 龔鵬程，〈宋詩概說簡評〉，書評書目，100 期，頁 44－48，1981 年 9 月。

（連文萍）

宋詩之傳承與開拓
——以翻案詩、禽言詩、詩中有畫爲例

張高評著，臺北，文史哲出版社，604 頁，1990 年 3 月初版。

張高評（1949－　　　），臺灣臺東人。國立高雄師範大學國文研究所碩士班、國立臺灣師範大學國文研究所博士班畢業，國家文學博士。現任國立成功大學中文系所教授。著有《黃梨洲及其史學》、《左傳導讀》、《左傳文章義法撢微》、《左傳之文學價值》、《左傳之文韜》、《左傳之武略》、《唐詩三百首鑑賞》，編有《史記研究粹編(一)(二)》、《宋詩綜論叢編》等。

明清以來學者詩人大都菲薄宋詩，如李夢陽即以爲「唐無賦，宋無詩」，影響所及，近代學者魯迅亦稱：「我以爲一切好詩，到唐已被做完！」然唐詩、宋詩實爲我詩國之雙璧，各領風騷，不可偏廢；而文學之發展，自有通變，推陳出新，方能向前演進。本書作者即謂：「宋代詩人於文學『通』『變』之原則多有體現，不僅主張學習傳統精華，而且勇於開拓創新詩歌領域。」因此，他除了自 1983 年起開始規畫編輯《全宋詩》，更進一步以宋詩中最具爭議和特色的三個專題：翻案詩、禽言詩及詩中有畫，作爲論述重點，探討宋詩在繼承傳統詩學的英華，及開拓有宋一代詩歌特色、開拓詩歌創作新境界的努力與成

就。

〈目次〉

　提要；前言——從傳承與開拓論宋詩特色之形成；上篇：宋代翻案詩之傳承與開拓（緒論，唐詩名家翻案法略論，宋詩翻案表現之層面，宋詩多翻案之緣因，結論）；中篇：宋代禽言詩之傳承與開拓（緒論——宋代俳優詩略論，宋以前之禽言詩略論，宋代禽言詩形成之背景，宋代禽言詩之內容探討，宋代禽言詩之藝術特色，結論）；下篇：宋代「詩中有畫」之傳統與創格（緒論，宋代「詩中有畫」之藝術傳統，宋代「詩中有畫」技法之發揚，宋代「詩中有畫」技法之創格，結論）；附錄；參考書目。　　　　　　　（連文萍）

南宋遺民詩研究

潘玲玲著，國立政治大學中國文學研究所碩士論文，210 頁，1986 年 5 月，董金裕指導。

　潘玲玲（1961 －　　　　），臺灣花蓮人。國立政治大學中文研究所碩士，現任教於私立光武工專。

　近年來有關南宋遺民文學之研究，大多偏重詞作之探討，少見針對詩作之討論，本書作者遂以之為研究命題，其撰述方法，除由時代背景探索遺民詩之形成，尤重點的列舉數位志節高、詩作傳世多之詩人，如文天祥、謝枋得、鄭思肖、謝翱、汪元量、林景熙等，分就生平傳略、作品分析、集評三方面，予以專章探索，期於個別研究中窺探南宋遺民詩的特色及成績。對於未能仔細討論之詩人，本書中篇篇末亦附有南宋遺民詩人一覽表，藉以達到鉅細靡遺的整體效果。

〈目次〉

　序；論文提要；上篇：緒論（前言，南宋遺民詩之時代背景）；中篇：本論——重要詩人及其作品研究（文天祥，謝枋得，鄭思肖、謝翱，汪元量，林景熙，附錄——南宋遺民詩人一覽表）；下篇：綜論（南宋遺民詩之特色，南宋遺民詩之評價）；參考書目。　　　　　　　（連文萍）

宋代唐詩學

蔡瑜著，國立臺灣大學中國文學研究所博士論文，527頁，1990年6月，吳宏一指導。

蔡瑜（1959－　　），江西南康人。國立臺灣大學中文研究所碩士、博士，現任教於臺灣大學中文系、著有《高棅詩學研究》等。

所謂「唐詩學」，係指後代對唐詩的研究，蓋中國詩歌發展至唐代，達到了極輝煌的地步，而唐詩的研究，不但成爲每個朝代不可少的詩學課題，也左右了中國整個詩學理論史的發展，本書作者乃選擇唐詩研究的開端——宋代的唐詩學爲研究命題，具體的探看宋人評論唐詩的觀點及思辨過程，分析宋人的美感取向，從而了解宋人自己如何反省唐宋詩的差異問題，一窺唐宋詩爭議的歷史。本書首先爲「唐詩學」下定義，爾後言其背景，探討宋代對於唐代詩學的承繼等問題，復以「詩體論」、「分期論」、「作家論」，及「宋人選唐詩」等標目，分別從不同角度分析開展，末則歸結爲「宋人評論唐詩的觀點」，具見整體的理論大勢。

〈目次〉

　　　　　　　　　　　　　　　　　　　　　　　　　　（連文萍）

金詩研究

胡幼峰著，國立編譯館館刊，6 卷 2 期，頁 63－131，1977 年 12 月。

胡幼峰（1951－　　　），江西新建人。私立輔仁大學中文研究所碩士，私立東吳大學中文研究所博士。曾到美國耶魯大學東亞語言文學研究所訪問研究一年。現任教於輔仁大學中文系。著有《沈德潛詩論探研》、《錢、馮主導的虞山派詩論研究》。

本論文爲作者就讀私立輔仁大學中國文學研究所，於 1975 年通過的碩士論文，葉慶炳指導。北宋末年，女眞族恃武力崛起，翦併諸部，滅遼降宋，據有中原之半，享國百二十年。其間君主偃武修文，庠序日興，濟濟多士，卓然成家者，不可勝數。然迄乎今世，文學史之著作多達數百種，但論漢魏唐宋元明清之辭賦詩詞戲曲小說，而不知金有文學；論詩則舉唐宋，並貶元明清，而不知有金。其中原因，或緣於政治之故，因而金詩之成就雖然蔚爲可觀，但仍難逃棄置之命置，由此視中國文學史、詩歌史之全貌，遂有殘缺不全之憾，所以，作者奮力撰述本文，列舉各期詩家，凡十人，期能補苴罅漏，冀使金詩於文學史中得佔一席合理之地位與確當之評價。

〈目次〉

　　　　　　　　　（黃惠菁）

元明詩概説

吉川幸次郎著，鄭清茂譯，臺北，幼獅文化事業公司，321 頁，1986 年 6月初版。

作者另有《中國詩史》（劉向仁譯），已著錄，生平見前。

譯者另譯有《宋詩概說》（吉川幸次郎著），已著錄，生平見前。

本書原著為東京：岩波書店《中國詩人選集第二集》的第二冊，於 1963 年 6 月初版，係作者繼《宋詩概說》後又一力作；1969 年 11 月再收入東京：筑摩書房《吉川幸次郎全集》第十五卷。

本書為敘寫元明詩史之開創著作，作者希望同《宋詩概說》一般，藉由此書充當「陳勝吳廣」的角色，能夠結合更多同志一起推展元明詩的研究。蓋當代文學史家，對於唐代以後的各代詩史，大都幾筆帶過，甚或加以鄙夷，然以元、明二代而言，固然是戲曲、小說稱勝場，而作詩風氣、詩人數量卻有增無減，若闕而弗論，或心存偏見，罔顧事實，實在是遺憾的事。是故本書的寫作與用心，是值得稱道的，其給予後人的啟示性，尤別具意義。

〈目次〉

　　　　　　　　　　　　　　（連文萍）

元詩研究

包根弟著，臺北，幼獅文化事業公司，182頁，1978年1月初版。

包根弟（1941－　），浙江定海人。私立輔仁大學中國文學研究所碩士，現任輔仁大學中文系教授。著有《淮海居士長短句箋釋》、《姜白石詞研究》、《詞選》等。

一個結合華夏、蒙古、契丹、女眞等多民族的時代，一個遊牧民族與農業民族融合的時代，一個文化較低落的民族統治文化輝煌發展的時代，其文人面對衝擊所發出的心聲，必定有其獨特的、深閎的色彩和內涵。以詩歌這種文體而言，唐詩有其光芒，宋詩有其新變，元詩亦有其自我的風格和創發，何況，詩學的發展並未因政權的轉移而中輟，元詩在蒙人漢化政策、北方漢軍將領重視文教、學術思想的自由風氣、書院制度普及等等的環境下，得到充足的滋養。本書作者以元詩研究爲職志，將元詩的發展劃分開創（1234—1297）、興盛（1297—1335）、轉變（1335—1367）三個時期，詳論各期南北詩壇的特色、源流、發展等，並綜論元詩所表現之時代意識，以見其在詩歌發展過程中的獨特性及承先啓後的重要性。本書不僅補充了詩史的元詩部分，也對解讀元詩作了番指引。

〈目次〉

王序；自序；一、元詩發展之背景（政治環境，社會及學術風氣）；二、元詩之特色；三、元詩之分期（元詩第一期之風格與代表詩家，元詩第二期之風格與代表詩家，元詩第三期之風格與代表詩家）；四、元詩中所表現之時代意識（漢族之民族意識，蒙古西域人之華化意識）；五、結論；引用書目舉要。

（連文萍）

清代女詩人研究

鍾慧玲著，國立政治大學中國文學研究所博士論文，433頁，1981年1

月，王夢鷗、羅宗濤指導。

　　鍾慧玲（1950－　　　），安徽廬江人。國立政治大學中文研究所碩士班、博士班畢業，國家文學博士。現任私立東海大學中文系教授兼主任。著有《皎然詩論之研究》等。

　　女性在詩壇上的表現，歷來皆少受重視，一些詩歌總集，也把閨秀詩人列在卷末，篇帙收錄均極少，反映出閨閣詩壇的沈寂，然清代詩壇卻一反常例，女性詩人異軍突起，不但作者增多，作品亦相當豐富，本書即針對這個獨特現象，探討其原因，考察當時的文學活動及女性詩人們的寫作態度、文學觀點等，並對重要的女詩人及其作品作綜合介紹。本書綱舉目張、蒐羅頗豐，對於清代女性詩人的努力與成就，及清代閨閣詩壇活潑昌明的氣象，作了忠實的敍寫。

〈目次〉

　　一、序說；二、清代女詩人興盛的原因（晚明文學環境的醞釀，清代文學風氣的影響，清代文人的獎掖，官宦世家的提倡，婦女選集的出現）；三、清代女詩人的文學活動（結社，從師，交遊概況）；四、清代婦女寫作態度及其文學理論（寫作的態度，文學的理論）；五、清代重要女詩人（清代初期，清代中期，清代後期）；六、結論；重要參考書目。　　　　　　　　（連文萍）

中國近代詩歌史

馬亞中著，臺北，臺灣學生書局，584 頁，1992 年 6 月初版。

　　馬亞中（1957－　　　），江蘇常熟人。江蘇師範學院（現蘇州大學）中文系畢業，蘇州大學中文研究所博士。現任教於蘇州大學中文系。著有〈論宋詩對清詩的影響〉、〈對《詩》的再認識〉、〈論姚鼐的詩〉等。

　　本書為作者於 1988 年通過的博士論文，錢仲聯指導。全書除引論外，共分九章五十節，敍述自道光至清末民初的詩歌概況，書前並有錢仲聯及章培恆序各一篇。由於本書所考察的對象是中國古典詩歌發展的最後一個階段，故作者首先闡明對於道光以前詩歌發展的基本認識，繼而據此以分析道光以後古典

詩歌的發展，使全書有完整的詮釋體系。

作者除提出諸多創見之外，特別指出詩歌在其繼承和創新的發展過程中，出現「踵事增華」、「返樸歸眞」兩種矛盾對立的傾向；同時，在詩歌的審美歷史中，同樣存在「趨新」、「趨雅」兩種對立的傾向。本文即企圖以此作爲貫穿全文的基本線索。本書成功地將近代詩歌放在整個古代詩歌發展的宏觀中觀察，細膩地分析道光以後各種詩歌流派，以及其詩學觀點、創作成就，故於各詩歌流派的歷史地位和時代價值的評判上，益見公允而切中肯綮，塡補上中國文學史研究中極重要的部分。

〈目次〉

　　　　　　　　（張惠淑）

清代廣東詩歌研究

嚴明著，臺北，文津出版社，191頁，1991年8月初版。

嚴明（1956-　　　），江蘇人。北京師範大學中文系畢業，蘇州大學中文研究所碩士、博士。現任教於蘇州大學中文系。著有《中國女性的藝術精神》、《中國古代文人與名妓的交往》、《洪亮吉評傳》、《中國名妓藝術史》等。

本書爲作者的博士論文，錢仲聯指導。全書凡六章二十四節，書前有錢仲聯序一篇及作者緒論，書末有〈結束語〉及相關圖片數十幀。清代的詩歌，以江蘇、浙江、廣東三省，各自縱橫發展，成績顯著；又以廣東詩歌的淵源最深遠，與他國文化的交流最密切，故益顯本論題的重要性。作者自明末清初的廣

東詩寫起，依序寫至近代廣東詩的風貌。繼而論述各項嶺南藝術對廣東詩的凝塑，並詳明地分析清代廣東地區文化態勢的形成對廣東詩的深化。最後，專章探討粵人心態的傳統對廣東詩風的影響。

作者以系統化的構篇及精闢的論述，提出諸多創見，不僅獲得論文口試委員的一致贊賞，對於中國文學史的研究，其貢獻與成就，更加值得重視與肯定。

〈目次〉

(張惠淑)

清代詩學初探

吳宏一著，臺北，臺灣學生書局，310 頁，1986 年 1 月修訂再版。

吳宏一（1943－   ），臺灣高雄人。國立臺灣大學中文系、中文研究所碩士班、博士班畢業，國家文學博士。曾任中央研究院中國文哲研究所籌備處主任，現任臺灣大學中文系所教授。著有《鄉飲酒禮儀節簡釋》、《白話論語》、《隨園詩話考辨》、《常州派詞學研究》等，編有《清代文學批評資料彙編》、《紅樓夢研究彙編》、《中國古典文學論文精選叢刊》等。

本書為作者於 1973 年通過的博士論文，題目原作《清代詩學研究》，鄭騫

指導。修訂並改爲今名後曾由臺北：牧童出版社於 1977 年 2 月初版，計 333 頁。作者鑑於清代詩學集合了歷代詩學之大成，且不乏創新入微、嚴謹精到的可觀之處，他如名家輩出，各稱擅場，影響所及，日、韓等域外之地，莫不俯首稱是等等特點，乃以之爲研究命題。

全書體系架構嚴整精密，論述亦周詳完備，不僅探看清代詩學各理論系統的背景與內涵、各流派的形成與遞嬗，還體現同一詩學主張的贊成與反對意見，清楚刻劃清代詩壇的實際。末附〈清代詩話知見錄〉，收有清代詩話三百四十六種，亦切實有用。本書影響極爲深遠，尤其是對於清代詩學研究風氣的振興與提倡，貢獻卓著。

〈目次〉

再版序；鄭序；自序；序說（研究清代詩學的意義，研究清代詩學的旨趣，研究清代詩學的資料）；一、清代詩學的背景（政治環境的影響，社會風氣的鼓勵，學術思想的衝擊，文學思潮的遞嬗）；二、清代詩話的作者與讀者（清代詩話的作者，清代詩話的讀者）；三、擬古運動和反擬古運動的餘波（錢謙益，虞山詩派，擬古與反擬古運動的另一面貌）；四、形式批評的崛起與理論系統的建立（形式批評的崛起，理論系統的建立）；五、神韻說及同時的詩論（王士禛，王士禛的同道者，王士禛的反對者，宋元詩的流行）；六、格調說（沈德潛，沈德潛的後繼者）；七、性靈說（袁枚，性靈說的反響）；八、肌理說及清中葉以後的詩論（翁方綱，桐城詩派，清中葉以後的詩論）；九、結論；附錄——清代詩話知見錄；參考書目。

〈書評〉

1. 袁蘭芳，〈吳宏一研究清代詩學〉，自立晚報，2 版，1973 年 11 月 25 日。

2. 吳宏一，〈關於清代詩學研究〉，中華文化復興月刊，8 卷 5 期，頁 45－48，1975 年 5 月。

3. 文鍾鳴，〈吳宏一著清代詩學初探〉，中國語文學（韓國），3 輯，頁 525－526，1981 年。

4. 魏子雲，〈吳宏一的清代詩學初探〉，中央日報，10 版，1982 年 6 月 29 日；文學思潮，12 期，頁 29－33，1982 年 7 月。　　　　　　　　（連文萍）

乾嘉詩學初探

何石松著，私立中國文化大學中國文學研究所碩士論文，333頁，1983年6月，王甦指導。

何石松（1950－　　　），臺灣新竹人。私立中國文化大學中文研究所碩士。

清乾嘉詩學上承明代詩學之緒，如香觀、分解、神韻諸說，皆益加恢宏；至如格調、性靈、肌理等詩說，亦各立壇坫，自成宗派，有承繼，有創新，各具偉觀。本書首先析論乾嘉詩學之背景，包括當時的文治、學風、詩壇實況等；繼而探究乾嘉詩學的前驅，分別評述明代及清初的詩壇概況；爾後為全書的重心，探討乾嘉詩學的主要派別——格調說、性靈說、肌理說，言其理論本身及代表人物；終而補敍乾嘉詩學之其他詩說，如聲調說、浙派詩說等，並給予綜合的評述與展望，以見乾嘉詩學之業績與成就。

〈目次〉

論文提要；一、乾嘉詩學之背景（乾嘉之文治，乾嘉之學風，乾嘉之詩壇）；二、乾嘉詩學之前驅（明代詩學概述，清初詩學概述）；三、乾嘉詩學之主要派別（格調說，性靈說，肌理說）；四、結論（乾嘉詩學之其他詩說，乾嘉詩學之特性，乾嘉詩學之檢討與展望）；附錄：重要參考書目。（連文萍）

3.詩經、辭賦史

中國歷代詩經學

林葉連著，臺北，臺灣學生書局，468 頁，1993 年 3 月初版。

林葉連（1959－　　），臺灣南投人。私立中國文化大學中文研究所碩士、博士。曾任私立景文專科學校副教授、訓導主任，中國文化大學講師、副教授。現任教於國立雲林技術學院。著有《說文古籀補研究》等。

本書爲作者於 1990 年 6 月通過之博士論文，潘重規指導。乃繼胡樸安《詩經學》、夏傳才《詩經研究史概要》之後，全面論述兩千年《詩經》學發展概況的著作，爲目前較完整的詩經學史專著。

全書共分十章，書前附有潘重規序及作者自序各一篇。書中就中國歷代社會背景、學術取向、詩經學之流派、代表作家及其作品逐一推闡。資料蒐羅宏富，兼及海峽兩岸之著作；內容條理清晰，脈絡分明，極有助於讀者。唯本書資料排比之功過重，分析闡述之力較爲欠缺。至於章節之安排，在體例上亦缺少一貫性，如魏晉、南北朝、元明、清各朝都設有〈詩經學家舉例〉一節，唯獨唐、宋兩朝則無，宋朝詩經學家特立〈歐、呂、朱之詩經學〉一節，與其他各章並不統一。

詩經六義之興體及詩序之存廢，學者眾說紛紜。本書則闡揚潘重規教授之主張，從歷史背景詳加探究，解「興」爲隱喻或象徵；並重新評估「美刺諷諭」說，主張詩序不可廢，此爲本書之一大特色。

〈目次〉

一、詩經學之前奏（周朝之社會概況與史官制度，「以道德爲根本」之敎育政策，諷諫與「興」詩探源，詩經敎材，詩、禮、樂結合，賦詩引詩言志之風）；二、孔孟荀論詩（孔子論詩，孟子論詩，荀子論詩）；三、漢朝詩經學（漢朝經學概述，魯齊韓毛四家詩，阜陽漢簡詩經）；四、魏晉詩經學（經學中

— 153 —

衰之原因與歷史背景，魏晉詩經學概況）；五、南北朝詩經學（各種文體欣欣向榮，使經學旁落一隅；南學、北學各有淵源，各具特色；士族門閥維繫經學；北朝較南朝重視經學；詩經方面，毛傳、鄭箋一支獨秀；義疏之學興起；詩經學家舉例）；六、隋唐詩經學（隋朝詩經學，唐朝詩經學）；七、宋朝詩經學（宋朝經學背景，宋朝經學之發展趨勢，歐、呂、朱之詩經學）；八、元、明詩經學（元朝詩經學，明朝詩經學）；九、清朝詩經學（清初詩經學發展之趨勢與時代背景〈考據學興盛之原因〉，今文經學之復興，詩經學家舉例）；一○、結論；附：參考書目。　　　　　　　　　　　　　（張惠淑）

辭賦流變史

李曰剛著，臺北，文津出版社，217 頁，1987 年 2 月初版。

作者另有《中國文學史》，已著錄，生平見前。

作者原計劃撰寫《中國文學流變史》，共分三編，第一編為散文編，第二編為辭賦編，第三編為詩歌編。可惜第一編並未完成。本書原為《中國文學流變史》之第二編（辭賦編），於 1971 年 8 月由臺北：聯貫出版社初版，217 頁。作者去世後，經作者後人及國立臺灣師範大學國文系之授權，易名發行。

辭賦創始於楚辭，肇名於荀、宋，在中國文學史上曾獨領風騷，自漢、魏以後，雖漸趨沒落，然仍時有作者，其體式、特質亦有不同變化。本書即深入探看辭賦之流變，分就騷賦（楚辭）、短賦（荀賦）、古賦（漢賦）、俳賦（魏晉南北朝賦）、律賦（唐宋賦）、散賦（宋賦）、股賦（明清賦）等七種類型加以論述，而賦體隨時間之推移，所展現的不同風貌，其由盛而衰之過程，亦因此而清晰呈現。

〈目次〉

一、騷賦（楚辭）（楚辭之名義，楚辭之因緣，楚辭之作家，楚辭之篇目，楚辭之特質，楚辭之評價）；二、短賦（荀賦）（荀賦之創制，荀卿行歷考，荀賦之地位，荀賦之類型，荀賦之影響）；三、古賦（漢賦）（古賦之背景，漢賦之特質，漢賦之體類，漢賦之作家）；俳賦（魏晉南北朝賦）（俳賦之背景，俳

賦之特徵，俳賦之作家）；五、律賦（唐宋賦）（律賦之成因，律賦之限韵，律賦之程式，唐代之律賦，宋代之律賦）；六、散賦（宋賦）（散賦之命名，散賦之特質，散賦之淵源）；七、股賦（明清賦）。　　　　　　　　　　（連文萍）

楚辭到漢賦的衍變

張書文著，臺北，正中書局，169 頁，1983 年 4 月再版。

作者另有《中國文學概要》，已著錄，生平見前。

本書初版原名《由文學觀點談楚辭到漢賦的發展與流變》，由正中書局於 1981 年出版。再版時始改爲今名。楚辭自漢代以來，研究風氣便極盛行，然多偏重於篇章眞僞以及時代先後等問題的考證。作者以爲，文學的存在和興起不僅導源於人類內在情感的衝動，外在生活環境亦是激發和孕育各種文學的重要因素，所以，除了漢代詩歌而外，其亦彙集了辭賦方面有關資料加以敍明整理，從諸詩人的主觀創作意識與外在客觀環境，探討詩經、楚辭之異同，進而析論降及秦代文學以下，賦體由主觀及客觀條件下不得不產生之因，闡明賦體本身之發展與演變。全書語言文字平易，深入淺出，藉由此書，讀者可窺探出漢代文學發展之形態，再則，或可從其遞演興衰過程，看出整個綿延不斷的歷史文化意識中，各項文學本身的流變與異同。

〈目次〉

一、引言。二、周代南北文學的興起（韻文的先聲──詩經，南方的文學──楚辭，南北文學的比較）；三、秦代文學（時代背景對秦文學的影響，荀賦的特質與屈賦之異別，李斯的刻石文）；四、漢賦的發展與流變（漢賦興盛的因由，漢賦的特質，漢賦發展的趨勢及其主要作品，漢末賦體文學的演變）；五、結語；附錄（由楚辭談到屈原的作品，漢代歌謠與音樂）；參考書目。

（黃惠菁）

漢魏六朝賦家論略

何沛雄著，臺北，臺灣學生書局，102頁，1986年6月初版。

何沛雄（1935-　　），廣東順德人。香港大學文學士、碩士，英國牛津大學文科哲學博士，中華學術院哲士。曾任倫敦大學名譽訪問院士、香港新亞研究所客座教授、韓國慶熙大學客座教授。現任香港大學中文系高級講師、香港教師會學術顧問。編著有《柳宗元永州八記：析論、校注、集評》、《讀賦零拾》、《賦話六種》、《新編中國文選》等。

辭賦之盛，莫踰漢魏六朝，當時作者，風起雲湧，各擅其美，本書作者認為，賦家夥頤，如欲逐一評述，殆不可得，所以，特擇其享譽一時而有作品傳世者一百四十餘人，按其時代先後次序，略論其風格。並於附錄中，製作〈現存漢魏六朝賦作者及篇目〉表，依作者所屬朝代及序次編排，作者生平見於正史者，則標記史書名冊，以利讀者尋索，表錄一目了然，有助後人對漢魏六朝賦家簡略的掌握。本書因屬論略，故許多問題、觀點的抉發，均係點到為止，讀者有興趣，可依書中所提供之線索、所觸發之問題，旁涉其他資料，再作深入探究。

〈目次〉

一、序；二、漢魏六朝賦家論略；三、附錄：現存漢魏六朝賦作者及篇目。　　　　　　　　　　　　　　　　　　　　　　　　　　（黃惠菁）

漢賦研究

張清鐘著，臺北，臺灣商務印書館，65頁，1975年1月初版。

張清鐘，（1939-　　），臺灣嘉義人。省立臺南師範學校普通科、國立臺灣師範大學國文系畢業。曾任小學、中學教師，現任教於國立嘉義師範學院語文教育系。著有《古詩十九首彙說賞析與研究》、《兩漢樂府詩之研究》等。

本書論文曾刊登於《嘉義師專學報》，5期，頁195-230，1974年5月。

作者有見於今人之論述漢賦，多為片斷，如劉大杰《中國文學發達史》，雖有專章詳述，然重於變遷，而疏論得失；鈴木虎雄之《賦史大要》，引論雖博，而失之片斷繁雜，乃蒐輯歷代經籍史傳、文集文選，及今人相關論著，予以歸納裁論，期對漢賦作更深入而全面的探討。全書區分九章，首先為「賦」字作界說，次則詳述賦之淵源，再則分就產生背景、材料及區類、發展與流變、作家及作品、體制與聲律、特質等方面，逐一探討漢賦的發生、演變與實質，最後則給予整體的評價。本書對於彌補文學史之不足，致力於漢賦的提倡與研究，有一定的成績。

〈目次〉

前言；一、賦之界說（賦字之本義與文學因緣；賦以鋪陳為事，以諷諭為宗；賦與辭本屬一體；賦之體介於詩文間；歸言約語）；二、賦之淵源（賦肇名於荀宋，創體於屈荀；賦遠承古詩之「賦」義，近得楚人之「騷」體；賦得縱橫家之鋪張揚厲而蔚為大觀）；三、漢賦之產生背景（文體本身之發展，經濟物質之富庶，帝王公侯之喜愛，科名利祿之誘發，學術思想之統制，小學鑽研之影響）；四、漢賦之材料及區類（漢賦之材料，漢賦之區類）；五、漢賦之發展與流變（漢賦之發展，漢賦之流變）；六、漢賦之作家與作品（賈誼，枚乘，司馬相如，王褒，揚雄，班固，張衡，王延壽）；七、漢賦之體制及聲律；八、漢賦之特質；九、漢賦之評價；主要參考資料。　　　　　　（連文萍）

漢賦研究

許建章著，臺北，崇德書局，142 頁，1985 年 4 月初版。

本書作者感於歷來對賦的論著雖然很多，但是對於漢賦並未加以重視。即今日大學中國文學系中亦鮮見專開漢賦課程者，有之則僅於文學史略述梗概而已，所以，乃就漢賦之淵源、時代背景、發展與流變、作品與分類、體製與風格、代表作家及其評價，分設章節加以論述，以補一般文學史之不足。

〈目次〉

一、緒論；二、漢賦的淵源（遠承古詩的賦義，創體與肇名，漢賦的搖

籃); 三、漢賦產生的時代背景 (文體發展的自然趨勢，國富民足的時代反映，帝王公侯的喜好，學術思想的統制); 四、漢賦的發展與流變 (漢賦發展的過程，漢賦的流變); 五、漢賦的作品與分類 (漢賦的作品，漢賦的分類); 六、漢賦的體製與風格 (漢賦的體製，漢賦的風格); 七、漢賦的代表作家; 八、漢賦的評價; 九、主要參考書目。　　　　　　　　　　　　　　　(黃惠菁)

六朝小賦研究

譚澎蘭著，私立中國文化大學中國文學研究所碩士論文，232 頁，1984 年 6 月，王熙元指導。

譚澎蘭 (1959－　　)，湖南安仁人。私立中國文化大學中文研究所碩士。現任教於空軍軍官學校文史系。

六朝賦篇乃承襲楚辭騷體、荀卿短賦、兩漢古賦而來。其發展之初，雖受新體五言詩之影響，頗有詩化傾向，然特質已定，其體製遂益趨完整，技巧愈呈豐潤，文人競逐此體，風潮所向，清麗幅短之小賦，終得以於六朝大放異彩。本書所要探討的內容重點，即是在於此文體的內容架構與前代辭賦間起承轉合關係之究竟，評述個中文學價值。全文章節安排，循序漸進，先述其歷史淵源，再言及其創作背景，之後，分論其情志內涵與寫作技巧。全書立意甚明，文字交待亦稱平實，作者致力闡釋六朝小賦文學特色的努力，確實有一定的成績。

〈目次〉

一、六朝小賦之歷史源承 (楚辭騷體之開展，荀卿短賦之發揚，兩漢古賦之窮變，六朝小賦之本質); 二、六朝小賦之創作背景 (文學觀念之演進與思想之相應，文學推展之動力，政治情勢之激發，社會風尚之反應); 三、六朝小賦之情志內涵 (時命不遇之詠懷，出世戀世之矛盾，道德理想之感諷──以詠物賦為疇，悵惘淒楚之情懷); 四、六朝小賦之寫物技巧 (虛擬客主以達旨，巧言切狀以寫實，裁對調句以盡興，音色相宣以窮文); 五、結語; 六、參考書目。　　　　　　　　　　　　　　　　　　　　　　(黃惠菁)

魏晉賦研究

蕭湘鳳著，私立輔仁大學中國文學研究所碩士論文，164 頁，1980 年 5 月，葉慶炳指導。

蕭湘鳳（1956－　　　），湖南邵陽人。私立輔仁大學中文研究所碩士。

賦體之興，自詩三百發源，歷經先秦文人的集體創作，至漢代終於蔚成大國。由於兩漢是賦的極盛時代，因而歷來論賦者，皆著重於漢代，對於漢代以後的賦，則有「漢賦之餘氣遊魂」的觀念。其實，賦體發展到魏晉，無論是形式、內容、情調，已與漢賦大異其趣，開拓出另一種嶄新的風貌，此種賦體的新開拓，在中國賦史上，是具有承先啓後的特殊意義。因歷來學者鮮有專文討論，所以，作者特選擇爲論文題目，希冀能補歷來論「賦」之不足。全書行文命意，輕重合度，對於幾個關鍵問題，多能深入探討，對補充文學史書籍論述魏晉賦的不足，具有一定之價值。

〈目次〉

一、引言；二、賦的意義；三、魏以前賦的演變；四、魏晉賦的發展背景（社會背景，文學背景，地域背景）；五、魏晉賦的分類（楚辭體賦，散文賦，駢賦，雜體賦）；六、魏晉賦的特色（題材分析，形成結構，表現手法）；七、魏晉賦家舉要（曹植，王粲，潘岳，陸機，左思，傅玄，郭璞，陶潛）；八、餘論──魏晉賦對當時文學的影響；九、參考書目舉要。　　　　（黃惠菁）

宋代散文賦研究

李瓊英著，國立臺灣師範大學國文研究所碩士論文，216 頁，1991 年 6 月，葉慶炳指導。

李瓊英（1957－　　　），福建金門人。國立臺灣師範大學國文研究所碩士。

在中國文學發展上，賦體源遠流長，特質豐富，受歷代不同文風的影響，輒形成各具特色的賦類，騰躍文壇，與詩、文鼎足而立，成爲中國古典文學中

主要形式之一。但是在長遠變化中，賦體不論是語言形式結構的改變或情志內涵表達的轉移，變化最爲明顯、發展最爲特殊的，應屬宋代散文賦的出現。惜歷來文學史上對於唐宋以後散文賦的研究，大多以附帶一提的方式處理，不易凸顯眞正宋代散文賦的價值與意義，所以，本書作者特以《宋代散文賦研究》爲題，深入探討其中變革的來龍去脈，就現存一千多篇宋賦中，根據幾個原則分辨體類，採消去法，逐一篩汰揀選，期使宋代散文賦有一較全面性之輪廓出現。

〈目次〉

　　序；一、緒論（研究目的與價值，研究範圍與方法，宋代散文賦義界）；二、漢魏六朝散體賦與唐宋散文賦（兩漢散體賦的盛世，魏晉南北朝散體賦的消沈，唐代散文賦的轉變，宋代散文賦的形成原因）；三、宋代散文賦主要作家與作品（北宋期，南宋期）；四、宋代散文賦的特色（主題思想的哲理取向，題材意象的平實自然，致辨情理的議論手法，修辭技巧的靈活運用）；五、宋代散文賦的評價與文學史意義（從祝堯《古賦辯體》看宋代散文賦的評價，宋代散文賦的文學史意義）；六、結論；附表一；附表二；參考書目。

（黃惠菁）

4. 樂府史

漢魏南北朝樂府

李純勝著, 臺北, 臺灣商務印書館, 172 頁, 1966 年 10 月初版。

　　漢魏南北朝的樂府歌辭, 對於五、七言詩影響甚大, 作者有感於其在中國文學發展史上的重要性, 特撰此書, 從歷史角度著眼, 從考證方面著手。爲敍述便利起見, 作者將兩漢樂府作爲一章講, 將魏晉南北朝樂府另闢一章分析, 其目的主要是使樂府詩辭體裁與風格的流變, 一目了然。文中所提出的樂府歌辭, 是依宋人郭茂倩的《樂府詩集》編次, 每曲均略加說明, 對年代久遠的兩漢樂府, 則側重考證, 所下結論, 容或有主觀成分, 但皆作者辛苦考釋得來。至於樂府與古詩十九首、絕句, 乃至五、七言詩的關係, 雖非本書題旨所述範圍, 但作者仍略加說明, 以揭示出我國古樂府辭對於日後韵文發展的影響。

〈目次〉

　　序言; 一、緒論 (樂府的興起, 樂府的範疇, 樂府的類別, 樂府的聲調及命題); 二、兩漢樂府 (郊廟歌辭, 鼓吹歌辭, 相和歌與淸商曲, 舞曲歌辭, 雜曲歌辭, 兩漢樂府的流變及其影響); 三、魏晉南北朝樂府 (魏三祖及東阿王植所撰的相和淸商, 吳歌雜曲荊楚西聲, 梁鼓角橫吹曲, 魏晉南北朝樂府的異同及其影響); 四、總論 (樂府與五七言, 樂府與古詩十九首的關係, 樂府與絕句、樂府與詞的關係); 附錄 (今存漢魏南北朝樂府詩種類篇名表)。

(黃惠菁)

漢魏六朝樂府研究

陳義成著, 臺北, 嘉新水泥公司文化基金會, 233 頁, 1976 年 10 月初版。

陳義成 (1948 －　　　), 福建南安人。私立輔仁大學中文研究所碩士, 私

立中國文化大學中文研究所博士。現任教於私立逢甲大學中文系。著有《楊萬里研究》等。

本書爲作者於 1973 年通過的碩士論文，王靜芝指導。旨在探討樂府詩在漢、魏、晉、六朝各階段之面貌，並深入探索帝王的喜好與樂府文學之間的興衰關係，分析地理環境與社會形態對樂府所表現的內容、情調之影響，進而針對樂府詩所反映的社會現象、民心民意，作分類解說。

本書之研究，證明繼詩騷之後，詩壇的發展，自漢魏六朝樂府之興起，始獲新血與轉機，於詩歌的繼承與開拓，有其不可磨滅的成就，頗有助於中國詩學之研究與教學。然而，就一本學術性論文而言，本書立論之形式實不夠清晰，致未能綱舉目張；於引文或未詳註出處，附錄二的參考書目亦應分類羅列，以便檢查。

〈目次〉

一、緒論（樂府之起始，樂府範疇之劃定，樂府之命篇，樂府分類之商榷）；二、漢世樂府（漢武帝劉徹與樂府，漢哀帝劉欣與樂府，東漢之掌樂官署與音樂歌詩，漢世四大樂府歌詩，漢世樂府所反映之社會民心）；三、魏世樂府（樂府歌詩至建安文士化之轉變，魏世樂府以三祖陳王爲文棟）；四、晉世樂府（頌揚功烈之宮廷樂府，文士樂府之代表作者及其作品）；五、六朝樂府（六朝樂府民歌，北朝樂府民歌，文士樂府）；六、結論；附錄一：漢魏六朝樂府之疊句類型；附錄二：參考書目。　　　　　　　　　（張惠淑）

漢魏文人樂府研究

沈志方著，私立東海大學中國文學研究所碩士論文，374 頁，1982 年 4 月，邱燮友指導。

沈志方（1955－　　），浙江餘姚人。私立東海大學中文系學士、中文研究所碩士。現任教於東海大學、僑光商專。著有〈論鄴下樂府的主題類型〉等。

長久以來，研究樂府的趨勢，多偏重於民間樂府的整理、闡揚與文學價值

的肯定。從另一個角度來看，好的文學，往往來自民間，然後影響到文人的創作，所以，文人賦詩，不再侷限於專爲郊祀之禮或天地諸祠的宗廟典禮，許多時候，他們也藉樂府的形式，抒發一己之情感，而這一部分，也才是樂府別爲殊出，爲後人所重的內容所在，所以，本書作者特別將對漢魏樂府的研究視野擴大到廣義的「文人」，藉文人角色的殊異，切入漢魏樂府的作品長流，剖析文人樂府在樂府文學史上的重要地位，避開個人的主觀價值判斷，而就作品本身所呈顯的客觀現象，進行一系列的探討，由此彰顯出漢魏文人樂府所蘊涵的各種特質，並爲其尋繹出一個周全合理的文學史地位。

〈目次〉

序；一、文人樂府的命題（樂府的分類角度，文人樂府的界說與淵源，文人樂府與古詩、民間樂府的差別）；二、漢魏文人樂府的研究範圍（兩漢部分，曹魏——含吳、蜀部分）；三、漢魏文人樂府的創製因緣（樂府制度的沿革及影響，東漢的采風與文人樂府，曹魏的時代背景與文風趨向，文人樂府的創製動機）；四、漢魏文人樂府的創製性質（依前曲作新歌，空無依傍的創製，文人樂府的模擬方式）；五、漢魏文人樂府的內涵（慷慨任氣的襟抱，磊落使才的壯志嚮往與嗟嘆，人生如寄的感逝與遊仙）；六、漢魏文人樂府的表現藝術（句式與篇幅的變化，辭藻的典雅浸麗，疊句形成的施用，描寫範圍的拓展）；七、漢魏文人樂府的影響（五言詩的成熟與七言詩的開展，文人樂府與依聲填詞，模擬方式與擬古傳統的確立，文人敘事樂府的濫觴，組詩形式的擴充及影響）；八、結論；附錄：參考書目舉要。　　　　　　　　　（黃惠菁）

漢代樂府詩研究

鄭開道撰，私立中國文化學院中國文學研究所碩士論文，212 頁，1971年，李漁叔指導。

鄭開道（1919－　　），廣東潮陽人。私立中國文化學院中文研究所碩士。

本書作者有感於漢代經生治詩，往往僅言詩之義，而遺詩之音，致詩與樂分離，成爲經生訓詁考證之學，失詩敎樂敎之本意矣，而樂府詩發展至後代，

又輒失其歌詠之法，或摛其麗藻，或摹其文辭，去其本質、精神甚遠，因此，特以宋代郭茂倩《樂府詩集》爲其所本，分析研究漢代樂府，盼能正本清源，一窺原始之究竟。

全書除敍述漢代樂府詩之起源外，並詳加討論漢代樂府詩之分類，權衡前人分類法之得失，提出自己的看法。其中著墨最多是〈漢代樂府歌辭題解考證〉這一章，解釋每首樂府之題目意義，並錄其歌辭，加以校勘標點。最後又探討樂府之樂理與樂性，並作結論。作者雖有意探究樂府詩之音樂，然時代邈遠，樂譜失傳，亦只能停留文獻考證而已；加上作者太偏重政教功能，故結論有「詩樂合一，則政教昌隆；詩樂分離，則政教乖迕」之語，令人難以理解。

〈目次〉

兩漢樂府詩之研究

張清鐘著，臺北，臺灣商務印書館，80 頁，1979 年 4 月初版。

作者另有《漢賦研究》，已著錄，生平見前。

本書論文曾刊登於《嘉義師專學報》，8 期，頁 187－266，1978 年 5 月。作者有感於樂府詩自來不受文人學士的重視，故特撰本書，以確立樂府詩的地位與價值，肯定其乃上繼《風》、《騷》，下啓詩、詞、曲之獨立文體。

本書共分上、中、下三篇：上篇是樂府詩概說，簡述樂府詩之定義、起源、分類及格調等基本概念。中篇再依序介紹六大類樂府歌辭。下篇則探討兩漢樂府詩之特質、流變及其影響。全書組織完整，條理井然，遇有議論、考證，多以按語形式爲之，頗能顧及行文之順暢性，且可保持較客觀、公正的立場；此外，作者大量而巧妙地運用圖表，嘗試簡化向來繁複的論題，更是本書最大的特色之一。

兩漢樂府研究

亓婷婷著，臺北，學海出版社，368 頁，1980 年 3 月初版。

亓婷婷（1950 -　　　　），江蘇灌雲人。國立臺灣師範大學國文系學士，任教於臺灣師範大學國文系，目前正在美國哈佛大學東亞所攻讀博士學位。

兩漢時期產生的樂府，比起當時盛行的辭賦，對後世的影響更大，因為，從文學的價值而言，辭賦鋪張侈麗，主述歌功頌德的貴族生活，樂府所表現的，卻是真摯質樸、活潑自然的大眾心聲，對後世的影響自然更為深遠，更為普遍。本書研究兩漢樂府的發展，一方面著重其歷史時代背景的因素，探討樂府的興起與樂府官署的關係。一方面著重詩歌本身的源流發展，了解其含括的內容及對後世的影響。藉經緯交錯之探討，窺探兩漢樂府在文學史上的孳嬗過程及其地位，同時也藉樂府中的內容，展現漢代文明偉大風貌之一斑。全書結構佈局，十分平穩，重要論點，闡發得宜，敘述深入淺出，確有助於學界對兩漢樂府之瞭解。

舞曲歌辭，雜曲歌辭）；四、兩漢樂府與漢人生活（兩漢樂府所反映的日常生活——飲食類，衣飾類，居所類，交通類，兩漢樂府所反映的漢人心理）；五、兩漢樂府對後世詩歌的影響（兩漢樂府本身具有的特色，兩漢樂府對後世詩歌體裁方面的影響，兩漢樂府對後世詩歌風格方面的影響）；參考書目。

（黃惠菁）

兩漢樂府古辭研究

黃羨惠著，私立中國文化大學中國文學研究所碩士論文，213頁，1991年6月，邱燮友指導。

黃羨惠（1965 –　　　），臺灣新竹人。私立中國文化大學中文研究所碩士。

兩漢樂府在中國文學發展史，一直居有舉足輕重之地位，其文字表現具有清新生動、自然純眞的高度藝術特質，不但爲民間文學注入一股活泉，也豐富了詩歌的生命力。尤其是樂府古辭，最擅以平鋪的陳述和白描的手法，來強化主題的表現，這也正是漢代樂府民歌之所以深爲讀者所愛，歷千載而不衰的根本原因之一。本書作者有感於歷來研究漢代樂府的學者，大抵以民間樂府或文人樂府爲區分，以爲前者直抒胸臆，文學價值較高，後者則流於華美之擬作，不足研究。爲了打破二分法的人爲障礙，本書作者只問作品優秀與否，不論詩成何人之手，進而專事作者姓名不可考的古辭研究，藉此免卻遺珠之憾，而以純文學的角度來探討古辭的價值。全書行文平易，引徵確實，疏證清晰，可爲參考。

〈目次〉

一、緒論（樂府詩之起源，兩漢樂府古辭，研究動機、方法及內容）；二、兩漢樂府古辭題解疏證（鼓吹曲辭，相和歌辭，清商曲辭，雜曲歌辭）；三、兩漢樂府古辭之社會性（兩漢樂府與民間生活相關聯，兩漢樂府所反映的社會環境，作品的內在情感）；四、兩漢樂府古辭之文學表現技巧（表現特色，結構特色，修辭技巧）；五、兩漢樂府古辭之美學研究（談美，兩漢的美學，兩漢樂府古辭的藝術美）；六、結論；參考書目。　　　　　　（黃惠菁）

兩漢民間樂府及後人擬作之研究

李鮮熙著，國立臺灣師範大學國文研究所碩士論文，297 頁，1983 年 4 月，羅宗濤指導。

　　李鮮熙（1956 - 　　），韓國人。國立臺灣師範大學國文研究所碩士。著有〈兩漢民間樂府擬作考〉。

　　本論文主要討論兩漢民間樂府及後人擬作之特色。作者先就郭茂倩《樂府詩集》中，篩選出兩漢民間樂府四十七首及後代文人擬作四百五十九首，加以比較，追蹤兩漢民間樂府如何影響到後代文人之擬作，及其兩者之間的異同，乃至其標題、形式、內容的特色。全書共分五章。首章說明樂府的起源、命題、聲調及其形式。次章探討民間文學的淵源與特性，及其與樂府之關係。第三章根據民間文學的特性，篩選出兩漢樂府中的民間樂府。第四章則論述兩漢民間樂府到後代文人擬作的脈絡。末章結論，以總括前說。

〈目次〉

　　序；一、緒論（樂府之起源，樂府之命題，樂府之聲調及形式）；二、民間文學與樂府（民間文學之淵源，民間文學之特徵與樂府之關係）；三、兩漢民間樂府之範圍（郊廟歌辭，舞曲歌辭，鼓吹曲辭，相和歌辭，雜曲歌辭）；四、從民間樂府到文人擬作樂府（兩漢民間樂府之分析及其標題之演變，魏晉文人樂府，南北朝文人樂府，隋代文人樂府，唐代文人樂府）；五、結論；參考書目。　　　　　　　　　　　　　　　　　　　　　　　　（黃惠菁）

兩漢民間樂府與後人擬作之研究

王淳美著，國立政治大學中國文學研究所碩士論文，297 頁，1986 年 5 月，羅宗濤指導。

　　王淳美（1961 - 　　），臺灣高雄人。國立政治大學中文研究所碩士。現任教於私立南臺工商。

本論文所欲探討的是兩漢民間樂府與後人擬作之比較，在進入正題前，作者先行介紹民間詩歌以為導引，接著訂出兩漢民間樂府範圍，以為本文所欲詳析之對象。關於民間樂府義界，各家或有不同，本文採取的觀點，只要出自兩漢民間無名氏的平民文學，收錄於宋人郭茂倩《樂府詩集》中，即為本文探討的主題；若其時代或作者、風格有見疑於後世者，一律不採，由此從《樂府詩集》中，擇選出三十九首兩漢民間樂府。另外，有關清新的民間樂府引起文人擬作興趣的熱況，亦是本文注意的重點之一，作者嘗試從兩漢古辭與後人擬作間進行比較研究，歸結出兩漢民間樂府的發展與影響所在。

本論文雖與國立臺灣師範大學國文研究所研究生李鮮熙於 1983 年所撰的碩士論文題目完全一樣，但兩者所關注的重點不同，李文對於兩漢民間樂府敘述較多，對於後代文人擬作樂府則按時代概略敘述，顯得較為粗疏。本論文偏重擬作內容與本辭之比較，並對本辭與擬作之作品詳細分析，展現作者縝密的歸納及分析能力，故成果斐然，不可因與李文題目相同而抹煞其價值。

〈目次〉

一、導論（民間樂府之定義，兩漢民間樂府，研究方向與態度）；二、擬作內容承襲本辭而來（擬作與本辭密切相關者，擬作與本辭部分相關）；三、擬作內容異於本辭者（擬作由本辭標題連想而來，擬作部分由本辭標題連想而來，擬作與本辭完全無關，後代無擬作之本辭）；四、作者之環境與身分（魏至唐之時代背景與文學思潮，作者之特殊身分對擬作之影響，仕宦與文人之擬作特色）；五、作品分析（從本辭到擬作，擬作主題意識之連想與轉變，本辭與擬作之比較）；六、結論（民間文學與文人文學，擬樂府總論）；結語；參考書目。 （黃惠菁）

兩漢民間樂府研究

田寶玉著，國立臺灣師範大學國文研究所碩士論文，156 頁，1985 年 12月，楊昌年指導。

田寶玉（1959－　　　），韓國人。國立臺灣師範大學國文研究所碩士、博

士。著有《中國敘事詩的傳承研究—以唐代敘事詩為主》。

本論文之作，旨在就文學要素中「意」、「象」兩觀念來探討兩漢民間樂府。全書內容分為兩部分：一是定兩漢民間樂府之範圍。但以郭茂倩《樂府詩集》、丁福保《全漢三國晉南北朝詩集》為主，選出一百五十八首民間樂府。另外，從樂府詩本身具有的三種混合性（詩、樂、舞）中，選擇由詩（文學）的角度來看兩漢民間樂府，嘗試就其表現技巧與藝術結構的歸類，來探討漢代民間樂府特有的藝術表現，歸結其藝術性之所在，再昭明其在中國文學上的意義價值。全書綱目尚稱清晰，但內容顯得粗疏，如「批評歷史」一項，所引的作品都是對朝政、人物之批評，放在「批評歷史」之下，誠屬不妥。

〈目次〉

提要；序；一、緒論（樂府之分類及研究範圍，研究動機和研究方法）；二、兩漢民間樂府之範圍（選取民間樂府的基準，兩漢民間樂府內容概述）；三、兩漢民間樂府表現意識之歸類（浪漫，寫實）；四、兩漢民間樂府表現技巧與藝術結構之歸類（表現技巧，藝術結構的設計）；五、結語；參考書目及期刊論文。　　　　　　　　　　　　　　　　　　　　　　　（黃惠菁）

南北朝樂府詩研究

周誠明著，私立中國文化學院中國文學研究所碩士論文，242 頁，1971年，李漁叔指導。

周誠明（1946 －　　　），江蘇江陰人。私立中國文化學院中文研究所碩士。

南北朝樂府詩的發展，乃是繼漢代樂府之後的另一個高峰。其時，人文薈萃，文尚駢儷，詩重排偶，矜屬對之奇，審聲律之美，形成中古文學史上，詩歌絢爛，爭妍鬥巧的黃金時代。本文之作，其目的在於梳理南北朝樂府詩的發展脈絡，全文體例乃是先述明南北朝樂府詩的淵源，及其產生之原因，再依其性質，論其體製。體製既明，則標列南北朝樂府詩的特色與價值，這也正是全文重心之所在。之後，再逐首考證樂府詩之作者、時代、篇目之真偽，最後，評介其時文士擬作之樂府詩。由此理路而下，有關南北朝樂府詩之發展，亦能

得其梗概。

〈目次〉

一、序論；二、南北朝樂府詩之淵源；三、南北朝樂府詩之產生（時代背景，社會因素，地理環境，文學潮流）；四、南北朝樂府詩之體製（題名，聲節，句式，樂器）；五、南北朝樂府詩之特色（雅胡樂音之糅雜，民間文學之描敍，南朝商市生活之反映）；六、南北朝樂府詩之價值（促成宮體詩之興盛，隋唐胡樂之前導，唐詩宋詞之先驅）；七、南北朝民間樂府詩解題（梁鼓角橫吹曲，吳聲歌曲，西曲歌）。八、南北朝擬樂府詩作者評介（宋，齊，梁，陳，北魏，北齊，北周）；九、結論；參考書目。　　　　　　　　（黃惠菁）

南北朝民間樂府之研究

金銀雅著，國立政治大學中國文學研究所碩士論文，248 頁，1984 年 5 月，李豐楙指導。

金銀雅（1957 －　　　），韓國全南人。韓國成均館大學中國文學系畢業，國立政治大學中文研究所碩士、博士。著有《盛唐樂府詩研究》、〈南北朝民間樂府所表現的研究〉等。

樂府本爲漢武帝所設立採集詩歌的官署之名，後將其所採獲保存的詩歌也稱爲樂府。本書所謂的「民間樂府」，乃是指民歌之入樂者，其入樂過程中雖不可避免地經樂工的修飾，但依然能保存其純樸自然的氣息，兩漢民間樂府如此，南北朝民間樂府亦然。使用此一「民間樂府」之名，藉以別於文士仿作者。在研究方法上，本文分從兩方面進行討論：一爲外緣的研究法，研究民間樂府產生、盛行的社會背景，以及其與民間文學、音樂文學、文人文學之關係。二爲內在的研究法，探討南北朝民間樂府的音樂性、語言表達藝術等。藉由外緣研究與作品內在肌理脈絡的分析，以瞭解南北朝民間樂府所具有的民間文學特質。

〈目次〉

一、緒論（民間樂府之名稱與研究範圍、研究方法）；二、南北朝民間樂

府之外緣研究（產生及盛行之社會背景，民間樂府與文學淵源）；三、南北朝民間樂府之內在研究（音樂性，意象表現）；四、南北朝民間樂府表現的世界（南朝庶民的愛情觀，北朝庶民對戰爭的怨嘆，南北朝婦女的形象，南北朝人民的日常生活）；五、結論；附錄：重要參考書目。　　　　　　（黃惠菁）

唐代樂府詩之研究

張國相著，私立東海大學中國文學研究所碩士論文，158 頁，1980 年 6 月，舒衷正指導。

張國相（1955－　　　），福建福州人。私立東海大學中文系學士、中文研究所碩士。現任教於國立臺北護專。

本書寫作體例，先由外緣述起，論詩的起源與樂府之關係，再追溯漢武帝設立樂府署，而其中詩與樂府分際特色為何？由此比較中再揭舉樂府詩的特色。緒論簡言至此，以下則進入論文主題，探討唐代樂府詩的發展，就時下盛行的唐代文學區分間隔，分述初唐、盛唐、中唐、晚唐的樂府詩特色。最後為結論。內容頗為簡省，幾個關鍵性問題之探討，著墨不多，行文倉卒，缺乏深究，殊為可惜。

〈目次〉

一、緒論（詩的起源及其與樂府之關係，漢武設立樂府署對於詩與樂府之劃分，樂府分類的商榷，樂府詩的特性）；二、唐代樂府詩之發展（初唐，盛唐，中唐，晚唐）；三、結論（樂府詩發展的始末，樂府詩對詩的影響，唐代成為詩之極盛時代與樂府詩之關係）。　　　　　　　　　　（黃惠菁）

唐代新樂府詩人及其代表作品

黃浴沂著，臺北，學海出版社，144 頁，1988 年 6 月初版。

黃浴沂，（1936－　　　），臺灣臺南人。國立高雄師範大學國文系畢業，現任臺北市明倫高中校長，並於臺北市立師範學院任教。

樂府詩發展之初，本可合樂，然隋唐以後，新聲紛湧，卻發展成只能諷誦，不可入樂，而以宣洩情懷爲主的「新樂府」。而由白居易、元稹、李紳、張籍、王建等人所倡導的新樂府運動，更是文學發展史上的一件大事，不但給詩壇開闢了一條新徑，而且對於中唐詩壇的再現生機與繁榮，提供了一定程度的助益，本書乃就唐代新樂府運動之醞釀、發展，乃至影響所及之重要人物及其主要代表作品，按時代先後一一加以論述。全書條理分明，內容簡單扼要，對瞭解唐代新樂府運動頗有幫助。

〈目次〉

盛唐樂府詩研究

金銀雅著，國立政治大學中國文學研究所博士論文，245 頁，1990 年 6 月，羅宗濤、李豐楙指導。

作者另有《南北朝民間樂府之研究》，已著錄，生平見前。

作者以爲盛唐詩人在樂府詩的天地中，既傳承前代古題的優良傳統，又嘗試新題的新途徑，大大地擴展了樂府詩的領域，就其創作成績來看，均富有廣度和深度的開創性，在藝術成就方面，足以滌正六朝以來文人樂府的浮靡之風。在研究範圍上，作者對樂府古題與新題之別，其準則乃是以唐爲劃分時代，自漢至隋樂府命題爲古題，唐人新創者爲新題，而其篇名歸類，概以郭茂倩《樂府詩集》爲主要依據，從現存唐人別集、全唐詩、樂府詩集等書中，挑選樂府詩七百三十二首，以此展開研究工作，經由外緣研究與作品內在肌理脈絡的分析，指出盛唐樂府詩的殊異特色及其與當時流行的聲詩、曲子詞的關係，乃至對中唐新樂府的影響，藉以勾勒出盛唐樂府詩在中國文學史上所扮演的角色與意義及其重大的價值。

中唐樂府詩研究

張修蓉著，臺北，文津出版社，474 頁，1985 年 10 月初版。

　　張修蓉（1941－　　　　），安徽廬江人。國立政治大學中文研究所碩士班、博士班畢業，國家文學博士。現任教於國立臺北商專。著有《唐代文學所表現之婚俗研究》、《漢唐貴族與才女詩歌研究》等。

　　本書為作者於 1981 年通過的博士論文，羅宗濤、葉慶炳指導。樂府詩創始於漢，絢麗於南北朝，至唐代，又大放異彩，為樂府史上寫下光輝的一頁。初唐詩人如王勃、楊炯、盧照鄰、駱賓王四傑，沈佺期、宋之問、劉希夷、陳子昂等均有樂府詩篇；盛唐詩人自高適、岑參、王維、崔顥、王昌齡而下，迄至大詩人李白、杜甫，樂府之發展如日中天，其詩境之深廣，與詩體之變化，已達出神入化之境。此盛況延至中唐，在無數詩人辛勤耕耘下，樂府自內涵而形式而技巧，殆益臻於鼎盛。唐代樂府詩歌之所以在文學史上大放異彩，主要由於唐代樂府詩多屬創新之作，在形式上，唐人已逐漸掙脫舊曲羈絆，而趨於詩體化，故能以新語言、新意境創作新樂府，出以嶄新風貌，在樂府史上大放異彩。本書作者因感於中唐詩人在喪亂掙扎中，仍一本詩人悲憫之志，在顛躓

中延續樂府使命，故撰作此書，加以中唐樂府多能直述百姓疾苦而無所隱諱，固遠非君臣歡讌、酬唱與干求名利之詩所能比擬，故潛心研究此題，成績斐然。

〈目次〉

一、緒論（樂府源流，研究動機，各章順序，各節要旨）；二、張籍及其樂府詩（張籍小傳，張籍樂府詩的命題，張籍樂府詩的內容分析，張籍樂府詩的形式，張籍樂府詩的表現技巧，小跋）；三、王建及其樂府詩（王建小傳，王建樂府詩的命題，王建樂府詩的內容分析，王建樂府詩的形式，王建樂府詩的表現技巧，小跋）；四、白居易及其樂府詩（白居易小傳，白居易樂府詩的命題，白居易樂府詩的內容分析，白居易樂府詩的形式，白居易樂府詩的表現技巧，小跋）；五、元稹及其樂府詩（元稹小傳，元稹樂府詩的命題，元稹樂府詩的內容分析，元稹樂府詩的形式，元稹樂府詩的表現技巧，小跋）；六、劉禹錫及其樂府詩（劉禹錫小傳，劉禹錫樂府詩的命題，劉禹錫樂府詩的內容分析，劉禹錫樂府詩的形式，劉禹錫樂府詩的表現技巧，小跋）；七、韓愈及其樂府詩（韓愈小傳，韓愈樂府詩的命題，韓愈樂府詩的內容分析，韓愈樂府詩的形式，韓愈樂府詩的表現技巧，小跋）；八、孟郊及其樂府詩（孟郊小傳，孟郊樂府詩的命題，孟郊樂府詩的內容分析，孟郊樂府詩的形式，孟郊樂府詩的表現技巧，小跋）。九、李賀及其樂府詩（李賀小傳，李賀樂府詩的命題，李賀樂府詩的內容分析，李賀樂府詩的形式，李賀樂府詩的表現技巧，小跋）；一〇、結論；附：參考書目。　　　　　　　　　（黃惠菁）

5.詞史

唐五代詞研究

陳弘治著，臺北，文津出版社，238 頁，1985 年 3 月二刷。

陳弘治（1939 −　　），臺北市人。國立臺灣師範大學國文研究所碩士，現任教於臺灣師範大學國文系。著有《李長吉歌詩校釋》、《唐宋詞名作析評》、《詞學今論》等；與人合編有《唐宋詩詞評注》、《詞林韻藻》、《新註新譯四書讀本》等。

本書於 1980 年 3 月初版。唐、五代是詞體的濫觴與發展的重要時期，才人名士輩出，定體創調，功不可沒。本書旨在對唐、五代詞作全面的探討，以「緒論」、「詞體」、「詞風」、「詞家」、「成就」、「結論」爲綱領，大體綱舉目張，立論肯綮。

〈目次〉

一、緒論（唐詞的產生，詞體的成立）；二、唐五代的詞體（初期詞體的風貌，溫庭筠以前的詞調，溫庭筠創立的詞調，溫庭筠以後的詞調，詞調發展的脈絡，詞調格律的融變）；三、唐五代的詞風（南朝宮體詩風的復活，唐末唯美文風的延續，晚唐的詞風，西蜀的詞風，南唐的詞風）；四、唐五代的詞家（初期詞家多爲詩人所兼，晚唐詞以溫庭筠爲宗師，西蜀詞以韋莊爲巨擘，南唐詞以馮、李爲壓軸）；五、唐五代詞的成就（在文學上的地位與價值，對後代詞壇的影響）；六、結論（中唐短調詞的清新婉麗，晚唐歌者詞的華飾曼妙，五代文士詞的創新改進，宋詞新機運的濫觴開啓）；附錄（詞的起源與發展——胡雲翼宋詞選前言，重要參考書目）。　　　　　　（連文萍）

評述花間集暨其十八作家

廖雪蘭著，私立中國文化學院中國文學研究所碩士論文，209頁，1978年6月，高明指導。

廖雪蘭（1949－　　　），臺灣南投人。今改名爲「廖一瑾」。私立中國文化大學中文研究所碩士、博士，英國劍橋大學研究。曾任中華學術院主任秘書，現任教於中國文化大學中文系。著有《臺灣詩史》等。

中晚唐至五代時期，乃是中國詩史上別爲殊出的一段標識期，它標識著一種不同於以往詩體之作的新興文體的產生——詞的興起。它無異是中國詩史上的一項重要轉型，而《花間集》即是收集此一時期新興文體最完整的一部詞集，它上承唐詩餘風，下啓宋詞先河，在詞史上，居有樞紐地位，今人就常取其書與敦煌曲子詞做比較，由相異相類中，追索出詞的起源與發展，其重要由此可見一斑。本書之作，除了探討作品的特色、價值、成書背景外，也對各家作者進行分析，盼能結合作家與作品的關係，深入探究該書的歷史意義。全書條理明暢，綱舉目張，可資參考。

〈目次〉

　　　　　　　　　　　　　　　　　　　（黃惠菁）

詞學理論綜考

梁榮基著，北京，北京大學出版社，272 頁，1991 年 8 月初版。

梁榮基（1932－　　　），新加坡華裔。新加坡馬來亞大學畢業，香港大學中國文學碩士，國立臺灣大學中文研究所博士班畢業，國家文學博士。曾任新加坡教育學院中文系主任，後教育學院各系改組，即任亞洲語文系系主任。著有《白話小說溯源》、〈唐代變文與說話〉等。

本書爲作者於 1976 年通過之博士論文，鄭騫指導。曾於 1979 年 6 月、12 月分上下編刊登在《國立編譯館館刊》8 卷 1 期、2 期。後交由大陸北京大學出版社出版。其撰寫的目的，主要以探討詞學理論爲主，體制爲輔。至於理論分析，則以歷代詞話爲主要依據。由於旨在論詞，所以行文中，間有涉及考據或須加闡釋，別爲說明之處，作者儘量以注文說明，藉以保持全文之統一貫串性。其參考資料之來源有八：一史書及年譜；二詞總集及專集；三詞選及詞輯；四詞話；五詩話、筆記及文集；六詞譜及詞韻；七近人論詞專著；八單篇論文。可知全書援引前人及近代學人有關詞學的著述甚豐，文中討論的範圍雖以「批評之學」爲中心，然並未偏廢其所批評的文學本身的時代背景，故不論源流、派別，抑風格、境界，均有深入的歸納分析，故名爲《詞學理論綜考》。

〈目次〉

一、緒論（詞與詞學理論，各家詞話主旨述要）；二、源流宗派（詞的起源，詞與詩，詞之別名，正與變，豪放與婉約，豪放說，婉約說）；三、批評理論（清空與質實，自然與雕琢，穠麗與疏淡，典雅與淺俗，情與景，詠物與寄託，隔與不隔，沈鬱與重拙大）；四、結論；附錄（詞學作者年表、參考書目）。
　　　　　　　　　　　　　　　　　　　　　　　　　　　　　　（黃惠菁）

宋代女詞人研究

黃淑愼著，私立中國文化學院中國文學研究所碩士論文，196 頁，1966 年

6 月，楊家駱指導。

黃淑愼（1942－　　），臺灣臺北人。私立中國文化學院中文研究所碩士。

作者有感於許多婦女文學史之著作，如謝无量《中國婦女文學史》、梁乙眞《中國婦女文學史綱》、譚正璧《中國女性的文學生活》、陶秋英《中國婦女與文學》等，對女詞人之重視皆嫌不夠，而宋代女詞人除李清照可稱第一流作家外，其他女詞人亦多可觀，故撰述本論文。

全篇主要在於論述李清照與朱淑貞兩位大家，其他有專集之女詞人如：魏夫人、孫道絢、張玉孃、吳淑姬等，亦個別予以討論，對於無專集之作家，則獨立一章集中探討。宋詞的興盛與娼妓關係密切，娼妓中亦有能詞者，故作者別立一章「詞妓」，詳加述說，此舉頗有識見。

作者在大學是受西洋文學之訓練，故對女詞人作品的主題寫作藝術分析極爲細膩，另外對於女詞人的生平、詞集板本、作品眞僞等考證方面，亦能兼顧，足見作者之用心。唯某些章節的設立不夠周延，如將李清照詞論與詞集合爲一章，「生活情趣」一節內有愁懷、孤寂、憂戚淒涼等子目，皆有待商榷。

〈目次〉

提要；緒論；上編——李清照：一、生平（傳記，改嫁問題，年譜）；二、詞論及詞集（清照論前人詞，前人論清照詞，詞集版本，詞的眞僞）；三、主題研究（愛情，自然，生活情趣，懷鄉）；四、寫作藝術（言語，意象，意境，從主題及寫作藝術所見清照的影像）。下編：一、朱淑眞（生平，詞集版本與作品眞僞，主題研究，寫作藝術及結語）；二、其他女詞人之有專集者（魏夫人，孫道絢，張玉孃，吳淑姬）；三、無專集作家（前言，少女思慕，思婦懷人，陸放翁的怨侶，貞節觀念，生活情趣，亂世離愁悲憤，宋宮女亡國後的悲鳴）；四、詞妓（前言，妓女史，宋朝妓女的繁盛，詞妓宴會應酬之作，詞妓離別傷情之作，詞妓感懷身世之作）；餘言；附錄：一、宋代女詞人在世年代；二、參考書目。　　　　　　　　　　　　　　　　　　　（黃文吉）

宋代女詞人評述

任日鎬著，臺北，臺灣商務印書館，268 頁，1984 年 12 月初版。

任日鎬（1942 −　　　），韓國漢城人。成均館大學中文系畢業，國立政治大學中文研究所碩士、博士。曾任政治大學東方語文系講師，現任教於韓國成均館大學中文系。著有《李朝中國語言敎學之研究》、〈朱淑眞研究〉等。

本書爲作者於 1982 年完成之博士論文，題目原作《宋代女詞人及其詞作之研究》，鄭騫、蕭繼宗指導。作者因見於韓國漢文學界論詩、作詩者衆，而詞人獨闕，乃致力於詞之研究，尤對宋代女性詞人寄與傾慕及神往。

然欲輯集宋代女詞人之生平、詞作，有很大困難，其一乃作品湮沒；其二爲生平事蹟缺乏詳載；其三爲作品張冠李戴者常見。本書作者除探看宋代時事背景所給予女詞人的影響；其生平部分即盡力蒐求；而作品討論，亦針對句法、聲律等作扼要的解析，並試將全詞作約略的譯述；末章則泛論宋代女詞人作品的特色及對後世文學的影響。作者以自身身爲女性的細膩和直覺，對於彰顯衆多宋代女詞人的面目，確乎引爲使命，且能畢其功。

〈目次〉

　　　　　　　　（連文萍）

北宋六大詞家

劉若愚著，王貴苓譯，臺北，幼獅文化事業公司，195頁，1986年6月初版。

劉若愚（1926－1986），北平人。曾入英籍，後又入美籍。早年於北平輔仁大學、淸華大學受敎育，嗣後赴英國進修。歷任香港大學、夏威夷大學、芝加哥大學及史丹福大學等校敎授。著有《中國詩學》、《中國文學理論》、《The Chinese Knight Errant》、《The Poetry of Li Shang-yin》、《The Interlingual Critic》等。

王貴苓（1934－　　），河南人。國立臺灣大學中文研究所碩士。著有《陶淵明及其詩的研究》等。

本書原著書名爲《Major Lyricists of the Northern Sung, A. D. 960－1126》，於1974年由普林斯頓大學出版社初版。作者著重於對詞作的批評研究，而不以之爲傳記書或文化史，故其論述重點主要是對詞的內在品質的探討，如用辭、造句、意象、典故及音律等。所選六大詞家，分別爲晏殊、歐陽修、柳永、秦觀、蘇軾及周邦彥。

由於作者在中、英兩國的求學背景影響，本書兼採中西方文學批評方式來探索詞的世界，觀念淸新，視野也相當廣闊。作者《中國詩學》、《中國文學理論》二書已先在臺灣出版，並獲致好評，本書可視爲作者詩觀的實際應用，不妨三書合觀。

〈目次〉

　　　　　　　　　　　　　　　　　　　　　　（連文萍）

〈書評〉

1. 劉少雄，〈境界探索的起點—評劉若愚著、王貴苓譯北宋六大詞家〉，中國文學研究，1期，頁183－186，1987年5月。

宋南渡詞人

黃文吉著，臺北，臺灣學生書局，328 頁，1985 年 5 月初版。

黃文吉（1951－　　　），臺灣彰化人。私立東吳大學中文系學士、中文研究所碩士、博士。曾任私立亞東工業專科學校、政治作戰學校中文系副教授，現任教於國立彰化師範大學國文系。著有《朱敦儒詞研究》、《千家詩詳析》、《北宋十大詞家研究》，編有《詞學研究書目（1912－1992）》等。

本書爲作者於 1984 年完成之博士論文，題目原作《宋南渡詞人研究》，鄭騫指導。所謂「南渡詞人」的界定，是以建炎元年（1127）爲準，凡此時已年滿二十歲之詞人，如朱敦儒、李清照、陳與義等，方予列入；至如陸游、辛棄疾等名家，則因生年較晚，不予賅括。作者援用法國批評家泰恩的「科學的批評論」，從政治背景、社會因素、文壇風氣、地理環境等四方面來探討南渡詞人所受到的衝擊和影響；也由探討南渡詞人作品的共同特色及個人才華、情思的表現，析論彼此的「共性」和個別的「個性」，藉以彌補泰恩批評方法過於機械、唯物的缺點。

本書除了客觀的析論詞作，評價南渡詞人的成就和影響，尤在探討靖康之難前後，由太平而離亂而偏安，詞人的面對態度；在異族統治下，詞人如何表現民族意識；北方詞人流離到南方，詞作發生什麼改變等等。文學是作者人格與時代的反映，本書的論述，將是最佳註腳。

〈目次〉

鄭序；自序；一、緒論（研究南渡詞人的意義與方法，南渡詞人的定義，南渡詞人類述）；二、南渡詞人的時代環境背景（政治背景，社會因素，文壇風氣，地理環境）；三、南渡詞人的作品特色（詞境開闊拓大，三種不同詞風，充滿民族意識，表現佛道思想，南方色彩鮮明，詠物節序之作興盛，壽詞贈和流行，使用大衆口語，修辭協律舉隅，常用詞調分析）；四、南渡詞人述評（特出詞人——渡江三家，次要詞人，一般詞人）；五、結論（南渡詞人的成就，南渡詞人的影響）；重要參考書目。　　　　　　　　　　（連文萍）

宋南渡詞人群體研究

王兆鵬著，臺北，文津出版社，322 頁，1992 年 3 月初版。

王兆鵬（1959－　　），湖北鄂州人。武漢師範學院中文系畢業，湖北大學文學碩士，南京師範大學文學博士。現任教於湖北大學中文系。著有《張元幹年譜》、《唐宋詞精華》等。

本書爲作者於 1990 年通過之博士論文，唐圭璋指導。作者鑑於一代文學風氣的轉變與形成，往往是由一代作家群所共同完成，因此希望藉由南渡詞人群的政治聯繫、學術淵源、文學交往等的研究，將當時社會情狀、士人心態、詞人創作意向、詞壇風尙等作綜合考察。

作者嘗試突破傳統將宋詞分爲婉約、豪放兩派的二分法，而重新建立一種詞史研究的新框架；也試圖從傳統模糊的感性論述走出，而規範化、科學化的進行理性的闡釋，都可謂年輕一代學人的自省和自覺，因此緒論部分即不厭其詳的自言其文學史研究的構想、對宋詞的分期新看法等，不但有效交待本書的研究方法，奠立全書的基礎，也是詞史研究今後在方法學上求新求變的一個代表。

〈目次〉

　　　　　　　　　　　　　　　　（連文萍）

南宋詞研究

王偉勇著，臺北，文史哲出版社，526頁，1987年9月初版。

王偉勇（1954——　　），福建惠安人。私立東吳大學中文系學士、中文研究所碩士、博士。現任教於東吳大學中文系所。著有《南宋遺民詞初探》、《兩宋詞論輯評》、〈以唐五代小令爲例試述詞律之形成〉等。

本書爲作者於1987年完成之博士論文，鄭騫指導。所謂「南宋詞」，係指宋高宗建炎元年（1127）至帝昺祥興二年（1279）間之宋人詞作，包含了南渡人士、南宋人士、南宋遺民三個類別，前者黃文吉已有《宋南渡詞人研究》專著；後者作者碩士論文《南宋遺民詞初探》亦有詳論，故本書著重論述南宋人士，如陸游、辛棄疾、姜夔、史達祖等大家，而南宋之詞論，亦有專章述及。作者有見於傳統論文多流於習套，如論作者，必分生平事蹟、詞風、技巧等項，不免陳舊複沓，乃欲兼重縱、橫兩面，採分析、比較、歸納等方法，系統的暢論南宋詞的背景與特色，再繫以詞作賞析、詞論概述及總評等，力求突破積習，其思考與用心，值得肯定。

〈目次〉

引言；一、緒論（南宋詞界說，南宋詞分派說）；二、南宋詞之時代背景（政治環境，地理環境，社會風氣，文學風氣）；三、南宋詞之特色（詞境開拓，以文爲詞，佛道入詞，鍛鍊字句，審音協律，設景詠物寄託，題序由簡趨繁，使事用典成習，酬贈唱和流行，多祝壽慶生之篇，多時序節令之作，多家國身世之感，多避世退隱之思，南方色彩鮮明，八種突出詞風）；四、主要詞家作品賞析（南渡詞人及其作品；陸游——纏綿忠愛，終身不渝；范成大——上承豪放，下變婉約；張孝祥——清雄疏朗，承蘇啓辛；辛棄疾——拓展詞境，掃空萬古；陳亮——反映朝政，慷慨懇切；劉過——工麗激楚，瑕瑜互見；姜夔——清空意趣，活法填詞；史達祖——寫情體物，句法精鍊；盧祖皋——致力小令，字鍛句鍊；劉克莊——以文爲詞，直致近俗；吳文英——質實深邃，運筆錯落；南宋遺民詞人及其作品）；五、南宋詞論概述；六、結論

（南宋詞總評，南宋詞對後世詞壇及曲壇之影響）；重要參考書目。（連文萍）

南宋遺民詞初探

王偉勇著，私立東吳大學中國文學研究所碩士論文，141 頁，1979 年 5 月，鄭騫指導。

作者另有《南宋詞研究》，已著錄，生平見前。

本書作者之所以撰作此文，蓋歷來論著於宋末元初之詞，或蔽於宗派，推崇備至，或礙於成見，棄而弗取；甚至略窺片羽，泛拾陳言，致使遺民詞家之地位，作品之價值，晦而不明。今日之作，雖有矯正，不過，爲了便於閱讀，輒取一家之作，加以箋注，於作品出處之環境，未加詳究；於前人之論述，則又付之闕如，未能辯析，有感於此，作者特拾其遺，撰作本書，盼能盡窺南宋遺民詞之本貌。全書章節條理分明，文字流暢平易，藉由此書之成，對兩宋詞發展之流變，讀者或有更周全的認識。

〈目次〉

引言；一、遺民類述（積極參與抗元活動之義士，著書講學之名儒，文人墨客，山林隱逸之士，爲元朝儒學官者）；二、遺民詞之時代背景（政治，社會，文風）；三、遺民詞之特色（多家國之思、身世之感，多詠物，多應酬工作，字句雅麗，審音求律；四、主要詞家傳略及其作品賞析（王沂孫，周密，蔣捷，張炎，劉辰翁，陳允平，汪元量，陳著，何夢桂，黃公紹）；五、遺民詞之影響（元詞壇，清浙江詞派，清常州詞派，元散曲）；主要參考書目。

（黃惠菁）

兩宋詞論研究

張筱萍著，國立臺灣師範大學國文研究所碩士論文，256 頁，1975 年 6 月，王熙元指導。

張筱萍（1949－　　　），江蘇溧陽人。國立臺灣師範大學國文研究所碩士。

本論文曾刊登於《國立臺灣師範大學國文研究所集刊》，20 期，頁 801 - 928，1976 年 6 月。本論文以兩宋為斷限，爰取王灼《碧雞漫志》、張炎《詞源》、沈義父《樂府指迷》等詞話專著，及近人輯存之宋人詞話，計十二種，一一紬讀，欲以一代之事，徵一代之雅，乃仿徐釚《詞苑叢談》之例，以起源、作法、品評、紀事、運用五篇，將上述詞話分別織入通覽，使各家異旨，綜為詞論，不復零文碎義。然或以成書較早，故許多資料未及參考援引，且全書論述大抵點到為止，未能深入，這是早期論文常見的缺憾，閱讀時可以注意。

〈目次〉

金元詞述評

張子良著，臺北，華正書局，301 頁，1979 年 7 月初版。

張子良（1938－　　），臺灣臺東人。國立臺灣師範大學國文研究碩士班、博士班畢業，國家文學博士。曾任教於臺灣師範大學、國立中興大學等校，現任國立高雄師範大學國文系教授。著有《長門怨雜劇》、《柳永與宋詞》、《先秦儒家天人思想研究》等。

本書為作者於 1971 年完成的碩士論文，題目原作《金元詞人述評》，盧元駿指導。曾刊登於《國立臺灣師範大學國文研究所集刊》16 期（下），頁 1303－1406，1972 年 6 月。後加以增廣並改為今名。作者認為，詞之宗宋，猶如詩之尊唐，然當時宋詞流波所激，旁出於金，迴盪於元，而金元之詞自有其獨特的精神氣息，固不必盡不如宋詞，故為匯集資料，考述事跡，使二代之詞人面目得以彰顯。本書雖不以「詞史」為名，然所論述之廣，不啻為一部斷代詞史，其選錄詞作，兼容並收，尤選列具見作者特色者，計收詞三百三十餘篇，金代詞家四十九人，元代詞家一百零八人。劃分三大章，首章論述詞之淵源、兩宋以前傳衍大勢、金元詞存篇之集錄概況等，以為下文評述張本；次章論金

詞；末章則論元詞，大抵金元詞人事之有可述者，詞之有可傳者，詳備於此，而二代時運之升降，亦約而可見。

〈目次〉

一、緒言（詞源引述，金元詞之前承，金元詞人與詞集）；二、金詞述評（金詞之時代背景，借才異代之金初詞苑，大定明昌詞苑之盛況，花落果成之晚金詞苑）；三、元詞述評（元詞之時代背景，蒙古期之前輩詞人，一統期詞苑之繁茂，晚元詞苑之零落）；附錄一：宋金元帝王世系年表；附錄二：金元詞人簡譜；附錄三：參考及引用書目。　　　　　　　　　　（連文萍）

金元詞史

黃兆漢著，臺北，臺灣學生書局，327 頁，1992 年 12 月初版。

黃兆漢，澳洲籍華人，原籍廣東番禺。香港大學中國文學學士、碩士，澳洲國立大學哲學博士。曾任教於澳洲國立大學、西澳洲墨篤克大學，現任教於香港大學中文系。著有《詞曲論集》、《藝術論叢》、《高劍父畫論述評》、《道教研究論文集》、《明代道士張三丰考》等。

本書為作者於 1969 年通過之碩士論文，題目原作《金元詞通論》，羅忼烈指導，後加以刪削並改名。在詞學研究領域中，學者大多著眼於兩宋，其次為唐五代，對於金元二代之詞，較少涉及，有意識的為金元二代詞人詞作撰史，當然更為罕見。本書作者思欲給予金元詞應有之地位，乃網羅兩代詞家，探討其個人風格、時代意義，以及地理分佈、時代背景等等，蔚為五十萬字的《通論》；時隔二十餘年，作者乃拈出舊文，重新從詞史角度組織改寫、刪減修訂，全書二十餘萬言，論述之詞人凡六十餘家，詞作四五百闋，對於有興趣認識金元二代詞人詞作者，本書是極佳的門徑。

〈目次〉

羅忼烈教授序；自序；一、總論（金元詞在詞史上之地位，金元詞的分期，金元詞中所表現的時代意識，金元詞風之比較）；二、金詞（金朝的皇帝詞人，金初兩大詞人，大定明昌時代的主要詞人，金末六大詞人）；三、元詞

（南宋遺民中的重要詞人，元初的詞壇巨擘，元代中葉的詞苑精英，元末的主要詞人）；四、道釋、婦女與外國華化詞人（道釋詞人，婦女詞人，外國華化詞人）；參考書目舉要。　　　　　　　　　　　　　　　　（連文萍）

明末忠義詞人研究

陳美著，私立東吳大學中國文學研究所碩士論文，206 頁，1986 年 4 月，張子良指導。

陳美（1961－　　　），臺灣臺中人。私立東吳大學中文研究所碩士。現任教於私立嶺東商專。

本論文之寫作，乃是基於詞運不輟的文學發展原則，由明末詞壇觀照清初詞壇風貌的可能成因，並尋求由剝而復的詞學軌跡中，一種振衰起弊的內涵因素。此外，更藉由詞人的忠義性情，收知人論世之效，基於此，在資料的搜尋上，為求可信度，作者除根據通行史籍外，儘量由明末遺民詩文集的篇章、序跋、評傳中，探究詞人的詩歌理論、詩詞風格與生平。經由忠義詞人的評述，作者也發現清代詞論家多以「纖靡淫哇」嘗評明詞的情形，殊失公允，明末詞壇在特殊的時間背景、人物心態下，由於暢言以大雅之詞體寄托黍離忠愛之微旨，不僅以此內涵架構異於初明、中明詞壇；更是詞運剝弊已極的大勢中，力挽狂瀾、開創清詞大興的重要因素。故知明末詞壇頗具詞史上的探討價值。全書據事立義，條清理暢，斯為研究明末詞壇重要參考書籍。

〈目次〉

一、緒言（研究明末忠義詞人的意義，研究明末忠義詞人的方法與過程）；二、明詞大勢與時代背景（元音未息的初明詞壇，浮豔杌然的中明詞壇，晚明詞壇的時代背景）；三、明末詞壇風貌（振衰起弊，詞壇風貌）；四、反清死難詞人（振衰起弊的陳子龍，父子詞人夏允彝、完淳，一群英雄志士之詞——孫承宗、盧象昇、錢肅樂、張煌言、吳易）；五、抗節逃禪詞人（致樂之和的金堡，嶺南詞宗屈大均，萬壽祺與方以智）；六、隱逸不仕及其他詞人（轉益多師的彭孫貽，芳悱纏綿愴懷故國的王夫之，沈謙，朱一是，白髮塡詞吳偉業，

傷逝工愁的徐燦）；七、結論——明末詞人之成就（特色，影響）；附錄（引用及參考書目）。 （黃惠菁）

明代詞論研究

朴永珠著，私立中國文化大學中國文學研究所碩士論文，180 頁，1982 年 6 月，王熙元指導。

朴永珠（1954－ ），韓國漢城人。私立中國文化大學中文研究所碩士，私立東吳大學中文研究所博士。著有《韓愈作品之版本及其對韓國文學之影響》、〈韓愈文集歷代刊刻情形〉等。

詞在初興之時，並無所謂的詞學，等到詞的發展，漸趨穩定、成熟，才開始有人探討詞的專門問題，北宋名家已有詞論，南宋更有論詞專書，至明、清而詞學大盛。本書作者以為，元、明以降，詞話、詞論因陳增益，佳作日夥；其後作者寖多，到了清一代，更是名著如林，承流益大，卷帙繁富，對詞的創作具有很大的指導作用，然無宋元明的開拓，豈有清代詞話之繁盛？所以，作者特取明一代之詞話，就其材料，重加組織，使旨同者，納於一章，旨不同者，歸乎各類，彙輯前人之論，做綜合之分析探討，以確立明代詞論完整之體系。全書佈局簡扼，讀者亦可從中掌握明代詞論之內涵及成就。

〈目次〉

序；一、明代詞論研究之材料（渚山堂詞話，弇州山人詞評，爰園詞話，詞品及拾遺）；二、明代詞論研究（詞之起源，詞之體製、聲韻及修辭，詞之出處，詞之事典，詞之辨證，詞之彙輯及存佚，詞之品評，詞之內容）；三、結論；附錄：參考書目。 （黃惠菁）

清詞金荃

汪中著，臺北，文史哲出版社，173 頁，1971 年 11 月初版。

汪中（1925－ ），安徽懷寧人。國立臺灣師範大學國文系畢業，曾任

國立臺灣師範大學國文系所教授，現任私立東海大學中文研究所教授。著有《詩品選注》、《杜甫》、《新譯宋詞三百首》等。

本書於 1965 年 6 月，由臺北：台灣學生書局初版，170 頁。旨在概略地考覽有清一代詞學業績。全書區分五編，首論清初學人之詞，兼及才人之詞與詞人之詞；二編見蘇浙詞人之衍派；三編專論常州詞派；四編則探看詞律、水雲樓詞等；五編探討清末詞人之勃興情形。其論述簡要而中肯，於各詞家之介紹，除了簡述其生平，亦酌引詞作原文，並加以簡要的評述。

〈目次〉

緒論；第一編（初期學人之詞，才人之詞與詞人之詞）；第二編、蘇浙詞人之衍派（陳其年與朱竹垞，浙派中堅樊榭翁，浙派之流變）；第三編、常州詞派（張皋文兄弟，周止庵與詞辨、宋四家詞，黃景仁等九家）；第四編（詞律戈載，淒愴憶雲詞，水雲樓詞）；第五編、末造詞人之勃興（莊棫與譚獻，同光詞人）。

（連文萍）

清初詞學綜論

李京奎著，國立臺灣大學中國文學研究所博士論文，315 頁，1990 年 6 月，吳宏一指導。

李京奎（1955- ），韓國人。私立東海大學中文研究所碩士，國立臺灣大學中文研究所博士。著有《子野詞研究》、〈唐代六言詩研究〉、〈飲水詩研究〉等。

本書所探討者，為清初文人對於詞的欣賞、批評和研究心得。所謂「清初」，係界定在清康熙三十年（西元 1692 年）以前的時期，其主要業績，包括納蘭性德的《淥水亭雜識》、李漁《窺詞管見》、毛奇齡《西河詞話》、王士禎《花草蒙拾》、徐釚《詞苑叢談》等等，成就非凡。本書作者將之綜合探討，並以「論詞的義界」、「論詞的起源」、「論詞的聲韻」、「論詞的體製」等詞學重要命題為綱，織入各家說法，互證排比，從而一窺清代初期詞學品論的系統和成績。

晚清詞論研究

林玫儀著，國立臺灣大學中國文學研究所博士論文，522 頁，1979 年 7 月，鄭騫指導。

林玫儀（1948－　　　），廣東澄海人。國立臺灣大學中文系、中文研究所碩士班、博士班畢業，國家文學博士。曾任私立淡江大學中文系教授，現任中央研究院中國文哲研究所籌備處研究員。著有《敦煌曲研究》、《敦煌曲子詞斠證初編》、《南山佳氣——陶淵明詩文選析》、《詞學考銓》、《詞學新銓》等。

清代是古學的復興期，舉凡經史詞章，考證訓詁，大都踵武前人，或另創新局；尤其詞學的發展，自元明以來，衰落已久，至此而宗派迭興，作者競起，蔚為一時之盛。但無論詩、文、詞、曲，當時文學界在創作上，走的仍然是復古路線，唯有詞論方面，猶能融舊鑄新，別創新局，這也正是清代詞學最大價值所在。而清代詞論中，又以晚清最為重要，各家見解，體大思精，如王國維《人間詞話》，更結合了西洋文學觀點以論詞，此舉實乃古典文學的研究由傳統走向現代的關鍵所在，其價值尤大。除此，各家所論，極其苦心孤詣，均能截長補短，故其說每多通達持平，輒為今人所重，是以本書作者特擇此為研究範疇，欲就晚清詞論做整體性之探討，先是溯竟委，以求知其通變之所在。全書脈絡貫串，系統分明，鎔意裁辭，不流煩濫，足資讀者參閱。

〈目次〉

　　一、緒論（華亭派詞論，王士禎等之詞論，浙派詞論——附陽羨派、常州派詞論）；二、劉熙載（源流正變，尊體思想，理想風格，創作技巧，詞家評騭）；三、謝章鋌（主情說，源流論，稱體說，盡量說，鑑賞論，創作論，浙常二派平議）；四、譚獻（詞學理論，詞家評騭）；五、馮煦（詞學理論，詞家評騭）；六、陳廷焯（詞學理論之分析，實際批評之探究，選詞標準之重建）；七、鄭文焯（源流論，體製論，鑑賞論，創作論，論律在聲不在韻）；八、況周頤（體格重於神韻，詞外求詞說，重拙大說，寄託說，詞境，創作方法，實際批評）；九、王國維（境界說，創作論，論詞人修養，尊體思想，餘論）；一〇、結論（內涵風格，尊體思想，正變問題，創作理論，批評術語）；主要參考書目。　　　　　　　　　　　　　　　　　　　　　　（黃惠菁）

6. 曲史

中國散曲史

羅錦堂著，臺北，中國文化大學出版社，298頁，1983年8月新1版。

作者另譯有《古代中國文學》(武茲生著) 已著錄，生平見前。

本書為作者就讀國立臺灣大學中文研究所碩士班，於1956年通過之碩士論文，鄭騫指導。曾由臺北：中華文化出版事業委員會於1956年12月初版，245頁。作者以為，方今白話文學隆盛之際，散曲這種痛快淋漓的文字，大有提倡的必要，因之，接踵前人研究的腳步，將散曲整個發展的情形，予以介紹。

本書首章概論散曲之起源、形式及特質，可謂極全面的觀照，第二章以下則分論元、明、清三代之散曲面貌，最後專論清代之小曲與道情。全書網羅資料頗豐，於前賢論見亦有採摭，而綱舉目張，頗利觀覽，附錄〈散曲總目彙編〉，雖因材料缺乏，搜求困難，然已甚具規模，對於文獻的知見與保存，具有重要的意義。

〈目次〉

一、散曲概論 (元代文學的趨勢及其背景，散曲的起源，南北曲的分野，散曲的形製，散曲的特質)；二、元人散曲 (元代前期的散曲，元代後期的散曲，散曲的過渡時期)；三、明人散曲 (崑曲流行以前的散曲，崑曲流行以後的散曲，明代的小曲)；四、清人散曲 (豪放派的作家，清麗派的作家，清代散曲的支流)；附錄一：散曲總目彙編；附錄二：參考書目舉要。

〈書評〉

1. 葉慶炳，〈中國散曲史〉，學術季刊，6卷3期，頁220-221，1958年3月。

2. Yeh, Ching－bing, Chinese Culture, I, 4. p. 154－157, 1958.

（連文萍）

元曲六大家

王忠林、應裕康著，臺北，東大圖書公司，1979 年 9 月二刷，262 頁。

作者與左松超等合著有《增訂中國文學史初稿》，已著錄，生平見前。

關於元代曲家，周德清在《中原音韻》的序言中，推尊關漢卿、鄭德輝、白樸、馬致遠爲四大曲家，王世貞《藝苑卮言》則添入王實甫、喬吉、貫雲石、張可久、宮大用，稱九大家；至李調元《雨村曲話》，以貫、張、宮三人，只工小令，故刪爲六大家，從此，「元曲六大家」之說漸成定論。本書即以李調元所標「元曲六大家」——關漢卿、王實甫、白樸、馬致遠、鄭光祖、喬吉爲研究對象，依次考訂其生平，介紹其雜劇及散曲方面的作品與成就，每一家並依據現存雜劇，編有各家之雜劇總目。

本書初版於 1977 年 2 月，係作者執教於南洋大學時所合寫，其中，六大家的生平與散曲，由王忠林所撰成；六大家的雜劇則爲應裕康所執筆，全書大抵通俗平易，資料論證亦稱嚴謹。

〈目次〉

一、關漢卿（關漢卿的生平，關漢卿的雜劇，關漢卿的散曲）；二、王德信（王德信的生平，王德信的雜劇，王德信的散曲）；三、白樸（白樸的生平，白樸的雜劇，白樸的散曲）；四、馬致遠（馬致遠的生平，馬致遠的雜劇，馬致遠的散曲）；五、鄭光祖（鄭光祖的生平，鄭光祖的雜劇，鄭光祖的散曲）；六、喬吉（喬吉的生平，喬吉的雜劇，喬吉的散曲）；參考書目。　（連文萍）

晚清散曲研究

吳曉華著，私立東吳大學中國文學研究所碩士論文，232 頁，1992 年 6 月，王安祈指導。

吳曉華（1963－　　），安徽桐城人。私立東吳大學中文研究所碩士，現任教於私立金陵女中。

散曲，曾在元、明兩代綻放光彩，但到了清朝，卻因樸學盛行影響，被視為小道，而迅速沒落，故清代散曲極少為人重視，且成見、評價亦多不公允。本書作者由《全清散曲》中發掘，發現晚清散曲涵具了深刻的時代意義，且具備傳統與創新間新舊交織的特色，乃以之為研究命題。由於資料限制，增加了研究的困難，本書能盡力廓除，對晚清散曲作全面省視探討，值得肯定。

〈目次〉

前言；一、散曲概述（散曲的源起、體製和特色，元明清散曲發展概述，晚清散曲的創作環境，小結）；二、晚清散曲作家與作品述要（資料來源，作家及作品簡介，代表作家作品評析）；三、晚清散曲的內容與思想──時代的顯映（力籲煙毒之誤己誤國，揭舉朝政社會之腐敗現象，痛斥內亂外患之禍國殃民，倡言排滿與民族意識之覺醒，其他）；四、晚清散曲的內容與思想──傳統的延續（消極避世，感時傷世，閑情逸致，詠物寫景，相思閨情，其他）；五、晚清散曲的寫作技巧（曲牌聯套，音律規則，曲詞技巧，新語彙的大量吸取）；結論；參考書目。　　　　　　　　　　　　　　　　　　（連文萍）

7.現代詩史

五十年來的中國詩歌

葛賢寧、上官予編著。臺北，正中書局，247 頁，1965 年 3 月初版。

葛賢寧，另有《中國詩史》，已著錄，生平見前。

上官予（1923－　　　），本名王志健，山西五寨人。國立臺灣大學政策學系畢業，曾任行政院文化建設委員會專門委員、國家文藝基金會總幹事，亦曾任教於世界新專、東海大學等校，現任國軍新文藝輔導委員會委員、輔仁大學教授等。著有《文學論》、《傳統與現代之間》、《文學四論》、《二十世紀中國詩歌》、《說唱藝術》等。

本書介紹民國元年至民國五十年（1912－1961 年），這五十年中國新詩的興起與發展，討論其演變的痕跡。由清末黃遵憲討論起，至文學革命一路走來，論列作家、生平簡介、代表詩集、引述作品以論其風格。整體而言，本書介紹作家、作品，依其流派風格，所涉及作家人數不少，選介代表詩作亦能說明作家特色，論述流暢，批評中肯，有助於瞭解中國新詩發展較詳細的面貌。

〈目次〉

一、中國詩歌空前的革新；二、初期的新詩；三、新的格律派；四、象徵派的興起；五、新詩的轉變；六、反共詩歌的興起（上）；七、反共詩歌的興起（下）；八、反共詩歌的極盛；九、現代詩的興起（上）；一〇、現代詩的興起（中）；一一、現代詩的興起（下）；一二、近幾年來的新詩壇。（林明珠）

中國新詩之回顧

周伯乃著，臺北，廣文書局，310 頁，1969 年 9 月初版。

周伯乃（1934－　　　），廣東五華人。空軍通信電子學校畢業。曾任香港

亞洲出版社總編輯，中央月刊編輯，現任行政院文化建設委員會秘書。著有詩集、散文集多種，又鑽研西方文藝思潮及文學理論，著有《存在主義的文學》、《論現實主義》、《現代文藝論評》、《現代小說論》等書。

此書之編集，肇始於作者爲《自由青年》半月刊執寫「新詩入門」的專欄，專介我國自「五四」起以迄抗戰期間的新詩作家及作品，前後達一年餘。之後將諸篇專論歸納整理，結集而成此編。

全書除導言，計凡十章。作者先就詩的本質、語言、意象、形式、感性、音樂性等相關的基本要素作簡要的闡釋。而後則依我國新詩發展史的途徑，將「五四」運動以來所有新詩進行系統化的析論，且對此數十年間所產生之各種新詩流派作一詳審的鳥瞰。

作者倚重於論析新詩作品，兼及各流派的表現技巧及風格的品賞。不採理論的方式，而完全於引述詩作中融合評論及闡釋之功以探討新詩之流變，別具一格。加以作者文筆流暢精妙，敍述能環環相連，賞析作品，每有精闢之語，實爲該書特色。

〈目次〉

中國新詩風格發展論

高準著，臺北，華岡出版部，176 頁，1973 年 12 月初版。

高準（1938－　　），江蘇金山人。國立臺灣大學畢業，私立中國文化學院政治學碩士。先後曾在美國堪薩斯大學、哥倫比亞大學、澳洲雪梨大學研究，並獲選爲英國劍橋大學副院士。曾任澳洲雪梨大學副教授，中國文化大學教授。曾獲中國新詩學會詩獎。著有《中國繪畫史導論》、《文學與社會改造》、《黃梨洲政治思想研究》等。

作者以為中國的新詩自新文學運動發生迄今不過數十餘年，但流派甚衆，作者迭起，內容繁富，且風格迥異，成就甚是可觀，但發展至今，缺點亦非少數，絕非無可檢討，因而撰著此書。

全書輯錄作者三篇專論，首篇〈論中國新詩的風格發展與前途方向〉，具有詩史性質，其他兩篇則與史無關。此篇曾發表於《大學雜誌》第 59、60 及 62 期（1972 年 11、12 月及 1973 年 2 月）。作者除析述中國新詩發展以來各派之風格外，兼及探討作家作品並指陳其弊病，以作者豐富的學養，對各派作家、作品作深刻的評鑑，時有卓見高論。尤其，論及我國新詩的前途，作者不避隱諱地直指時下新詩所犯的八大弊病，詳加申論，並提出五點基準、三大方針以為矯救新詩錯誤之針砭，論述剴切精詳。

〈目次〉

論中國新詩的風格發展與前途方向：一、引言；二、中國新詩發展概觀（啓蒙運動與白話詩派，浪漫精神與浪漫派及新格律派，象徵詩派的異軍突起，泛政治主義與戰鬥詩派，現代主義運動與現代詩派，結合抒情本質與現代技巧的現代抒情派，鋌而走險、病態發展的超現實派，選擇地熔合民族傳統、抒情本質與現代技巧的現代民族抒情派）；三、中國新詩的前途方向（流行的八項弊病，前途應走的方向——五點基準、三大方針）；四、結語；附註。本書另有〈七十年代詩選批判〉、〈文學與社會〉兩篇，與詩史無關，不錄細目。

（孫秀玲）

現代中國詩史

王志健著，臺北，臺灣商務印書館，333 頁，1975 年 12 月初版。

王志健，筆名「上官予」，與葛賢寧合著有《五十年來的中國詩歌》，已著錄，生平見前。

本書追溯文學演變進化的史跡，對中國現代詩的發展作全盤的介紹，上溯自清末黃遵憲，下至民國三十七年止。在陳述現代詩發展的軌跡時，也描述重要詩人的風貌，並在對各個作家的評論中，呈現出作者的詩觀：新詩是不適合

過於個人主義；生硬的移植西方詩歌技巧也是失敗的新詩；新詩永遠是在發展中，但只有不離開人生、民族、國家的詩作才經得起時間的考驗。

〈目次〉

一、中國詩的形式和內容；二、黃遵憲的詩學革新及其他；三、五四文學運動與新詩革命；四、啓蒙期的中國新詩（上）；五、啓蒙期的中國新詩（下）；六、新詩中小詩、長詩及其轉變；七、新詩中的格律派；八、從格律詩到象徵派；九、現代派的崛興與新詩的蹤跡；一〇、抗戰期間的中國新詩（上）；一一、抗戰期間的中國新詩（下）；一二、抗戰後的中國新詩。

（林明珠）

中國新詩研究

瘂弦著，臺北，洪範書店，248 頁，1981 年 1 月初版。

瘂弦著，（1932 －　　　），本名王慶麟，河南南陽人。政工幹校影劇系畢業，服務於海軍，曾應邀參加愛荷華大學國際創作中心，後入威斯康辛大學獲碩士學位。曾主編《創世紀》、《詩學》、《幼獅文藝》等雜誌，現任《聯合報》副總編輯兼副刊主編。著有《深淵》、《瘂弦詩抄》、《瘂弦自選集》等。

本書爲作者自 1966 年 1 月起，在《創世紀》詩刊中執筆「中國新詩史料掇英」專欄的作品加以擴增。此資料介紹的時代爲開風氣之先，在開放大陸資訊前十五年，這些猶屬於禁忌的討論，有助於矯正當時囿限於偏狹的觀點，以及對民國以來詩壇的通盤了解。本書分三卷，分別是：詩論、早期詩人論與史料，除了作詩人個案的整理外，也編撰 1917 到 1949 年這個階段的中國新詩書目，成卷三的〈中國新詩年表〉，加上第一卷詩論「現代詩的省思」是作者身爲一個詩人對詩的思索與省察，此三部分各具特色，爲研究現代詩可供參考的資料。

〈目次〉

自序；一、詩論（現代詩的省思，現代詩短札）；二、早期詩人論（禪趣詩人廢名，苦命詩人朱湘，長安才子王獨清，未完工的紀念碑——孫大雨的

「自己的寫照」，開頂風船的人——《手掌集》的作者辛迪，濺了血的童話——綠原作品初探，中國象徵主義的先驅——「詩怪」李金髮，早春的播種者——劉半農論，從象徵到現代——戴望舒論，蛹與蝶之間——過渡期的白話詩人劉大白，芙蓉癖的怪客——康白情其人其詩）；三、史料：中國新詩年表——光緒 20 年（1894）～民國 38 年（1949）。　　　　　　　　　　　　（林明珠）

新格律詩研究 (1917－1937)

黃憲作著，私立中國文化大學中國文學研究所碩士論文，207 頁，1991年，李瑞騰指導。

黃憲作（1965－　　　），臺灣高雄人。私立中國文化大學中文研究所碩士。

新詩長久以來一直扮演著新文學運動的急先鋒，薪傳至今已逾七十年，其間則不斷有傳統與現代化之爭，自由與格律之辯，致使新詩的發展墜入瓶頸而漸趨式微，箇中原委頗值得吾人審思考究。作者以為，民國二、三十年代的新格律詩再度融合傳統，與自由詩分庭抗禮，深究其背景與內容，將有助於重新思索新詩未來的前景，本論文即緣此而撰。

本論文主以新月詩人聞一多的新格律詩理論為核心，上溯新格律詩形成的源始，下則追記其理論的遞嬗過程，以探求新格律詩體在新舊交替時代出現所表示的意義。全書凡六章，十五節，計約十萬餘字。除首章介紹研究之動機、範圍及概況外，兼及觀察新格律詩的產生與時代環境的關係；且依時序，縱視新格律詩在形式上的演變及其理論的發展，併述記人員的流向、剖析作品本身的內涵及反映的思想。

作者認為新格律詩實產生於否定格律之時，又迭遭輕忽和誤解，本論文之作，即為澄清誤解，並肯定新格律詩在尊重傳統、融會中西，扭轉民初保守與西化兩派錯誤的價值觀所做的努力，為新格律詩還原其真面貌及應有的歷史地位。

〈目次〉

一、緒論；二、新格律詩的前奏（自由詩的發展趨勢，湖畔詩派前後期的

變化，陸志韋與馮至對新格律詩的貢獻）；三、新格律詩成立的原因（學衡派的啓發，自由詩的缺陷，感傷主義的盛行，《詩鐫》的提倡）；四、新格律詩的發展（從《詩鐫》到《新詩》，中國詩歌會及其主張）；五、新格律詩的理論與實踐（理論根源，新格律詩的理論，新格律詩的實踐）；六、結論——新格律詩的評價與歷史地位（新格律詩的評價，歷史地位，總結）；參考書目。

（孫秀玲）

二、戲劇史

中國戲劇史

鄧綏寧著，臺北，中華文化出版事業委員會，155 頁，1963 年 5 月三刷。

鄧綏寧（1914－　　），遼寧綏中人。齊魯大學畢業，主修國文，以英文為輔系。曾任教於國立藝專、國立政治大學、私立淡江大學、私立東吳大學、私立中國文化大學等校，著有《中國的戲劇》、《西洋戲劇思想史》、《二十世紀之戲劇》、《編劇方法論》等。編有《疾風勁草》、《亂世忠貞》、《黃金時代》、《徵婚》等舞臺劇多齣。

本書於 1956 年 9 月初版，為《現代國民基本知識叢書》第四輯之一，為臺灣早期戲劇史著作。1971 年改由臺北：國立藝術專科學校出版，143 頁。全書規模架構大抵完整，由推溯戲劇的起源，至民國以來話劇的傳入與發展、政府遷臺初期的戲劇概況，均有述及。惟部分章目的劃分較為瑣碎，如將「清朝的皮黃戲」、「皮黃戲的體例」、「皮黃戲的腳色」、「皮黃戲的場面組織」、「皮黃戲的臉譜」，各自獨立為五個章目，而未以「清朝的皮黃戲」為標目加以統合；且可能因為包羅內容眾多、成書較早等因素，部分敘述亦較為簡略。然，作者精於戲劇，具有劇作撰寫經驗，並曾致力於導演技術、戲劇理論等專業的研究，其去取與觀點，實值得參考，尤其在早期戲劇理論與批評俱十分貧乏之際，本書的寫作，具有深厚的啟示意義。

〈目次〉

一、戲劇的起源；二、周秦的歌舞與優伶；三、漢朝的歌舞；四、漢朝的角抵與傀儡；五、魏晉和南朝的歌舞與雜技；六、北齊的歌舞劇；七、隋朝的歌舞與雜技；八、唐朝的音樂；九、唐朝的歌舞劇；一○、五代的滑稽戲；一

一、宋朝的雜劇；一二、宋朝的大曲；一三、宋朝的戲文；一四、宋朝的影戲與傀儡；一五、金代的院本；一六、金代的諸宮調；一七、元朝雜劇興起的原因；一八、元朝雜劇的作家；一九、元朝雜劇的題材與結構；二〇、元朝雜劇的曲調與賓白；二一、元朝雜劇的優點；二二、元朝雜劇的演出；二三、元朝雜劇的戲文；二四、元朝的散曲；二五、元末明初的傳奇；二六、明朝的雜劇；二七、明朝傳奇的極盛時期；二八、雜劇與傳奇的比較；二九、清朝的雜劇；三〇、清朝的傳奇；三一、清朝的皮黃戲；三二、皮黃戲的體例；三三、皮黃戲的腳色；三四、皮黃戲的場面組織；三五、皮黃戲的臉譜；三六、地方戲劇的發展；三七、話劇的傳入及其發展；三八、五年來的戲劇概況。

（連文萍）

中國戲曲史

孟瑤著，臺北，傳記文學出版社，4 冊，910 頁，1979 年 11 月再版。

作者另有《中國文學史》，已著錄，生平見前。

本書於 1960 年 1 月初版；臺北：文星書店於 1965 年也曾經印行。爲承繼王國維《宋元戲曲史》、青木正兒《中國近世戲曲史》後之縱論中國戲曲發展流變之鉅作。其於前賢之書多所補正，且以本身豐富的音樂素養及舞臺經驗，作深入品鑒，而其生動之文筆，尤能駕馭繁瑣史料，作適切的論述。

本書以傳統戲劇爲取材，除敍述其主流發展之外，兼及種類龐雜之地方戲劇，於歌舞等表演方式，考究精詳，確實勾畫出中國戲曲之概貌。其中，論述近代戲曲部分，尤鉅細靡遺，可謂全書最精彩處。

本書曾多次再版，影響深遠，唯編校仍有疏漏，如朱駿聲誤作「駿朱聲」、錢謙益《有學集》誤作《學集》、踏搖娘目錄誤爲「搖踏娘」等，研讀時必須注意辨析。

〈目次〉

俞大綱序；前言；定義；起源（初民的宗教情操，祖先及英雄崇拜，人類的模倣天性）；先秦（音樂，舞蹈）；兩漢（音樂，舞蹈，散樂）；魏晉南北朝

（音樂，歌舞——代面，撥頭，踏搖娘；隋唐五代（音樂，歌舞，科白戲——參軍戲，滑稽戲）；宋金（歌舞——詞、鼓子詞、傳踏、賺詞、諸宮調、大曲；戲劇——傀儡戲、影戲、科白戲、宋雜劇與金院本、南戲）；元（雜劇——正名、興起原因、雜劇組織、雜劇價值、雜劇作家、雜劇衰微原因、雜劇所承前代之光輝；傳奇——正名、淵源、傳奇組織、元末五大傳奇；雜劇與傳奇之比較）；明（初明——雜劇、傳奇；明中葉——崑曲創興以前、崑曲之興、崑曲創興以後；晚明——傳奇、雜劇）；清（雜部——崑曲——清初諸家、康熙諸家、乾隆諸家、嘉道以後諸家、其他、崑曲之衰微、崑曲之俗唱；花部——亂彈——花部諸腔、花部諸腔之角逐）；皮黃（演出部分——內廷供奉、演員訓練、名演員的藝術簡介；前途展望）；地方戲鳥瞰（秦腔——陝西梆子、山西梆子、山東梆子、河北梆子、河南梆子；湖北戲——漢劇、楚劇；湖南戲——源流、組織、發展與影響；廣東戲——粵劇、潮戲、瓊劇、廣東漢戲、正字戲、西秦戲、白字戲；福建戲——源流、組織、發展及影響；四川戲——源流、組織、發展及影響；雲南戲——源流、組織、發展及影響；浙江戲——亂彈、高腔、嵊縣戲；土生戲）；附錄：文字部分——公無渡河、梁周捨上雲樂、宜黃戲神清源祖師廟記；官本雜劇段數；院本名目；曲牌；鑼鼓經；梨園世家圖表。
（連文萍）

中國的戲劇

鄧綏寧著，臺中，臺灣省政府新聞處，88 頁，1969 年 6 月初版。

作者另有《中國戲劇史》，已著錄，生平見前。

本書為臺灣省新聞處為響應中華文化復興運動，使同胞在各類型戲劇中，體驗傳統倫理道德精神，而特約撰寫，列為《民族文化叢書》第七種。作者先前已有《中國戲劇史》之撰作，且鑽研戲劇研究、劇本創作多年，故本書寫來駕輕就熟，而為求普及通俗，其章節行文均簡明流暢，首述中國戲劇的淵源流變，次則略述元、明、清三代重要的戲劇作家與作品，其餘攸關戲劇搬演的各種常識，如音律、宮調、臉譜、服裝等，亦予專章介紹，最後則概述地方戲。

全書篇幅精簡，然中國戲劇的概貌，已予大致的勾勒。

〈目次〉

中國戲劇發展史略

田士林著，臺北，臺灣商務印書館，71 頁，1972 年 4 月初版。

　　田士林（1926－　　），河北安新人。曾任教於私立中國文化大學戲劇系。著有《中國戲劇》、《中國戲劇史研究》、《中國戲劇研究》、《怎樣懂中國戲》、《影視語言與口頭傳播》等。

　　中國戲劇是民族獨特的藝術結晶，匯合了眾多戲劇形式，具有深厚的涵容性，然而中國戲劇的面貌與成就並非一天造成，而是經過長久的發展與演變，本書作者即以本身精於劇藝、熟習掌故，略述中國戲劇之發展。首章追溯中國戲劇的來源，次則論述中國戲劇的融合與衍變，而對於中國戲劇的涵容特性及「國劇」等名稱的商榷，亦有述及。本書之章節簡略，目錄不利查閱，且無結論、附註、參考書目等必要項目，均屬瑕疵，惟行文順暢，立論能掌握脈絡，仍有其可觀之處。

〈目次〉

與雜劇，從崑曲到皮黃）。 （連文萍）

中國古代戲劇史初稿

唐文標著，臺北，聯經出版事業公司，278 頁，1984 年 5 月初版。

唐文標（1936－1985），廣東開平人。美國加利福尼亞大學學士，伊利諾州立大學碩士及哲學博士。歷任美國加州大學、國立臺灣大學及政治大學數學系教授。著有《天國不是我們的》、《張愛玲雜碎》、《張愛玲研究》、《唐文標碎雜》、《快樂就是文化》等，編有《臺灣小說選》、《張愛玲卷》、《張愛玲資料大全集》等。

本書上編〈中國戲劇的起源問題〉，曾刊登於《現代文學》，復刊 2 期，頁 113－132，1977 年 10 月。下編刊登於《中山學術文化集刊》，27 期，頁 401－476，1981 年 11 月。本書除臺北：聯經出版事業公司出版外，北京：中國戲劇出版社於 1985 年 8 月亦出版，書名改作《中國古代戲劇史》。作者寫作此書，迴異於前人，他站在一個較高的層次上看中國戲劇，意圖看出全新的境界。本書提出一些前人少注意或是未解決的問題加以探討，如中國戲劇為何比文明古國如希臘、印度等晚出？為何中國古劇不再上演？等等，亦著重思考戲劇作為一個社會制度，是如何加入中國社會？而由對於中國戲劇史的探尋與檢討，或可進而考慮中國文化處境的難題。

本書架構大致以各自獨立的命題串聯，而不失其時間性，尤特從整個中國文明發展、中國文化生活背景上著眼。作者才氣縱橫，文思豐沛，論述中國戲劇的流變之外，多引西方文明為比對參證，相當新穎可觀，對於中國戲劇史的命題，本書給予了較新的視角，具有深厚的意義。

〈目次〉

自序：一、引言：王國維的難題（楔子：戲曲起源的問題，王國維的「戲劇史難題」）；二、中國古劇的源流（曲與劇，古劇的傳統，巫覡與俳優，古代劇樂的諸態與傳統精神）；三、自漢迄唐宋的古劇（「東海黃公」的故事，傀儡戲與影戲，雜劇，「唐戲弄」及歌舞，唐之歌舞劇）；四、古劇和它的典型

（「戲劇」的發生，古劇的典型，希臘文明的再詢問，希臘文明的本質）；五、市民文化的興起（唐宋社會的新方向，都會文化的新興，成熟了的文明）；六、俗文學與藝術（「俗文學」，民間娛樂的存在）；七、民間戲樂之不傳（雅與俗，「民間文學」不傳的一個緣故，「民間時事」的劇化）；八、市民文化與民間戲劇（平民社會與平民文化，上有好者——「市民文化」的第一條線索）；九、從民間戲劇到士大夫（「散入民間」！市民戲曲的流行，文人與民間戲劇的關係）；一〇、民間娛樂的來臨（存在的景象，軍士——大眾娛樂的主要促進人之一，都會人的文學商品化，都會市民的閒暇生活）；一一、戲劇的民間源頭（原始的民間劇藝人，淫祀，官禁）；一二、民間戲的早期模式（戲劇的民間，民間戲的腳本，腳本、賓白、作家，賓白與作者，陳套爛語之來源，陳言，套語，古劇的口語與文學，腳本與留文，一些推想）；附錄：中國戲劇的起源問題，做人的悲劇——試論「竇娥冤」及擇善問題，戲劇來自民間；後記。

（連文萍）

中華國劇史

史煥章編著，臺北，臺灣商務印書館，613 頁，1985 年 11 月初版。

史煥章（1916－　　　），河北安國人。燕京大學畢業，英國牛津大學史學博士。曾任四川大學、齊魯大學、聖約翰大學、中興大學、東海大學等校教授。著有《辛亥革命成功紀實》、《中國通史》、《中國近代史》、《中國現代史》、《英國史》、《世界上古史》等。

　　本書係中華文化復興運動推行委員會編《中華科學技藝史叢書》之一。作者自幼接觸戲劇，並習戲有年，與梨園淵源亦深，頗熟悉劇藝及掌故。其以「國劇史」為書名者，蓋民初即以皮黃戲為國劇，加以政府遷臺以來之大力提倡，故「國劇」不惟是皮黃戲之代稱，亦儼然為中國戲劇藝術之總名。本書除概述中國戲劇之孕育發展，末尾四章尤闡述皮黃戲，評述劇務、科班、劇史等，而所列國劇名伶之藝術造詣及生平行誼，栩栩如生，是為全書最精彩處，也是用力之所在。作者自言，見於日人青木正兒所著《中國近世戲曲史》，止

於乾隆末葉，四大徽班入京，皮黃戲甫露端倪，即驟然停筆，是故欲接續而作。觀此書所論，多作者親身受業、耳目所接所感，洵爲論述「國劇」極爲入戲之作。

〈目次〉

序言、凡例、概論。一、文化起源及中華民族之形成；二、中國戲劇孕育時期（先秦之樂舞）；三、兩漢三國兩晉六朝樂舞百戲（音樂，舞蹈，散樂——百戲）；四、隋唐五代歌舞與俳優（隋之散樂及水飾，唐代音樂，唐代歌舞，唐代俳優，科白戲，詩詞曲戲之藝文連鎖）；五、中國戲劇誕生時期（宋代大曲及詞，諸宮調，唱賺和轉踏）；六、宋金戲劇南北曲（傀儡戲，影戲，南戲，金院本）；七、元代雜劇（雜劇之由來，雜劇之內容，雜劇樂曲，雜劇文辭，雜劇科白及角色，北曲派別，四大曲家）；八、元劇八大家（增長四家）；九、明代戲劇（永樂大典目錄所收之戲目及戲文，明代傳奇，明初五大傳奇）；一○、明時戲劇之漸進（王子及皇孫，丹邱先生，錦窠老人，王九思與康海）；一一、崑曲興華（崑曲初起，崑曲勃盛，崑曲作家）；一二、崑曲鼎盛時期（原來北曲作家）；一三、崑曲極峰時期（沈自晉，袁于令，范文若，馮夢龍，葉憲祖，汪廷訥，許自昌，王衡，徐復祚，許潮，陳與郊，周朝俊，孟稱舜，李玉）；一四、清代戲劇之演變（清初之崑曲，清初劇家，其他傳奇作家，其他雜劇作家，康熙時之劇家，乾隆時之劇家）；一五、皮黃戲初興至大成（京師崑曲科班，崑曲衰微，花部興起，川伶上京，徽班入都，楚調和梆子，西皮二黃後來居上，皮黃興盛，宮廷供奉）；一六、皮黃鼎盛時期（國劇科班，余叔岩，譚富英，馬連良，言菊朋，高慶奎，周信芳，楊小樓，王瑤卿，梅蘭芳，尚小雲，荀慧生，程硯秋，四大霉旦，四小名旦）；一七、淺釋劇務、菊壇芬芳錄（淺釋劇務，寶島菊壇芬芳錄）；一八、承王大爺陳十二爺說過的幾齣戲（劇史：起解玉堂春，四郎探母——以旦角爲主，法門寺，失空斬，奇冤報，洪羊洞，四郎探母——以生角爲主）。　　　　（連文萍）

中華戲劇史

費雲文著，臺北，國立復興劇藝實驗學校，2 冊，392 頁，1988 年 6 月初版。

費雲文（1917－　　　），江蘇高郵人。陸軍官校、參謀大學、通校高級班畢業。曾任科長、副主任、副主任委員，現已退休。著有平劇劇本《鄭成功》、《祖逖》及廣播劇劇本《壯志風雲》、《黑水忠魂》等。

本書之撰作，主要便於教學參考，並有助於高中以上學生閱讀，故行文淺近，全書大抵以中國戲劇的源流發展為經，時代為緯，加以論述。而為闡明「國劇」的藝術價值，特以專章分析國劇的寫意特質、文學內涵、音樂造詣、美術表現等；於地方戲劇亦有專章加以介紹。本書「凡例」有言：「本書敘述內容之時間涵蓋，起自上古，至民國七十四年為止，堪稱近年中華戲劇史完整之作。」蓋以書出較晚，是以論述較為全面，然本書雖增添不少資料，部分章節行文仍「前有所本」，如第九章〈地方戲簡述〉之第十二節「臺灣歌仔戲」，幾乎與鄧綏寧早年之作《中國的戲劇》如出一轍；另外，封面書背上作者「費雲文」誤作「費雲天」，亦有失誤。

〈目次〉

一、起源、胚胎、萌芽（古代歌舞，優伶，樂府歌舞，百戲，北齊三舞，參軍戲，樊噲排君難，滑稽戲，梨園子弟）；二、宋代歌舞雜劇（清唱樂曲，歌舞劇曲，雜劇，官本雜劇與金院本）；三、宋元南戲（淵源與成長，結構與特點，文辭與聲韻，劇本取材）；四、元明雜劇（興起與衰落，結構與特點，文辭，劇本取材，作家與作品）；五、明清傳奇（興盛與衰落，結構與特點，文辭與音韻，劇本取材，名伶與訓練，演劇場所，作家與作品）；六、崑腔與亂彈（崑腔的極盛，弋陽腔與崑腔爭勝，亂彈（花部）的興起，京腔的興衰，魏長生入京後的影響，徽班入京奠定轉型基礎，山西梆子的曇花一現，崑腔衰而不絕）；七、從皮黃到國劇（皮黃戲的演進，結構與規律，音樂，行頭，臉譜，劇本，劇場，人才培育，課程與教材）；八、國劇的藝術價值（寫意的特

質，文學的內涵，音樂的造詣，美術的表現）；九、地方戲簡述（秦腔，山西梆子，河南梆子，河北評戲，湖北漢劇、楚劇，湖南湘劇，四川高腔，雲南滇劇，廣東粵劇，浙江紹興劇、越劇，福建閩劇，臺灣歌仔戲）。　　（連文萍）

中國戲劇史

魏子雲著，臺北，臺灣學生書局，180 頁，1992 年 3 月初版。

　　魏子雲（1918－　　），安徽宿縣人。曾就讀武昌中華大學中文系，於抗日戰爭中從軍，未受完大學敎育。在軍中擔任編審工作多年，退役後轉任敎職，現任敎於國立臺北師範學院語文敎育系。其於文藝論評、國文敎學等多所關注，尤其對《金瓶梅》的研究，成書十五種，達二百餘萬言，最是知名，而關於國劇方面的研究，則有《國劇的舞臺》、《看戲與聽戲》、《國劇表演槪論》等著作多種。

　　本書原爲高級戲劇學校而寫，然由於引錄之文辭深奧，乃改訂爲大專用書。歷來寫史者，很難避免抄襲的通病，本書作者以爲，述史之人，務須具備「文筆三要」：詩才、議論、史筆，其中「史筆」即「史觀」，講述藝術史者尤應兼有獨到的藝術史觀。是則本書以此爲準繩，別出機杼，以勿落前人窠臼爲戒。其特殊之處，如將中國戲劇的源頭，追溯到人類未有語言之前的原始戲劇行爲時代，而特立〈上古時代的戲劇〉、〈姬周時代的戲劇〉等章專述，一反前人略而未談或匆匆帶過的論述方式；又如主張李唐一代，下迄五代，這二百多年的戲劇史乘，乃是中國戲劇之形成的轉捩點，亦與傳統說法不同（周貽白《中國戲劇史講座》即主張隋代爲轉捩點）。而論及皮黃戲，作者以爲，此劇種雖已是接近「黃昏」的衰微時期，但未來仍將有出乎林表的新氣象，其說實爲老於戲劇的「行家」之言，值得讀者一起翹首以待。

〈目次〉

　　凌序；弁言；上編：一、上古時代的戲劇（上古時代的戲劇形態，巫覡的社會風尙與戲劇的誕生，巫覡的職業延伸與戲劇的成長）；二、姬周時代的戲劇（姬周時代的戲劇演員㈠，姬周時代的戲劇演員㈡，角抵戲的啓承轉合，

《三百篇》的戲劇形態）；三、兩漢時代的戲劇（漢代的百戲舉要，樂府詩的傳承與延伸㈠，樂府詩的傳承與延伸㈡）；四、魏晉南北朝的戲劇（異域文化對魏晉南北朝戲劇的影響，魏晉南北朝的戲劇成就）；五、隋唐時代的戲劇（隋唐戲劇的承先啓後，「撥頭」與「參軍」的優笑轉形，唐代俳優戲的新貌）；下編：六、兩宋時代的戲劇（戲臺——露臺、舞臺、舞樓、看棚，「瓦子（舍）」、「勾欄」與「看棚」，「雜劇」與「傳奇」，雅樂、教坊（與名色）以及俳優的餘韻）；七、金元時代的戲劇（金元院本與演員名色，元代的「雜劇」與「傳奇」，元雜劇的彪炳勳業，元代戲劇的重要作家）；八、明代的戲劇（明代戲劇的五代聲腔，明代的「傳奇」與「雜劇」，明代崑山腔的興起與演變，明代戲劇的承祧與拓疆）；九、清代的戲劇（清代戲劇的內廷演出與「花部」、「雅部」，清代的重要劇作家與劇評家，清代地方戲劇崛起的新紀元）；一〇、餘論（傀儡戲的「象人」與「人象」，福建地方戲劇保有的前代劇藝風神）；後記；本書引錄各書書目。

〈書評〉

1. 陳遼，〈獨出機杼的中國戲劇史〉，書目季刊，26 卷 3 期，頁 52－53，1992年 12 月。　　　　　　　　　　　　　　　　　　　　　　　　（連文萍）

中國戲劇史

張燕瑾著，臺北，文津出版社，340 頁，1993 年 7 月初版。

　　張燕瑾（1991－　　　），河北辛集人。南開大學中文系畢業，現任首都師範大學中文系教授。著有《中國俗文學史》、《西廂記淺說》、《唐詩選析》、《唐宋詞選析》、《古本戲曲劇目提要》、《中國古代戲曲十九講》、《歷史的沈思—中國戲劇史論集》等。

　　本書爲文津出版社邀請大陸學者劉如仲、李澤奉主編之《中國文化史叢書》第八種。全書的論述大抵仍以時代爲次序，由戲劇的形成，而宋元南戲、元雜劇、明代戲劇、清代戲劇，敘述平實而淺顯，觀點並無新意，且略有偏頗，如推究藝術起源仍主勞動說，而謂原始時代的歌舞即再現了人們生產勞動

的情景等。較爲特殊的，第五章專論戲劇理論發展的情形，簡要介紹了元代以迄清代後期的戲劇理論，正視戲劇理論在戲劇史上的地位，有一定的意義，惟篇幅過少，論述僅點到爲止，仍只予人朦朧印象。此外，書末未附參考書目，亦減少了讀者再行檢索及印證的機會。

〈目次〉

序；一、戲劇的形成及宋元南戲（戲劇的形成、南戲的形成及其體制、《永樂大典》戲文三種、「荊劉拜殺」四大南戲、「南戲之祖」琵琶記）；二、繁榮時期的戲劇——元雜劇（促使戲劇繁榮的因素，元雜劇的分期及體制、雜劇班頭關漢卿，「天下奪魁」的西廂記，並非神仙的馬致遠，元代前期其他劇作家，元代後期雜劇）；三、發展時期的戲劇（上）——明代戲劇（明代戲劇的分期及前期的社會環境，明代前期的戲劇，明代中期的社會及聲腔改良，明代中後期的雜劇，明代中期的傳奇，以情反理的湯顯祖，晚明的戲劇）；四、發展時期的戲劇（下）——清代戲劇（清代的社會及戲劇的分期，寫實當行的蘇州派，明末清初其他戲劇家，康熙以後的雜劇傳奇，「曲中巨擘」長生殿，「冠絕今古」桃花扇，崑曲的衰微和花部的興起）；五、戲劇理論發展簡述（元代的戲劇理論，明代前期的戲劇理論，明代中期的戲劇理論，明代後期的戲劇理論，清代前期的戲劇理論，清代後期的戲劇理論）。　　　　　　（連文萍）

中國戲曲聲腔源流史

廖奔著，臺北，貫雅文化事業公司，280 頁，1992 年 7 月初版。

廖奔（1953－　　），河南開封人。曾就讀河南大學、中國藝術研究院，研習中國古典文學與戲曲。1989 年 8 月得洛克菲勒基金會人文學科獎金赴美，參加加州大學柏克萊分校東亞研究所博士後「中國大眾文化項目」的研究。著有《宋元戲曲文物與民俗》、《中國戲劇的蟬蛻》、《愛的困惑》等。

　　本書爲作者參加加州大學柏克萊分校東亞研究所「中國大眾文化項目」的博士後研究，所寫成的專書，旨在探討中國戲曲聲腔的源流脈絡，這是以往戲曲史著作較少涉及的領域，由臺灣魏子雲教授協助在臺出版。

本書的論述，係依戲曲聲腔發展的過程，以時代爲次第，上起宋、元時期的南曲和北曲，下迄民國以後的地方劇，其間各聲腔的起落變化，彼此複雜的傳襲關係，乃至方言、地域與聲腔的關涉，均盡力加以推求。惟所討論仍祇由文史典籍（所引用資料，並未列出參考書目，以收廣攬之效）爲著眼，未能眞正及於音樂的領域，因此顯得不很「實際」，考證的功夫仍佔大部分，但就如魏子雲教授序云：「（戲曲聲腔）端緖之多，誠有如一個生命體的組成，是不易分解出它的遺傳因子來的。」要追溯各聲腔的源流實屬困難，本書的寫作，仍有其勇於開創的意義，足以提供研究參考。

〈目次〉

（連文萍）

中國分類戲曲學史綱

謝柏梁著，臺北，臺灣商務印書館，607 頁，1994 年 6 月初版。

謝柏梁（1958 -　　），湖北天門人。湖北師範學院中文系畢業，華東師範大學碩士，中山大學博士。現任上海戲劇學院副教授、中國戲劇史教研室主任。著有《中國悲劇史綱》、《世界悲劇文學史》等。

作者有鑒於以前所出版的戲曲學史，大都屬於以時序爲經的戲曲批評通史，而以具體分類爲經的戲曲學專題史則較爲薄弱，因此遴選出戲曲學中的五大專題，分爲五編予以條分縷析、提綱挈領的分類學探討。第一編〈戲曲悲劇學〉，試圖在先秦悲怨藝術和明清怨譜、苦戲學說中，清理出一系列有起有結、有源有流的線索脈絡，以打破中國缺乏悲劇和悲劇意識的神話。第二編〈戲曲

演劇學〉，對宋元明清的演劇理論作總體研討。第三編〈戲曲創作學〉，用意不在於具體拘泥的各別介紹，而在於淵源疏通的歷史透視，對具體學說的討論具備一定程度的系統性。第四編〈戲曲序跋學〉，古典曲序總數達二千餘篇，二百餘萬字，為戲曲學文獻中不可忽視的寶貴資源，因此作者從其系統劃分、美學特性、發展規律、客觀意義等詳加探究。第五編〈戲曲流派學〉，所論各家大多是不同戲曲學派的開山大家，如王驥德、李漁、王國維，乃至於當代戲曲批評史學派等，都有專章論列。

本書嘗試從戲曲學的幾個大類探討其發展歷程，顯示出學術的進步與深化，論述必須愈加精細，方能突破前人之窠臼，作者以務實的為學態度，曾鈔錄、注釋並簡析了百萬餘字的《中國古典戲曲序跋匯釋》，並寫出其碩士論文《中國古典戲曲序跋概論》，有如此深厚根柢，對五大專題的研討分析，則得心應手，常有獨到見解，決非一般泛泛之論的戲曲史所可比擬。

〈目次〉

緒言：中國分類戲曲學芻論；一、戲曲悲劇學（先秦悲哀原則的邏輯秩序，漢魏晉唐悲怨風尚的審美認識，明代戲曲的悲劇觀：怨譜說，清代「苦戲」風格論，中國悲劇的發生規律和審美特徵，中國悲劇的美學本質）；二、戲曲演劇學（宋代演劇評論的基本趨勢，元明演劇理論的歷史演進，清代王正祥的劇場學說，梅蘭芳的比較戲劇知行，周信芳的演劇美學）；三、戲曲創作學（元人論劇作家的素質和結構，明代戲劇人物論的整體研討，李開先及其同仁的劇作理論，金聖嘆的戲曲文學觀照，南戲批評的文學、曲學與劇學系統）；四、戲曲序跋學（戲曲序跋的系統劃分，戲曲序跋的美學特性，戲曲序跋的發展規律，戲曲序跋的客觀意義）；五、戲曲流派學（明初百年的皇家聲教派劇論，沈湯之爭的歷史淵源及其流變發展，王驥德及其影響下的晚明劇論，李漁的戲曲美學體系，王國維的戲曲美學系統，當代戲曲學發展概述）；餘論：戲劇、文學及影視的前瞻後顧。　　　　　　　　　　　　　　　（黃文吉）

唐宋小戲研究

陳季蔓著，國立臺灣大學中國文學研究所碩士論文，217 頁，1987 年 6月，曾永義指導。

陳季蔓（1962－　　　），臺灣臺南人。國立臺灣大學中文研究所碩士。

唐宋小戲爲中國早期戲劇之一，漢代的「東海黃公」爲現知最早的小戲，然歷經長久的演進，小戲並未形成氣候，須至唐代以後，才成爲宮廷、民間的一種娛樂，至宋代，方取得宮廷敎坊之領導地位。本書即由唐宋古籍入手，兼採近人的研究成果，全面的考察唐宋時期小戲的實況，一方面也將近年陸續出土的宋金人物雕磚等文物資料加以補充證成，並於後世大戲中追查其遺響，在近代以來昌衍的地方小戲和臺灣現有小戲中，考究其枝脈。全書區分五大章節，首先爲小戲的產生推溯源頭；其次考述唐代小戲，並對任訥《唐戲弄》的部分觀點，提出己見；再則綜述宋代小戲，論述其搬演形式、腳色等；末則探究唐宋小戲的影響，並將之與現存小戲作比較。全書考證堪稱詳實，尤能探及唐宋小戲與現存各地小戲的關係，具有古典與現代連結的深刻意義，頗能促進對唐宋小戲的眞正了解，及對現存小戲的重視。

〈目次〉

　　　　　　　　　　　　　　　（連文萍）

諸宮調研究

汪天成著，國立政治大學中國文學研究所碩士論文，202 頁，1979 年 6

月，李殿魁指導。

汪天成（1952- ），安徽六安人。私立中國文化學院中文系學士，國立政治大學中文研究所碩士。現任教於國立嘉義農專。

諸宮調乃中國戲劇之淵藪，若戲文、雜劇等，莫不因之而發生，惟以小說、戲劇之勃興，遂取而代之，至明、清二代，乃有不知諸宮調為何物者，甚為可惜，幸而民國以來學者，如王國維等，詳加輯校研究，方略知其大要。本書乃綜合詳究諸宮調之淵源與發展，且就現存之作品，加以考述，並探討其體制因革，末章綜論諸宮調衰亡之原因，評述其在文學史上的地位。書分五章，凡十四萬言，其於前賢研究成果予以概述，對現存諸宮調亦有全面的探討，可以說作了相當詳細的整理。

〈目次〉

提要；序；書影；一、緒論（前人研究概說，釋名）；二、諸宮調之淵源及其發展（宋以前講唱文學之演變，諸宮調史略）；三、現存諸宮調考述（董解元西廂記，劉知遠諸宮調，張叶狀元諸宮調，天寶遺事諸宮調，諸宮調之輯佚，諸宮調總目）；四、諸宮調之體別（引辭與分章，諸宮調之講唱，宮調之使用，曲調之使用、格律、用韻及語辭，現存宋金元諸宮調體制異同表）；五、結論（諸宮調消歇之原因，諸宮調於文學史上之地位）；參考書目。

（連文萍）

宋元戲文研究

林振輝著，私立中國文化學院中國文學研究所碩士論文，216 頁，1978 年 6 月，李殿魁指導。

林振輝（1952- ），臺灣彰化人。私立中國文化學院中文研究所碩士。

本書作者以為，宋元戲文上結宋雜劇之局，下開明雜劇之端，實居關鍵地位，必須予以擴清面目，以見一代之體，乃條析現存宋元戲文三種，綜理諸家戲文輯佚之作，以成本書。首章緒論，主要在辨清名實，兼論其發生及早期之戲文作品；次章詳論戲文之淵源，說明其形態、曲調之沿承；三章考述《小孫

屠》、《張協狀元》、《宦門子弟錯立身》三本戲文；四章言戲文之體製；末則探討戲文之流變及其影響。

〈目次〉

一、緒論（引言，戲文之產生，初期之戲文）；二、戲文之淵源（戲劇形態之沿承，曲調承用）；三、現存戲文考述（小孫屠，張協狀元，宦門子弟錯立身）；四、戲文之體製（架構，搬演）；五、餘論——戲文之成熟流變及其影響；參考書目。　　　　　　　　　　　　　　　　　　　　　（連文萍）

元明清劇曲史

陳萬鼐著，臺北，鼎文書局，732 頁，1987 年 11 月增訂三刷。

陳萬鼐（1927－　　　），湖北漢陽人。曾任國立中央圖書館、故宮博物院總務主任，私立中國文化大學戲劇系、東吳大學音樂系兼任教授。著有《孔尚任》、《孔尚任研究》、《洪昇研究》、《清孔東塘先生尚任年譜》、《清史樂志之研究》等書，並曾主編《全明雜劇》等書。

本書係《中國韻文學史》中〈南北曲〉篇擴寫而成，於 1966 年 2 月由臺北：中國學術著作獎助委員會初版，計 540 頁。1974 年 10 月改由鼎文書局出增訂版。因僅論述具有搬演性質之雜劇、傳奇及元人短劇，而不徵錄散曲或非具以曲調（曲牌）之其他雜劇，故以「劇曲」名書。初版劃分三十二章，增訂本則大幅增加了百分之三十七的篇幅，新舊版差異頗大，有章名相同而內容增補者，如初版第一章〈我國戲曲之變遷〉、第十章〈元雜劇搬演情形考〉，增訂本即增加不少新資料及圖片；有章名類似而內容不同者，如初版第五章〈北曲曲調及曲譜〉，增訂本即析為兩章，且曲調名目與聯套方式更增多；有章名、內容俱不同者，如初版第二十三章〈傳奇之聲歌〉，增訂本秉承該章主旨，而更加強論述，使更合乎西洋音樂理論，以利讀者研習；其他，新增之章節、版面之革新、圖像譜式等之附錄，俱為增訂本之特色。

本書致力宏揚古劇，於舞臺聲色，狀物生動；於繁瑣的宮調，亦假西洋樂理論述；而尤用力於元明清三朝樂曲歌聲之研究，詳究其譜法、音階及節奏。

由於本書乃作者教學用書，故特以深入淺出方式，爲學子指引門徑，而附錄亦精到周詳，堪稱縝密。

〈目次〉

一、我國戲曲之變遷（秦漢以前，三國六朝，唐代，宋代，宋雜劇及金院本之體例）；二、雜劇與傳奇之意義；三、我國戲曲之特質；四、戲劇之文學地位；五、音律（五七音起源與進化，十二律呂，黃鐘定音）；六、宮調（宮調起源與進化，起調與畢曲問題）；七、北曲曲調及其聯套（南北曲曲調起源，北曲曲調及其聯套）；八、曲之聲韻（四聲，韻學變遷及曲韻，曲之聲韻）；九、北詞譜；一〇、元雜劇體例（折數，楔子，宮調與韻，獨唱，科白，題目與正名）；一一、我國古劇本事梗概；一二、元雜劇搬演情形考（三種史料，勾欄，腳色，疏裏，砌末與音籍，搬演問題，元劇唱念問題，題目與正名唱念問題，其他）；一三、元雜劇作家（元劇興起之原因，元雜劇作家，元雜劇作家之素質問題，元曲六大家）；一四、近六十年來元明雜劇之發現（歷代元明雜劇存佚梗概，民國以來元明雜劇發現述要，歷代書志關於元明雜劇著錄情形，近六十年來所發現元明雜劇彙刊板本要略，近六十年來所發現元明雜戲總目）；一五、知見法國學者拔殘譯述元劇目錄；一六、元雜劇分類；一七、元曲之文章；一八、南戲起源；一九、南戲體例與傳奇之關係；二〇、明初五大傳奇及南戲戲目（琵琶記，拜月亭記，荊釵記，白兔記，殺狗記，南戲劇目）；二一、崑腔起源；二二、明清傳奇流派；二三、南曲曲調及其聯套；二四、南詞譜（附集曲，襯字）；二五、明清傳奇譜法（歷代樂譜演進，工尺，板眼，腔格，笛調）；二六、明清傳奇歌法（傳奇歌法，陰陽務頭）；二七、傳奇排場及佈置（排場，佈置）；二八、腳色及劇場（腳色裝扮，劇場）；二九、傳奇之衰微；三〇、名曲舉例（湯顯祖之牡丹亭，孔尚任之桃花扇）；三一、知見現存明清傳奇目錄；三二、明清傳奇作家事跡及本事考略；三三、知見現存清雜劇目錄；三四、明清雜劇家及雜劇體例；三五、雜劇沒落原因及北曲音響；重要參考書目；本書圖像歌譜目次（略）。

〈書評〉

1. 梁子涵，〈讀元明清劇曲史後〉，圖書月刊，1 卷 3 期，頁 19－20，1966 年

金元雜劇之研究

謝朝栻著，私立中國文化學院藝術研究所碩士論文，98頁，1964年5月，鄧昌國指導。

謝朝栻（1920－　　），湖南耒陽人。私立中國文化學院藝術研究所碩士。本書所謂「金元雜劇」者，蓋以諸宮調及元北雜劇爲探討重心，其中金代諸宮調，尤居宋代大樂雜劇與元北雜劇之中，具有承先啓後意義，故以極多篇幅加以論述，並以之與元雜劇作一比較。作者研究之目的，實欲藉此上窮國劇之本源，以見其流變影響，並藉以發聲華繼往之新運。首章說明金元雜劇的淵源與性質，其次則專論「金雜劇」的組織，復針對元雜劇的組織特性加以敍述，最後則以金元雜劇之比較作結。全書於音樂與雜劇之關係、故事腳色分科及實際編導方式有較多著墨，是早期研究金元雜劇的專著中，頗具代表意味的作品，末並附有參考書目錄。

〈目次〉

提要；一、導論（金元雜劇之淵源，金雜劇之性質，元雜劇之性質）；二、金雜劇組織上之研究（音樂與組織之關係，曲套組劇及其段落，金雜劇性質之分類）；三、元北雜劇組織上之研究（元北雜劇之組場，元北雜劇之曲牌與曲套，元北雜劇之故事分科與腳色分科）；四、結論——金元雜劇之比較及其對中國戲劇之貢獻（金元雜劇特質之比較，金元雜劇對中國戲劇之影響，金元雜劇之價值）。 　　　　　　　　　　　　　　　　　　　　　　　（連文萍）

元雜劇研究

吉川幸次郎著，鄭清茂譯，臺北，藝文印書館，310頁，1987年10月四刷。

作者另有《中國詩史》（劉向仁譯），已著錄，生平見前。

譯者另譯有《宋詩概說》（吉川幸次郎著），已著錄，生平見前。

元雜劇的價值與地位，是在民國以來才確定的，日本學者在這方面的研究上，十分出色，本書即為其中極受矚目的鉅著。

本書為作者之博士論文，於 1948 年 3 月由東京：岩波書店初版，1969 年又收入東京：筑摩書房《吉川幸次郎全集》內。中譯本於 1960 年初版。書中的論述，充分表露日本學者治學孜孜矻矻、一絲不苟的特色。作者以為，文學是一種社會性的存在，因此必須致力探討產生這種文學的社會背景，故本書上篇以「元雜劇的聽眾」、「元雜劇的作者」二方面進行廣泛的探看；下篇方著重探討元雜劇的構成和文學特質，作者將之視為治中國文學史的初步，也是中國近世社會史、精神史的重要研究環節。本書的論點大抵精闢，如〈序說〉提出元雜劇在文學史上的七大意義；上篇第二、三章考述元雜劇的作者，以為他們並非夐陋微賤之人；下篇第三、四章評述元雜劇的文章，均為的論，故鄭騫先生序云：「本書是研究元雜劇的人，無論先進後學，都應一讀的名作。」

〈目次〉

序；譯本序；原序；第二版序；序說（元雜劇在文學史上的意義，元雜劇的體裁，元雜劇的歷史，元雜劇的資料）；上篇——元雜劇的背景（一、元雜劇的聽眾；二、元雜劇的作者（上）前期作者；三、元雜劇的作者（下）後期作者；附錄——年表）；下篇——元雜劇的文學（一、元雜劇的構成（上）；二、元雜劇的構成（下）；三、元雜劇的文章（上）；四、元雜劇的文章（下））；譯後記。　　　　　　　　　　　　　　　　　（連文萍）

元雜劇研究

陳誠中著，花蓮，作者自印本，98 頁，1978 年 5 月初版。

陳誠中（1948－　　　），福建林森人。國立臺灣師範大學國文系畢業。曾任空中商專花蓮輔導處講師，現任省立花蓮高中國文教師。著有《宋詞欣賞》等。

本書為作者擔任空中商專花蓮輔導處教席時之講師升等論文，文字明白淺

顯，主要劃分五章：首章先對全書內容作大略介紹；第二章專論元雜劇興盛原因；第三章則介紹元雜劇的內容及組織，主要依照《太和正音譜》的傳統分法，將元雜劇分爲神仙道化、隱居樂道、披袍秉笏等十二科加以介紹，而所謂「組織」，則指元雜劇的結構與樂曲而言；第四章論元雜劇的文學技巧，由修辭、形式、描寫三方面分別探看；第五章討論元雜劇的衰落及演變；末並有附錄：元雜劇平仄譜、韻腳及劇本舉例，提供參考。全書骨幹大抵不出王國維《宋元戲曲考》、孟瑤《中國戲曲史》等書範疇，而更簡單扼要，部分章節敍述則儘量援引實例，如元雜劇文學技巧中的隱括、對偶、重疊等，使增進了解。

〈目次〉

一、緒論；二、元雜劇的興盛及發展（元雜劇興盛的原因，元雜劇發展及分期，元雜劇淵源及作家籍貫）；三、元雜劇的內容及組織（元雜劇的內容，元雜劇的組織，元雜劇的角色、砌末及科白、唱詞）；四、元雜劇文學技巧的研究（對偶及疊字，描景及寫情，隱括及用典）；五、元雜劇的衰落及演變（元雜劇的衰落，元雜劇的演變）；附錄：元雜劇平仄譜舉例，元雜劇韻腳譜舉例，元雜劇劇本舉例；參考書籍目錄。

〈書評〉

1. 陳誠中，〈寫在元雜劇研究出版後〉，中央日報，11 版，1978 年 8 月 13 日。

（連文萍）

元雜劇發展史

季國平著，臺北，文津出版社，449 頁，1993 年 3 月初版。

季國平（1956－　　），江蘇人。揚州師範學院中文系、碩士、博士。現任職於中國戲劇出版社，著有《書生政治家》等。

本書爲作者就讀揚州師範學院，於 1991 年通過之博士論文，任中敏指導，爲文津出版社《大陸地區博士論文叢刊》第三十七種。本書作者鑑於歷來元雜劇史研究的某些困境，如元雜劇怎樣形成？北方雜劇爲何迅速流向南方？南流的雜劇又爲何集中於江浙地區？如何正確看待早期文獻？種種難解的疑惑，嘗

試尋求出路，乃由廣泛發掘並重新審視現存資料入手，把元雜劇作爲一種特定的藝術文化運動來察考，從元雜劇的興盛和傳播情形，論證元雜劇形成、興起的時代和條件，再予綜合描繪地域與雜劇形成發展的關係等，並提出雜劇黃金時代的出現與雜劇通行南北是緊密聯繫的基本認識。本書架構完整，論述亦大致中肯，是元雜劇史論著中一部最新亦相當有規模的力作，惟書後未附參考書目，讀者無法從中得到進一步檢索與尋繹的機會。

〈目次〉

　　　　　　　　　　　　　　　　　　　　　　　　　　（連文萍）

明清傳奇導論

張敬著，臺北，華正書局，198 頁，1986 年 10 月新 1 版。

張敬（1918 -　　　），貴州安順人。北平女子文理學院國文系畢業，北京大學文科研究所肄業。曾任敎於燕京大學、金陵女子大學等，來臺後，任敎於空軍參謀學校及國立臺灣大學，現任敎於臺灣大學及私立東吳大學中文研究

所。著有《淸徽學術論文集》等。

本書原名《明淸傳奇硏究》，爲 1960 年國家長期發展委員會獎助論文。1961 年 3 月由臺北：臺灣東方書店初版，始改今名，計 184 頁，然編校不精、錯落頗多。至 1986 年 10 月方由華正書局重新出版。

南北曲劇，傳奇雖較後起，而曲律愈加周密，成就亦極顯著，本書即由明淸傳奇的實際作品中，發明治曲途徑，探看傳奇之體製與發展，不但對各著名劇本有極精到而中肯的評介，其論傳奇用韻及分場等等，更是精髓所在。作者自言，對於傳奇用韻的分析：「其步驟是首先將每隻曲的韻腳標出，核對曲牌，正確斷句，查看曲譜，完全是刻板的笨活計。」正由於如此，作者對傳奇硏究所下的紮實功夫，就遠非一般漫述故事情節的戲劇史作者可比，是故本書自民國五十年發行以來，即倍受學界重視與徵引，影響相當深遠。

〈目次〉

　　　　　　　（連文萍）

明淸文人傳奇硏究

郭英德著，臺北，文津出版社，264 頁，1991 年 1 月初版。

郭英德（1954 -　　），福建晉江人，北京師範大學中文系學士、碩士、博士。現任敎於北京師範大學中文系。著有《世俗的祭禮——中國戲曲的宗敎精神》、《元雜劇的社會學硏究》、《中西戲劇文化比較硏究》等。

本書爲作者於 1988 年通過的博士論文《明淸文人傳奇綜錄及硏究》的理論部分，啓功指導，文津出版社收錄爲《大陸地區博士論文叢刊》第一種。1992 年 5 月又由北京師範大學出版社出版，書名相同，332 頁。本書作者並不打算純粹以「史」的角度撰寫，而是選取明淸文人傳奇的若干層面，作個別的

專題研究；其視角亦有不同，乃將文人傳奇置於中國明清時期古代文化與近代文化的衝突與調和中進行整體的省視。故本書共分七章，第一章爲明清文人傳奇的歷史演進概述，第二、三章則爲時代主題、作家的文學觀兩個專題，第四至七章，分別探討明清文人傳奇的創作方法、文體特性、藝術結構及藝術語言，整體的探看文人傳奇所體現的藝術特質與精神。由於專題性的研究雖然深入，但無法周延，因而本書對於明清文人傳奇與明清文學的聯繫，明清文人傳奇文學與舞臺演出的關係、與觀衆的關係，乃至明清文人傳奇遞嬗的具體演變及在戲劇史上的地位，均無法詳述，作者有感於此，將在本書之外，以專文形式一一加以闡述補充。

〈目次〉

自序；前言；一、明清文人傳奇的歷史演進；二、明清文人傳奇的時代主題；三、明清文人傳奇作家的文學觀念；四、明清文人傳奇的創作方法；五、明清文人傳奇的文體特性；六、明清文人傳奇的藝術結構；七、明清文人傳奇的藝術語言。　　　　　　　　　　　　　　　　　　　　　　　　（連文萍）

崑曲研究

劉文六著，臺北，嘉新水泥公司文化基金會，140 頁，1969 年 1 月初版。

劉文六（1939－　　　）臺灣高雄人，國立臺灣師範大學音樂系畢業，私立中國文化學院藝術研究所碩士。現任教於臺北市立師範學院。

本書爲作者就讀私立中國文化學院藝術研究所碩士班，於 1968 年通過之碩士論文，鄧昌國、夏煥新指導。作者畢業於音樂系，於中西音樂頗有心得，乃將崑曲從音韻與旋律兩方面，進行分析研究。其撰述重心，主要在文史與音樂，對於劇場、佈置、排場等相關討論則從略，而由於作者係音樂學習者，故於崑曲之音樂部分尤著重探討，其方式首先將崑曲音樂中最受歡迎的樂章，由工尺譜譯成五線譜，再針對五線譜的資料進行分析。其次，鑑於崑曲音樂中聲與律關係密切，且旋律進行受四聲影響最大，故作者在南北曲中選出二百八十

個譜例，加以分類統計，其結論可作爲今日唱曲者之參考，亦可作探求元曲、宋詞、唐詩等吟唱之根據。

〈目次〉

一、文史部分（崑曲以前我國戲曲發展大要，崑曲之興起，崑曲全盛時期，崑曲之衰落及花部之興起）；二、音樂部分（聲與律之間的關係，主腔及崑曲音樂之特性，結論）；附譜；重要參考書目。　　　　　　（連文萍）

明代劇曲史

朱尚文著，臺北，高長印書局，176 頁，1959 年 10 月初版。

朱尚文（1909－　　　），浙江嘉興人。上海私立大夏大學文學士。曾任浙江私立杭州高中、福建集美中學、江西南昌二中、臺北師大附中國文教師。著有《翁同龢先生年譜》、《曾紀澤先生年譜》、《清趙惠甫先生烈文年譜》、《元曲選外編校勘記》等。

本書所謂「明代劇曲」者，係指「明代雜劇」及「明代傳奇」，故以二者爲論述綱領，分述各重要作家生平行誼及其重要作品，兼及簡略的探討明雜劇的轉變、作家的地理分佈、明傳奇的淵源與派別等問題。由於本書係集中討論斷代劇曲發展的早期著作，因此在章節畫分、內容深度、參考書目等等方面，均有簡陋之失，以書末參考書目爲例，僅著錄作者、書名，且誤失不少，如吳梅《顧曲麈談》作「顧曲塵談」、李漁《閒情偶奇》作「間情偶寄」等，似不夠謹嚴。大抵本書對明代劇曲的宏揚願望，值得讚許，其不足之處，或可因年代較早，不必太過苛求。

〈目次〉

一、明代雜劇（明代雜劇的轉變，明初雜劇作家——王子一、谷子敬、賈仲名，宗室雜劇作家——朱有燉，沒落時期雜劇作家——康海、王九思、楊愼，南雜劇作家——徐渭、葉憲祖、沈自徵、孟稱舜、馮惟敏、汪道崑、陳與郊、王驥德、王衡、凌濛初、徐士俊、徐陽輝，明代雜劇作家的地理分佈）；二、明代傳奇（明代傳奇的淵源及派別，五大傳奇——高明琵琶記、朱權荊釵

記、無名氏白兔記、施惠拜月亭、徐畋殺狗記，駢儷派傳奇作家——邵燦香囊記、梁辰魚浣紗記、張鳳翼紅拂記、鄭若庸玉玦記、屠隆彩毫記、梅鼎祚玉合記、薛近袞繡襦記、王世貞鳴鳳記、陸采明珠記、汪廷訥獅吼記，本色派傳奇作家——湯顯祖臨川四夢、阮大鋮燕子箋春燈謎、范文若花筵賺、吳炳療妬羹情郵記、李玉占花魁、李開先寶劍記、周朝俊紅梅記、單本蕉帕記、孫仁孺東郭記，格律派傳奇作家——沈璟義俠記埋劍記、王驥德題紅記、葉憲祖鸞鎞記、顧大典青衫記、卜世臣多青記、呂天成二嬈記、馮夢龍雙雄記、沈自晉望湖亭、徐復祚紅梨記、袁于令西樓記)。　　　　　　　　　　　　　　　(連文萍)

明雜劇概論

曾永義著，臺北，學海出版社，405 頁，1979 年 4 月初版。

曾永義（1941 - 　　　），臺灣臺南人。國立臺灣大學中文系、中文研究所碩士班、博士班畢業，國家文學博士。現任臺灣大學中文系所教授。著有《長生殿研究》、《中國古典戲劇論集》、《說戲曲》、《臺灣歌仔戲的發展與變遷》、《參軍戲與元雜劇》等。

本書為作者於 1971 年通過的博士論文，題目原作《明雜劇研究》，鄭騫指導。我國戲劇文學的演變，元雜劇、明清傳奇固然為主流，但明雜劇亦為不容忽視的旁支。本書作者認為，雜劇在明代並非衰亡，而是另有發展與革新，因將所知見的二百九十三種明代雜劇加以探討，從而一窺明代雜劇發展脈絡及各階段所表現的特色。

本書章節清晰完整，立論周詳有據，首章考究明雜劇的源流變化及作家、搬演情形等，可謂整個明代雜劇的縮影，也比較了元明雜劇的不同特質，探看明雜劇對清雜劇的影響。第二章以下則依照明代雜劇的發展，劃分初、中、後三期，繫作品於作家，分別論述。末附年表，使作家生卒年、重要行事及雜劇刊行年代得以一目了然。

〈目次〉

一、總論（明代戲劇發達的原因，明代戲劇的搬演，明代雜劇的作家，明

代雜劇的資料，明代雜劇體製提要，明代雜劇演進的情勢，餘論——明代雜劇的特色及其對清代雜劇的影響）；二、初期雜劇（明初十六子，寧獻王及其他諸家，敎坊劇，無名氏雜劇）；三、周憲王及其誠齋雜劇（周憲王的家世與生平，誠齋雜劇的總目及所改正的舊本，誠齋雜劇的內容和思想，誠齋雜劇結構排場的特色，誠齋雜劇的文章，餘論）；四、中期雜劇（康海與王九思，馮惟敏及其他北雜劇作家，徐渭（附論歌代歔），李開先及其他短劇作家）；五、後期雜劇（陳與郊與徐復祚，沈璟及吳江派諸家，葉憲祖，王衡與凌濛初，孟稱舜及其他北雜劇諸家，傅一臣及其他南雜劇諸家）；附錄——明代雜劇年表、參考書目。　　　　　　　　　　　　　　　　　　　　　　　　（連文萍）

明代一折短劇研究

張盈盈著，國立政治大學中國文學研究所碩士論文，202 頁，1988 年 6 月，呂凱指導。

張盈盈（1962－　　），臺北市人。國立政治大學中文研究所碩士。

短劇爲明代戲劇中最特殊的形式，搬演容易，費時亦短，且兼得南北曲之長，最適合文人抒寫懷抱，其中，一折短劇，尤受青睞。本書以一折短劇爲研究命題，首先確定其名稱涵義，爾後依次推究其產生原因、內容及思想、表現技巧等，終而討論一折短劇的特質及其對清雜劇的影響。對於這種精緻短小的戲劇體製，本書作了具體的描繪和探討，取材精緻，論述亦明暢。

〈目次〉

一、緒論；二、短劇產生的原因（時代背景，戲劇本身的演進，戲劇搬演的情形，劇作家的身份）；三、一折短劇的內容及思想（歷史傳說故事，文人的閒適生活，科考仕途的批評，女性角色的描寫，出世思想的表現，社會人情舉隅）；四、一折短劇的表現技巧（寫作特色，人物刻畫，曲文賓白）；五、結論（一折短劇的特質，對清雜劇的影響）；參考書目。　　　　（連文萍）

明代劇學研究

陳芳英著，國立臺灣大學中國文學研究所博士論文，406 頁，1983 年 6 月，張敬指導。

陳芳英（1951- ），臺灣臺南人。國立臺灣大學中文研究所碩士、博士。現任教於國立藝術學院。著有《目連救母的故事演進及其有關文學之研究》等。

如何尋覓一套源自傳統，屬於中國自己的戲劇理論？如何了解歷史上的戲劇批評家，是以怎樣的原則來評估戲劇的優劣？是本書作者尋思的問題，他於是以明代的劇學作為研究的初步，因為從明初《太和正音譜》之後，歷經嘉靖、隆慶年間，到萬曆、天啓、崇禎年間，是中國古典戲劇批評從初期而繁盛的時期，具有極豐碩的發展及成果，值得深入的探究。本書區分上下兩篇，上篇係文學外緣的討論，包括思想背景、其他類型文學理論的發展情形、社會經濟狀況、人民的生活文化、藝術的興盛實況等，綜合探看劇論發展的因素；下篇則針對文學內在作討論，考察自《太和正音譜》以下各家各派的劇論，包括已成專論的王驥德《曲律》；曲話式的何良俊的論述；對劇本評點、眉批的馮夢龍的看法；在書信、文書中發表的湯顯祖的見解等等，資料取材廣泛。末則總結上下兩篇之論述，具見明代劇學的特色。

〈目次〉

謝志；緒言；上篇：外緣研究（社會文化背景，門戶與批評，明代戲劇概況）；下篇：諸家劇論述評（我國戲劇批評的萌芽與建立，古典戲劇批評初期的劇論；古典戲劇批評盛期的劇論（上），古典戲劇批評盛期的劇論（下））；結論；主要參考書目。　　　　　　　　　　　　　　　　　　　（連文萍）

清初雜劇研究

陳芳著，臺北，學海出版社，306 頁，1991 年 4 月初版。

陳芳（1962－　　），山東鄒縣人。國立臺灣大學中文研究所碩士。現任教於臺北市立師範學院、臺灣警察專科學校。著有《晚清古典戲劇的歷史意義》〈梁啓超戲劇三種研究〉等。

鄭振鐸在《清人雜劇》初集的序言中說：「（清代雜劇）莫不力求超脫凡蹊，屏絕俚鄙。」蓋有清一代雜劇作者，多致力於文曲的藻飾，視之爲著書立說，故雜劇就如同詩文一般，足以反映當時的社會、文化現象，也是作者心聲的表露。

本書作者有鑑於清代雜劇的特性和價值，復深感於學界對清代雜劇的研究大都籠統而不全面，乃有志於以清初雜劇作爲研究的起步。本書所界定的「清初」，與鄭振鐸的清代雜劇演進分期（鄭氏以順、康爲「始盛」期；雍、乾爲「全盛」期；嘉、咸爲「次盛」期；同、光爲「衰落」期）不同，而是連接順、康、雍三朝，亦即西元 1644 到 1735 年之間，凡此時期所產生的雜劇，即收錄之，若其作者生於明末，但不確定其劇作係成於明代者，亦收錄之，共計清初劇作家七十八人，雜劇二百一十六種（現存一百一十六種），加以分析歸納，除了探究時代背景、劇作家和雜劇的本身，也對雜劇所反映的政治與社會作一番考查。

〈目次〉

前言；一、總論（清初雜劇的時代背景，清初雜劇的搬演，清初雜劇的資料，清初雜劇的作家，清初雜劇演進的情勢）；二、清初雜劇的作家生平與雜劇的內容旨趣（寄寓黍離悲思，抒發個人牢騷，勸諷世俗百態，表彰古今人物，聊以娛樂遣興）；三、清初雜劇所反映的政治與社會（反對異族的統治，科舉掄才的質疑，拜金主義的風行，婦女才能的肯定，及時行樂的人生態度，因果報應的認識，詩窮後工的體會）；四、清初雜劇的文學與藝術成就（曲詞賓白，關目排場，腳色妝扮，科諢砌末，音樂搭配）；結語；附表；主要參考書目。

（連文萍）

清代曲論研究

羅麗容著，私立東吳大學中國文學研究所博士論文，1984 年 5 月，354頁，張敬指導。

羅麗容（1954－　　　），臺灣新竹人。私立東吳大學中文系學士、中文研究所碩士、博士。曾任私立世界新聞傳播學院副教授，現任教於東吳大學中文系。著有《鄭之珍勸善記研究》等。

元、明兩代論曲，如王驥德、徐復祚等，大多不出文士填詞、名家製譜、伶工度曲之範疇，上焉者言及戲曲之結構耳。清代論曲則不然，上起舞臺藝術，下至戲曲雜談，無所不包，可謂盛極矣。本書作者有見於此，乃作深入探討，全書分上、中、下三篇：上篇介紹清代以前之曲論；中篇討論清代之曲論，先列敍錄，爾後分類歸納探討；下篇則論清代曲論之餘波，著重吳梅、姚華、王國維、任訥四人之成就；末爲結語，總論清代曲論之特質。全書大抵綱舉目張，不但對清代曲論的本身討論周備，且對其前承與餘響的照會探討亦相當詳盡。

〈目次〉

前言；上篇：前代曲論概述（緒言，唐五代歌舞戲之特色，宋代戲曲之主題，元代之曲論，明代之曲論）；中篇：清代之曲論（取材範圍，諸家曲論敍錄，清代曲論之分類，餘論）；下篇：清代曲論之餘波（王國維與古典戲曲，姚華與綠漪室曲話，吳梅與顧曲麈談，任訥與作詞十法疏證）；結語：清代曲論之特質；附錄：重要參考書目。　　　　　　　　　（連文萍）

中華國劇史

李浮生著，臺北，作者自印本，604 頁，1983 年 1 月增訂版。

李浮生（1903－　　　），本名永祥，上海人。早年從事勞工運動，獻身革命，做過黨務工作、公務員、辦報、經商，癖好國劇，不時粉墨登場。來臺後

從事國劇鑽研，未嘗稍輟，而創作與整理之國劇劇本亦多達三十餘齣，著有《寶島百伶圖》、《鍛鍊國劇唱工的基本知識》、《春申梨園史話》等。

本書於 1969 年 4 月初版，至 1970 年 1 月復再版，爾後因售罄而告絕版；至 1982 年，因榮獲國家文藝基金會所頒文藝創作特殊貢獻獎，方增訂出版，其增訂之內容，包括大陸文革時期皮黃戲所遭之劫難及附錄、劇照等等，多達 120 餘頁。

本書以「史」為名，實則，攸關戲劇史料之記載僅為全書之少數，其餘則專論皮黃戲，包括其傳統之技與藝、演進歷史、行頭等等。所以以「國劇」名書，乃因當時已將皮黃戲稱為「國劇」，惟本書作者強調，儘管皮黃可以稱作國劇，但不能說國劇就是皮黃，因為皮黃祇是中國戲劇的劇種之一而已。

本書論述大致條理井然，由於作者對戲劇鑽研極深，自是行家之言，尤其對於政府播遷來臺後，臺灣國劇之發展狀況，記述詳盡，資料宏富，將伶人之艱苦奮厲及皮黃戲之變遷與發揚，作了具體描繪。

〈目次〉

題，十三轍之作用，上口字及其他）；一一、場面（音樂）（引言，場面組織，閒話打鼓佬，文場淺說，武場淺說，曲牌，樂器構造）；一三、後臺組織（職員執掌，對戲、排戲，扮戲，祖師爺之神龕，後臺忌諱）；十二、皮黃角色之類別（引言，生行，旦行，淨行，丑行，流行雜角），一四、臉譜（起源及功用，臉譜之種類，臉譜之勾法，已成定型戲劇人物之臉譜色彩）；一五、行頭、砌末（引言，大衣箱部分，二衣箱部分，盔頭箱部分，旗把箱部分，旦角梳妝用品，砌末）；一六、皮黃劇本（皮黃劇本之來源，創作，皮黃劇本之規格，修訂本）；一七、附錄。

〈書評〉

1. 董讚榮，〈中華國劇史三年有成〉，文學思潮，12 期，頁 75－78，1982 年 7 月。　　　　　　　　　　　　　　　　　　　　　　　　　　（連文萍）

清代京劇百年史

葛林・馬克拉斯（Colin P. Mackerras）著，馬德程譯，臺北，中國文化大學出版部，340 頁，1989 年 8 月初版。

葛林・馬克拉斯（Colin P. Mackerras），澳洲國立大學博士。著有《Amateur Theatre in China 1949－1966》、《The Chinese Theatre in Modern Time: From 1940 to the Present Day》等。

馬德程（1943－　　），廣東順德人。私立中國文化大學史學系畢業，現任私立中國文化大學戲劇系講師、財團法人莊福文化教育基金會祕書。譯有《南宋社會生活史》、《宋代的商業與城市》等。

本書為作者的博士論文擴寫而成，原名《The Rise of Peking Opera，1770－1870，Social Aspects of Theatre in Manchu China》，於 1972 年由英國牛津大學初版。在西方學術界中，對於中國戲劇的發展，一直未予充分的注意，尤以京劇為然，本書作者有見於十九世紀初葉以降，京劇對於中國平民生活的重要影響，並有心彌補學術界長期忽略的缺漏，乃提筆撰作。全書的研究重點，主要在於分析京劇音樂的歷史沿革，探訪其形成背景；呈現著名京劇伶人和其

作品；及通俗地方戲成長的社會因素等，對於唱念、身段、砌末、做工等，則因前賢已有論述，而少加討論。大抵，本書作者將京劇歷史置於較廣的社會架構中，藉以窺出其成長與成功的因素，不僅體現清代京劇的成就，也是了解中國戲劇的古往今來的重要基礎。

〈目次〉

周序——綻放的蓓蕾；前言；譯者弁言；一、緒論（中國地方戲的主要體系，歷史背景）；二、明末清初的社戲（顯要的宗族：準宗教戲劇，知識分子的非宗教性戲劇，一般民眾，社會中的優伶）；三、揚州的戲劇（附屬於鹽商家族的劇團，鹽商劇團概說，鹽商家族以外的戲班，揚州戲劇隆盛的背景）；四、秦腔伶人（西安的秦腔伶人，北京的秦腔伶人，一七七九年以前的北京梨園，魏長生，陳銀官：魏長生的衣鉢傳人，秦腔的影響及其成功的原因）；五、一八三〇年以前的宮廷劇團及安徽劇團（宮廷劇團，安徽劇團：二黃的地位，一八二〇年以前的北京劇壇，一八二〇年代的社會戲，童伶與安徽劇壇的成功）；六、京劇的整合（內廷戲劇，北京的劇團，道光中期的伶人，三大老生）；七、北京的劇場與梨園行（劇場與舞臺的歷史沿革，北京的劇場，戲院的輪班制度，戲劇的禁制，伶人的社會地位，伶人的職業團體：會館）；附錄：清代帝系表，引用戲劇叢書提要，戲劇；參加書目；附圖。　　　（連文萍）

五十年來的國劇

齊如山著，臺北，正中書局，175 頁，1980 年 4 月四刷。

齊如山（1876－1962），本名齊宗康，河北高陽人。北京同文館畢業，早年留學德國。曾任京師大學堂教授，主持北京國劇學會二十餘年之久。著有《齊如山全集》等。

本書爲《現代中國文藝叢書》之一，於 1962 年 3 月初版，爲作者一生有關國劇之最後遺著。作者以爲，所謂「國劇」，範圍很寬，凡國中所產生的戲，即是國劇，然限於篇幅，乃以當日最流行的皮簧爲敍述對象，並以北平的皮簧爲主。書名爲《五十年來的國劇》，作者仍對百年以前的淵源作番陳述，以明

皮簧的來源與形式發展，他如論述皮簧的歌唱、動作、音樂等，皆爲精到之言；其論編、排戲和國劇的觀眾，乃至提出對國劇未來的展望，亦爲行家之語，並見其畢生致力於發揚國劇之成就與苦心。

〈目次〉

齊如山先生遺像；作者小傳：齊如山先生手寫本書原稿；一、國劇的來源及念字的原則（十三道轍，尖團字）；二、關於歌唱與動作各原則（歌唱，動作）；三、關於戲劇本身各部份（音樂，歌唱，話白，動作，臉譜，行頭）；四、關於編戲排戲看戲各方面（編戲的方面，排戲的方面，看戲的方面）；五、各界對於國劇之協助（政界，學界，商工界）；六、國劇出國演唱（到日本，到美國）；七、國劇未來的展望；附錄：一、中華民國大文豪；二、悼齊如山先生。 （連文萍）

中國影劇史

王子龍編著，臺北，建國出版社，160 頁，1960 年 3 月初版。

王子龍，上海市人。著有小說《小人物回憶錄》、劇本《人命政府》等。

本書爲我國電影、話劇史的濫觴之作。作者定書名爲「影劇史」，將電影、話劇合併論述，別具一格。細究其理，則作者認爲我國電影之發展係由從事話劇者所開拓，且歷來影、劇從業者的身分，多爲二者雙棲，始終難分涇渭，故作者兼收影劇之資料，不予界分，併述其演蛻之迹，而成此集。

全書採以事繫時的方式，論述上自清末，下迄遷臺後共約一甲子間我國影劇的遞嬗之貌。作者以六個時期次序分篇記述。其中包括人物傳記、事件報導、史實回顧等等，以單篇短文的形式紛陳雜列於各篇之下，然各篇之間，並無明顯關連，而時序之連屬，亦無軌跡可循，嚴格論之，則無系統可言，雖名爲「史」，略無「史」質。不過揉其內容，仍有一些重要史料、文獻，可供研究影劇史之學者參酌採摭，書後並附撰臺語影劇發展史，足供參閱。

〈目次〉

前言；第一期：清末——民九年（萌芽時期）；第二期：民十——十九年

（植基時期）；第三期：民廿──廿六年（發展時期；第四期：民廿七──卅四年（高潮時期）；第五期：民卅五──卅八年（繁榮時期）；第六期：民卅九──四十八年（奮鬥時期）；附篇：臺語影劇發展史；後語。（細目從略）

（孫秀玲）

中國話劇史

吳若、賈亦棣著，臺北，行政院文化建設委員會，472頁，1985年3月初版。

吳若（1914─　　　），本名吳慕風，漢口市人，國立政治大學政治系畢業，曾任教大專院校二十餘年，著有多幕話劇十二本及電影、電視、廣播劇劇本百餘本。

賈亦棣（1916─　　　），本名賈耀愷，南京市人，國立藝專畢業，中華學術院研士，曾任武漢中國電影製片廠編導、香港中國電影學校教授、正中書局主任祕書、中國戲劇藝術中心主任等職。著有話劇劇本《香妃》、《工業春秋》等及戲劇理論《表演藝術》、《兒童劇展評論集》等。

在中國近現代文學史的研究上，話劇的專門性研究一直相當冷門，有關話劇淵源流變的專史亦少見，本書可謂中國話劇史的「源頭」，具有深刻的意義。

中國話劇不同於傳統戲曲，最早發軔於滿清末年，如梁啓超創辦的《新民叢報》，即刊載時事新戲多齣，像《秋風秋雨》一劇，表彰秋瑾成仁事蹟，唱詞減少，對白加強，可謂日後話劇的基範；而日本新劇的影響，也催生了話劇的興起，一時，形式新、內容寫實的話劇，大受歡迎。本書即推溯話劇在中國的發軔、興展及各時期的劇運、劇團、劇作等，予以綜合鳥瞰。由於話劇與時代腳步同時並進，是故，本書雖爲話劇史，其實無異於中國近代史，而所謂「劇運」，亦無一不與政治社會現實緊密關連，此或即閱讀本書的另一個思考、關懷的角度吧！

〈目次〉

一、話劇在中國發軔時期（引言，新劇之傳入中國，從日本新劇引發動

機，春柳社與申酉會，新劇首次在上海演出，通鑑學校與春陽社，陸鏡若與新劇同志會，任天知的進化團，劉藝舟的勵群新劇社，鄭正秋與新民新劇研究所，繼起的民鳴社，上海其他劇社）；二、初期中國各省之劇運（上海延展南京之新劇演出，河北河南省之新劇演出，廣東地區興起之新劇組織，福建省之文藝劇社，臺灣之新劇運動，初期劇運之特徵，文明戲的興起與衰落）；三、話劇與新文化運動（「五四」運動的時代意義，胡適的易卜生主義，陳大悲的愛美劇運動，戲劇理論的建立，民眾戲劇社的成立，蒲伯英創辦人藝戲劇學校，南國藝術學院的創立始末，國立藝術專門學校戲劇系，文學研究會與創造社時代，早期的話劇作者與作品）；四、北伐時期的劇運（革命戲劇之口號的提出，向培良主持推動「血花劇社」，感傷主義戲劇的出現，廣東成立戲劇研究所，國外歸來的幾位戲劇家，引進外國劇本的早期翻譯，林語堂「子見南子」演出的風波）；五、建國十年的戲劇建設（中央創辦國立戲劇學校，中國旅行劇團之組織創立與其旅行演出，山東省民眾教育館與省立劇院，河北定縣農民劇場之成績，「賽金花」的禁演事件，崛起中國劇壇的劇作家曹禺，首都及各大都市劇運）；六、抗戰時期所獲致心戰偉績的劇運（話劇與救亡運動，抗戰戲劇諸種型式的演出方式，抗戰初期上演的劇本，抗戰話劇的整體發展，戰時之戲劇教育，戰時之劇本創作，戰時話劇之理論與實用著作）；七、戰時上海孤島的劇運（淪陷前期的劇運，淪陷後期的劇運）；八、戡亂戲劇的興起（本期的話劇組織及演出，本時期的劇本創作與出版，本時期之理論與評介，本時期之戲劇教育）；九、臺灣復興基地劇運的蓬勃發展（文化建設的實施與文建會成立，兒童劇運的興起與成長，全國文化中心的興建及臺北市文化活動中心，新象藝術中心與《遊園驚夢》的公演，蘭陵劇坊與《荷珠新配》的演出，實驗劇的出現與前瞻，國立藝術學院的誕生，星星實驗劇團與中華漢聲劇團，教育部舉辦全國大專院校話劇比賽，興建中的國家劇院，振興劇運的前途展望）；一〇、海外劇運動態（星馬地區，新加坡地區，菲律賓地區，香港地區，美國地區，加拿大地區）；附錄（臺灣復興基地戲劇作者小傳，參考書目表，圖片說明）。

〈書評〉

1. 姜龍昭，〈中國話劇史讀後〉，大華晚報，11 版，1986 年 3 月 2 日。
2. 姜龍昭，〈戲劇工作者的腳印——中國話劇史評介〉，文訊，24 期，頁 44 -
   46，1986 年 6 月。　　　　　　　　　　　　　　　　　　（連文萍）

中國話劇的孕育與生成

袁國興著，臺北，文津出版社，263 頁，1993 年 3 月初版。

袁國興（1953 - 　　 ），山東牟平人。東北師範大學文學博士，現任教於哈爾濱師範大學中文系。編有《中國現代比較戲劇文學史》、《中國喜劇史》、《中國現代文學史》等。

本書爲作者於 1991 年通過的博士論文，孫中田指導，列爲文津出版社《大陸地區博士論文叢刊》第三十八種。作者以爲，早期話劇的文化史價值，大於它實際取得的藝術成就，這是值得看重的，而以純文學、純藝術的眼光去給予探討，讓它在自己的位置上煥發光彩，較之把早期話劇當作辛亥革命史料、政治逆轉的附庸等等研究觀點，更別具意義。本書由話劇的基本性質談起，分析探討中國話劇的形成因素及實際演進的狀況，包括當時人如何看待外國戲劇、西方與日本的戲劇如何影響中國話劇，乃至初期話劇的文學、眞正登上劇場的實況等等探討，書末並附有三個相當有用的資料：〈早期中國話劇編目〉、〈早期中國話劇大事年表〉、〈早期中國話劇研究資料目錄索引〉，不但是其寫作論文的紮實基礎，也提供讀者進一步尋繹的憑藉。

〈目次〉

　　序；一、我的選擇（一個跨世紀的產兒，大轉折中的外傾心態與「錯位」，藝術在那裡?）；二、歐風東漸的進化鍵（中國人最初怎樣看外國戲劇，一個「神話」的追求，另一種戲劇模式的滲入，新形式的衝動，第一步與第二步）；三、來自日本的衝擊波（契機與火種，搖籃與窗口，「壯士芝居」與「天知派」新劇，「新派」演藝的反響，心靈的撞擊與隔膜）；四、西方的誘惑（浸潤與媾合，義理與人情，悲劇與「圓形」世界，類型與個性）；五、《不如歸》與「家

庭戲」(她爲什麼受寵？裡應外合，依附與剝離，消彌與分化)；六、型式學步錄(「但說白而不唱」、「終夜一出，分三、四節」、「全其神以待演者」、「文學革新之一種」，「範型」的推敲)；七、走出襁褓(最後的爭吵與分手，另闢蹊徑，戲劇文學熱，一個逐漸清晰的面影)；附錄；後記。　　　　　(連文萍)

五十年來的中國電影

鐘雷編著，臺北，正中書局，158 頁，1978 年 2 月二刷。

　　鐘雷(1920－　　　)，本名翟君石，河南孟縣人，中國大學及軍校畢業，服務軍中十二年。曾任中央半月刊及中央文物供應社總編輯、中華民國影劇協會常務理事等。著有話劇劇本《尾巴的悲哀》、《華夏八年》等，由中央電影公司攝製的影片有《碧海同舟》、《苦女尋親記》、《歸來》等多種。

　　本書爲《現代中國文藝叢書》之一，於 1965 年 4 月初版，作者之撰作，乃是應「中國文藝協會」之邀，擬由五十年來中國電影事業發展概況中，檢討過去，把握當前，進而有效的策畫未來，同時也呼籲成立「電影圖書館」。全書由電影之傳入中國起始，論述初期影業的發展、抗戰及勝利後的影業、復興時期的臺港影業，大抵言簡意賅，脈絡分明，然由於寫作立場與取捨角度，作者對於「左派」的影業活動及發展，較少論述，此或使本書的呈現面較爲偏狹，不過，大體而言，中國電影的成長與風貌，是頗爲清晰的描繪了。

〈目次〉

　　一、中國電影初期的開創發展(由移植而萌芽，在競爭中拓展，從無聲到有聲)；二、抗戰及勝利後的影業概況(抗戰後方的影劇事業，淪陷地區的電影事業，勝利以後的中國影業)；三、復興時期的臺灣電影事業(自由中國的電影事業，香港地區的自由影業，電影政策與影業前途)。　　　(連文萍)

中國電影史

杜雲之著，臺北，臺灣商務印書館，3 冊(194、168、210 頁)，1972 年

4、5、7月初版。

　　杜雲之（1923－　　　），江蘇松江人。上海光華大學文學士，中國新聞專科學校研究科畢業。抗戰期間即從事抗日戲劇運動，勝利後從事新聞工作，後轉入影視界，專任臺視、中視編劇。曾於國立臺灣藝專、私立世界新專等校教授電影史，著有《美國電影史》、《中國的電影》、《中國電影七十年》、《中華民國電影史》等。

　　中國之有電影，約可上溯自清代末年，然電影工業之建立，則爲民國十年以後的事，歷史雖不悠久，而其間歷經時局變化，影片的內涵、影業的發展、影人的起落，仍有其因革變遷，需要一部電影史予以記錄。作者曾在國立臺灣藝專教授「電影史」，爲了編講義，即開始著手收集整理史料之工作。後趁在香港任編劇之便，收集的資料愈加豐富；初稿完成後，1967 年冬，以《中國電影史話》爲名，在《民族晚報》連載，經年餘刊完。後又經兩年整理，增補修改，才完成此書，可見此書工程之浩大及作者著述之用心。

　　作者將中國電影的發展，分爲三個時期：一、自清光緒 22 年至民國 26 年 7 月 7 日（1896－1937），這是電影傳入中國，從最早的拍片到中國影業的成熟時期。二、自民國 26 年 7 月 7 日至民國 39 年底（1937－1950），這是電影界歷經抗日戰爭勝利復員和大陸陷共等大變動的時期。三、自民國 40 年至民國 59 年（1951－1970），這是臺灣和香港自由電影界繁榮發展的時期。本書根據這樣的歷史發展編撰完成，每一時期編成一冊，共計三冊。全書條理清楚，資料豐富，對影業發展與時代背景的關係，均能掌握得宜，唯內容稍嫌繁複，章節過於瑣碎，但作者在摸索撰寫中國電影史之初，有這樣成績，已屬不易。

〈目次〉

　　第一冊：圖片（12 頁）；自序；概說；一、創始時期；二、商務印書館和文敎電影；三、明星影片公司成立前後；四、默片的黃金時代；五、聯華影業公司和電影革新運動；六、有聲電影的時代；七、「左翼電影」的興衰；八、電影檢查、輔導和國營影業；九、抗戰以前的電影界；一〇、三十年代的編導演員和作品。第二冊：圖片（12 頁）；一一、抗戰初期的電影界；一二、大後方的電影界；一三、香港電影界支持抗戰；一四、上海租界影業復甦；一五、

日本統制淪陷區影業；一六、抗戰勝利後國營影業；一七、抗戰勝利後民營影業；一八、左派電影與「統戰」；一九、抗戰勝利後香港電影界；二〇、四十年代的編導、演員和作品。第三冊：圖片（16頁）；二一、光復前後的臺灣電影界；二二、政府遷臺後的影業發展；二三、臺灣的國營影業機構；二四、臺灣拓展民營影業；二五、臺語影片的興衰；二六、香港建立自由電影界；二七、星馬控制香港影業；二八、臺灣影業的起飛；二九、五十、六十年代導演與演員；附錄：大陸電影界眞相。（節目從略）　　　　　　　（黃文吉）

中華民國電影史

杜雲之著，臺北，行政院文化建設委員會，2冊，700頁，1988年6月初版。

作者另有《中國電影史》，已著錄，生平見前。

本書是根據《中國電影史》重加整理充實，增添史料，並重新改寫而成，時間也延長記述到1983年。全書由「電影發明的先導」——漢代的燈影戲談起，認爲中國實乃「影戲」的發源地，爾後即迅速述及電影的傳入中國等等命題，大抵以時間爲論述綱領，分別描述各時期影業動態、知名電影公司、導演與藝人、各類型電影與其發展等，堪稱周備。尤其此書是將舊作整理改寫，所以無論內容的剪裁，或章節的安排，都較舊作嚴謹合理，是一部記錄中華民國電影發展歷程的經典之作。

〈目次〉

上冊：序；一、中華民國成立前（中國的影戲，電影傳入中國，開發電影市場，早期拍片活動）；二、中華民國成立之後（革命影片，亞細亞影戲公司，《黑籍冤瑰》和《莊子試妻》）；三、華商自創電影事業（商務印書館活動影戲部，文教和商業的矛盾，中國影片製造公司，最早故事長片，洋商插手拍片）；四、默片時代（上）（明星影片公司，大中華百合影片公司，天一影片公司）；五、默片時代（下）（長城畫片公司，神州影片公司，民新影片公司，各中小型電影公司，影業競爭，影片成本和市場）；六、中國電影革新運動（羅明佑

的興起，電影革新計畫，聯華影業公司，三大公司鼎立）；七、有聲電影的來臨（有聲電影傳入中國，最初的有聲電影，自製有聲電影器材，「一二八」滬戰的影響）；八、建設影業反制逆流（左翼電影的出現，滲透各大公司，反制左派逆流，建設國營影業）；九、中國電影的成熟期（作品傾向，影業興替，卡通影片）；一〇、三十年代編導和作品（已成名的編導，鄭正秋晚年作品，新銳導演，左派編導）；一一、抗戰時期後方影業（影人參加抗戰，抗戰中期的發展，抗戰後期的拍片）；一二、抗戰時期香港影業；一三、抗戰時期上海影業（「孤島」上海時期，日本控制淪陷區影業）；一四、抗戰勝利後國營影業（接收淪陷區影業，「中電」的出品，長春電影製片廠，「中製」、「實電」及其他機構）。下冊：一五、抗戰勝利後民營影業（吳性栽影業集團，柳氏兄弟影業集團，獨立製片公司）；一六、「統戰電影」的魅影（勝利後的電影「統戰」，崑崙影業公司，變色後的電影界）；一七、抗戰勝利後香港影業（勝利初期的發展，永華影業公司，「長城」和左派活動）；一八、四十年代編導和作品（影片的內涵，成名的導演，新進的導演）；一九、臺灣光復前後電影界（光復前的電影界，光復後的電影界）；二〇、復興基地重建影業（「農教」時期，中央電影事業公司，「中製」和「臺製」）；二一、臺灣的民營影業（臺港合作拍片，臺語片的興起）；二二、香港自由電影界（自由電影界的興起，「永華」的衰落，亞洲影業公司，「新華」和獨立製片公司）；二三、五十年代的導演和作品（影業的變遷，已成名的導演，新進的導演）；二四、香港影業「大公司時代」（電影懋業公司，邵氏兄弟公司）；二五、臺灣影業金色年代（國聯影業公司，聯邦影業公司，繁榮和增產，「中影」健康寫實路線，「中製」和「臺製」）；二六、六十年代的導演和作品（作品的風尚，已成名的導演，新進的導演）；二七、七十年代新形勢（嘉禾影業公司，「新藝城」和「德寶」，國營影業機構，民營公司的影片）；後記。　　　　　　　　　　　　　　　　　　　（連文萍）

三、小說史

中國小說史

葛賢寧著，臺北，中華文化出版事業委員會，213 頁，1956 年 11 月初版。

作者另有《中國詩史》，已著錄，生平見前。

中國小說濫觴於周秦之際，爾後即爲學界斥爲小道末技，而文人也每作爲游戲筆墨之用，致其發展多舛，直至民國肇始，五四文學革命一起，小說之地位亦隨之陡升，國人研究小說的風氣大盛，鑽研者日衆，惟侷限於作品內容之論述，或作者生平之考辨，未見探史觀縱論小說遞嬗之跡者。本書即專以小說內容與形式的演變爲綱要，並探究辨析各代小說的版本及時代社會的反映。此外，亦分章陳述小說所表現的思想，及其對民間戲劇所造成的影響。

本書主述中國小說兩千餘年來的變化，至民國二十年（1931 年）左右，新小說蠭出乃止。作者於魏晉南北朝的述異志怪一章後，又別立一章論述晉宋梁隋的清談思想及清談錄；而對於宋、明過渡期的元代小說，亦有專章分析其發展特色，此外又細分明、清小說之類型，兼析其代表作品之風格，而民初以後則介紹「文學革命」與小說地位的提升，概論國內學者對舊有小說的研究與整理。甚且探究翻譯歐美小說的風潮及其影響。大抵而言，全書立論中肯，而敘述簡明扼要，少有冗言，頗利於入門學者閱讀。

〈目次〉

一二、清代的人情小說；一三、清代的俠義小說與社會小說；一四、民國初期
新小說的醞釀。　　　　　　　　　　　　　　　　　　　　（孫秀玲）

中國小說史

孟瑤著，臺北，傳記文學出版社，2 冊，706 頁，1991 年 4 月二刷。

作者另有《中國文學史》，已著錄，生平見前。

本書於 1966 年 3 月，由臺北：文星書店初版。1980 年 10 月，改由傳記
文學出版社出版，皆爲四冊本。1986 年 1 月再版時，則改裝爲二冊。

本書是以魯迅《中國小說史略》爲依據，再加入一些新資料，尤其增加了
講唱文學部分，如變文、彈詞、鼓詞等。作者考查了從先秦到清，不同歷史時
期中，不同文學作品的形態、產生原因、思想內容、藝術價值及其對後世的影
響。在論述上，比起魯迅更爲詳盡明白，並力求條理清晰，除講唱文學之外，
其他各類所增加的材料也不少，由作者條目列舉中，可看出其爬梳整理工夫的
細密。全書尤其注重作品評價的分析，作爲一部瞭解中國小說發展概要的小說
史而言，本書極具參考價值。

〈目次〉

序；諸論；先秦：神話、傳說、野史、寓言。漢魏六朝：甲、兩漢（漢書
藝文志所載小說，今存之漢人小說）；乙、魏晉南北朝（志怪之書，志人之
書）。隋唐五代：甲、傳奇（何謂傳奇，興起原因，傳奇的特徵，傳奇的名著，
價值，影響）；乙、雜俎（隋唐嘉話和大唐新語，酉陽雜俎，唐國史補，因話
錄，大唐傳載，幽閒鼓吹，雲溪友議，杜陽雜編，唐摭言）；丙、變文（何爲
變文，變文來源，發現經過，形態，內容，變文的時代，影響）。宋元：甲、
舊傳統的承襲──傳奇與雜俎（傳奇、雜俎），乙、新疆域的開拓──白話小
說的創興（變文的發展，宋元的白話小說）。明：甲、短篇小說（文言小說，
白話小說）；乙、長篇小說（三國志演義，水滸傳，西遊記，金瓶梅）。清：
甲、文言小說（蒲派的代表作──聊齋志異，紀派的代表作──閱微草堂筆
記）；乙、白話小說（儒林外史，紅樓夢，鏡花緣及其他，兒女英雄傳及其

他）；丙、彈詞與鼓詞（彈詞及其他，鼓詞，價值，比較）；丁、晚清小說的繁榮（原因，刊物，理論，特色，創作，翻譯，末流）。附錄。

〈書評〉

1. 鄭明娳，〈評孟撰中國小說史〉，書評書目，2 期，頁 51－58，1972 年 11月。　　　　　　　　　　　　　　　　　　　　　　　　　　（林明珠）

中國歷代著名小說史話

劉子清著，臺北，黎明文化事業公司，207 頁，1980 年 12 月初版。

　　劉子清（1906－　　　），江西人。黃埔軍校二期畢業。曾任江西省政府祕書長兼民政廳長、陸軍總政治作戰部主任等，中將退役後，曾任中正理工學院教授。著有《中國歷代人物評傳》、《中國歷代故事述評》、《中國歷代賢能婦女評傳》、《中國歷代戰地政務史話》等。

　　作者有感於中國歷代小說汗牛充棟，喜歡看小說的人如果在選看小說之前，先瞭解一本小說的大略，豈不更方便，更有趣味。於是從漢至清共選介著名小說六十八本：漢六本、魏晉南北朝五本、唐十五本、宋十一本、元明間四本、明十本、清十七本。作者評介這些小說時，主要參考書籍是：漢魏晉的小說集、李昉編的《太平廣記》、蔣瑞藻《小說考證》、鄭振鐸《中國文學史》及《中國俗文學史》、魯迅《中國小說史略》、孟瑤《中國小說史》等書。全書內容大都由以上書籍提煉出來，另外再加作者一點說明和評論，文章淺顯通俗，可作為一窺古典小說的入門書籍，並無學術上之建樹。

〈目次〉

　　前言；一、中國小說的由來與演變；二、漢朝時期的著名小說（神異經，十洲記，漢武帝故事，漢武帝內傳，漢武帝洞冥記，西京雜記）；三、魏晉南北朝時期的著名小說（搜神記，續齊諧記，語林，世說新語，笑林）；四、唐朝時期的著名小說：上篇（古鏡記，遊仙窟，枕中記，長恨歌傳，李娃傳）；五、唐朝時期的著名小說：中篇（鶯鶯傳，南柯太守傳，謝小娥傳）；六、唐朝時期的著名小說：下篇（柳毅傳，霍小玉傳，柳氏傳，虯髯客傳，劉無雙

傳，玄怪錄，變文小說）；七、宋朝時期的著名小說：前篇（太平廣記，稽神錄，江淮異人錄，夷堅志，綠珠傳，南部煙花錄）；八、宋朝時期的著名小說：後篇（新編五代史平話，京本通俗小說，簡帖和尚，大唐三藏法師取經記，大宋宣和遺事）；九、元明間人的著名小說：前篇（新全相三國志平話，三國志演義）；一〇、元明間人的著名小說：後篇（隋唐演義，水滸傳）；一一、明朝時期的著名小說：前篇（西遊記，封神榜，東周列國志，精忠傳）；一二、明朝時期的著名小說：後篇（金瓶梅，續金瓶梅，玉嬌梨，平山冷燕，好逑傳，今古奇觀）；一三、清朝時期的著名小說：（一）（聊齋志異，閱微草堂筆記五種）；一四、清朝時期的著名小說：（二）（儒林外史，紅樓夢）；一五、清朝時期的著名小說：（三）（燕山外史，鏡花緣，品花寶鑑）；一六、清朝時期的著名小說：（四）（花月痕，青樓夢，海上花列傳）；一七、清朝時期的著名小說：（五）（兒女英雄傳評話本，三俠五義）；一八、清朝時期的著名小說：（六）（官場現形記，二十年目睹之怪現狀，九命奇冤，老殘遊記，孽海花）；編後附記。

（林明珠）

中國小説史

韓秋白、顧青著，台北，文津出版社，363 頁，1995 年 6 月初版。

韓秋白（1936 -　　），河南沈邱人。北京中央民族學院漢語系畢業。現任中央民族學院漢語系副教授、古代漢語教研室主任。著有《中國古代文學史》、《白話世說新語》、《漢語成語辭典》等。

顧青（1964 -　　），上海人。北京大學中文系畢業，現任北京中華書局古典文學編輯室編輯。

本書為文津出版社邀請大陸學者劉如仲、李澤奉主編之《中國文化史叢書》第二十四種。作者有鑒於中國古代小說具有文言小說和白話小說兩種不可混淆的涵義，並由此分為兩個相對獨立的系統，因此全書分為上下編，對這兩種自成體系的小說分而論之，以使讀者對中國古代小說的淵源與演變能有比較清晰的認識。中國古代小說，源遠流長，作品極富，作者極多，流派紛繁，水

平參差。本書以樸素平實、正本清源爲目標，力圖在現有的材料和研究成果的基礎上，講清每一部有影響的作品、每一個有成就的作家、每一種存在過的流派，對中國古代小說演變的脈絡作一切實的把握。全書條理清楚，體例嚴整，不僅對每一類型的代表作有詳細的解說，其他次要的作品也介紹不少，比一般的文學史內容詳盡許多。而且作者說明小說的思想主題時，已能擺脫過去大陸學者受限於意識形態的說法，雖然偶而也難免有積習未盡革除之處，如說《水滸傳》是「農民起義者絕佳的教科書」，但一般論說大致客觀公允。唯一比較粗疏的，是作者對各類型小說的產生背景，分析不夠透徹，如唐代傳奇的產生原因並沒有深究，令人覺得美中不足。

〈目次〉

說）；一一、綠野仙蹤和清代神魔小說（概述，綠野仙蹤，鏡花緣，歷史題材的神魔小說，宗教和民間神魔小說）；一二、李漁和清代擬話本小說（概述，李漁和無聲戲、十二樓，清代其他擬話本集）；一三、明清公案俠義小說（概述，明代公案小說，清代公案俠義小說，武俠小說）。　　　　（黃文吉）

中國寓言傳記研究

安秉㿔著，國立政治大學中國文學研究所博士論文，304 頁，1987 年 7 月，高明、呂凱指導。

安秉㿔（1935－　　　），韓國人。韓國明知大學碩士，國立政治大學中文研究所文學博士。現任教於韓國國民大學。著有《韓國假傳文學研究——韓中比較文學的見地》、〈先秦寓言之特徵〉、〈中國寓言傳記之源流〉、〈魏晉南北朝雜傳與寓言之關係〉等。

本書所指的寓言傳記，即是列傳體寓言。形式上為列傳體，內容為寓言，而有諷刺、勸諭、說理、褒貶之目的者為研究對象。研究目的，則在於考察中國文學正史上此類作品所佔的地位與功用。其範圍雖不大，然據作者考察可知，寓言與傳記為合的意義有三：一是歷史意識嫁接於文學主題，二是以滑稽立傳而兼有反諷義者，三是以微者奇行立傳而擬改變社會觀念者。以上三者則其形式上有家傳、托傳、假傳為代表，尤以前兩者為文章家常用，相襲不絕，其影響所及亦不少，如晚明小品的傳狀類、各種小說亦有寓言與笑話，滑稽與諷刺等等。本書整體觀察列傳體的寓言運用，為前此研究者所無，可為參考。

〈目次〉

一、緒論（先秦寓言之概念，中國傳記之特性，中國寓言傳記之定義，寓言傳記之選定標準及研究範圍）；二、寓言傳記形成之背景（賦與寓言之關係，史傳與寓言之關係，別傳與寓言之關係，魏晉南北朝雜傳中之寓言因素）；三、唐代寓言傳記之形成（唐代反駢文論及古文運動，唐代傳記之演變及寓言之運用，枕中記與毛穎傳之衝激）；四、寓言傳記之體裁與內容（結構形式，題材，內容與主題）；五、寓言傳記之評價（文體之成就，內容之特色，諷刺與笑話

之成就，對後世之影響）；六、結論；參考書目。　　　　　　（林明珠）

中國筆記小說史

吳禮權著，臺北，臺灣商務印書館，317 頁，1993 年 8 月初版。

吳禮權（1964－　　　），安徽安慶人。安徽淮北煤炭師範學院中文系畢業，上海復旦大學文學碩士。現任復旦大學中文系、中國語言文學研究所講師。著有《中國言情小說史》、《明清小說史》、《語文論文集》、《愛情新詩鑑賞辭典》、《游說‧侍對‧諷諫‧排調：言辯的智慧》等。

所謂「筆記小說」，根據作者下的定義：就是那些以記敘人物活動（包括歷史人物活動、虛構的人物及其活動）為中心，以必要的故事情節相貫穿，以隨筆雜錄的筆法與簡潔的文言、短小的篇幅為特點的文學作品。本書是作者花了八年功夫，閱讀過成百上千種筆記作品之後，所完成的第一部有關中國筆記小說演變歷程的專著。全書以時代為序，將中國筆記小說的發展分為六個階段。首先是先秦時代的萌芽、孕育期；其次是漢代的起步期；三是魏晉南北期的關鍵期；四是唐宋時期的鼎盛期；五是元明時代的式微期；六是清代的繁榮期。民國之後，由於白話文學的興起，以文言為載體的中國筆記小說便完全絕跡了。作者在闡述各期的筆記小說時，對於其創作特點與發展原因，都有詳盡的分析，在列舉重要作品時，亦能予以客觀公允之評價，甚至次要或非主流的作品，作者也都能觸及，以求完整地呈現中國筆記小說的發展全貌。尤其作者以輕鬆優美的文筆，敘事活潑生動，析理圓熟細密，更屬難能可貴。

〈目次〉

自白；一、導論（「筆記小說」概念的界定，中國筆記小說的淵源，中國筆記小說的發展歷程）；二、初出茅廬第一功：漢代的筆記小說創作（特點及其產生根由；徐娘未妝時，風韻已奪人：今所見漢人筆記小說一覽）；三、亂世出英雄：魏晉南北朝的筆記小說創作（特點及其產生的社會歷史背景；張皇鬼神，稱道靈異：志怪類筆記小說；清談為經濟，放達託人生：軼事類筆記小說）；四、海上明月共潮生：唐代筆記小說的空前繁榮（繁榮發展的原因；萬

里長城今猶在：志怪派筆記小說；網羅遺逸三百載：國史派筆記小記；憶昔開元全盛日：軼事派筆記小說；躲進小樓成一統：事類派筆記小說；江南草長雜花生：雜俎派筆記小說；時運維艱文章在：五代時期的筆記小說）；五、把酒臨風話滄桑：宋代的筆記小說創作（發展的原因；強弩之末嘆逝流：志怪派筆記小說；文章學問兩風流：雜俎派筆記小說；情深意長述見聞：國史派筆記小說；囊括諸品成一編：宋代之筆記小說總集）；六、時過境遷嘆式微：元明的筆記小說創作（走向衰微的原因；四顧茫茫獨愴然：元代的筆記小說創作；煙銷霧散不見人：明代的筆記小說創作；尋章摘句蔚成風：元明筆記小說的彙編）；七、夕陽無限好：清代的筆記小說創作（特點及其成因；無限風光在險峰：貴在創新的《聊齋誌異》；心有餘而力不足：《新齊諧》等蒲派作品之創作；迭開風氣更登場：《閱微草堂筆記》及其同派作品之創作；長河漸落曉星沈：清代其他派系的筆記小說創作與彙編）。　　　　　　　（黃文吉）

中國筆記小說史

陳文新著，臺北，志一出版社，533 頁，1995 年 3 月初版。

　　陳文新（1957－　　），湖北公安人。武漢大學中文系畢業，武漢大學研究生院文學碩士。現任武漢大學副教授。著有《中國文言小說流派研究》、《中國傳奇小說史話》、《禪宗的人生哲學》、《士人心態話儒林》等。

　　中國古代的文言小說，大略而分，包括筆記體和傳奇體兩種。中國的筆記小說，則可分爲志怪小說、軼事小說二體。志怪與軼事的審美追求有相當大的差異，如志怪中的「博物」體、「拾遺」體、「搜神」體，軼事中的「瑣言」體、「排調」體、「逸事」體，皆各有不同的旨趣。作者希望藉著本書，能夠準確、清晰揭示出筆記小說的審美特性及其各體的演變線索，以引導讀者欣賞中國筆記小說。

　　全書共分十三章，除首章探究筆記小說的文體歸屬與審美品格外，其他各章則按時代爲序，分別敍述志怪小說及軼事小說的萌芽、發展、成熟與繁榮，對各朝代的志怪及軼事小說皆有詳細的介紹，尤其作者重視文體的分類，綱舉

目張，將作家及作品繫於各文類之下，顯得源流清楚，特性分明，這是作者撰寫本書的一個長處，如介紹宋代軼事小說時，特別將它和唐人傳奇作比較，以凸顯其特質，並將豐富多采的宋代軼事小說分為：雜錄型、叢談型、小品型、排調型、都市生活的素描、門戶之見的浸染等不同類型，並舉出各類型的代表作家及作品，共介紹了十餘部宋代軼事小說，內容相當豐富，卻不覺枝蔓瑣碎，可見作者善於歸納辨體。本書在吳禮權《中國筆記小說史》之後推出，寫法各有千秋，吳禮權重在分期，本書則重在辨體，若就所介紹的作家及作品而言，本書是較為詳備。

〈目次〉

從《池北偶談》到《子不語》，近情、幽默、魏晉風度：《閱微草堂筆記》,《閱
微草堂筆記》的後裔）；一三、清代軼事小說（《今世說》與王晫心態,《板橋
雜記》及其他,「排調」的魅力）；結束語。　　　　　　　　　　（黃文吉）

中國傳奇小説史話

陳文新著, 台北, 正中書局, 573 頁, 1995 年 3 月初版。

作者另有《中國筆記小說史》, 已著錄, 生平見前。

傳奇體小說和筆記體小說, 是中國古代文言小說的兩大類型, 傳奇體醞釀
於魏晉南北朝, 成熟並大盛於唐, 宋元明三代, 因接納話本小說的諸多因素而
形成新的品格, 至清, 產生了融志怪與傳奇爲一體的輝煌傑作—《聊齋誌異》。
傳奇小說的發展, 構成中國小說、中國文學乃至中國文化的一個重要側面。本
書針對傳奇小說的發展歷程進行宏觀與微觀相結合的描述, 並略作評議。

作者在撰述的過程, 極爲重視文體規範的探討, 認爲將不同的文體混爲一
談, 忽視各自的獨特規定性, 將導致學術研究的盲目性, 因此書中對唐代的詩
意傳奇, 宋代的話本體傳奇, 以及在兩種類型融合的基礎上產生的明清傳奇小
說, 皆揭示出各自的特點。另外作者也重視對古代作家心理狀態及古代作品內
涵的準確理解, 不提倡那種居高臨下、隨意臧否的價值批評, 而致力於復活具
體的歷史情景, 以期使讀者亦能設身處地閱讀古人的小說。

全書除很系統地論述傳奇小說的發展歷程外, 在列舉作家及作品時, 亦有
很詳細深刻的分析, 對瞭解鑑賞傳奇作品頗有助益。

〈目次〉

自序；一、緒論（傳奇之「奇」的具體內涵, 傳奇小說何以成熟於唐代,
傳奇小說的兩大類型）；二、初期唐人傳奇：從志怪向傳奇的過渡（單篇傳奇
的問世, 小說集中的傳奇, 初期唐人傳奇的審美追求）；三、盛期唐人傳奇：
面向「無關大體」的浪漫人生（實錄家的傳奇, 詞章家的傳奇, 詞章與實錄並
重,《玄怪錄》及《通幽記》, 盛期唐人傳奇的審美追求）；四、中期唐人傳奇：
憂患之潮（《玄怪錄》的三部續書, 兩部《集異記》, 抑鬱的吶喊, 亂世的悲

概,《楊娼傳》與《無雙傳》、《東陽夜怪錄》,「假小說以施誣蔑」,《異聞集》中的無名氏之作,中期唐人傳奇的審美追求);五、晚期唐人傳奇:反省與叛逆(對崇高的調侃,以議論爲小說,皇甫枚《三水小牘》,《靈應傳》與《虬髯客傳》,晚期唐人傳奇的審美追求);六、宋代傳奇衰落的原因及其表徵(「率俚儒野老之談」,表徵種種);七、宋代的傳奇小說(樂史與秦醇,關於隋煬帝的幾篇傳奇,張實與柳師尹,其他無名氏的傳奇);八、明代傳奇:復甦與發展(散文的傳奇化,話本體傳奇的新生,趨於兩極的主題分布);九、清代傳奇小說興盛的歷史機遇;一〇、清初:綿延相續的傳奇風韻(古文家的傳奇,筆記中的傳奇);一一、《聊齋誌異》:古代傳奇體小說的巔峰(「狂」:蒲松齡的自我確認與人生感概,「癡」:蒲松齡的執著與天眞,才士的優越感及其向敍事的滲透,文體:以抒情爲基點的多樣追求,《聊齋誌異》的三種情調,《聊齋》與社會審美風尙的變化,餘論:抒情與寫實的關係);一二、《聊齋誌異》後的清代傳奇(蒲松齡的追隨著,異軍突起的《浮生六記》);結束語;跋。

(黃文吉)

中國言情小說史

吳禮權著,臺北,臺灣商務印書館,420 頁,1995 年 3 月初版。

作者另有《中國筆記小說史》,已著錄,生平見前。

中國小說創作可謂源遠流長,其中言情小說無論在數量上、藝術上都令人矚目。可惜迄今尙未有人爲中國言情小說撰寫發展歷史,作者有感於言情小說在中國整個小說史上的獨特地位,爲彌補這段空白,因而有此之作,並希望能拋磚引玉,引起學界對中國言情小說史研究的重視。

所謂「言情小說」的「情」,是專指男女之情,故本書所探討的對象是指敍寫男女情愛一類的小說作品。「男女情愛」是泛指,因而它涵蓋各種男女情事(也包括同性戀),與普通觀念的「愛情小說」有所區別。作者在界定「言情小說」概念之後,接著將中國言情小說發展史分爲四期:漢魏南北朝是萌芽期,唐代是發展成熟期,宋元是轉捩期,明清是鼎盛期,每一期都立專章討

論，對不同時期的創作特點及歷史背景、盛衰緣由等都進行了深入細緻的分析。在縱覽全局的基礎上特別對《金瓶梅》、《紅樓夢》等傑作作了典型解剖與評價，從而將中國言情小說發展史勾勒得既全面而又線條分明。作者在敍寫嚴肅的學術課題，習慣運用輕鬆的筆調，每一小節都配以詩句當標題，頗能凸顯該小節之內容，故全書文字趣味活潑，不覺枯澀單調。唯作者探究中國言情小說之發展史，至清代則戛然中止，其實民國以來的言情小說亦極為發達，亦應一併寫入才顯得圓滿完整。

〈目次〉

情小說之狹邪派作品創作；煙波澹蕩搖空碧，樓殿參差倚夕陽：清代其他派別的長篇白話言情小說之創作；桃花一簇開綠叢，懶困春園漾微風：清代中短篇言情白話小說之創作；夕陽無限好，祇是已黃昏：清代文言言情小說之創作）。

（黃文吉）

六朝小説之研究

全寅初著，國立臺灣大學中國文學研究所碩士論文，171 頁，1972 年 5 月，葉慶炳指導。

全寅初（1944 -　），韓國人。延世大學碩士，國立臺灣大學中文研究所碩士、國立臺灣師範大學國文研究所博士。現任教於延世大學。著有《漢·唐傳奇小說研究》、〈中國新文學運動之遠因與近因考〉、〈中國小說之歷史演變考〉等。

本論文係針對六朝小說做一整體之研究。全文計分九章，十七節。首先考述小說名稱之緣起及歷代對小說的價值觀；其次，則深入檢視六朝小說的時代背景，並界定六朝小說的範圍。之後，則將六朝小說加以歸納分類，進而析論其內容特色。且對小說之作者詳加評介。第七、八章則著重探討方術思想與六朝小說之關係，及六朝小說對唐代傳奇小說所生之影響。末尾則總結前文，給予六朝小說客觀之論評。

本論文取材主以宋李昉《太平廣記》所收錄之六朝志怪小說為據，而以《隋書經籍志》及《兩唐志》、《龍威秘書》、《說郛》、《漢魏叢書》加以補充而成。唯論述稍顯疏淺，不夠深入。

〈目次〉

色）；七、方術思想與六朝小說之關係（何謂方士和方術，方士列傳與方術之內容，小結）；八、六朝小說與唐代傳奇小說之關係（唐代傳奇小說之產生，六朝小說與唐代傳奇小說之比較，小結）；九、結論；附：參考書及論文目錄。

（孫秀玲）

六朝志怪小說研究

周次吉著，臺北，文津出版社，162 頁，1990 年 9 月三刷。

周次吉（1942 -　　），臺北市人。國立政治大學中文研究所碩士、博士。現任敎於國立屏東技術學院。著有《神異經研究》、《唐代女子身分與生活研究——以史傳與見知碑誌爲範圍》等。

本書爲作者於 1971 年通過之碩士論文，王夢鷗指導，1986 年由文津出版社初版。

本書所討論的志怪書目共四十三冊，按照時代先後次序，分析其集本、內容，以及故事傳承的經緯，此爲全書的主要部分。此外，前有六朝志怪小說盛行的背景一篇，以及結論一篇分析六朝志怪之貢獻，並將中篇志怪之內容分析加列統計說明。全書所探討的問題，雖不甚詳備，但開啓研究六朝志怪小說，其功不可沒。

〈目次〉

第一篇、緒論：一、六朝志怪小說盛行之背景（巫覡風尙之綿延，陰陽五行之傳承，神仙長命之不疑，佛敎思想之始盛，道敎設壇之蹤跡，儒學衰頹之機運）；二、太平廣記與古小說鉤沈；三、本文引用之志怪書目商榷。第二篇：本論（本文討論所及之志怪書目，凡四十三冊，援依時代前後，繹其集本、內容與乎故事傳承之經緯）。第三篇：結論。六朝志怪之貢獻（補證正史，備經解之異同，今日研究人類學者所取資，神話、傳說過渡至唐人傳奇之津梁，自佛經之改寫，以見中印文化交通之景況，從而推知吾國包容外來文化之過程、演進之跡象，探討吾國文化與他國之關係，今日民間故事、傳說，甚而諸種禁忌之源泉）；內容分析統計說明；參考書目。

（林明珠）

魏晉南北朝志怪小説研究

全寅初著，國立臺灣師範大學國文研究所博士論文，317 頁，1979 年 9月，王靜芝、金榮華指導。

作者另有《六朝小説之研究》，已著錄，生平見前。

本論文凡七章，二十三節。首章導論，說明從莊子到梁啓超之間，歷代文學家的小說觀，並確立六朝小說在中國小說史上的地位。其次，上溯六朝志怪小說的淵源，進而探討其形成的社會背景與思想。再分類敍述六朝志怪小說的內容，並說明各書的作者、版本。最後，敍述六朝志怪小說對後世小說的影響，並專論中國志怪和傳奇對韓國小說的深遠影響。

整體而言，本書可算是一部簡要的中國志怪小說史，其範圍縱橫中韓兩國歷代的志怪文學，所搜羅的資料，亦堪稱宏富，使本論文在作者以史爲綱的構篇下，各章皆深具論述的價值，但資料的排比仍稍重於論見的闡釋。又本論文旨在於研究魏晉南北朝的志怪小說，也曾專立一節，簡述六朝志怪小說作者的特色，卻未見對六朝的志怪小說做一綜合性的分析闡述，僅從其列舉各書的作者與版本中，實無法深入地瞭解六朝志怪小說的內涵與特質，甚爲可惜。

因本書爲一學術性的專著，故於舉證或引用他人資料時，均已記載出處。然而，本論文中，作者雖將引用他人成說的出處記載於附注內，該出處卻未見於書末的「參考論著書目」中。如：本書頁 277 所引趙基永之說，出於《六臣傳全集》；又頁 278 所引〈金鰲新話解說〉，均未見於參考書目中，不知係爲轉引的資料，或是著錄上有誤，仍待查考。

綜言之，本書仍是瑕不掩瑜，爲中韓兩國的文學史研究，創立出新的里程碑，在歷經十年的研究後，已能確實地掌握六朝小說的眞面貌，並能深刻地認識其承先啓後的歷史地位，對於中韓文學史的研究，誠然已有相當的貢獻。

〈目次〉

一、導論（中國小說的興起及演變，先秦短篇故事，六朝小說的分類，六朝小說在中國小說在史上的地位）；二、六朝志怪小說的淵源（先秦神話傳說，

先秦史子所見的神怪故事，漢代神仙故事，結論）；三、六朝志怪小說的形成（魏晉六朝的社會與思想，六朝志怪小說的形成背景，六朝志怪小說的分類）；四、六朝志怪小說的內容（有關佛教思想影響的作品，有關道教思想影響的作品，六朝志怪小說的作者，結論）；五、六朝志怪小說的影響（六朝志怪小說與唐傳奇小說，六朝志怪小說與宋代志怪及傳奇，六朝志怪小說與明代神魔傳奇，六朝志怪與清代的文言小說）；六、志怪與傳奇對韓國古典小說的影響（金鰲新話與剪燈新話，蛟山與西浦小說，燕巖小說與春香傳，結論）；七、總結；附：參考論著書目。　　　　　　　　　　　　　　（張惠淑）

魏晉南北朝志怪小說研究

王國良著，臺北，文史哲出版社，371頁，1984年7月初版。

王國良（1948－　），臺灣臺南人。私立東吳大學中文系學士，國立政治大學中文研究所碩士，東吳大學中文研究所博士。現任私立東吳大學中文系所教授兼主任、所長。著有《唐人小說敍錄》、《六朝志怪小說考論》、《搜神後記》等。

本書為作者於1984年1月通過之博士論文，臺靜農指導。共分上、中、下三篇。上篇為概論，分析各種外圍問題，如：古小說的定義、志怪小說的範圍、形成背景、資料來源與流傳、形成與技巧、價值及影響等，可說是原委本末，面面俱到。中篇為內容分析，將志怪小說的資料分類排比，歸納其重要主題，再專章論述，經由此種舉要式的探索，可清楚掌握魏晉南北朝志怪的實際內涵。下篇為群書敍錄，計收志怪小說專集五十五部，依其流傳狀況，區分為現存、輯存、亡佚三大類。各書之排列，按其時代先後為序，所作敍錄先列書名、卷數，再考訂作者生平與著述，再次詳列歷代史志及私家書目著錄卷數的異同，並比較版本優劣，最後概述全書大要或主旨，並考辨真偽。全書體例詳備，考證嚴謹，內容充實，研究六朝志怪，極具參考價值。

〈目次〉

志怪小說）；二、志怪小說產生之背景（政治社會環境之改變，經學與方術之混淆，傳統迷信之充斥，佛道思想之瀰漫，中外交通貿易頻繁，私人撰述史傳之風氣）；三、志怪小說之作者（一般文士之屬，佛教徒之屬，道教徒之屬）；四、志怪小說之資料來源（轉錄古籍舊事，記載見聞傳說，改寫佛經故事）；五、志怪小說之流傳（傳抄僅存，刊印傳世，後人輯佚，完全散失）；六、志怪小說之形式與文學特色（志怪小說之形式，志怪小說之文學特色）；七、志怪小說之價值（輯錄古書之遺文，解釋事物之起源，補正史傳之缺漏，保存習語與方言，民俗與信仰之反映，印證中西文化之交流）；八、志怪小說對後世文學之影響（形式上之影響，內容上之影響）。中篇：內容分析。一、神話與傳說（古代神話，歷史傳說，民間故事）；二、五行與數術（五行災異，符命瑞應，數術及其他）；三、民間信仰（祠祀，法術，厭勝，禁忌，節令習俗，託夢）；四、神鬼世界（存在之肯定，形相之描述，賢愚善惡，塵念嗜欲，幽明姻緣，冥間遊行）；五、變化現象（自然變化，反常變化，精怪變化，神通變化）；六、殊方異物（動物之類，植物之類，礦物之類，雜物之類）；七、服食修鍊及仙境說（養生與辟穀，餌丹與昇仙，仙境觀念，仙境說）；八、宗教靈異與佛道相爭（神異靈應，療疾救厄，佛道爭勝，巫釋互搏）。下篇：群書敍錄。凡例：一、現存之屬；二、輯佚之屬；三、亡佚之屬。附錄：諸家書志分類異同對照表；參考引用書目。　　　　　　　　　　　　　　　　（林明珠）

唐代傳奇研究

祝秀俠著，臺北，中國文化大學出版部，152 頁，1982 年 11 月重排本。

祝秀俠（1960－　　　），廣東番禺人。復旦大學畢業。曾任教授、教育部教育委員。著有《秀俠散文》、《華僑名人錄》、《三國人物論》、《三國人物新論》等。

本書原為作者於 1937 年在廣西大學文學院講授中國小說史的部分講稿。1957 年 5 月由臺北：中華文化出版事業委員會初版，計 156 頁。本書探討的範圍，包括唐代傳奇在中國文學上的地位和成長因素，與其所描寫的戀愛故

事、俠義故事、神怪故事、史外逸聞、娼妓故事及商賈故事等。全書約十萬字，分八章，並附錄〈唐代傳奇的主要作者與作品〉，在研究唐代傳奇的專書之中，此爲成書較早，論述清晰，較具參考價值的一本。

〈目次〉

一、緒論；二、唐代傳奇成長的因素；三、唐代傳奇與戀愛故事；四、唐代傳奇與俠義故事；五、唐代傳奇與神怪故事；六、唐代傳奇與史外逸聞故事；七、唐代傳奇與娼妓故事；八、唐代傳奇與商賈故事；附錄：唐代傳奇的作者與作品。

〈書評〉

1. 鄭冠英，〈唐代傳奇研究評介〉，政論周刊，148 期，頁 24，1957 年 11 月。
2. 朱子範，〈讀唐代傳奇研究評介〉，學術季刊，6 卷 2 期，頁 134－135，1957 年 12 月。　　　　　　　　　　　　　　　　　　　　　　（林明珠）

唐代傳奇及其影響

丁範鎭著，臺灣省立師範大學國文研究所碩士論文，155 頁，1961 年，李辰冬指導。

丁範鎭（1935－　　　），韓國人。臺灣省立師範大學國文研究所碩士，韓國成均館大學中語中文學科文學博士，現任成均館大學教授。著有《新稿中國文學史》、《林語堂名文選》、《唐代傳奇研究》、《唐代小說研究》、《中國語發音》、《中國文學入門》等。

本論文先置導言，爲唐代傳奇之源流、形成之因，作扼要的考述，並援引西方的小說理論作爲比較參考。其次則選取現今流傳的唐代傳奇作品計三十七篇，依其故事題材概分爲四類：神怪、愛情、諷刺、俠義，分述其重要作品內容，作者考證，及申論各篇傳奇作品對後世戲曲及小說作品的影響。

作者認爲唐人傳奇之構想，故事題材，表現方式等，對後代文言小說及戲曲創作，皆有重大的影響，不可忽視，故自《太平廣記》中酌選唐人傳奇作品之完整精妙者，加以論述，以肯定唐人傳奇在中國古小說史上之地位。然觀其

論，似稍嫌簡略，且少有創見。惟述及影響，則用筆較力，可爲特色。

〈目次〉

導言；一、神怪之屬（古鏡記，白猿傳，柳毅傳，三夢記，湘中怨解，異夢錄，秦夢記，元無有，古元之，杜子春）；二、愛情之屬（遊仙窟，離魂記，柳氏傳，李章武傳，霍小玉傳，李娃傳，長恨歌傳，鶯鶯傳，楊娟傳，揚州夢傳，裴航，非煙傳）；三、諷刺之屬（枕中記，任氏傳，南柯太守傳，東城老父傳，周秦行紀，齊推女）；四、俠義之屬（謝小娥傳，馮燕傳，無雙傳，上清傳，虬髯客傳，崑崙奴，聶隱娘，吳保安，紅線傳）；參考文獻。

（孫秀玲）

唐代傳奇研究

于兆莉著，私立中國文化學院中國文學研究所碩士論文，1968 年，高明指導。

于兆莉（1941－　　），山東萊陽人。國立臺灣大學外文系學士，私立中國文化學院中文研究所碩士。曾任中國文化大學戲劇系兼任副教授。

本論文在國立政治大學社會科學資料中心、國立中央圖書館、私立中國文化大學圖書館均未見，待訪。

唐傳奇研究

洪文珍著，私立東海大學中國文學研究所碩士論文，292 頁，1973 年，趙滋蕃指導。

洪文珍（1948－　　），臺灣高雄人。私立東海大學中文研究所碩士。現任教於國立臺東師範學院語文教育系。著有《國小書法教學基本模式探究》、《兒童文學評論集》等。

關於唐傳奇之研究，長期以來泰半因襲舊理，以歷史考證之法，或溯其源流，或明其背景，甚或述其作者生平，析介作品內容本事而已。極少以小說之

原理，直接進入作品本身，論其結構、內容。因此本文作者在吸取前人已有之成果外，復兼採西學新法，另闢傳奇研究之途徑。

　　本論文共分八章，試圖以「近代文學類型論」及小說原理的敘述角度，劃定中國小說的範圍，探討中國小說的起源紛論，再就小說之主要要素：結構、人物刻劃、主題和語言，對唐傳奇作一寬角度之掃瞄，並給予適當的評估。

　　本論文討論的對象，則以藝術價值較高的名篇為主。如〈枕中記〉、〈南柯太守傳〉、〈虬髯客傳〉。選用的本子則為汪辟疆《唐人傳奇小說》。至於作品產生的年代、板本及作者生平則略而不論。究其所論，極有新意，對於唐傳奇的結構，作者以短篇小說之首、中、尾三段結構方式，分析指出其特色；而論述人物刻劃，則指稱唐傳奇創作之目的實為表彰人物，且刻劃手法簡潔。頗有獨特之見解，可為本文之特色。

〈目次〉

　　前言；一、中國小說觀念的轉變；二、論中國小說的起源（諸家之論說未切眞象，論中國小說源於樂府雜曲）；三、唐傳奇大略（唐傳奇釋名，唐傳奇產生的社會條件與精神氣候，唐傳奇的演進及其表現的媒介，傳奇與筆記之分）；四、唐傳奇的結構特徵（總論，基礎理論，結構分析，述評）；五、唐傳奇的人物刻劃（總論，基礎理論，唐傳奇人物刻劃的方式，述評）；六、唐傳奇的主題分析（基礎理論，分析的對象，述評）；七、唐傳奇的語言（基礎理論，唐傳奇的語言特質）；八、唐傳奇評估；附錄：參考及引用書目。

（孫秀玲）

唐代傳奇研究

劉瑛著，臺北，聯經出版事業公司，475 頁，1994 年 10 月初版。

　　劉瑛（1929 - 　　　），江西南昌人。國立臺灣大學政治系學士，南非大學政治碩士。為資深外交官，現任中華民國駐約旦特派代表。

　　據作者自序所言，此書自 1963 年陸續寫成，並單篇發表於《中華文化復興月刊》，直至 1979 年初稿始定，1980 年交付書局印刷，於 1982 年 11 月由

臺北：正中書局初版，計402頁，可知其中曲折。

　　本書劃分為上下兩篇。上篇總論，綜合傳奇整體性的要素加以探討，諸如背景因素、源流、體裁、取材、欣賞方法、對後世文學之影響各方面，分類整理，將心得列目敍述，頗為細密。下篇各論則針對各傳奇之故事內容，各家版本、古今評語、著者生平、或寫作動機、故事背景等方面加以介紹。作者對各傳奇的問題細節頗多留心，運用前人研究成果出以通俗流暢之語言，有助於研究者掌握資料。

〈目次〉

　　　　　　　　　　　　　　　　　　　　　　　　　　（林明珠）

唐代志怪小説研究

鄭惠璟著，國立臺灣大學中文研究所碩士論文，236頁，1989年6月，葉慶炳指導。

鄭惠璟（1961－　），韓國人。國立臺灣大學中文研究所碩士。

志怪小說自先秦繁衍，至六朝乃成氣候，作家輩出，描寫技巧亦趨嫻熟，故研究者衆，然迨及唐代，地位遂爲唐人傳奇所取代，遭致冷落輕忽的待遇，乏人問津，更遑論探究其流變。作者有鑒於此，遂以唐人志怪小說爲研究主題，試以尋其脈絡，並明其價值。

本論文除前言，計分五章十一節。作者先置導論，釐清「志怪」與「傳奇」之分野，進而探索唐以前志怪小說形成之因。再則，申論唐代志怪小說盛行的背景及分布狀況，以述明其時代特色。第三章則就其內容之人物類型、主題思想、故事背景詳加分析，從中瞭解唐人的生活及思想。其後，則從文章技巧的探論中，檢視唐志怪小說之藝術成就及文學價值。結論中則以史觀給予其適切的肯定及推崇。

本論文之論述多半取材自宋李昉《太平廣記》，明人的《五朝小說大觀》，清人王文誥《唐代叢書》，民國汪辟疆《唐人小說》，王夢鷗《唐人小說研究》諸篇，作品、作者的考證則多參考王國良的《唐代小說敍錄》。透過論述，作者認爲唐代志怪小說在志怪小說的演變中，能謀求創新，且善用描述的技巧，確含有積極的意義。

〈目次〉

　　　　　　　　　　　（孫秀玲）

宋元明話本研究

李本燿著，國立臺灣師範大學國文研究所碩士論文，155 頁，1973 年，楊家駱指導。

李本燿（1948 -   ），臺灣南投人。國立臺灣師範大學國文研究所碩士。現任教於私立中臺醫專。

本論文曾於 1974 年 6 月刊登在《國立臺灣師範大學國文研究所集刊》18 期，頁 1219－1373。全書共分六章，旨在探論話本之緣起、發展，並評述話本之特色及文學價值。首章先就源流透視、時代背景，用歷史方法鋪敍話本之因革。再詳加分論話本的種種特質，如名稱考釋及表演場所、形式結構等，並對宋話本作一番正確的考述。接以論析元、明二代話本的發展，及重要作品。末章則以短篇之宋人話本爲題，解析作品結構、題材及技巧、內容等，以明其內涵，得其風格。

依作者研究所得，宋話本之結構雖非盡善盡美，然與明代擬話本相比，其結構之奇，灼然可見。泛言之，擬話本以細膩之描寫取勝，風格偏向陰柔。反之，宋話本卻情節緊湊，高潮迭起，在在流露陽剛之美。而話本小說發展至清，進而又帶動民初小說的創作，顯見話本小說在中國古代小說的演變史中，實有不可削減的歷史評價。

〈目次〉

一、話本之誕生；二、話本之特質；三、宋話之考實；四、元至治全相平話五種；五、明代之平話集及擬作；六、宋短篇話本之風格論。　（孫秀玲）

宋代話本研究

樂蘅軍著，臺北，國立臺灣大學文學院，234 頁，1969 年 12 月初版。

樂蘅軍（1934 -   ），安徽含山人。國立臺灣大學文學碩士，曾任教於臺灣大學中文系，現已退休。著有《古典小說散論》、《意志與命運》、《宋元話本

小說》、《明代話本小說》等。

　　本書為作者於 1967 年通過之碩士論文，題目原作《宋代話本文學之研究》，張敬指導。本書探討話本各方面的問題，包括話本產生的背景（含時代與文體），特質（含形式與內容），現存作品的考訂，以及藝術上得失諸方面，作一全體性討論。就背景說，前人已多指明它是一種變文俗講的遺風，轉而滋生在瓦舍裡的說話人張本，本書則進一步就更廣泛的時代關係，討論話本和當代社會精神各方面的相契。就特質言，話本之散韻特殊形式，向為人們所樂道，而對話本內涵的特色，本書亦進一步加以肯定。就考訂存作來說，前此之研究者，有努力疏證者、有以為徒勞無功者，作者則認為這個問題能夠多解決一分，則對話本的其他討論才能多一分切實，因而亦努力疏證。就藝術得失言，前此研究者較少著筆，然作者以為話本既為文學作品，必得還它本來面目，討論其藝術得失，也正是了解話本興衰所由的途徑。以上四方面，是本書研究上的特色，為研究話本者提供許多助益。

〈目次〉

　　　　　　　　　　（林明珠）

宋話本的研究

何志平著，私立東海大學中國文學研究所碩士論文，300 頁，1973 年，趙滋蕃指導。

　　何志平（1943－　　　），福建福州人。私立東海大學中文研究所碩士。

　　宋話本是宋朝說話人說話的底本，原屬民間文學，不受士林重視，至民初才引發學者研究的風潮，而民初迄今的研究工作如：探討說話的起源及家數、或考訂話本的體制等，多屬於針對宋話本的外圍關係所作的研究，但並不涉及

宋話本的文學意義，本論文則針對宋話本的作品本身進行研究，期以作品分析的方式，闡明宋話本在中國文學上的成就與價值。

本論文計有十三章，約十萬字。作者首先說明話本的意義及話本在宋代流布的情形，而後則分章對《京本通俗小說》七卷：〈碾玉觀音〉、〈菩薩蠻〉、〈西山一窟鬼〉等，及《清平山堂話本》之〈風月瑞仙亭〉等共十一篇宋話本進行逐篇分析研究。在從事單篇的分析時，作者或就作品的主題、情節，人物個性、語言、效果等作綜合分析，或選樣分析，或擇其特色作單一分析，並給予評論。而末章中則對宋話本作一整體的觀照，勾勒其全像。最後則歸納宋話本在中國小說發展上的意義及成就，肯定其在文學史上應有的價值地位。

研究宋話本的學者，多以宋話本長篇的五代史平話、大宋宣和遺事、及大唐三藏取經詩話為研究對象，而本文作者則另以京本及清平山堂本之話本為指認研究對象，別具新意，或可提供研究者新的思考方向。

〈目次〉

一、緒論——研究對象、範圍、及宗旨；二、宋話本的產生背景及其結構特徵；三、碾玉觀音的人物個性分析；四、菩薩蠻與拗相公的主題分析；五、西山一窟鬼的主題與語言分析；六、志誠張主管的結構分析；七、錯斬崔寧的主題與結構分析；八、馮玉梅團圓的主題、情節與人物個性分析；九、簡貼和尚的對比分析；一〇、西湖三塔記的效果分析；一一、風月瑞仙亭的觀點分析；一二、楊溫攔路虎傳的人物個性與主題分析；一三、宋話本的總論；參考總目。　　　　　　　　　　　　　　　　　　　　　　　　（孫秀玲）

明清小說評點之研究

張曼娟著，私立東吳大學中國文學研究所博士論文，441 頁，1990 年 5 月，吳宏一指導。

張曼娟（1961－　），河北涿縣人。私立世界新專畢業，私立東吳大學中文系學士、中文研究所碩士、博士。現任教於東吳大學中文系。著有《唐傳奇之人物刻劃》等。

本書主要在整理明清小說中的評點，並將各種形式的評點逐條歸納，具體分類，以呈現明清兩代的小說理論。研究範疇自小說評點的創始期，至小說評點的餘緒與轉變，由晚明以迄晚清，而以金聖嘆評點《水滸傳》、毛宗崗評點《三國演義》、張竹坡評點《金瓶梅》、脂硯齋評點《紅樓夢》為主要論述對象，作者並整理出這些評點對長篇小說理論的建立有以下四方面的貢獻：一為小說觀念的釐清、二為小說結構的建立、三為小說語言的要求、四為小說人物的塑造，以上四方面建立較具系統性的理論。在研究評點各種論述的基礎上，如鄭明娳、陳萬益、賈文昭、徐召勛、陳慶浩、吳敢、康來新、葉朗等學者研究之上，作者加以歸納整理，融貫條裁，使其呈現清晰的面貌，可說是本書的特色。

〈目次〉

　　　　　　　　　　　　　（林明珠）

晚清小說理論研究

康來新著，臺北，大安出版社，336 頁，1986 年 6 月初版。

康來新（1949 －　　　），湖北人。國立臺灣大學中文系學士，美國印地安

那大學文學碩士。現任教於國立中央大學中文系。著有《伶人文學析論》、《紅樓夢研究》、《失去的大觀園》、《中國現代短篇小說選析》等。

　　本書運用晚清七十餘年間（1839－1911 年）有關小說評論的各種資料，包括：評點、序跋、筆記、專論、譯介、叢話等著述，研究晚清小說理論的源變傳承、時代特色、內涵精神等方面。作者將晚清小說評論的資料加以過濾取樣、舊有的評點、序跋、筆記等劃入「守成篇」討論，新興而起的專題論文、叢話隨筆及晚清的「譯介」為開創篇，特別討論它對小說理論與創作的啓發影響。至於守成篇中，較為特殊的討論對象，是筆記部分以俞樾的小說考證為主，一方面俞樾以樸學與湘鄉古文流派的出身而有關懷小說之舉，誠然具有獨特的代表性，一方面是因為小說考證代表了中國小說研究中一個相當重要的傳統，包括新文學運動中的胡適，以致當今漢學界的小說學者往往循此途徑，作者特別指出此點，可謂發人所未發，此亦即是本書作者所欲達成的目標：在建構晚清小說理論的各個層面發揮個人創意的洞察與見解，因此極為可觀。

〈目次〉

〈小說閒評〉中寅半生的書評書目）；四、翻譯對小說創作與理論的啓示（梁啓超與政治小說的譯介推廣，嚴復與天演論，林紓意譯小說的功與過）。結論：研究概況，研究展望。　　　　　　　　　　　　　　　　　　（林明珠）

晚清小説理論發展試論

邱茂生著，私立中國文化大學中國文學研究所碩士論文，318頁，1987年3月，洪順隆指導。

邱茂生（1960－　），臺灣南投人。私立中國文化大學中文研究所碩士。

晚清在中國的歷史發展上，是一重要的轉變關鍵期。由於西方勢力之沖激，掀起改革的熱潮，而顯現出瑰奇的歷史特色。尤其是文學中的小說發展特別繁榮興盛，更重要的是小說理論文章大量的湧現，彌補了我國文學批評與理論史的缺漏。然而後人對此時期小說理論的研究顯然不夠，本論文寫作之目的，即在補充此一不足。

本論文即針對晚清小說理論之發展線索、理論架構，及其於我國文學理論發展史上的意義與地位，做全面而深入的探索。全書計分九章，二十四節。先於緒論中說明晚清歷史與小說的發展概況。其次探究小說理論興盛的原因，及分從中、日及西方三方面，探求晚清小說理論中強烈的現實目的性的思想淵源。第三章則就小說理論的發表形式，主述其繼承傳統與創新的意義。接之以分別討論嚴復、梁啓超、夏曾佑三位具有啓導地位理論家的貢獻及特色。而後論述自三位理論先驅之後，小說理論發展的概況，又進而討論西方美學觀念引進對小說理論發展所生的轉折。第七章則探討管達、呂思勉兩位理論家總結晚清小說理論的實際成果。而後則綜述晚清小說理論的具體成就，並勾劃出晚清小說理論的體系。末章則總列其特色、缺失、及其歷史上之意義。

要之，本論文欲全面而澈底地翻檢晚清小說理論的各個片段，然後擷其精華，縱橫連絡，試圖將之系統化，以期對中國小說理論之建構有所助益。

〈目次〉

興起的原因（晚清以前的小說理論，晚清小說理論興盛的原因，小說實用理論的思想淵源）；三、晚清小說理論之發表（小說理論的發表形式，晚清小說理論的發軔）；四、晚清小說理論的先驅（嚴復——小說普及性的探討者，梁啓超——「小說界革命」的導師，夏曾佑——「小說原理」的建立者）；五、理論的繼承與擴充（《小說叢話》諸君，《月月小說》諸君，《新世界小說社報》，邱煒萲的〈客雲廬小說話〉）；六、理論觀點的轉變（王國維的〈紅樓夢評論〉，徐念慈的〈小說林緣起〉，黃摩西和〈小說小話〉）；七、晚清小說理論的總結者（管達如的〈說小說〉，呂思勉的〈小說叢話〉）；八、晚清小說理論綜述（小說本質論，小說價值論，小說創作論，小說批評論，小說分類論，中國小說史的研究）；結論；徵引及參考書目。　　　　　　　（孫秀玲）

中國現代小説史

夏志清著，劉紹銘等譯，臺北，傳記文學出版社，576頁，1991年11月二刷。

夏志清（1921－　　），江蘇吳縣人。畢業於滬江大學英文系，美國耶魯大學英文系碩士、博士。曾任教於北京大學外文系、美國密西根大學、紐約州立大學、賓州匹次堡大學，後任哥倫比亞大學東亞語文系中國文學教授，現已退休，定居美國。著有《中國古典小說》、《夏志清文學評論集》、《人的文學》、《文學的前途》、《愛情、社會、小說》等。

劉紹銘（1934－　　），廣東惠陽人。國立臺灣大學外文系學士，美國印地安那大學博士。曾任教於香港中文大學、新加坡大學。現任美國威斯康辛大學東亞語文學系。著有《小說與戲劇》、《涕淚交零的現代中國文學》、《唐人街的小說世界》等。

本書原著書名為《A History of Modern Chinese Fiction 1917-1957》，由耶魯大學出版社於1961年初版，又於1971年增訂二版。而中譯本則造端於劉紹銘先生，他於1970年起意籌備，次年動工，同時參與編譯者有夏濟安、黃維樑、水晶……等十餘人，根據1971年增訂本從事翻譯，至1978年始告殺青竣

工，由香港：友聯出版公司於 1979 年 7 月初版，及臺北：傳記文學出版社於 1979 年 9 月初版。此書一出，便備受學界重視，推選爲文學史中鉅著，影響極爲深遠，十數載以來，凡從事現代小說或文學研究者，無不奉爲經典之作。

　　本書介紹自 1917 年文學革創開始，整個中國現代小說的創作、發展，三〇年代、四〇年代、五〇年代……，整個大陸的文藝發展寫到 1957「大躍進」爲止，並附錄有〈1958 年來中國大陸的文學〉及〈現代中國文學感時愛國的精神〉兩篇，討論「大躍進」之後的中國大陸文學。另外，六十年代臺灣文學突飛猛進，作者又附錄〈姜貴的兩篇小說〉一文，稱姜貴爲「晚清、五四、三十年代小說傳統的集大成者」，給予極高的評價。本書的特色有二：一是作者的批評眼光有獨到之處，本書提到的作家及作品，有許多在當時未爲中國或西方學者注意到，但後來卻成爲熱門、肯定的討論對象，如張愛玲、錢鍾書二人。其次是作者的反共立場，左派文學史所奉爲新文學運動的「大旗手」，夏志清則不以爲然，雖然在本書的第二章就肯定魯迅在中國現代小說史中的經典地位，但也不忘給予其他左派小說家公平的評價，並以全章篇幅討論張天翼和吳組湘的小說，並稱譽這二人爲第一流的短篇小說家。此外，作者雖有強烈而鮮明的政治立場，但卻能夠不以其政治立場抹煞左翼作家成就，這一點可從他對茅盾、丁玲、蕭軍、沙汀、艾蕪、趙樹理、歐陽山、周立波、楊朔、路翎等人的注意與公允的評價中看出，這是左派文史家做不到的。

　　全書之編譯，雖成於衆人之手，然觀其行文頗爲流暢，少有凝滯，且論述詳確，不啻是爲翹楚之作。尤爲難得者，作者對此書續有增補，附錄三篇即收編作者綜論勝利以後的中國文學發展概況及重要作家作品，足見作者之用心。然本書不論臺灣現代小說之演進，確是遺憾，若能補述，再加以補全晚清至民初小說之遞變，則更臻完美。

〈目次〉

　　原作者序；編譯者序；第一編初期：一、文學革命；二、魯迅；三、文學研究會；四、創造社。第二編成長的十年：五、三十年代的左派作家和獨立作家；六、茅盾；七、老舍；八、沈從文；九、張天翼；十、巴金：一一、第一個階段的共產小說；一二、吳組緗。第三編抗戰期間及勝利以後：一三、抗戰

期間及勝利以後的中國文學；一四、資深作家；一五、張愛玲；一六、錢鍾書；一七、師陀；一八、第二個階段的共產小說；一九、結論。附錄：一、一九五八年來中國大陸的文學；二、現代中國文學感時憂國的精神；三、姜貴的兩部小說。

〈書評〉

1. 夏志清，〈寫在中國現代小說史中譯本出版前——文章不朽之盛事〉，中國時報，12 版，1979 年 3 月 1－3 日。

2. 劉紹銘，〈經典之作——寫在夏志清著中國現代小說史中譯本版之前〉，傳記文學，34 卷 2 期，頁 39－43，1979 年 2 月。聯合報，8 版，1979 年 8 月 26－27 日。

3. 亞菁，〈讀中國現代小說史中譯本〉，幼獅文藝，53 卷 1 期，頁 130－137，1981 年 1 月。

4. 朱介凡，〈評中國現代小說史（上、下）〉，文壇，250、252 期，頁 59－69，頁 126－138，1981 年 4、6 月。

5. 盧世詳，〈關於被「批鬥的」的——中國現代小說史〉，聯合報，8 版，1983 年 9 月 7 日。　　　　　　　　　　　　　　　　　　　　　（孫秀玲）

四、散、駢文史

中國駢文發展史

張仁青著，臺北，臺灣中華書局，2 冊，658 頁，1979 年 5 月二刷。

作者與鄭樑生合譯有《中國文學思想史》（青木正兒著），已著錄，生平見前。

本書原爲作者就讀國立臺灣師範大學國文研究所，於 1969 年通過的碩士論文，成惕軒指導。後由臺灣中華書局於 1970 年初版。本書先介紹中國語文之特質，並爲駢文下一義界，緊接著討論駢文之起源及其變遷之大勢，再確認其於中國文學史上之地位。以上均係總論，之後開始逐朝分論，作者特將中國駢文之發展，分爲未分時期、胚胎時期、孳乳時期、蕃衍時期、全盛時期、盛衰消長之激盪時期、蛻變時期、復興時期，各期分就形式、內容特色，加以探討，對於文體發展的促因，如政治、經濟、時代背景、地理環境等等，輒有追索，全書經脈分明，條淸理暢，就總論駢文的發展而言，功不可沒，可爲初學者指引迷津。

〈目次〉

一、緒論（中國語文之特質，駢文之義界，駢文之起源及其變遷之大勢，駢文在中國文學史中之地位）；二、邃古駢散文之未分時期（駢散文同出一源，經典中所表現之駢行語氣與形態，諸子中所表現之駢行語氣與形態）；三、戰國末年至秦代駢文之胚胎時期（楚國詞人才情之豔發，蘭陵才子文采之芊緜，嬴秦諸子辭華之茂懿）；四、兩漢駢文之孳乳時期（緒說，辭賦家與駢文之滋長，文章家與駢文之發展）；五、魏晉駢文之蕃衍時期（導論，曹魏時代文風之鼎盛，西晉群彥英華之蔚若，東晉英髦辭采之燦然）；六、南北朝駢文之全

盛時期 (唯美文學之繁興，劉宋文士之揚芬，齊梁諸子之競爽，江左唯美文學之餘波，徐陵庾信集駢文之大成)；七、唐代駢散文盛衰消長之激盪時期 (引言，初唐彩麗之競繁，盛唐文格之丕變，陸贄與翰苑集，晚唐唯美文學之復活)；八、兩宋駢文之蛻變時期 (宋四六之特色，慶曆以前之駢文，古文家之駢文，南渡以後之駢文)；九、清代駢文之復興時期 (綴語，六朝派，三唐派，宋四六派，常州派，儀徵派)；本書引用及參考書目舉要。　　　(黃惠菁)

中國散文演進史

倪志僩著，臺北，長白出版社，2 冊，604 頁，1985 年 11 月初版。

倪志僩 (1904－　)，江蘇鹽城人。私立無錫國學專修學校畢業。曾任教於臺中師範、新竹師範、彰化中學、師大附中等校垂三十年。著有《常見別字訂正類編》、《論孟虛字集釋》等。

文學是人類精神活動的靈魂，文學的演進跡象，即是人類心靈和思想活動的象徵。散文也是文學發展中的重要血脈，其所表現、反映的人類生活現象，並不亞於詩歌。本書作者講授國文多時，日夕與文史為伍，積學日久，習染既深，有感於市面上缺乏一本略具本末條貫的「中國散文演進史」，遂發願成書，特將平日搜羅之資料，觀察分類，悉心探究其源流派別，平心處理資料。掌握每一個時代的散文思潮特質，注意到各種政治、社會環境及學術思想對當代散文所發生的關係與影響；客觀敘述各家之成就，並徵引其代表作，略加品評，避免失之武斷。綜觀全書筆觸平穩，內容豐富，具有參考價值。

〈目次〉

一、中國文學的啟蒙時代；二、夏代的文化建設；三、商代的文化建設；四、西周的文學建設；五、經學對後世文教之貢獻；六、東周史傳文學之新發展；七、先秦諸子談哲理的散文；八、戰國應用文的雜體文學；九、秦代的散文；一〇、漢代的散文；一一、三國時代的散文；一二、兩晉與南北朝的散文；一三、魏晉南北朝文學理論之建設；一四、魏晉南北朝小說之發展；一五、南北朝文學風尚之異趣；一六、隋朝是人文思想的復古；一七、唐代之散

文；一八、唐代之傳奇文；一九、唐代之變文；二〇、宋代之散文；二一、宋代理學家之文學觀；二二、南宋之散文與語體文；二三、宋代之小說；二四、宋代之戲劇與諸宮調；二五、遼金民族之文學概況；二六、元代之散文；二七、明代散文的演變情勢；二八、明代傳奇與小說；二九、清代學術思想與文學作風之演變；三〇、清代古文復興運動之績效；三一、清代浪漫思潮之復活；三二、清代小說文學的演進；三三、清末民初古文學之流別；三四、清末民初今文學之新體散文。(節目從略)　　　　　　　　　　　(黃惠菁)

中國散文史

劉一沾、石旭紅著，台北：文津出版社，353 頁，1995 年 6 月初版。

　　劉一沾（1935 －　　　），北京中央民族學院語文系畢業。現任中央民族學院漢語系副教授、全國民族院校文藝理論研究會會長。著有《文藝理論》、《美學十講》等。

　　石旭紅（1955 －　　　），長春東北師範大學中文系學士、碩士。現任北京廣播學院語言文學部講師。

　　本書為文津出版社邀請大陸學者劉如仲、李澤奉主編之《中國文化史叢書》第二十一種。全書試圖從頭緒紛繁的古代散文作家作品當中理出一條史的線索，作者根據古代歷史文化的大背景將散文史分為五個階段：一、先秦時期。它是整個散文史的源頭。二、秦漢時期。此時的散文有承繼前代恢宏壯麗的一面，但隨著經學統治的建立，寫作「宗經」、「徵聖」的文章也由此開始了，這是散文寫作在指導思想上發生的變化。三、魏晉南北朝時期。由於儒學正統地位的動搖，散文在文體和文風兩方面都發生了轉變。其標誌就是駢體文的大行天下。四、唐宋時期。這是在大一統的局面下重振儒學與復興古文的時期。在回到儒家軌道的同時，散文的藝術成就也是空前的。五、元明清時期。這是散文發展的後期，也是對前代散文成果進行總結學習的時期。全書在敘述當中，作者為了理清史的發展脈絡，而採取了有詳有略突出重點的作法。對於重要時期、重要流派都作了重點介紹，對於重要作家除了作較為全面的評價

外，對其代表作品也多數予以徵引，頗便讀者閱讀與理解。作者有鑒於過去散文史有重前輕後的傾向，因此有意將元明清部分加以擴充，但限於時間沒有完成目標，殊為可惜，另外在介紹各階段的散文時，對其產生背景及特色分析也過於簡略，有待增補加強。

〈目次〉

第一編先秦（概說）：一、歷史散文（《尚書》，《國語》，《左傳》，《戰國策》）；二、諸子散文（《論語》，《墨子》，《孟子》，《莊子》，《荀子》，《韓非子》，《呂氏春秋》）；第二編秦漢（概說）：一、秦；二、西漢論說文（文景時期的作家，武帝宣帝時期的作家，元帝成帝以後的作家）；三、《淮南子》和《史記》；四、《漢書》和《論衡》；五、東漢其他作家（桓譚，王符、崔寔、仲長統）；第三編魏晉南北朝（概說）：一、漢末至魏（三曹，阮籍、嵇康）；二、兩晉（潘岳、陸機，王羲之、陶淵明）；三、南朝（鮑照，江淹、沈約、任昉及其他作家）；四、北朝（庾信，顏之推與《顏氏家訓》，酈道元與《水經注》，楊衒之與《洛陽伽藍記》）；第四編唐宋（概說）：一、唐初至貞元前的作家（四傑和陳子昂，中興古文的先驅者們）；二、古文的全盛（韓愈，柳宗元）；三、晚唐作家（杜牧、李商隱，皮日休、陸龜蒙、羅隱）；四、北宋（歐陽修，曾鞏、王安石，三蘇父子）；五、南宋（南宋前期作家，朱熹，南宋末期作家）；第五編元明清（概說）：一、明（明初作家，明中葉前後七子的復古運動，唐宋派，公安三袁，竟陵派，徐宏祖、張岱）；二、清（清初三大家，桐城三祖，陽湖派，桐城「中興之臣」曾國藩，龔自珍，梁啟超）。

兩漢魏晉論體之形成演變

李錫鎮著，國立臺灣大學中國文學研究所碩士論文，252 頁，1981 年 6 月，齊益壽指導。

李錫鎮（1955－　），福建金門人。國立臺灣大學中文研究所碩士、博士。現任教於臺灣大學中文系。著有《王船山詩學的理論基礎與理論重心》等。

從文學的體裁類別來看，近代有關魏晉文學的專門研究，大致以純文學的詩、賦居多，關於應用文文類的專題討論則甚少。「論」，這種辨析事理、實用性極高的文類，乃是中國文學史上起源頗早的古老文體之一，因此，本文作者特擇選此題，嘗試就論體的起源、形成、演變問題加以探討，考察論體在兩漢魏晉時代的發展概況。全書題旨清晰，為了確定論文研究範疇，以及討論的方式，作者還嘗試先自檢討曹丕、陸機、李充、劉勰、蕭統諸家辨析論體的看法，做為本書之開端。全書立義清晰，文字簡明，有助於後人對兩漢魏晉論體形成演變之認識。

〈目次〉

一、緒言；二、論體的起源（先秦學術背景與游士的論辯，論辯的說話藝術與論體的起源，戰國私家著述與論體的起源）；三、論體的形成（兩漢以後文士撰論的時代背景，西漢辭賦家的設論之性質，論體的結構特色及其形成時代）；四、論體的演變（論體在題材上的幾種趨向，論體的結構形式及其種類）；五、結語；六、附錄：兩漢魏晉論體作家與作品對照表；七、主要參考書目。　　　　　　　　　　　　　　　　　　　　　　　　　　　（黃惠菁）

六朝文論

廖蔚卿著，臺北，聯經出版事業公司，369 頁，1981 年 3 月二刷。

廖蔚卿（1923－　　　），四川資中人。國立女子師範學院畢業。曾任臺灣大學中文系教授。著有〈鍾嶸詩品析論（上、下）〉、〈漢代民歌的藝術分析（上、下）〉、〈論中國古典文學中的兩大主題〉等。

本書於 1978 年 4 月初版。就文學發展的歷史而論，有作品即有評鑑。兩漢文學雖盛，但習知的如毛、鄭說詩，班、馬論騷，揚雄、王充之論文章，都並非專事評論文學。有專門文學評論，實始於魏、晉而盛於齊、梁。所以，六朝文論在中國文學理論史上，實居有樞紐之地位。本書在撰作上，是循作者之才性及文章之體別兩大主題，加上時間及空間的貫通與範圍，論述、分析、評鑑文學的本體、方法、作用、流變與作家作品，完成它的內容。因本文撰作目

的，在研究六朝文論的時代思想，著重主體及綱領，所以將各家論見，綜合組織，用概論式的序列，不取先後的介述，期使六朝的文學思想及理論，能有一系統及完整的呈現。全書論列清晰，核理精確，甚具學術價值。

〈目次〉

（黃惠菁）

魏晉南北朝文論佚書鉤沈

劉渼著，國立臺灣師範大學國文研究所碩士論文，234 頁，1990 年 5 月，王更生指導。

劉渼（1956 － ），高雄市人。國立臺灣師範大學國文研究所碩士班畢業，博士班肄業。現任教於臺灣師範大學國文系。

我國文學理論，孕育於先秦，興起於曹魏，是時，曹丕《典論·論文》、桓範《世要論》，皆針對當時文弊而發，頗受世人重視。自此以後，作品蠭出，或探討文章體類，或品騭作家作品，皆以闡揚其時文學特徵爲主，我國之文學理論，至此，逐漸次形成。然此期文論著述，泰半亡佚，其淹沒之因，或爲時亂世離，或因零篇散論，傳抄不易，殊爲可惜。諸書（亡佚書籍）對建構後來劉勰《文心雕龍》與鍾嶸《詩品》的完整體系，有著關鍵性的催化作用，而歷來學者多專注於已有之文論，缺乏對此期文論佚書的關注，所以，本書作者特釐訂此題爲研究方向，蒐羅資料，參較圖書目錄之記載，各種類書中之徵引及各家輯佚所得，廣徵博引，以求略無遺珠，分別考其眞僞，定其出處，完成斯作。

劉宋文研究

林伯謙著，私立東吳大學中國文學研究所碩士論文，269 頁，1985 年 4 月，于大成指導。

林伯謙（1960 -　　　），臺灣苗栗人。私立東吳大學中文系學士、中文研究所碩士、博士。現任教於東吳大學中文系。著有《韓柳文學與佛教關係之研究》等。

孫德謙在《六朝麗指》中開宗明義曰：「駢體文字以六朝爲極則，作斯體者，當取法於此，亦猶詩學三唐，詞宗兩宋，乃爲得正傳。」齊梁文章，在中國文學發展史上，居有重要地位，其典引繁深，若非廣涉典籍，則解讀不易，故初習爲難。而劉宋一代，環居六朝，其文學特色在於詞理卓秀、事義則未盡隱奧；判讀容易，而字句妍新，實爲後代效學之便徑。故本書作者披文討情，擘肌析理，但求發微揭幽。全書計分三部。初揭駢散紛爭無益與詩文宜辨涇渭。次則縷述成育外因，並略及漢末魏晉以還之勢潮，此爲第一部分總論。分論則按體要，條析名家茂製。最後結論則普敍劉宋作家創作神理與踵紹往塵之經過。全書考證翔實，據事立義，詞情優美，亦頗得劉宋文事之情采。

古文運動史略

邱燮友著，臺灣省立師範大學國文研究所碩士論文，204 頁，1959 年 6 月，高明指導。

　　作者與王忠林等合著有《增訂中國文學史初稿》，已著錄，生平見前。

　　作者撰作此書，乃是有感於坊間文學史之作，未能仔細梳理古文運動發展史，各書所載，也僅及各家之事蹟傳略而已，或由於研究方法不一，其所述也互有參差，或依朝代而排列，以論文學之演革；或重人物之介紹，以述作家之成就；或敍思潮之遞變，兼評作品之價值。大抵所論，各有所偏，鮮有面面俱到者。而本書之作正是企圖彌補以上幾項偏失。其研究綱領有五：一、考述文體興衰之原因，辨識文藝思潮之動向，以溯其源流。二、臚列諸家，稽之史傳，以詳其經歷。三、彙集各家之文學理論，別其師傳，以察其指撝。四、選錄諸家名著，以觀其風格，並論其成就及其對文壇之影響。五、每期之末，總論是期古文運動之主要作家、理論、文風、成就及其影響。

〈目次〉

古文運動之衰微——遼金元明（古文運動衰落之原因，遼金元古文家及明之復古運動，歸有光與反七子之古文，第三期古文運動之作家及其作品，元明之古文選錄，第三期古文運動之成就及其影響）；五、古文運動之復活——明清（清代古文運動之復興，方苞與桐城文派之建立，桐城派及陽湖派之古文，第四期古文運動之作家及其作品，清代之古文選錄，第四期古文運動之成就及其影響）。　　　　　　　　　　　　　　　　　　　　（黃惠菁）

唐末五代散文研究

呂武志著，臺北，臺灣學生書局，458 頁，1989 年 2 月初版。

　　呂武志（1956－　　　），臺灣澎湖人。國立臺灣師範大學國文系學士、國文研究所碩士、博士。曾任澎湖縣國中教師，現任教於臺灣師範大學國文學系。著有《杜牧散文研究》、《裴度的文學觀和散文》等。

　　本書原為作者於 1988 年通過之碩士論文，王更生指導。唐、宋兩代古文運動，前仆後繼，終於澈底廓清駢文勢力，為我國散文發展，開啓成功之高峰；唐末五代介乎其中，上承上啓，尤為重要之樞紐與橋樑，更可見出散文發展的遞嬗之跡。然反顧歷來研究者，多輕忽此段歷史，或誤視其為散文荒漠時代，先賢幽光之沈埋，可為浩嘆。故作者特以此為論文題目，撰成斯篇。首章緒論，說明研究動機、價值與範圍；次章簡述本期散文之時代背景；三章綜論本期散文之發展演變經過；四章探討本期散文化表作家之成就；五章突顯本期散文之主導思想；六章分析本期散文之藝術特色；最後第七章結論，闡揚唐末五代散文之價值及其地位。全書指涉領域頗廣，內容分述精細，足見作者之用心。

〈目次〉

文作家及作品，後梁散文作家及作品，後唐散文作家及作品，後晉散文作家及作品，後漢散文作家及作品，後周散文作家及作品，吳國散文作家及作品，南唐散文作家及作品，前蜀散文作家及作品，後蜀散文作家及作品，南漢散文作家及作品，楚國散文作家及作品，吳越散文作家及作品，閩國散文作家及作品，荊南散文作家及作品，北漢散文作家及作品）；五、唐末五代散文之思想主導（儒釋道思想之激盪，文學濟世觀念之提倡，作品諷諭精神之發揚）；六、唐末五代散文之藝術特色（創作體類多樣，題材範圍寬廣，篇幅短小精雋，情意眞實感人，形象活潑生動、謀篇布局嚴謹，表現技巧靈活，語言精鍊樸素，風格多采多姿）；七、結論；附表；本書主要參考書目。　　　（黃惠菁）

宋四六文研究

江菊松著，臺北，華正書局，108 頁，1977 年 9 月初版。

江菊松（1940－　　），湖北天門人。國立臺灣師範大學國文系學士，現任敎於私立淡水工商管理學院。

數千年來，駢散之爭一直攘攘不休，而駢文命運殊爲乖舛，民國以來尤甚。作者以爲，八股文壽命雖短，但當極盛時期，卻炙手可熱，不可一世，遠非駢文所能企及。反觀六朝實爲駢文全盛期，然其時就不乏有人唱反調，至唐、宋時期，更遭古文家口誅筆伐。及至元、明，通行散文，駢文更是一蹶不振，民國以來，其勢更弱，所以，作者在寄予無限同情之餘，遂操觚執筆，完成斯作，指出駢文到了至高境界，與散文初無二致，而散文凝重行氣之處，尤須多借重於駢行。因宋代屬駢文發展的革新期，宋初諸人步武唐賢，雍容大雅。及歐陽修、蘇東坡爲之，以古文氣勢，運駢文之詞句，不啻爲駢文中之散文，獨闢蹊徑，風靡一時，故有「宋四六」之稱，宋人四六專以善用成句屬對見長，而工緻密麗之色不復存矣，別爲特色，所以，作者特撰斯篇，以正世人普遍對駢文認識之不當。

〈目次〉

　　一、緒論（駢文產生之原因，駢文之流變，宋四六名詞釋義）；二、宋四

六之體裁與風格（宋四六之風格，唐宋四六文之比較）；三、宋四六作法探討；四、北宋四六文作者及作品；五、南宋四六文作者及作品；六、未來駢文之展望（駢文存廢問題，吾人應抱持之態度）。　　　　　　　　　（黃惠菁）

北宋的古文運動

何寄澎著，臺北，幼獅文化事業公司，502 頁，1992 年 8 月初版。

作者與連秀華合譯有《中國文學史》（前野直彬主編），已著錄，生平見前。

本書原為作者就讀國立臺灣大學中文研究所，於 1984 年通過之博士論文，葉慶炳指導。北宋的古文運動在中國文學史上是一個非常重要的里程碑，它不僅使散文從此取代駢文成為文章的主流，同時對宋代學術、文化、政治以及社會發展也發揮了深遠的影響力。作者嘗試從歐陽修與蘇軾兩人所前倡後繼的文化事業上，去追索北宋古文運動的發展脈絡。在通觀的前提下，作者也注意到該運動的前驅者：柳開、王禹偁、穆修、石介、尹洙、蘇舜欽、以及歐陽修所提攜的曾鞏、王安石、三蘇，以至蘇門的秦觀、晁補之、李廌、張耒、甚至私淑蘇文的唐庚、鮑由、李朴等身上。全書條理暢明，討論深刻，具有高度的學術價值。

〈目次〉

柯序；自序；前言；一、古文運動發生的背景——儒學力求經世致用的時代（力求經世致用的原因，力求經世致用的影響）；二、古文運動的理論基礎（上）（文章觀念，道的意義）；三、古文運動的理論基礎（下）（意與氣，文統觀——兼述作文的取法對象）；四、古文運動發展的歷史（上）——從開始到成功（文風的考察，歐陽修以前的古文運動，歐陽修的古文運動）；五、古文運動發展的歷史（下）——成功以後的繼續演變（古文的變質，程派學者的打擊，餘論）；六、與唐代古文運動的比較（時代背景的比較，理論基礎的比較，發展歷史的比較，綜合比較）；結論；附論（北宋古文家與釋子之交涉，古文家與理學家之交涉）；主要參考書目。　　　　　　　　　（黃惠菁）

兩宋文話初探

陳邦禎著，私立中國文化大學中國文學研究所碩士論文，129頁，1980年
6月，王更生指導。

陳邦禎（1956－　　　），臺灣基隆人。私立中國文化大學中文系學士、中
文研究所碩士、博士。曾任私立德明商專、政治作戰學校中文系副教授，現任
教於國立臺灣藝術學院。著有《顧亭林先生學術思想研究》等。

文話者，話文也。其大體雖與詩話、詞話、曲話同例，然其內容所及，往
往推本群經、逆考百代，籠圈駢散，陶冶情采，涵蓋領域相當遼闊，然歷來學
者，多熱中於詩話、詞話之探討，至於「文話」，罕所研求，作者有感於此，
特釐訂兩宋爲研究範圍，冀能藉探兩宋論文之精蘊，用補當今文論之缺漏。其
所論兩宋文話，凡十種。古文部分計有唐庚《文錄》、陳善《捫蝨新話》、陳騤
《文則》、王正德《餘師錄》、吳子良《荊溪林下偶談》、李塗《文章精義》等六
種。駢文部份計有王銍《四六話》、謝伋《四六談麈》、洪邁《容齋四六叢談》、
楊囷道《雲莊四六餘話》等四種。全書引證平實，尤其在板本述要上，頗下功
夫，足見作者治學之嚴謹態度。

〈目次〉

書影（明萬曆金陵荊山書林刊本唐庚文錄首頁、藍格舊鈔本陳善捫蝨新話
首頁、元至正十一年辛卯劉貞金陵刊本陳騤文則首頁、明鈔本吳子良荊溪林下
偶談首頁、明弘治十四年辛酉無錫華理刊本王銍四六話首頁、淸文淵閣欽定四
庫全書本謝伋四六談麈首頁、淸道光十一年辛卯六安晁氏活字本洪邁容齋四六
叢談首頁、傳鈔本楊囷道雲莊四六餘話首頁）；序例：一、緒論（古代駢散之
流變，唐宋之古文運動，早期文論之發展，兩宋文論之概況，文話性質之剖
析，兩宋文話之價值，結語）；二、唐庚文錄（作者傳略，板本述要，內容分
析，結語）；三、陳善捫蝨新話（作者傳略，板本述要，內容分析，結語）；
四、陳騤文則（作者傳略，板本述要，內容分析，結語）；五、王正德餘師錄
（作者傳略，板本述要，內容分析，結語）；六、吳子良荊溪林下偶談（作者傳

略，板本述要，內容分析，結語）；七、李塗文章精義（作者傳略，板本述要，內容分析，結語）；八、宋四六話（作者傳略，板本述要，內容分析，結語）；附：本論文重要參考書目。 （黃惠菁）

兩宋文話述評

劉懋君著，私立東吳大學中國文學研究所碩士論文，130 頁，1982 年 5 月，王更生指導。

劉懋君（1956－ ），四川廣安人。私立東吳大學中文系學士、中文研究所碩士。

作者之所以選題爲《兩宋文話述評》，蓋其以爲歷代論文專著之見存者，自劉勰文心雕龍以下，但屬兩宋文話，其後，文話之作雖多，然各家論述範圍與成書體例，大抵無出於宋代者。全書取材，依其性質，可分爲選文、評點、古文話、四六話等四類。所錄凡十八種，均以成書者爲限。其撰述方式，係以各書爲單元，依作者生卒年代編次。首列書名、作者、版本、卷數。次以「述要」概述撰者之里籍、生平、著述及版本庋藏情形，並以「評析」備述全編大要，而於著述宗旨、內容旨趣、體製淵源方面，著力尤深，詳加考索，以收鈎稽之效。

〈目次〉

書影（元刊本姚鉉唐文粹首頁、元至正十一年辛卯劉貞金陵刊本陳騤文則首頁、明弘治十四年辛酉無錫華珵刊本王銍四六話首頁、清文淵閣欽定四庫全書本呂祖謙古文關鍵首頁）；序例；前言；一、選文之屬（《唐文粹》姚鉉編，《宋文鑑》呂祖謙編）；二、評點之屬（《古文關鍵》呂祖謙撰，《文章正宗》眞德秀撰，《崇古文訣》樓昉撰，《文章軌範》謝枋得撰，《論學繩尺》魏天應撰）；四、古文話之屬（《捫蝨新話》陳善撰，《文則》陳騤撰，《餘師錄》王正德輯，《荊溪林下偶談》吳子良撰，《浩然齋雅談》周密撰，《文章精義》李塗撰）；五、四六話之屬（《四六話》王銍撰，《四六談麈》謝伋撰，《容齋四六叢談》洪邁撰，《辭學指南》王應麟撰，《雲莊四六餘話》楊困道撰）；重要參考

書目。 （黃惠菁）

晚明小品文研究

李準根著，私立輔仁大學中國文學研究所碩士論文，130 頁，1982 年 5 月，王靜芝指導。

　　李準根（1952 -　　　），韓國人。私立輔仁大學中文研究所碩士。著有〈中國新文學運動期間之散文考察：小品文、雜文比較試探〉等。

　　中國散文從先秦時代的書經、論語開始，幾千年來，經歷盛衰而綿綿不絕，與韻文文學同爲中國文學的兩大主流。經過歷史的洪流興替，散文發展到了晚明，產生出具有獨特風格及內容的文章，吾人別稱爲「晚明小品文」。爲了探索「小品文」的定義，並從其中追索出中國純文學散文的本源，作者嘗試以「晚明小品文」爲研究對象，廣爲參考民國初年研究小品文的書籍及論文，以及有關晚明小品文的各種資料，參酌晚明的小品文的學術、思想和藝術方面的背景，如陽明學、性靈說、文人畫等，勾勒出晚明小品文的內容特色。

〈目次〉

　　緒言；一、小品文學（淵源，中國小品文學的變遷過程，小品文的特性）；二、晚明小品文的發展背景（陽明思想的流行，反擬古的文壇思潮，性靈理論，文人畫的風格）；三、晚明小品的作家、文集；四、晚明小品文的體裁、內容（體裁分析，內容分析）；五、晚明小品文特性（風格，題材分析）；結語；參考書目舉要。 （黃惠菁）

清代駢文通義

陳耀南著，臺北，臺灣學生書局，141 頁，1977 年 9 月初版。

　　陳耀南（1941 -　　　），廣東新會人。香港崇基學院及中文大學畢業，香港大學文學碩士、哲學博士。曾任國立中興大學客座教授，現任教於香港大學中文系。著有《典籍英華》、《文哲漫談》、《中國語文通論》、《魏源研究》、《學

術與心術》、《文鏡與文心》等。

本書乃是根據作者 1967、1968 兩年在香港大學研究院所提出的論文《清代名家駢文研究》加以重新整理、撮要改編而成的，於 1970 年曾自行出版油印本。原來之論文，在析述各家例文方面，篇幅較鉅，尤以陳維崧、胡天游、袁枚、吳錫麒諸位名家尤甚。改寫成書出版，體例顯有所更，多是擇要敘議，篇幅縮減許多，但仍側重前後因革演變。全書行文流暢，文字簡潔，亦頗具駢文之擅。

〈目次〉

羅序；王序；自序；一、敘淵源（源起，形成，全盛，繼盛，蛻變與衰落）；三、述流變（復興與特質，演變概述，衰落原因，風格）；三、舉作者（陸圻，吳綺，毛先舒，毛奇齡，陳維崧，蒲松齡，吳兆騫，吳農祥，陸繁弨，章藻功，胡浚，黃之雋，胡天游，杭世駿，陳黃中，袁枚，劉星煒，邵齊燾，王太岳，朱珪，汪中，吳錫麒，洪亮吉，趙懷玉，沈清瑞，孔廣森，楊芳燦，楊揆，顧敏恆，楊夢符，孫星衍，王芑孫，吳鼐，惲敬，孫原湘，王曇，曾燠，劉嗣綰，阮元，朱文翰，樂鈞，顧廣圻，郭麐，彭兆孫，李兆洛，胡敬，查初揆，陳文述，陳壽祺，金式玉，王衍梅，黃安濤，吳慈鶴，劉開，梅曾亮，袁翼，方履籛，董基誠，董祐誠，龔自珍，譚瑩，汪士鐸，洪符孫，洪齡孫，姚燮，曾國藩，周壽昌，楊峴，蔣湘南，黃金臺，蔡召棠，沈濤，胡貞幹，徐士芬，俞樾，傅桐，劉履芬，馮譽驥，謝質卿，金應麟，董兆熊，徐錦，郭傳璞，趙銘，李慈銘，王詒壽，譚獻，王闓運，顧壽禎，張之洞，譚宗浚，樊增祥，朱銘盤，張其淦，屠寄）；附錄：作者年里字號文集表，近代江浙駢文名家祖籍圖。　　　　　　　　　　　　　　　　　（黃惠菁）

六十年來之駢文

張仁青著，臺北，文史哲出版社，60 頁，1977 年 4 月初版。

作者與鄭樑生合譯有《中國文學思想史》（青木正兒著），已著錄，生平見前。

本書論文曾發表於程發軔主編《六十年來之國學》，第 5 冊，頁 145－202，臺北：正中書局，1975 年 5 月。本書之作，乃是作者有感於駢文之發展，藻采繽紛，神韻縣遠，既能踵襲雅騷之道，又能光昭正始之音，實屬民族之特殊文藝，後人自宜光大盛業，縣衍無窮。然時下思想急進之士，卻有「文必廢駢，詩必廢律」之謬說，以傳統為非，詆娸固有之文化，徒令此調不復為世所彈。為使該文體錦繡揚芬，作者特擇選六十年來，駢文作品光映朗練、增華邦國、享高名於一代、振奇響於千秋者十人，條論諸家成文特色，內容並夾敍各朝駢文發展之概況，及對諸人之影響。除此，尚選錄各家（十人）瑰玉之作，以見其彬蔚之美，競爽當時，藉此，勾繪出六十年來駢文發展之全貌。

〈目次〉

前言；一、劉師培；二、李詳；三、樊增祥；四、易順鼎；五、饒漢祥；六、孫德謙；七、黃侃；八、黃孝紓；九、陳含光；十、成惕軒。（黃惠菁）

中國現代散文的發展

周麗麗著，臺北，成文出版社，223 頁，1980 年 7 月初版。

周麗麗（1953－　　），江蘇東臺人。大學中文系畢業，從事現代文學研究。著有《中國現代散文集編目》等。

中國現代散文，一直呈現著多彩多姿的特色，誠如朱自清所稱：「有中國名士風，有外國紳士風，有隱士，有叛徒，在思想上是如此。或描寫，或諷刺，或委曲，或縝密，或勁健，或綺麗，或洗鍊，或流動，或含蓄，在表現上是如此。」作者以為，現代散文特色既是這般豐富，倘若從「史」的方面加以分析，當可直探其核心，揭櫫其特色，所以，著手從事此方面之研究。其實，現代散文不僅是新文學的重要部分，它更是小說、戲劇、理論批評的基礎，不過，其在文學史上，始終不能立於主導地位，甚至與小說、詩歌等不能分庭抗禮，這是由於其不能像小說那樣暢所欲言，必須力求精鍊；但又不能像詩歌一樣含蓄，一定要清新明白。認識其發展侷限後，本書作者也指出今後現代散文的創作努力方向。全書文字簡易，斷代清楚，對現代散文面貌之勾勒，有一定

建設性的意義。

〈目次〉

一、緒論（現代散文應具備的條件，現代散文創作的回顧，糾正對散文的錯誤觀念，現代散文發展的分期）；二、現代散文的萌芽（新散文的源流，初期新散文的分類，由說理到美文，反抗性的現代散文，這一時期的重要作家和作品）；三、現代散文的成長（現代散文的創作情況，雜文的氾濫，幽默小品的鼎盛，報告文學的興起，這一時期的重要作家和作品）；四、現代散文的鍛鍊（怒吼的散文，受難的散文，閒適的小品，多樣性的散文，這一時期的重要作家和作品）；五、結論；重要參考資料。　　　　　　　　　　　（黃惠菁）

民初白話文運動 (1917 - 1919)

陳瑗婷著，私立輔仁大學中國文學研究所碩士論文，223 頁，1989 年，龔鵬程指導。

陳瑗婷（1963 -　　　），臺灣臺中人。私立輔仁大學中文研究所碩士。

民國初年胡適所倡行的白話文運動，可推爲中國現代文學的濫觴，又其驅使文學的表現媒介由文言一變爲白話，這項轉變確內含著特殊的奧義；亦正是本論文所要探索的中心議題。本論文主要針對「文學運動」立論，架構於「以語言改革、改革文學」之理念主張上。全書除緒論，凡分四章十二節，循序描述這項運動的理論形成之因與助成之歷史背景，又從「歷史的文學進化觀」陳述理論發展之過程。尤其試從反白話運動者之論點，進行批評，以了解此一運動與傳統相違之處，從而發現新意。末章則檢討此一運動之得失，並給予適當的評價。

民初白話文運動是研究中國現代文學者必須研究的首要主題。而本論文偏重在論述民國六至八年建構的白話文學理論，及九至二十二年反白話文運動者對此一運動的批評，故以《新青年》、《新潮》、《學衡》等刊物爲主述材料。企圖以文言、白話之論辯，檢驗反省此一運動之價值。

〈目次〉

　　緒論；一、白話文運動的興起（理論之形成，歷史背景）；二、白話文運動（歷史的文學進化觀，新文學的要求，新語言的建立，新語言的意義）；三、反白話文運動者的抗爭（文言、白話優劣論，文言、白話與文學，文言的涵義）；四、白話文運動的評價（從「近於口語自然」考察白話文運動，從「文學語言」評白話文運動，啓蒙運動）；徵引及參考書目。　　　　　　　（孫秀玲）

五、民間文學史

中國俗文學史

門巋、張燕瑾著，臺北，文津出版社，339 頁，1995 年 6 月初版。

門巋（1942 -　　　），本名魏世平，河南南樂人。山東大學文學碩士。現任天津社會科學院文學所副所長、副研究員。著有《元曲百家縱論》、《元曲管窺》、《中國后妃的生死歌哭》等。

張燕瑾，另有《中國戲劇史》，已著錄，生平見前。

本書為文津出版社邀請大陸學者劉如仲、李澤奉主編之《中國文化史叢書》第二十三種。全書共分八章，前四章由張燕瑾執筆，後四章由門巋執筆，最後由張燕瑾統一定稿。俗文學，是人民大眾的文學，它具有語言淺顯易懂的通俗，及內容反映民間好尚的世俗，它隨時代不斷發展變化，語言方面，四言、五言、七言直到十字句，文體方面，不斷有新的樣式出現，其五彩紛呈是正統文學不能望其項背的。中國文學史上各種體裁，其源頭都在俗文學裡，所以不研究俗文學，文學史上的許多現象都難以解釋。本書所述，重點在於民間作品及文人搜集整理的民間文學作品，先從上古神話傳說及先秦的民謠寓言說起，按時代順序，講到明清時期的謎語歌謠笑話及說唱文學，最後另有二章論及少數民族的詩歌神話及故事，並略述歷代研究俗文學的概況，可見作者對這門學科全盤掌握的企圖。戲曲小說許多也是屬於俗文學的範圍，作者鑒於本叢書另有專史，所以不將它列為論述的重點。全書深入淺出，對歷代各種俗文學的樣式都能一一觀照，作品產生的背景及思想內容亦有分析敘說，因此本書頗具參考價值。

敦煌俗文學研究

林聰明著，臺北，私立東吳大學中國學術著作獎助委員會，361 頁，1984年 7 月初版。

　　林聰明（1946－　　　），高雄市人。私立東吳大學中文系學士、中文研究所碩士、博士，曾任教於東吳大學中文系所，現任私立逢甲大學中文系所副教授兼主任、所長。著有《昭明文選考略》、《唐杜正倫及其百行章》、《敦煌文書學》等。

　　本書原為作者於 1983 年 9 月通過之博士論文，臺靜農、潘重規指導。本書探討敦煌俗文學作品，包括講唱體（含變文、詞文、故事賦、話本）、曲子詞、俗賦、通俗詩四種類型。作者就以上範圍，做全面性探討，包括敦煌俗文學的歷史、地理背景，以明特性所在；再如講唱文學的起源與發展，各類講唱作品的內容，從嚴肅到通俗，由守舊到創新的文體演進過程；敦煌俗賦的形成原因、文體特色及作品內容；敦煌曲子詞的曲調、內容、作者、在詞史中的地位；敦煌通俗詩的起源、發展、形態、內容等等，以至於整個敦煌俗文學的思想、藝術特徵、價值等，均加以探討。涉及範圍十分廣泛，藉此資料可以修正部分傳統的文學觀念、補史傳的不足，考知唐五代方言口語諸方面，因此，在

研究唐五代俗文學史方面，可以獲得較完整的資料與結果。

〈目次〉

自序；一、緒論（敦煌俗文學的歷史與地理背景、敦煌俗文學的特性與種類）；二、敦煌講唱文學考述（敦煌講唱文學的類別，敦煌變文考述，敦煌詞文考述，敦煌話本考述，敦煌故事賦考述）；三、敦煌俗賦考述（敦煌俗賦的形成，敦煌俗賦的題材、題名與內容）；敦煌曲子詞考述（敦煌曲子詞的曲調，敦煌曲子詞的內容，敦煌曲子詞的作者）；五、敦煌通俗詩考述（通俗詩的起源與發展，敦煌通俗詩的形態與內容）；六、敦煌俗文學的思想（闡述孝道倫理，宣揚佛教思想，反映社會現象）；七、敦煌俗文學的藝術特徵（描寫細膩，比喻生動，想像豐富，個性鮮明，情節曲折，通俗易懂，擬人作用，用醜陋素材）；八、敦煌俗文學的價值（對後世文學的影響，修正傳統文學觀念，補史傳的不足，可考唐五代方言口語）；參考書目。　　　　　　　　　（林明珠）

寶卷之研究

曾子良著，國立政治大學中國文學研究所碩士論文，166 頁，1975 年 5月，鄧綏寧指導。

曾子良（1950－　　　），臺灣臺南人。國立政治大學中文研究所碩士、私立東吳大學中文研究所博士。現任教於國立海洋大學。著有《臺灣閩南語說唱文學「歌仔」之研究及閩臺歌仔敘錄與存目》等。

本書之寫作，係作者參與俗曲整理計畫之成果，是項計畫自民國六十二年七月始，中央研究院歷史語言研究所委由曾永義先生主持，整理所藏俗曲，其中包括戲劇、說書、雜曲、徒歌、雜耍等，皆蒐羅於民國一、二十年間，地域遍及全國，自播遷以後，尚乏整理，是項計畫即針對此而發。作者由其中所藏寶卷五十餘種，衍伸探索，溯其源委，而寫成此書。全書以破邪詳辯所引錄寶卷六十八種，及中央研究院歷史語言研究所所藏寶卷爲主，並就坊間所集及諸書迻錄，參考歷來有關寶卷之論著，討論寶卷之源流、體製、與內容等，並附錄有國內所見寶卷敘錄，對俗文學之整理，作了一些工作，可爲研究寶卷之參

考。

〈目次〉

緒言；一、寶卷之題名；二、寶卷之淵源與流變（寶卷之淵源，寶卷之流變）；三、寶卷之體製（初期寶卷之體製，後期寶卷之體製）；四、寶卷之內容（佛敎類，秘密宗敎類，道敎與神道故事類，改編戲劇、小說與民間傳說類，其他——敷演時事故事類與文字遊戲類）；五、寶卷之宣講（宣卷之性質，宣卷之儀式）；六、結論——寶卷之價值；附錄（一）：國內所見寶卷敍錄；附錄（二）：引用參考書目。　　　　　　　　　　　　　　　　　　　（林明珠）

五十年來中國的俗文學

婁子匡、朱介凡著，臺北，正中書局，351 頁，1991 年 10 月六刷。

婁子匡（1911－　　　），浙江紹興人。曾任私立中國文化大學戲劇系兼任敎授。編有《風物志》及其他俗文學著作多種。

朱介凡（1912－　　　），湖北武昌人。軍校高等敎育班二期畢業。歷任河南密縣政府科員，新聞編輯，空軍第五大隊新聞室主任，中國民俗學會常務理事。著有《中國歌謠論》、《中國風土諺語釋說》、《中國諺語論》、《俗文學論集》等。

本書於 1963 年 5 月初版。本書由婁子匡寫神話、傳說、故事、笑話和後記，朱介凡寫導論和其餘各篇。二人對五十年來中國俗文學的歷史考察，無形中分成兩個部分：一是前四十年在我國大陸和臺灣對於俗文學的開始蒐集到分別研究；二是後十年來在臺灣的繼續擴大、搜羅、整理和研究。撰寫的動機原爲中國文藝協會編述《中華民國五十年文藝史》的一部分，其後獨立成書，由正中書局出版。

本書的主旨，乃在論述這五十年來俗文學的存在和流傳、傳統俗文學的發現和研究、俗文學的新生，以及人們對於俗文學注重的情形。其中作者蒐集自各地的資料，有極爲珍貴的古抄、唱本、寶卷、善書等，作者儘量以原始材料爲基本工夫，閱讀鼓詞、彈詞、唱本、歌仔戲底本，並十分注重時人，時事的

介紹，以保存文獻爲要務。此外，各門各類的研究成果，作者皆加以整理，附錄各章之後，減省研究者摸索的時間，亦爲此書之貢獻。

〈目次〉

影與榴花夢；七、木魚書）。寶卷（一、源流；二、內容、形式；三、寶卷的旁枝；四、哭娘經；五、寶卷目錄；六、評價）。附錄：吳守禮〈朱藏古抄南管曲詞記〉；朱介凡〈民國俗文學史的寫述〉；後記。　　　　　（林明珠）

中國現代滑稽文學史略

湯哲聲著，臺北，文津出版社，242 頁，1992 年 8 月初版。

　　湯哲聲（1956－　　　），江蘇師範學院畢業，蘇州大學文學碩士，現任教於蘇州大學。著有《中國近代文學史稿》，編有《中國地域文化研究》、《中國十大喜劇精品》等。

　　本書以 1902 年左右至 1949 年間，大陸所發現的滑稽文學為探討重點，故以「現代」為名。而所謂「滑稽文學」，包括遊戲文章、笑話、滑稽詩文、滑稽戲和滑稽小說，凡滑稽文學家地位較重要者，並已形成作品風格者，均予以專章評析，其他作家則在發展概況中論述。

　　作者首先就「滑稽」一詞加以辨析，而後論述滑稽文學的意涵，及各種滑稽文體的發展概況，並拈出滑稽小說家吳雙熱、程瞻廬、徐卓呆、耿小的等，作為悲情、世俗、哲理、社會等不同創作個性的代表，予以析論，最後再將中國的滑稽文學溯源，並將之與世界文學及新文學中的諷刺文學並列，作整體的比較觀照。本書對於現代通俗文學的研究，具有相當的意義，尤其對於滑稽文學的關注和史料的保存，也有其貢獻。

〈目次〉

　　序；緒論：滑稽辨；一、說來開笑口葫蘆──中國現代滑稽文學的美學觀、價值觀和「讀者意識」；二、潛移默化於消閒之餘，亦未始無感化之功──中國現代滑稽之學的濫觴、主要的期刊雜誌和民初的滑稽戲；三、譎諫隱詞，呼醒當世，遊戲文章，進為規人──中國現代滑稽詩文的概況及其評析；四、借古鑒今，漫筭妄言妄聽，玩華表實，是在見智見仁──中國現代滑稽小說的概況及其評析；五、喜中見悲越發悲──悲情滑稽小說家吳雙熱；六、野談俗趣皆成文章──世俗滑稽小說家程瞻廬；七、卓而不呆趣中尋理──哲理

滑稽小說家徐卓呆；八、醜陋人間尋出「美」來——社會滑稽小說家耿小的；
九、悠悠五千年，其肇造之初，滑稽之說，淵源流長——中國現代滑稽文學的
尋源問祖；一〇、皇皇中華地，在現代文壇，滑稽文學，獨標一格——中國現
代滑稽文學與歐美滑稽幽默文學，新文學諷刺文學之比較，附錄一：中國現代
文學滑稽作品專集目錄；附錄二：本書主要參考書目；後記。 （連文萍）

六、民族文學史

蒙古文學史話

孟・伊德木扎布著，臺北，中央文物供應社，376 頁，1988 年 7 月初版。

孟・伊德木扎布，漢名「孟勛夫」，內蒙古察合爾盟人。現旅居美國擔任教職。

本書爲中華文化復興運動推行委員會所計畫出版的《中華文化叢書》之一。其撰寫方式，在於顯示中華文化的一貫性與融通性，要求各作家一本嚴肅的學術研究精神，運用科學研究方法，以求獲致有系統而客觀的論斷。自十二世紀末葉，蒙古成吉思汗崛起於北方後，蒙古民族便在我國歷史上，顯示相當的影響力，其文化的發展，也隨著其民族的延續和生存，得到進一步的活動與發揚。本書作者素喜蒙古文學，爲介紹發揚其民族文化，特參考各種不同資料，將由十三世紀迄十五世紀的蒙古文學，簡要整理，加以編寫，彙爲《蒙古文學史話》一書，其中多有參考外蒙古烏蘭巴托大學敎授達木丁蘇榮先生所撰的《蒙古文學概論》。全書文字通俗流暢，舉隅多方，兼具趣味性與可讀性！

〈目次〉

前言；一、蒙古文學研究工作的概況（蒙古學者們的研究，俄國學者們的研究，西方學者們的研究）；二、蒙古地方發現古代部落遺留的文物和書籍（唐堯庫克王子和畢立格汗的石碑，畏兀兒人的京城和石碑，西夏京城的遺跡和文物，在蒙古地方及中國北部有蒙裔契丹人散佈居住，蒙古地方古代統治的不同民族都與漢族來往並使用漢族文字）；三、蒙古文字的初創和沿革（畏兀兒蒙古文字，帕思巴喇嘛新創方塊字母，息爾立蒙古文字，托忒蒙古文）；四、古代遺留的蒙古文字紀念石碑和文書（成吉思汗也松格石碑，窩闊臺汗石碑，

貴由汗印文，蒙哥汗石碑，釋迦院碑記，伊立烏勒吉圖汗的文書）；五、蒙古秘史（對蒙古秘史研究的概況，蒙古秘史的價值）；六、十三、十四世紀流傳下來的蒙古紀念性書籍（征服三百個泰亦赤兀惕人的故事，阿爾格宋琴師的故事，成吉思汗的天才，智慧的鑰匙，一個孤兒的故事，金帳汗國楡樹板上的文書，兩個白花色駿馬的故事）；七、十三、十四世紀的翻譯文學（喇嘛學者屈吉奧得色爾，佛經「布迪吉拉雅·阿瓦達拉」，佛經「布迪吉拉雅·阿瓦達拉」釋文，「珠爾痕·陶立德」蒙古語文法，佛經「班吉爾格齊」，「佛祖十二行為」，佛經「阿勒騰格爾勒」，居庸關城門口上的紀念文書，「蘇巴希迪」，「蘇巴希迪」嘉言寶庫解釋文，元順帝「脫歡·帖木兒汗的懺悔文」，漢蒙之間的官方文書）；八、蒙古內部的分裂戰爭和滿清的統治（1371－1634）（對這一時期的總認識，明朝軍隊進軍蒙古的戰爭，蒙古為了生存爭取商業交易與生活物質向明朝進軍作戰，東部元裔蒙古內部分裂和戰爭，東部蒙古與西部衛拉特蒙古之間的戰爭，滿清的統治和北元帝國的滅亡）。九、十五世紀留傳下來的蒙古文學名著（滿都海徹辰可敦的故事，蒙古六個圖們的頌讚，薩滿敎和它的經文，渥巴錫渾臺吉的故事）；附錄參考書。　　　　　　　　　　　　（黃惠菁）

七、兒童文學史

中國兒童文學研究

雷僑雲著，臺北，臺灣學生書局，854 頁，1988 年 9 月初版。

雷僑雲（1957－　　），四川廣安人。私立中國文化大學中文系學士、中文研究所碩士、國立臺灣師範大學國文研究所博士。曾任私立德明商專講師、私立銘傳商專副教授，現任敎於國立高雄師範大學國文學系。著有《敦煌兒童文學》等。

本書原爲作者於 1988 年通過之博士論文，潘重規、葉詠琍指導。全書乃援引作者自訂「兒童文學」的定義，尋覓我國歷代兒童文學作品，分門別類，做一系統的介紹與評論，全書計分七章，三十節，歷時六年始告完成。

全書取材包括兒童歌謠、兒童詩篇、兒童字書、家訓文學、中國神話、傳記文學、寓言故事等，分別探討其源流、涵義、特質、內容等等相關問題，並配合兒童敎育、兒童學、醫學及倫理學的觀念，深而廣地介析、研究。

作者不但賦予兒童文學一個明確的定義，且能兼顧兒童文學所擁有的個別性、民族性以及時代性，親自投入中國文學領域中潛心研究，故所得之成果非常豐碩，進而奠定兒童文學在中國文學史上的重要地位。

〈目次〉

一、兒童歌謠（兒歌的源流，兒歌的特質，兒歌的類別，評論）；二、兒童詩篇（童詩與兒歌，童詩的源流，童詩的內容，評論）；三、兒童字書（語言文字的起源，我國語文的特性，傳統的語文敎學，急就篇，三字經，評論）；四、家訓文學（中國的家庭制度，家訓文學的源流，家訓文學的內容，評論）；五、中國神話（神話釋義，神語的源流，神話的內容，評論）；六、傳記文學

（傳記文學的意義，傳記文學的源流，傳記文學的內容，評論）；七、寓言故事（寓言故事的義界，寓言故事的源流，寓言故事的內容，評論）；附錄：重要參考書目。　　　　　　　　　　　　　　　　　　　　　　　　　　（張惠淑）

中國古代童話研究

朱莉美著，私立中國文化大學中國文學研究所碩士論文，232 頁，1992 年 6 月，朱鳳玉指導。

朱莉美（1966－　　），安徽潁上人。私立中國文化大學中文研究所碩士。現任教於私立四海工業專科學校。

民國初年至今，童話從翻譯、改寫到創作，其間雖有對童話理論進行研究的散論，但針對中國童話之研究，本論文可謂開風氣之先，為中國文學的研究再添新頁。

由於我國並無童話之名，故作者於首章清楚地界定「童話」的範圍及對象；第二章則說明「童話」的定義、起源、發展及定義，透過西洋童話的研究，理出中國童話的內涵與發展過程。第三章直接分析中國的古代童話作品，其取材範圍限於清末以前，尤以先秦兩漢的神話、寓言，魏晉南北朝的志怪、志人小說，唐宋傳奇，元明清小說、笑話為主，並包括「民間口傳童話」中，已記錄整理成文字的作品。進而綜合諸家之說，歸納出中國童話的基本特徵，以此選錄適用的作品，再論述其特質。第四章則分別析論中國童話與其他相關文類的關係。第五章則係作者針對我國兒童閱讀中西童話的情形，所做的一項田野調查的研究報告。第六章為結論。

本論文於研究之初便有多重困難。首先，於「中國童話」觀念的建立上，因援引西洋理論為基礎，故仍待考驗，以成定論。再則，於選材方面，不僅從浩繁的古籍中，無法全面地整理出合乎既定「特徵」的作品；蒐集民間口傳作品更是不易。每一項研究，其研究的材料若未得盡括，則援之而發的種種深層研究的結論，將容易失之片面，也有礙於各項理論的建立。然而，綜言之，作者的用心與成就，頗值得嘉許，本論文之作，業已開展出中國文學史研究的新

領域，尤爲可喜。

〈目次〉

一、緒論（研究動機，研究範疇，研究材料，研究方法）；二、童話的概念（童話的名稱，童話的起源，童話的發展，童話的定義）；三、中國古代童話作品析論（中國古代童話的範圍，中國古代童話的基本特徵，中國古代童話作品選錄，中國古代童話的性質）；四、中國古代童話和神話、寓言、傳說、民間故事、動物故事、筆記小說的關係（神話和中國古代童話的關係，寓言和中國古代童話的關係，傳說和中國古代童話的關係，民間故事和中國古代童話的關係，動物故事和中國古代童話的關係，筆記小說和中國古代童話的關係）；五、四至十二歲兒童閱讀中西童話之研究（研究目的和動機，研究方法，結果與討論，結論與建議）；六、結論；附：參考書目。　　　　　　（張惠淑）

伍、臺灣文學史編

三百年來臺灣作家與作品

王國璠、邱勝安著，高雄，臺灣時報社，339頁，1977年8月初版。

王國璠（1917－　　　），安徽舒城人。無錫國學專修學校畢業，曾任臺北市文獻委員會副主任委員兼執行秘書。著有《清代詩詞研究》、《臺灣先賢著作目錄提要》、《臺灣金石木書畫略》、《臺海搜奇錄》等。

邱勝安（1940－　　　），臺灣高雄人。國立政治大學新聞研究所碩士。歷任中央社政治新聞記者、世界新聞專科學校兼任講師，臺灣時報副社長，臺北市文獻委員等職，著有《大眾傳播與國家現代化》、《梁啓超與新民叢報》、《當代中國政治名人逸事叢書》等。

臺灣文學之肇端，源始於明鄭時代，歷清至民初而漸趨繁盛，其間不論詩、文或小說的發展均呈現多姿多采的風貌，實值得吾人深究論述，本書即緣此而編。

本書之編，前承王國璠《臺灣先賢著作目錄提要》，並參考陳漢光《臺灣詩錄》、王松《臺陽詩話》等書，以傳記之方式，藉由描述作家作品的內容及特色，呈現臺灣文學三百年來的演變軌跡。全書論述的作家除唐代才子施肩吾外，起自明末清初的沈斯庵、林朝瑛、李望洋、丘逢甲、洪棄生、連雅堂、許地山，至民國四十九年鍾理和去世為止，作者將八十多位臺灣重要作家、學者、藝術家的生平事蹟、作品內容及特色作一番介紹，若有相關史實，亦併於生平中敍述之。全書計有八十三篇，原單篇分載於臺灣時報，後再依年代先後集結成書，兼具有方志及臺灣文學史綱要之性質，惟以列傳方式敍寫，未能論述文學流派及文體之流衍情形，是其不足之處。而論述的又有學者、藝術家者流，稍嫌紛雜，亦尚待釐清。

〈目次〉

馬星野序、自序、施肩吾、沈斯庵、卓夢采、林朝英、章甫、陳思敬、黃清泰、曾玉音、陳尹、陳震曜、黃本淵、施瓊芳、蔡廷蘭、鄭用錫、鄭用鑑、林占梅、葉王、李望洋、謝肇源、吳鴻業、李春生、李凌霄、黃敬、吳德功、

陳肇興、林維丞、吳子光、陳維英、洪以南、黃中理、楊克彰、蔡國琳、丘逢甲、胡南溟、蔡碧吟、許天奎、陳鳳昌、許蔭亭、莊太岳、林維朝、許南英、施士洁、林爾嘉、林鶴壽、王松、林癡仙、林資修、蔡啓運、林緝熙、趙文徽、鄭如蘭、鄭樹南、洪棄生、施梅樵、謝國文、陳槐庭、姜紹祖、王則修、羅百祿、鄭鵬雲、王石鵬、顏雲年、黃拱五、陳嫣力、蔡惠如、連雅堂、王香禪、鄭登瀛、許地山、王芷香、黃純青、張純甫、林獻堂、魏清德、黃清淵、林小眉、黃土水、黃春潮、張我軍、鍾理和、徐坤泉、兩個半狀元郎、臺灣成長的翰林、臺灣最早的四進士。　　　　　　　　　　　　　　　（孫秀玲）

臺灣文學史綱

葉石濤著，高雄，文學界雜誌社，352 頁，1987 年 2 月初版。

葉石濤（1925－　　　），臺灣臺南人。省立臺南師範專科學校畢業。曾任小學敎師四十多年。平日從事文學創作及文學評論。著有《葉石濤自選集》、《臺灣鄉土作家論集》、《葉石濤評論集》、《葉石濤作品論集》、《臺灣文學的悲情》等。

本書是我國第一部比較完整的臺灣文學史著作，由開始蒐集資料至完成，歷時三年，初稿先在《臺灣時報》、《文學界》雜誌及《香港文學》連載問世，後經作者不斷修訂，數易其稿，由高雄：文學界雜誌社出版。

全書共分七章，完整地記載三百多年的臺灣文學史。第一、二章，對十七世紀中葉（1661 年）至抗戰勝利（1945 年）期間的臺灣文學史實做初步的考察。第三章至第七章，則分五大階段，敍述臺灣文壇四十年來的發展。文中涉及淸朝舊文學的部份，則係參考、引用楊雲萍和黃得時兩位敎授的重要論著而成。

「史綱」不同於完整的文學史，它只描繪出臺灣文學史的主要輪廓，其目的在於闡明臺灣文學在歷史的流動中如何地形成其強烈的自主意願，且鑄造成獨異的臺灣性格。本書的出版，適足以塡補歷來著作之不足，也爲後世的研究者提供許多寶貴的資料和提示；書末附錄爲林瑞明先生所編製的〈臺灣文學年

表〉，尤能使讀者易於掌握臺灣文學發展的態勢，據此而論，本書之成就與貢獻實屬非凡。

〈目次〉

　　一、傳統舊文學的移植（先史時代的臺灣，傳統文學的播種和移値，日據時代初期的舊文學）；二、臺灣新文學運動的展開（語文改革和新舊文學論爭，臺灣話文和鄉土文學，臺灣新文學的三個階段）；三、四十年代的臺灣文學——流淚撒種的，必歡呼收割；四、五十年代的臺灣文學——理想主義的挫折和頹廢（撤退，官方文學思想，作家與作品，突破與革新）；五、六十代的臺灣文學——無根與放逐（工業起飛，橫的移植，作家與作品）；六、七十年代的臺灣文學——鄉土乎？人性乎（波瀾壯闊的時代動向，鄉土文學論爭，作家與作品）；七、八十年代的臺灣文學——邁向更自由、寬容、多元化的途徑（八十年代的展望，什麼叫做臺灣文學，作家與作品）；附錄：臺灣文學年表（林瑞明編）　　　　　　　　　　　　　　　　　　　　　（張惠淑）

臺灣新文學運動簡史

陳少廷編著，臺北，聯經出版事業公司，204 頁，1981 年 11 月三刷。

　　陳少廷（1932 -　　　），臺灣屏東人。國立臺灣大學政治學研究所碩士。曾任私立世界新聞專科學校副教授，美國哥倫比亞大學研究員，中國大陸問題研究中心研究員兼資料組組長。臺灣時報總主筆。現任政治大學國際關係研究中心特約研究員。著有《五四新文化運動的評價》、《五四運動的回憶》、《中外監察制度的比較》、《極權主義底解析》等。

　　本書於 1977 年 5 月初版。由於受到第一次世界大戰後的自由思潮及大陸五四新文學運動的衝擊，臺灣的文壇也曾因而引發新文學運動，直至臺灣光復前一年，因受日帝統治者壓迫而中止，歷時約二十五年，其間，優秀作家、作品輩出，質量俱佳，且在臺灣的文化啓蒙運動和抗日民族運動史上，均有重要意義和貢獻，惜乏人關注及研究。若有相關論著，或失之偏頗、零碎，未能盡現全貌，作者爲彌補此關，而編撰本書。

本書除引言、自序，另有黃得時先生之序，其後則劃分七章，敘述起自民國八年，止於民國三十二年之間的臺灣新文學運動始末。除了介紹重要的作家及作品外，作者更著力於描繪當時盛極一時的新舊文學論戰及臺灣話文學，且能有系統地加以說明及分析，頗能提綱挈領，扼其旨要。將光復前臺灣新文學運動情形作一次鳥瞰。敘述史實之時，並參徵相關文獻及史料，給予適切的評論或結語，以期導正以往錯誤的看法，可視爲本書之特色。書後且有〈臺灣光復前的文藝概況〉、〈臺灣新文學運動文獻資料目錄〉兩篇提供研究人士參考。本書所述之作家，多侷限刊於報章雜誌者，未能普及獨力創作之作家及作品之介紹，則爲其美中不足之處。

〈目次〉

黃序；自序；引言；一、臺灣新文學運動的歷史背景；二、臺灣新文學運動的萌芽；三、臺灣新文學運動的開始；四、臺灣新文學運動的成長；五、臺灣新文學運動的高潮；六、戰爭時期的臺灣新文學；七、臺灣新文學運動的歷史意義；附錄：一、臺灣光復前的文藝概況；二、臺灣新文學運動文獻資料目錄；後記。

〈書評〉

1. 葉石濤，〈簡介陳少廷先生的臺灣新文學運動簡史〉，書評書目，53 期，頁 34－37，1977 年 9 月。
2. 鍾肇政，〈從兩本新書談起並簡介陳少廷著臺灣新文學運動簡史〉，書評書目，56 期，頁 51－54，1977 年 12 月。　　　　　　　　　　（孫秀玲）

日據時期臺灣漢語文學析論

陳美妃著，私立輔仁大學中國文學研究所碩士論文，79 頁，1981 年 5 月，王靜芝指導。

陳美妃（1957－　　），臺灣嘉義人。私立輔仁大學中文研究所碩士。現任教於國立臺北工業專科學校。

作者有感於日據時期之臺灣新文學雖已開始受到重視，有不少的論著產

生，但研究者大多偏向於文學表象的陳述及發展過程介紹，對現象背後之因素則較少深入探討。因此有本論文之作。

作者研究的重點，在於析論殖民地文學生成及發展的特異之處。共分五章，首章專就臺灣新文學生成原因作解析。次章由生、住、異、滅四個階段簡述臺灣新文學史。三章特別針對日據時期漢字何以能夠存在，挖掘其眞象，並探討漢字在新文學活動中所擁有的地位，同時標舉「文字挫折說」，以解釋文學發展中的休克現象。四章則分析臺灣新文學的特色。末章爲紛爭不已的鄉土文學作一正名。

作者寫作論文的方式，是針對臺灣漢語新文學的幾個重點加以析論，所以各篇章之間並無相屬關係，每章似乎可以單獨成立，論文缺乏嚴密的組織結構。另外作者在分析問題時，也過於簡略，如論述臺灣新文學的文字特色，僅舉賴和的〈一桿稱子〉、楊雲萍的〈光臨〉、張我軍的〈買彩票〉作例子，引文佔去大部分篇幅，析論則顯得不足。這都是本論文不夠完善的地方。

〈目次〉

　　　　　　　　　　　　　　　　　　　　　　（黃文吉）

臺灣新文學運動四十年

彭瑞金著，臺北，自立晚報社文化出版部，232頁，1991年3月初版。

彭瑞金（1947－　　　），臺灣新竹人。省立高雄師範學院國文系畢業，現任高雄市立左營高中國文教師。著有《泥土的香味》、《日據時代臺灣小說選》、《瞄準臺灣作家》等。

本書描述二次大戰後四十年間（1945－1985年）臺灣的新文學運動。然而不同於一般臺灣文學年表或臺灣文學史的特色，在於作者由臺灣文學記錄臺

灣民族成長經驗的角度加以思考、撰寫。其中對於影響文學的政治、經濟等力量亦詳加剖析，認爲日據時代的臺灣新文學運動史即是一部反抗運動史，皆是臺灣民族覺醒運動的一環。戰爭期間，文學更是民族信心重建的要素，如吳濁流著〈亞細亞的孤兒〉即爲貫穿戰前戰後臺灣新文學運動的作品，其後經歷反共文學、失根的流浪文學、鄉土文學論戰、到本土化、現實化。作者批判的角度即是著眼文學作品是否札根於鄉土，因此對於其中屬於無根的、失根的流浪或不肯札根於本土的作品皆加以區別，從中可看出作者對臺灣新文學運動的定位，及其強烈而一貫的主張。

〈目次〉

總序；序；一、臺灣新文學運動的起源（舊文學的破產，文化抗日運動的出現，新文學運動的誕生，彷徨與抉擇）；二、戰後初期的重建運動（1945－1949）（重回起跑點的新文學運動，日據作家負起薪傳的責任，二二八事件扭曲的新文學運動，劫後重生的重建運動，臺灣新文學的理想與依據，焦土烈日下出發的創作）；三、風暴中的新文學運動（1950－1959）（變色的臺灣與變色的文學，標榜戰鬥的「反共文學」，軍中文藝與軍人作家，現代派與本土詩的現代化，從石罅中萌芽的本土文學，反共文學的尾音）；四、埋頭深耕的年代（1960－1969）（由孤立到自立的臺灣政局，從反叛出發的現代主義，從蒼白的大地上迸出來的綠意，本土文學的理論與實踐，失根的流浪文學，臺灣詩的現代化與本土化，變調的散文及失落的戲劇）；五、回歸寫實與本土化運動（1970－1979）（蛻變中的臺灣，回歸的寫實主義文學，鄉土文學論戰，鄉土文學的全盛時期，鄉土文學的實踐與反省，現代詩的變革與回歸，夾縫中的劇運與散文的變奏）；六、本土化的實踐與演變（1980－　　　）（從悲情中覺醒的文學，臺灣結與中國結，反映政治現實的文學，弱者的聲音，高亢的語調，女性文學，環保文學，從方言到母語文學，八〇年代作家分佈圖，臺灣文學的展望）。　　　　　　　　　　　　　　　　　　　　　　　　　　　（林明珠）

七十年代臺灣鄉土文學研究

周永芳著，私立中國文化大學中國文學研究所碩士論文，188頁，1992年6月，尉天聰指導。

周永芳（1966－　　　），河南正陽人。私立中國文化大學中文研究所碩士。現任教於私立育達商職。

從日據時代至七十年代，「鄉土文學」隨著時代及社會的變遷，其涵義也有所不同。本論文藉由各項真實的文字記載，詳細地推衍出「鄉土文學」於各階段所代表的意義；並對其位居七十年代臺灣文壇主流的背景，做深入的考察，兼及重要作家及作品的研究。

本論文共分七章。首章爲緒論；次章從經濟、文化、政治等角度，全面地檢討七十年代臺灣社會的特質及臺灣所處的時代意義。第三章簡述至七十年代爲止，歷年來臺灣文學發展的情形，做爲第四章探討「臺灣鄉土文學論戰」的基礎。發生於1977年的鄉土文學論戰爲本論文的另一項重點，作者將其發展始末、意義與影響，完全融入第四章之中。第五章則選擇九位較具代表性的七十年代鄉土文學作家，分別介紹其各階段的作品及特色，並試圖客觀地解析各作家的文學觀及社會意識。第六章綜合以上的研究，分析七十年代臺灣鄉土文學作品的三大特性。第七章爲結論。

本論文的架構完整，各章節之間的安排頗具連貫性，是以讀者可藉由本文的研究，更全面地認識七十年代臺灣文壇的主流——鄉土文學，並賦予其較正面的時代意義，進而確立鄉土文學的獨立地位，使其超然於政治理念與意識型態的糾葛之上。

〈目次〉

一、緒論（研究動機與目的，概念界定，研究概要）；二、七十年代臺灣社會的了解（臺灣的地理位置與其在世界近代史上的意義，第二次世界大戰後的臺灣地位，七十年代臺灣社會的特質）；三、七十年代臺灣鄉土文學發展（七十年代以前臺灣鄉土文學簡述，七十年代臺灣鄉土文學的復甦及發展，現

代詩論戰——鄉土文學論戰的先聲）；四、七十年代臺灣鄉土文學論戰（論戰背景，論戰始末，論爭焦點，意義與影響）；五、七十年代臺灣鄉土文學作家介紹（王禎和，黃春明，陳映眞，王拓與楊青矗，宋澤萊，洪醒夫，曾心儀，吳晟）；六、七十年代臺灣鄉土文學作品特性（現實性，民族性，地域性）；七、結論；附：參考書目。　　　　　　　　　　　　　　　（張惠淑）

臺灣詩史

廖雪蘭，臺北，武陵出版社，332頁，1989年8月初版。

作者另有《評述花間集暨其十八作家》，已著錄，生平見前。

本書原爲作者就讀私立中國文化大學中文研究所，於1983年通過之博士論文，林尹、成惕軒指導。全書共分九章，凡二十四節。由臺灣文學發展的情形寫起，並對臺灣的詩社有全面而深入的解說；再將臺灣自荒服時期至日據時期之詩歌，分爲六階段，逐一介紹各期之詩人、作品，及詩社活動之情形。書前有作者自序及韋仲公之序各一篇。

作者認爲臺灣詩史亦地方史志之一，故在史料之蒐羅與編輯上，著力特多。本書以《臺灣詩史》爲題，做專題式的研究，是臺灣文學研究的一大進程。由於是通史性的寫作方式，故較偏重廣泛而全面性的敍述；相對地，在詩歌的精神、內涵上，著墨較少，但仍無損於本書之價值，對有心於臺灣史、臺灣文學之研究者，助益良多。

〈目次〉

一、臺灣文學發展情形（緒論，以中原文化爲主，以海島文化爲輔，以時代變化爲心）；二、臺灣之詩社（臺灣詩社之淵源，臺灣詩社之發展，臺灣詩社之性質，臺灣詩社繫年）；三、明鄭以及明鄭時代之詩（荒服時期之歌謠，明鄭以前之詩，明鄭時期之詩）；四、康雍年間之詩（康熙前期詩人，康熙後期詩人，雍正年間詩人）；五、乾嘉年間之詩（乾嘉年間詩人，嘉慶年間詩人）；六、道咸同年間之詩（道光年間之詩人，咸同年間之詩人）；七、光緒年間之詩（緒論，省籍詩人，遊宦詩人）；八、日據時期之詩（日本佔據臺灣與

臺胞之抗日，日人對臺灣漢詩所抱之態度，臺灣之詩人，在臺日僑之漢詩，大陸旅臺文人之臺灣詩）；九、結語餘論；附：參考書目。　　　　　　（張惠淑）

清代臺灣流寓詩人及其詩之研究

周滿枝著，國立政治大學中國文學研究所碩士論文，231 頁，1980 年 6 月，黃志民指導。

周滿枝（1955－　　　），臺灣新竹人。國立政治大學中文研究所碩士。

本論文撰述之年代，上自清康熙廿三年（公元 1684 年），下迄光緒廿一年（公元 1895 年），凡二百一十二年。本篇所謂流寓詩人，係指於此二百餘年間，其本人渡海，客居臺灣者而言。

本論文共分為四章十三節，並附有〈清代臺灣流寓詩人輯略〉一表。內容係就流寓詩人與其在臺的詩作，各自為章以論列之。詩人部份，先探其寓臺的時空背景與動機始末；其次就其籍貫、簡歷、著作，按來臺之先後，列成「清代臺灣流寓詩人輯略」一表以明之。詩什部份，則略究詩人吟詠發興，並循詩稽索，以溯其時、地、人、物之情景。

全篇撰述所據，均加以註釋，明其來源。就形式而言，已能符合論文寫作的標準；就內容而言，作者既已洞悉清代流寓臺灣的詩人對臺灣詩壇的開創性，且能力排遣詩之散佚湮晦、詩人生平之難考、詩人流寓之期暫等困難，極力完成研究，並撰著成篇，確已足供學界之參考。

〈目次〉

　　　　　　　　　　　　　　　　　　　　　　　　　　　　　　（張惠淑）

臺灣電影戲劇史

呂訴上著，臺北，銀華出版部，576 頁，1961 年 9 月初版。

呂訴上（1915 －　　　），臺灣彰化人。日本大學藝術科、日本新聞學院、早稻田大學政治經濟科、臺灣省警察學校警官講習班第一期業畢。歷任臺中縣警察局分局長、教育部社教委員會委員、臺灣影業公司導演、中國青年寫作協會臺灣戲劇委員會主任委員等。著有《臺灣的音樂、臺灣的戲劇》等。

本書後來又收入婁子匡編《國立北京大學中國民俗學會民俗叢書》，冊126－127，臺北：東方文化書局出版，書名改作《臺灣電影戲劇》。作者有感於臺灣戲劇源遠流長，卻未見有系統之整理記敘，因此發憤完成這部著作。他從事實地調查工作將近二十年，蒐集和臺灣戲劇有關的直接或間接資料，由於作者本身也是戲劇界人士，故內容相當翔實可觀。

本書所涵蓋的範圍極為廣泛，舉凡臺灣的電影、播音劇、南管戲、平劇、車鼓戲、歌仔戲、連鎖劇、話劇、布袋戲、皮猴戲、傀儡戲、腹話術的偶人戲等等，作者都不厭其詳地一一介紹其發展歷程。其中值得注意的，是作者往古追溯臺灣戲劇的來源，就原住民而言，是源於酒宴和歌舞，就平埔同胞而言，以何斌在 1624 年到 1661 年間向大陸買來戲班為最早。另外，作者追述臺灣電影的起源，頗能掌握日據時期有關電影的文物，所寫的臺灣電影史，非常詳盡。對於臺灣流傳最廣的歌仔戲，作者以最大的毅力，將所有歌仔戲的曲調，整理成「敘述」、「助場」、「對唱」、「走路」等十一大類而又加上簡譜，這對歌仔戲曲調的保存，極有貢獻。

作者除了文字敘述外，也盡量搜集各時期戲票、傳單、海報、特刊、剪報或當時所攝拍的照片，刊入書中，在兩者互相配合之下，更予人對歷史有一種真實感，其苦心頗具意義。

〈目次〉

序；自序；臺灣電影史；臺灣播音劇簡史；臺灣戲曲發展史；臺灣南管戲略史；臺灣平劇史；臺灣車鼓戲史；臺灣歌仔戲史；臺灣連鎖劇簡史；臺灣戲

劇的女優團演變史；臺灣新劇發展史；臺灣布袋戲史；臺灣皮猴戲史；臺灣傀
儡戲史；臺灣腹話術的偶人戲簡史；臺灣光復後由大陸來臺灣的各地各類戲曲
史；臺灣近年來由各國來臺灣演出的劇藝簡史；臺灣省文化工作隊簡史；臺灣
省地方戲劇協進會史。附錄：著者的照相帖選；臺語片的我見；臺灣演戲改革
論；臺灣歌仔戲改良的我見；著者簡歷表。　　　　　　　　　　（黃文吉）

舊劇與新劇
——日治時期臺灣戲劇之研究（1895－1945）

邱坤良著，臺北，自立晚報文化出版部，468 頁，1992 年 6 月初版。

邱坤良（1949－　　），臺灣宜蘭人。私立中國文化大學歷史研究所博士
班研究、法國巴黎第七大學史學博士。曾任美國加州柏克萊大學研究員，中國
文化大學戲劇系、藝術研究所教授，現任國立藝術學院戲劇系所教授兼主任。
著有《民間戲曲散記》、《現代社會的民俗曲藝》、《中國戲劇的儀式觀》等。

本書以日治時期（1895－1945 年）為背景，探討舊劇與新劇在當時社會
所呈現的文化意義、和鑼鼓喧天的戲劇景觀。全書寫作上有三個特色：一是不
同於其他研究日治時期研究民俗、藝術或新劇者（多從文學或新文化運動的角
度來探討），本書是純由民間的戲劇傳統作論述基礎；二是由社會史的角度探
討日治時期出現在臺灣社會的戲劇現象，對與臺灣戲劇有關的時間、空間和
人、物作分析研究，並以劇團作為討論核心；三是作者探討問題透過許多珍貴
的口述資料、田野調查，以及官方出版品、日本學者的研究報告，及相關的新
聞資料等，態度十分嚴謹，而內容力求翔實，以上三點為本書寫作上的特色。
〈目次〉

姚序（戲劇與人生）；施序（不散場的戲）；自序（我的日本時代）；一、
緒論；二、日本殖民統治時期的臺灣社會（日本帝國主義對臺灣的統治，舊俗
的保留與戲劇傳統的延續，戲劇演出與民眾生活）；三、都市發展與戲劇的興
盛（商業劇場的興起，迎神賽會的擴大，藝妲戲曲的流行）；四、臺灣戲劇的
變遷與發展（臺灣戲劇的變遷，臺灣戲劇的發展，新劇種的誕生）；五、劇團

與演員（職業劇團的組織與營運，子弟團的組織與活動，劇團的信仰與習俗）；六、臺灣戲劇與近代政治（臺灣近代民族運動與社會運動，文化劇與新劇的興衰，皇民化時期的戲劇控制）；七、結論；日治時期臺灣戲劇年表；附錄（日治初期地方志所見演劇風俗，昭和二年（1927）各州廳演劇一覽表）；參考書目；索引。　　　　　　　　　　　　　　　　　　　　　　　　　（林明珠）

〈書評〉

1. 施育堂，〈評介邱坤良著舊劇與新劇─日治時期臺灣戲劇之研究（1895－1945）〉，臺灣史田野研究通訊，27 期，頁 79－82，1993 年 6 月。

臺灣歌仔戲的發展與變遷

曾永義著，臺北，聯經出版事業公司，175 頁，1993 年 2 月二刷。

作者另有《明雜劇概論》，已著錄，生平見前。

本書曾以論文形式發表於 1987 年 8 月香港中文大學主辦的「第四屆香港國際比較文學會議」，原收入《詩歌與戲曲》一書，後因全文長達六萬餘言，便從中別出，並緣文配圖，自成一書，於 1988 年 5 月初版。

作者因深感歌仔戲及臺灣土生土長的地方戲劇，有關它形成發展和轉型變遷的過程，尚未有人作較深入而全面的論述，故將數年來參與民俗藝術活動的所見所聞，參酌田野調查和研究成果，並證據文獻資料，薈萃貫串成本文。

全書共分六部份，書前有許常惠、林明德及作者三人的序文各一篇，作者從閩南的歌樂戲曲和臺灣歌樂戲曲的關係與狀況談起，進而說到臺灣歌仔戲的形成、發展、轉型、現況，以及今日應有的因應之道。其他有關歌仔戲的文學特質、社會意義等問題，則尚未論及。

作者考察臺灣歌仔戲的現象，經營問題，以引導讀者走進歌仔戲的深層結構，一窺究竟。在文獻資料與田野調查交相映襯之下，使本文更具可讀性，其貢獻非但為歌仔文化定位，也為藝能尋求路向，蓋已提昇了民俗研究的層次，頗值得參考。

臺灣子弟戲之研究

林清涼著，私立中國文化學院藝術研究所碩士論文，167 頁，1978 年 6 月，姚一葦指導。

　　林清涼（1948－　　　），臺灣臺南人。私立中國文化學院藝術研究所碩士。

　　本書凡六章九節，作者以臺灣子弟戲本身的歷史、沿革來做探討的焦點，進而瞭解早期臺灣農村社會的面貌。從「子弟戲」意義的界定、歷史淵源的探索，到劇團、劇場及劇目的研究，都頗見作者的用心良苦，更可感受其所肩負的文化傳承的沈重使命。

　　然而，本書僅著重於子弟戲的外圍研究，對於其內部問題，如子弟戲的特色，其所表現的精神意義，所代表的文化地位，以及其於中國文學的發展史上，具有何種重要的傳承與影響等，反而未加論述，殊為可惜。

　　此外，雖然本文於敍述上略顯文意不明，於參考書目的編排上也稍嫌淆亂，但作者於此一主題的探討，及其親自參與的田野調查工作，都是值得稱揚，並予以肯定。

〈目次〉

的關係）；五、劇目（劇本的流傳方式，劇目收集和整理）；六、結論；附：參考書目。 （張惠淑）

臺灣皮影戲的技藝與淵源

柯秀蓮著，私立中國文化學院藝術研究所碩士論文，100 頁，1976 年 6 月，俞大綱指導。

柯秀蓮（1950－　　　），臺灣新竹人。私立中國文化學院藝術研究所碩士。

本論文爲研究臺灣皮影戲的首篇專著，作者透過史實記載及多方面的訪談、調查，尋得臺灣皮影戲與盛行於清代的中國皮影戲之關聯，進而深入研究皮影戲的藝術特質及其組成。全文共分九章十八節，並附有數十幅皮影造形的影印圖，更爲本文增色不少。

作者以細膩的筆法及完整的架構，成功地敍述此一主題的相關論題，文中多有創見，最後，更寄予皮影戲的發展一誠摯而中肯的冀望。綜論之，本論堪稱爲皮影戲的一份眞實的文字記錄，可作爲研究戲劇之士的重要參考。

〈目次〉

一、引言；二、影戲的歷史（傳說中的起源，影戲的歷史記載，影戲的派別，皮影戲的外傳）；三、臺灣的皮影戲史（歷史及分布狀況，分派，皮影戲在臺灣現況，重要演出）；四、皮影戲的藝術形式及其價值（皮影人的造形藝術，皮影戲的戲劇形式，皮影戲的道白及音樂）；五、皮影影具的制作；六、皮影戲的劇本與內容（劇本的書寫，劇本的題材，內容的編寫）；七、皮影戲學習與演出（學習的困難與時間狀況，表演時應注意事項）；八、皮影戲的改良和創新（保存，改良和創新）；九、尾聲。 （張惠淑）

日據時期臺灣小說研究

許俊雅著，台北，文史哲出版社，838 頁，1995 年 2 月初版。

許俊雅（1960－　　　），臺灣臺南人。國立臺灣師範大學國文研究所碩士、

博士。現任教於臺灣師範大學國文學系。著有《臺灣寫實詩作之抗日精神研究》、《台灣文學散論》、〈光復前臺灣詩鐘史話〉、〈三臺才女黃金川及其詩〉等。

本書為作者於 1992 年 5 月通過之博士論文，李鍌、陳萬益指導。作者曾以《臺灣寫實詩作之抗日精神》為研究範疇，撰述碩士論文，於觀詩之餘，旁及說部，遂啓研閱日據時期臺灣小說之幾，於是勤蒐載籍，發憤屬辭，完成本論題之研究。

本書所謂「日據時期臺灣小說」，乃指光緒廿一年（西元 1895 年）臺灣割讓，至民國卅四年（西元 1945 年）臺灣光復止，凡籍隸臺灣的文士所撰寫的小說，悉為探討析論的對象。唯目前文獻可考的小說僅自 1920 年始，故本書所論之作品，實僅介於 1920 年至 1945 年間。作者擬藉此一研究全盤透視其時臺灣小說的真貌，肯定其文學史上的價值，並省思當時的社會現象。全文分緒論、本論兩部分，凡六章廿五節，書末另附有〈日據時期臺灣小說作者分佈圖〉等七大圖表，及〈日據時期臺灣小說刊行表〉等六項附錄。

緒論部份，主要為檢討研究日據時期臺灣文學的成果、概況，並勾勒出未來的展望。本論部份，首先對研究主題從事背景的分析；其次，則針對日據時期臺灣小說作者的角色與其創作主題，研究此二者與文學風貌之間的互動關係。第三、四章則就作品的思想內容、創作形式而論；進而從角色的塑造，探討其思想性格形成的緣由。最後，據以評估當時臺灣小說的價值與影響，並研討其寫作技巧與成就。

作者透過激昂的民族情懷，由日據時期的臺灣文學入手，予其客觀、合理的觀照與評價，其貢獻非僅止於文學史研究的推進；猶可視為研究抗戰時期社會史的重要用書。

〈目次〉

自序；緒論（本文寫作緣起，「日據時期臺灣文學」研究概況，臺灣文學研究展望）；本論：一、日據時期臺灣新文學的發展（臺灣文士之覺醒與文化抗日，臺灣新文學運動的展開）；二、日據時期臺灣小說之作者及其背景分析（小說作者之相關資料及生平傳略，小說作者之背景分析與創作主題）；三、日

據時期臺灣小說蘊含的思想內容（批評舊社會的陰暗面，諷刺臺灣人民之性格，譴責日本殖民統治，關懷婚姻情愛之自主，有關皇民文學的撰寫，其他）；四、日據時期臺灣小說創作形式之探討（閩南方言詞彙在小說作品中之應用，閩南方言詞彙在小說中扮演的角色功能及限制，小說作品時雜日語借詞及音譯詞，小說敘事觀點之應用，以死亡或瘋狂爲小說的敘事架構）；五、日據時期臺灣小說中的人物形象（女性形象，知識分子形象，醫師形象，農民形象）；六、結論：日據時期臺灣小說總評（幾點令人反思的問題，影響評估與歷史價值，寫作技巧與文學成就）；圖表附錄：圖一、日據時期臺灣小說作者分布圖；表一、臺灣重要新文學雜誌刊物表；表二、日據時期臺灣小說作者資料表；表三、論述婦女問題之文章一覽表；表四、臺北大稻埕迎城隍裝八將與掛枷人數表（1928－1931年）；表五、1922年日臺郵政局職員工資差別表；表六、閩南方言詞彙之書寫呈歧異者；表七、以「狂」或「死」爲敘事架構之小說作品；圖像目錄：作者照片；文學聚會；廣告、雜誌封面；雜誌報刊小說；附錄：一、日據時期臺灣小說刊行表（未定稿）；二、三六九小報刊行小說一覽表；三、日據時期臺灣小說集刊行表；四、日據時期在臺日人小說刊行表；五、日據時期來臺日人小說集刊行表；六、日據時期臺灣文藝雜誌一覽表；主要參考書目。

（張惠淑）

臺灣閩南語說唱文學「歌仔」之研究
及閩臺歌仔敍錄與存目

曾子良著，私立東吳大學中國文學研究所博士論文，253頁，1990年6月，鄭騫、曾永義指導。

作者另有《寶卷之研究》，已著錄，生平見前。

本論文分上、下篇，上篇本論，探討有關臺灣閩南語說唱文學「歌仔」的各項問題；下篇「閩臺歌仔敍錄與存目」，介紹國內外收藏歌仔的情形及其內容特色，以做爲研究的基礎，下篇雖止於敍錄存目，但用力實深。

上篇共分十章，首章「緒論」，說明說唱文學的脈絡、體製，以及「歌仔」

與說唱文學的關係。第二章考述「歌仔」的演進情形。第三章介紹說唱文學「歌仔」的資料，包括歌仔簿和藝人演唱錄音資料。四、五、六三章，則探討「歌仔」的內容、分類、藝術特色，及其所反映的思想。第七、八二章，介紹「歌仔」常用的唱調及其伴奏的樂器，並分類列舉過去「歌仔」的傳播藝人。第九章說明歌仔在過去的功用，以及其於文學、民族音樂學、語言學、社會宗教禮俗、史料上的價值。最後從「歌仔」的內容、結構和音樂形式說明臺灣、閩南、中國文化上的一致性。

本論文在資料的蒐集上，成果甚爲可觀，所整理的「閩臺歌仔敍錄與存目」，對於有志研究「歌仔」藝術的學者而言，助益良多；於文化的保存與維護上，更有卓越的貢獻。本論文異於一般文學史的研究，於現存的史料之外，仍需著力於田野調查及民間藝人的走訪，全面蒐索尚存的文字紀錄，進而深入地研究其精神與內涵，以便成此艱難的調查與研究工作，此乃本論文的特殊之處。

〈目次〉

上篇、臺灣閩南語說唱文學「歌仔」之研究：一、緒論（說唱文學發展的脈絡，說唱文學的體製，所謂「歌仔」及其與說唱文學之關係）；二、臺灣閩南語說唱文學「歌仔」的形成與演變（臺灣閩南語說唱文學「歌仔」的形成，臺灣閩南語說唱文學「歌仔」的演變）；三、臺灣閩南語說唱文學「歌仔」的資料（書面資料——歌仔簿，錄音資料與田野調查）；四、臺灣閩南語歌仔的內容（改編中國傳統小說、戲曲類，改編中國歷史與民間故事類，改編臺灣歷史與民間故事類，改編當時該地社會新聞類，勸善教化類，褒歌類，趣味歌類，敍情歌類，知識類，其他）；五、臺灣閩南語歌仔所反映的思想（拓墾精神，民族意識，處世態度，宗教思想）；六、臺灣閩南語說唱文學「歌仔」的藝術特色（語言的生動活潑，情節的引人入勝，濃厚的生活氣息，深得人心的是非理念）；七、臺灣閩南語說唱文學「歌仔」的音樂形式（臺灣閩南語說唱文學「歌仔」的唱調及其特色，臺灣閩南語說唱文學「歌仔」唱調的組合及其伴奏樂器）；八、臺灣閩南語歌仔的傳播及其現況（臺灣閩南語歌仔的傳播者，臺灣閩南語歌仔的現況）；九、臺灣閩南語說唱歌仔的價值（文學上的價值，

民族音樂學上的價值，語言學上的價值，社會、宗教、禮俗上的價值，史料上的價值）；一〇、結語（臺灣、閩南、中國文化上的一致性，民俗曲藝的維護與發揚）。下篇、閩臺歌仔敍錄與存目：一、敍例；二、閩臺歌仔敍錄與存目；三、結論；四、閩臺歌仔歌名筆劃索引；附錄：重要參考書目。　（張惠淑）

臺灣閩南語歌謠研究

臧汀生著，臺北，臺灣商務印書館，229 頁，1980 年 5 月初版。

臧汀生（1951－　　　），山東煙臺人。國立政治大學中文系學士、中文研究所碩士、博士。曾任私立強恕高中、省立嘉義高級商業職業學校教師，國立中正大學、私立逢甲大學中文系副教授，現任教於國立彰化師範大學國文系。著有《臺灣閩南語民間歌謠新探》、〈臺灣流行歌曲與臺灣社會〉、〈臺語文字化的管見〉等。

　　本書爲作者於 1979 年通過之碩士論文，題目原作《臺灣民間歌謠研究》，羅宗濤指導。共分六章十六節，首先概述漢人遷臺簡史，其次以史爲經，敍述歷來風土人情變化，說明臺灣閩南語歌謠之來源及演進；繼而就其應用、結構、組織、文字、聲韻等，逐項加以討論。

　　全書的宗旨，在於闡明臺灣與大陸脈絡相連的血肉關係，並對臺灣閩南語歌謠之方言文學價值作一公正評估。作者於臺灣文學中獨取「歌謠」做專題研究，不但賦予「臺灣民間歌謠」一確切的定義，且提升其爲臺灣本地俗文學之主幹，誠爲傳統文學史研究之延伸與拓展，其貢獻不容忽視。

　　作者於首章所定義、分類之「臺灣民間歌謠」，對研究範圍的確定，頗有助益；另外本論文將閩南語歌謠藉由文字記載時，對所使用的字彙也能以審愼的態度，除音韻相符之外，尚能兼顧歌謠在記錄成文字時的一致性、通用性及精確性。本書極有助於探究臺灣的歷史、文化、社會、風俗之需；在資料的保存與運用上，也功不可沒。

〈目次〉

　　一、緒論；二、漢人移民臺灣簡史（前言，漢人移民臺灣第一期，漢人移

民臺灣第二期，漢人移民分析）；三、臺灣歌謠簡史（論起源，論發展，論傳承）；四、論功用（政治作用，商業作用，教育作用，娛樂作用，抒情作用）；五、論結構（論句子，論表現法，論章句與字詞之運用，論用韻形式，韻字之討論）；六、餘論；附：參考書日。

〈書評〉

1. 莊永明，〈大漢天聲唱不息——短評臺灣閩南語歌謠研究和臺灣民謠〉，書評書目，94 期，頁 96－101，1981 年 2 月。　　　　　　　（張惠淑）

臺灣閩南語民間歌謠新探

臧汀生著，國立政治大學中國文學研究所博士論文，306 頁，1989 年 6 月，羅宗濤、曾永義指導。

作者另有《臺灣閩南語歌謠研究》，已著錄，生平見前。

作者繼《臺灣閩南語歌謠研究》之後，縮小範圍，再以《臺灣閩南語民間歌謠新探》爲題，做更深入的研究。蓋以文字討論爲主，故含樂的「歌」與不含樂的「謠」一併討論，除傳統歌謠外，兼及「歌仔戲」與「流行歌曲」。

本論文凡分九章，首章緒論定義出「臺灣民間文學」之界說，及其體製、分類；第二章說明歌謠主體的「臺灣人民」移民過程與人文背景，以明其來源與演進的基礎；第三章論本地發生的流行歌曲，分三個時期討論，各列舉其代表作以明各期的特色；第四章則簡述歌仔戲的源起與興衰。五、六二章，便以三、四章爲張本，論其功用與結構；最後檢討古今記錄方法之得失，並提出個人的建議。要之，本論文的研究路線及求其體製完備，章法井然，此即本論文之一大特色。

作者於流行歌曲分期討論中，曾對本地創作之歌曲曲詞加以分類、舉例，共分爲「情愛類」、「輕快類」、「感歎類」、「勸世類」等四大類，其中「感歎類」最多，又可分爲「征婦怨」、「風塵怨」、「生活怨」、「思鄉歎」、「黑道悔」等，從中也透露出臺灣社會變遷，人民生活困苦之一面，頗有古代樂府、民歌之遺意。

臺灣兒童文學史

洪文瓊著，台北，傳文文化事業公司，154 頁，1994 年 6 月初版。

洪文瓊（1944－　　），臺灣高雄人。國立政治大學政治系畢業，私立淡江大學美國文化研究所碩士。現任國立臺東師範學院語文教育系講師。著有《兒童文學見思集》、《兒童圖書的推廣與運用》，編有《中華民國台灣地區兒童期刊目錄彙編（民國 38－78 年）》、《1945－90 年兒童文學大事紀要》、《1945－90 年華文兒童文學小史》、《美加兒童文學博士論文摘要》等。

作者平日對兒童文學極為關注，發表過不少有關臺灣兒童文學的文章，本書即為這些文章的結集。雖然它是一本文集，但作者之所以用「臺灣兒童文學史」為書名，大概以所收的文章大致已呈現臺灣兒童文學從 1945－1993 年各個階段的發展面貌。

由於兒童文學作品通常是透過各類兒童讀物來呈現，因而作者認為透過兒童讀物出版的質與量，也是了解兒童文學發展狀況的一種途徑。本書的文章大

都以出版發展的觀點來剖析台灣兒童文學各階段、各方面的發展，論述範圍除了一般兒童圖書外，廣及兒童期刊、兒童漫畫書及兒童文學研究。作者在寫作方法上，有總體性的綜合分析，也有專類的個別分析，有量的分析，也有質的論述，有治史蒐集資料的實例，也有治史的方向與態度探討，可謂面面俱到。台灣自 1987 年解嚴後，兒童圖書出版出現嶄新的面貌，相對地影響台灣兒童文學發展走向。本書對解嚴後的臺灣兒童文學，有總體性的描述，也有年度的具體分析。另外，本書對台灣兒童文學研究狀況也有深入的論述。作者以出版觀點來處理臺灣兒童文學史，固然有其方便之處，及全面觀照的優點，但亦有其盲點，就是缺少兒童文學作家及作品的介紹分析，這方面或許有待作者繼續努力與充實。

〈目次〉

敬爲臺灣文化奉獻一點心意——自序；一、總體發展總析（①1945－1993年臺灣兒童文學發展走向；②影響臺灣近半世紀兒童文學發展的十三樁大事；③1945－1993 年臺灣兒童讀物出版量與質的總體分析；④1946－1977 年台灣兒童讀物出版量的分析；⑤八十年代台灣兒童讀物發展的幾點觀察；⑥1988年以來的臺灣兒童文學；⑦1988－1989 年臺灣兒童讀物出版狀況綜合分析；⑧1990 年臺灣兒童讀物出版概況；⑨1991 年臺灣兒童讀物出版回顧；⑩蘋果派與紅豬——1992 年臺灣童書出版走向；⑪新銳競秀，電子書蓄勢待動——1993 年臺灣童書發展特色）；二、專類發展分析（①近四十年臺灣兒童文學研究發展概況；②1949－1989 年臺灣兒童期刊發展綜合分析；③1949－1989 年臺灣幼兒期刊發展狀況；④民國七十年代臺灣兒童期刊鳥瞰）；三、附錄（①建立兒童文學史料管見；②跨出建立兒童文學史料的第一步——蒐編《近四十年中華民國臺灣地區兒童期刊目錄彙編》始末；③兒童文學史料初稿評介——兼談治兒童文學史的方法與途徑）。　　　　　　　　（黃文吉）

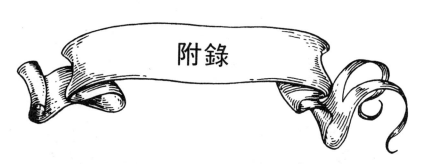

附錄

中國文學史總書目
(1880－1994)

編輯說明

一、本書目收錄 1880－1994 年間（含部分 1995 年）出版之各類中國文學史專著，並包括台灣、香港尚未出版之博碩士論文。

二、本書目旨在反映中國文學史著作之總成績，兼含台灣、大陸、香港、新加坡、韓國、日本、歐洲、美國、蘇聯等地之著作成果，共收錄 1606 種。

三、本書目編例按「文學思想史編」、「古代文學史編」、「現代文學史編」、「大陸當代文學史編」、「地方文學史編」、「各體文學史編」、「臺灣文學史編」等七大類，大類之下依需要再分小類。

四、本書目通史性的著作以初版年月先後為序進行著錄，斷代性的著作則按歷史時代的先後排列，再按初版年月先後為序排列。譯本及翻印本緊接在原著之後。各體文學之理論、批評史，則排在各體文學史之末。某些著作涵蓋兩種文體，則用互見處理，以減少翻尋之勞。

五、以英、日文發表之著作書名，皆按原來文字著錄，英文書名並附有中文翻譯，其它語文由於排版不易，及方便讀者，皆已譯為英文及中文。

六、本書目著錄方式，專書依次註明：作者、譯者、書名、出版地、出版者、頁數、出版年月。博碩士論文則依次註明：作者、篇名、畢業學校所別、頁數、論文完成年月、指導教授。出版年月，一律用西元，日文著作，因跨越明治、大正、昭和、平成四朝，於西元後另加各朝年代。

七、本書目為方便讀者瞭解各專著之出版情況，每一專著如有不同之出版者或版次，皆一一詳列。對於某些專著作者、書名遭到更改時，在該條目後以括弧註明原作者及原書名。同時在原作者及原書名條下，著錄該出版條目，並用括弧註明作者、書名更改情形，使兼有考辨版本之功能。

八、本書目後附有作者索引，以方便檢索。

壹、文學思想史編

一、思想史

0001 靑木正兒　支那文學思想（上、下）
　　　　岩波講座東洋思潮　12、15 回　計 63、59 頁　東京　岩波
　　　　書店　1935 年（昭和 10）、1936年（昭和 11）

0002 靑木正兒著　汪馥泉譯　中國文學思想史綱
　　　　上海　商務印書館　150 頁　1936 年 12 月初版

0003 竹田復　支那文藝思想
　　　　支那精神　計 36 頁　東京　理想社　1940 年（昭和 15）

0004 竹田復著　隋樹森譯　中國文藝思想
　　　　貴陽　文通書局　48 頁　1944 年 3 月初版
　　　　香港　龍門書店　44 頁　1965 年 6 月

0005 靑木正兒　支那文學思想史
　　　　東京　岩波書店　430 頁　1943 年（昭和 18）4 月初版；
　　　　1958 年（昭和 23）三刷
　　　　東京　春秋社　1969 年（昭和 44）（在「靑木正兒全集」
　　　　內）

0006 靑木正兒著　鄭樑生、張仁靑譯　中國文學思想史
　　　　台北　台灣開明書店　147頁　1977 年 10 月初版

0007 靑木正兒著　孟慶文譯　中國文學思想史
　　　　瀋陽　春風文藝出版社　278 頁　1985年 5 月初版

0008 內野熊一郎　中國思想文學史

東京　敬文社　139 頁　1954 年（昭和 29）初版；1960 年
（昭和 35）十刷

0009　目加田誠　中國の文藝思想
東京　講談社　1991 年（平成 3）初版

0010　胡曉明　靈根與情種—先秦文學思想研究
南昌　百花洲文藝出版社　285 頁　1994 年初版

0011　王　瑤　中古文學思想
上海　棠棣出版社　1951 年 8 月（後與「中古文人生活」、
「中古文學風貌」合爲「中古文學史論」）
香港　中流出版社　1970 年
台北　鼎文書局　1977 年（在劉師培「中國中古文學史」
附錄）
台北　長安出版社　194 頁　1975 年 10 月初版；1982 年二
刷

0012　橋本循　漢魏六朝文學思想論
文哲史學學會聯合編集研究報告抄錄誌（2）　1951 年（昭
和 26）11 月初版

0013　許　結　漢代文學思想史
南京　南京大學出版社　420 頁　1990 年 12 月初版

0014　汪耀明　西漢文學思想
上海　復旦大學出版社　194 頁　1994 年 2 月初版

0015　張仁青　魏晉南北朝文學思想史論
國立台灣師範大學國文研究所博士論文　1978 年　林尹指
導
台北　文史哲出版社　828 頁　1978 年 12 月初版（書名改
作「魏晉南北朝文學思想史」）

0016　張仁青　魏晉南北朝文學思想史
台北　文史哲出版社　828 頁　1978 年 12 月初版（博士論

文原題「魏晉南北朝文學思想史論」)

0017　羅宗強　隋唐五代文學思想史

上海　上海古籍出版社　487頁　1986年8月初版

0018　詹杭倫　金代文學思想史

成都　成都科技大學出版社　1990年

台北　貫雅文化事業公司　438頁　1993年5月初版（本書
經作者改寫，並改名爲「金代文學史」）

0019　靑木正兒　淸代文學評論史

東京　岩波書店　326頁　1950年（昭和25）1月初版

0020　靑木正兒著　陳淑女譯　淸代文學評論史

台北　台灣開明書店　228頁　1969年12月初版；1991年
3月二刷

0021　靑木正兒著　楊鐵嬰譯　淸代文學評論史

北京　中國社會科學出版社　243頁　1988年1月初版

0022　李瑞騰　晚淸文學思想之研究

私立中國文化大學中國文學研究所博士論文　244頁　1987
年　黃永武指導

台北　漢光文化事業公司　229頁　1992年6月初版（書名
改作「晚淸文學思想論」）

0023　李瑞騰　晚淸文學思想論

台北　漢光出版社　229頁　1992年6月初版（博士論文原
題「晚淸文學思想之研究」）

0024　葉　易　中國近代文藝思想論稿

上海　復旦大學出版社　275頁　1985年1月初版

0025　高田昭二　中國近代文學論爭史

東京　風間書房　1990年（平成2）初版

0026　復旦大學中文系1957級文學組學生集體編著　中國現代文藝思想鬥爭
史

上海　上海文藝出版社　545頁　1960年5月初版

0027　包忠文主編　現代文學觀念發展史

南京　江蘇教育出版社　821頁　1992年8月初版

二、理論史

0028　諶兆麟　中國古代文論概要

長沙　湖南文藝出版社　524頁　1987年2月初版

0029　蔡鐘翔等　中國文學理論史

北京　北京出版社　5冊（320、590、362、770、369頁）
　　1987年6-12月初版；1991年9月-10月二刷

台北　洪葉文化事業公司　5冊（383、720、429、938、
444頁）　1993年12月-1994年6月初版

0030　興膳宏　中國の文學理論

東京　筑摩書房　447頁　1988年（昭和63）9月初版

0031　朱恩彬主編　中國文學理論史概要

濟南　山東文藝出版社　412頁　1989年12月初版

0032　王金凌　先秦兩漢文學理論研究

私立東吳大學中國文學研究所博士論文　340頁　1986年
王靜芝指導

台北　華正書局　405頁　1987年4月初版（書名改作「中
國文學理論史（上古篇）」）

0033　王金凌　中國文學理論史（上古篇）

台北　華正書局　405頁　1987年4月初版（博士論文原題
「先秦兩漢文學理論研究」）

0034　海　清　古代文學剖析

台北　哲志出版社　178頁　1969年7月初版

0035　朱榮智　兩漢文學理論之研究

國立台灣師範大學國文研究所碩士論文　1976 年　葉慶炳
指導

國立台灣師範大學國文研究所集刊　21 期　頁 705－785
1977 年 6 月

台北　聯經出版事業公司　185 頁　1978 年 9 月初版；1982
年 12 月二刷

0036　王金凌　　中國文學理論史（六朝篇）
　　　　　　　　台北　華正書局　330 頁　1988 年 4 月初版

0037　孟英翰　　北宋理學家的文學理論研究
　　　　　　　　國立台灣大學中國文學研究所碩士論文　178 頁　1989 年 5
　　　　　　　　月　張健指導

0038　龔顯宗　　明洪、建二朝文學理論研究
　　　　　　　　台北　華正書局　238 頁　1986 年 6 月初版

0039　Golygina K.（戈雷金娜）：十九至二十世紀初中國文學理論
　　　　　　　　　莫斯科　東方文學出版社　290 頁　1971 年初版

0040　劉偉林　　中國文藝心理學史
　　　　　　　　海口　三環出版社　445 頁　1989 年 12 月初版

0041　李建中　　漢魏六朝文藝心理學
　　　　　　　　太原　北岳文藝出版社　337 頁　1992 年 5 月初版
　　　　　　　　台北　文史哲出版社　346 頁　1993 年 9 月初版（書名改作
　　　　　　　　「心哉美矣：漢魏六朝文心流變史」）

0042　李建中　　心哉美矣：漢魏六朝文心流變史
　　　　　　　　台北　文史哲出版社　346 頁　1993 年 9 月初版（書名原作
　　　　　　　　「漢魏六朝文藝心理學」）

三、思潮史

0043　朱維之　　中國文藝思潮史略

上海　合作出版社　174頁　1939年6月初版；1939年8月二刷

上海　開明書店　160頁　1946年12月重排初版；1949年三刷

台北　地平線出版社　174頁　1974年3月初版

香港　港青出版社　1978年9月初版

0044　朱維之　中國文藝思潮史稿

天津　南開大學出版社　408頁　1988年4月初版（作者將舊作「中國文藝思潮史略」加以重寫）

0045　李家源　中國文學思潮史

韓國　一潮閣　258頁　1959年

0046　青木正兒著　王俊瑜譯　中國古代文藝思潮論

北平　人文書店　160頁　1933年12月初版（原著書名作「支那文藝思潮論」）

台北　啓明書局　159頁　1958年（不著譯者）

台北　文鏡文化事業公司　151頁　1985年初版

台北　信誼書局　159頁　1978年7月初版（不著譯者，在「文藝論評研究」內）

台北　莊嚴出版社　130頁　1993年8月初版（不著譯者）

0047　青木正兒著　不著譯者　中國古代文藝思潮論

台北　啓明書局　159頁　1958年（譯者原作「王俊瑜」）

台北　信誼書局　159頁　1978年7月初版（譯者原作「王俊瑜」，在「文藝論評研究」內）

台北　莊嚴出版社　130頁　1993年8月初版

0048　郭麟閣　魏晉風流及其文潮

北平　重慶紅藍出版社北平分社　104頁　1946年4月初版

0049　葉易　中國近代文藝思潮史

北京　高等教育出版社　259頁　1990年11月初版

0050　關愛和　　悲壯的沈落（19－20世紀中國文學思潮史　第一卷）

　　　　　　　開封　河南大學出版社　261頁　1992年7月初版

0051　趙福生、杜運通　從新潮到奔流（19－20世紀中國文學思潮史　第三

　　　　　　　卷）

　　　　　　　開封　河南大學出版社　290頁　1992年6月初版

0052　劉增杰　　戰火中的繆斯（19－20世紀中國文學思潮史　第四卷）

　　　　　　　開封　河南大學出版社　249頁　1992年7月初版

0053　李何林　　近二十年中國文藝思潮論（1917－1937）

　　　　　　　上海　生活書店　576頁　1939年9月初版；1945年10月

　　　　　　　再版；1946年5月二刷

　　　　　　　大連　光華書店　1948年10月初版

　　　　　　　香港　中文近代史料出版組　576頁　1966年

　　　　　　　西安　陝西人民出版社　567頁　1981年4月重排本；1982

　　　　　　　年4月

0054　魏紹馨　　中國現代文學思潮史

　　　　　　　杭州　浙江大學出版社　429頁　1988年7月初版

0055　黃競新　　五四時代之中國文藝思潮及其發展

　　　　　　　香港珠海大學中文研究所碩士論文　1974年　李璜指導

0056　何西來　　新時期文學思潮論

　　　　　　　南京　江蘇文藝出版社　328頁　1985年12月初版

0057　孫書第　　當代文藝思潮小史

　　　　　　　瀋陽　遼寧大學出版社　112頁　1986年6月初版

0058　朱　寨主編　中國當代文學思潮史

　　　　　　　北京　人民文學出版社　578頁　1987年5月初版

0059　宋耀良　　十年文學主潮

　　　　　　　上海　上海文藝出版社　358頁　1988年7月初版

四、批評史

0060　陳鐘凡　　中國文學批評史

上海　中華書局　178頁　1927年2月初版；1929年12月三刷；1931年8月四刷；1934年7月五刷；1940年2月六刷

台北　鳴宇出版社　139頁　1979年初版

0061　郭紹虞　　中國文學批評史

上海　商務印書館　3冊，1082頁　上冊：1934年5月初版；1947年四刷　下冊（2冊）：1947年2月初版；1948年4月二刷

上海　新文藝出版社　605頁　1955年8月修訂本

北京　中華書局　606頁　1961年初版

台北　明倫出版社　652頁　1969年11月初版；1972年6月五刷

台北　文匯堂　604頁　1970年11月初版（作者改作「郭源新」）

台北　台灣商務印書館　3冊　1970年初版

台北　文光出版社　604頁　1973年9月初版

台北　鄉粹出版社　1111頁　1977年初版

台北　盤庚出版社　1082頁　1978年初版

上海　上海古籍出版社　700頁　1979年12月新一版；1992年8月

台北　文史哲出版社　1082頁　1983年9月初版；1990年7月（作者改作「文史哲出版社編輯部」）

台北縣　元山書局　604頁　1985年初版（書名改作「中國文學批評新論」）

台北　五南圖書公司　641頁　1994年8月初版

0062　郭源新　中國文學批評史

台北　文匯堂　604頁　1970年11月初版（作者原作「郭紹虞」）

0063　文史哲出版社編輯部　中國文學批評史

台北　文史哲出版社　1082頁　1983年9月初版；1990年7月（作者原作「郭紹虞」）

0064　郭紹虞　中國文學批評新論

台北縣　元山書局　604頁　1985年初版（書名原作「中國文學批評史」）

0065　方孝岳　中國文學批評

上海　世界書局　301頁　1934年5月初版（在「中國文學八論」內）

上海　世界書局　160頁　1944年4月新--版（同上）

香港　南國出版社　160頁　1961年9月初版（同上）

台北　泰順出版社　160頁　1971年二刷（同上）

台北　清流出版社　160頁　1971年初版；1975年4月二刷（同上）

台北　文馨出版社　160頁　1975年（同上）

香港　三聯書店　228頁　1986年12月

鄭州　中州古籍出版社　1991年11月（在「中國文學八論」內）

0066　羅根澤　中國文學批評史

北平　人文書店　350頁　1934年8月初版

上海　商務印書館　4冊　1943年重排本（書名分別題為「周秦兩漢文學批評史」、「魏晉六朝文學批評史」、「隋唐文學批評史」、「晚唐五代文學批評史」）

上海　古典文學出版社　3冊，802頁　1957年12月、

1957 年 12 月、1961 年 2 月初版

北京　中華書局　3 冊（274、245、283 頁）　1961 年 12 月初版

台北　學海出版社　901 頁　1978 年 9 月初版；1990 年 2 月二刷

台北　龍泉書屋　942 頁　1979 年 5 月初版

上海　上海古籍出版社　3 冊（214、245、283 頁）　1984 年 3 月新一版

0067　朱東潤　中國文學批評史大綱

桂林　開明書店　400 頁　1944 年 1 月初版；1946 年 9 月二刷；1947 年 4 月三刷

上海　古典文學出版社　340 頁　1957 年 12 月重排本

香港　建文書局　395 頁　1959 年 1 月初版

台北　台灣開明書店　400 頁　1960 年 8 月初版（作者改作「台灣開明書店」）

上海　上海古籍出版社　340 頁　1983 年 6 月新一版

0068　台灣開明書店編　中國文學批評史大綱

台北　同編者　400 頁　1960 年 8 月初版（作者原作「朱東潤」）

0069　傅庚生　中國文學批評通論

重慶　商務印書館　224 頁　1946 年 1 月初版

上海　商務印書館　224 頁　1947 年 8 月初版

台北　華正書局　224 頁　1975年初版

台北　經氏出版社　224 頁　1976 年 2 月初版

台北　盤庚出版社　224 頁　1978 年初版

0070　郭紹虞　中國古典文學理論批評史（上冊）

北京　人民文學出版社　262 頁　1959 年 11 月初版

0071　黃海章　中國文學批評簡史

　　　　　　　廣州　廣東人民出版社　244 頁　1962 年 9 月初版

　　　　　　　廣州　廣東人民出版社　370 頁　1981 年 7 月增訂本

0072　復旦大學中文系古典文學敎研組　中國文學批評史

　　　　　　　上海　中華書局　上冊　1964 年 8 月初版

　　　　　　　上海　上海古籍出版社　3 冊（339、456、718 頁）　1979

　　　　　年 10 月、1981 年 11 月、1985 年 7 月初版

0073　車相轅　中國古典文學評論史

　　　　　　　韓國　汎學圖書　588 頁　1975 年；1979 年

0074　敏　澤　中國文學理論批評史

　　　　　　　北京　人民文學出版社　2 冊，1188 頁　1981 年 5 月初版

　　　　　　　長春　吉林敎育出版社　2 冊，1499 頁　1993 年 1 月初版

0075　周勛初　中國文學批評小史

　　　　　　　武漢　長江文藝出版社　262 頁　1981 年 8 月初版

　　　　　　　台北　嵩高書社　352 頁　1985 年 7 月初版

　　　　　　　高雄　麗文文化事業公司　281 頁　1994 年 7 月初版

0076　張　健　中國文學批評

　　　　　　　台北　五南圖書出版公司　356 頁　1984 年 9 月初版；1992

　　　　　年 8 月二版

0077　王運熙、顧易生主編　中國文學批評史

　　　　　　　上海　上海古籍出版社　2 冊　1985 年 7 月

　　　　　　　台北　五南圖書出版公司　2 冊，1178 頁　1991 年 11 月初

　　　　　版

0078　李炳漢、李永朱　中國古典文學理論批評史

　　　　　　　韓國　韓國放送通信大學　1988 年

0079　王運熙、顧易生主編　中國文學批評通史

　　　　　　　上海　上海古籍出版社　7 分卷

　　　　　　　1.顧易生、蔣凡　先秦兩漢文學批評史　655 頁　1990 年 4

　　　　　月初版

2.王運熙、楊明　魏晉南北朝文學批評史　597頁　1989年6月初版

3.王運熙　隋唐五代文學批評史　788頁　1994年10初版

4.宋金元文學批評史　尚未出版

5.袁震宇、劉明今　明代文學批評史　872頁　1991年9月初版

6.清代前中期文學批評史　尚未出版

7.黃霖　近代文學批評史　866頁　1993年2月初版

0080　張少康　中國文學理論批評發展史（上）

北京　北京大學出版社　468頁　1995年6月初版

0081　羅根澤　周秦兩漢文學批評史

重慶　商務印書館　140頁　1944年1月初版

上海　商務印書館　140頁　1947年2月初版

台北　台灣商務印書館　140頁　1966年8月初版；1967年二刷；1976年4月五刷

0082　顧易生、蔣　凡　先秦兩漢文學批評史

上海　上海古籍出版社　655頁　1990年4月初版

0083　萬迪鶴　魏晉六朝文學批評史

北京　獨立出版社　1941年

0084　羅根澤　魏晉六朝文學批評史

重慶　商務印書館　142頁　1943年8月初版

上海　商務印書館　142頁　1947年2月初版

台北　台灣商務印書館　142頁　1966年8月初版；1967年二刷；1976年4月五刷

0085　王運熙、楊　明　魏晉南北朝文學批評史

上海　上海古籍出版社　597頁　1989年6月初版

0086　羅根澤　隋唐文學批評史

重慶　商務印書館　152頁　1943年11月初版

上海　商務印書館　152 頁　1947 年 2 月初版

台北　台灣商務印書館　152 頁　1966 年 8 月初版；1967
年二刷；1976 年 3 月五刷

0087　王運熙　隋唐五代文學批評史

上海　上海古籍出版社　788 頁　1994 年 10 月初版

0088　蔡芳定　唐代文學批評研究

國立台灣師範大學國文研究所博士論文　281 頁　1990 年 5
月　李鍌、楊昌年指導

0089　羅根澤　晚唐五代文學批評史

重慶　商務印書館　70 頁　1945 年 7 月初版

上海　商務印書館　70 頁　1947 年 2 月初版

台北　台灣商務印書館　69 頁　1969 年 6 月初版；1972 年
4 月二刷；1976 年 10 月三刷

0090　林田愼之助　中國中世文學評論史

東京　創文社　543 頁　1979 年（昭和 54）2 月初版

0091　鄭靖時　金代文學批評研究

台中　弘祥出版社　408 頁　1992 年 4 月初版

0092　朱榮智　元代文學批評之研究

國立台灣師範大學國文研究所博士論文　1981 年　高明指
導

台北　聯經出版事業公司　375 頁　1982 年 3 月初版

0093　張　健　明淸文學批評

台北　國家出版社　337 頁　1983 年 1 月初版

0094　橫田輝俊　明代文學評論史の研究

各個研究および助成研究報告集錄（昭和 27 年度）哲・史・
文學篇　301 頁　1953 年（昭和 28 年）初版

0095　袁震宇、劉明今　明代文學批評史

上海　上海古籍出版社　872 頁　1991 年 9 月初版

0096　簡錦松　明代中期文壇與文學思想研究—自成化至嘉靖中期（1465－
　　　　　1544）
　　　　　國立台灣大學中國文學研究所博士論文　416頁　1987年
　　　　　張健指導
　　　　　台北　台灣學生書局　395頁　1989年2月初版（書名改作
　　　　　「明代文學批評研究」）

0097　簡錦松　明代文學批評研究
　　　　　台北　台灣學生書局　395頁　1989年2月初版（博士論文
　　　　　原題「明代中期文壇與文學思想研究—自成化至嘉靖中期
　　　　　1465－1544」）

0098　橫田輝俊　中國近世文學評論史
　　　　　廣島　溪水社　397頁　1990年（平成2）9月初版

0099　黃　霖　近代文學批評史
　　　　　上海　上海古籍出版社　866頁　1993年2月初版

0100　鄔國平　清代文學批評史
　　　　　上海　上海古籍出版社　426頁　1995年11月初版

0101　王永生主編　中國現代文學理論批評史
　　　　　貴陽　貴州人民出版社　3冊（456、532、420頁）　1984
　　　　　年4月、1988年1月、1991年5月初版

0102　溫儒敏　中國現代文學批評史
　　　　　北京　北京大學出版社　306頁　1993年10月初版

0103　吳三元　中國當代文學批評概觀
　　　　　北京　知識出版社　398頁　1994年10初版

貳、古代文學史編

一、通史

0104　Vasil'ev V .P.（瓦西里耶夫）：Očerk istorii kitajskoj literatury（中國文
　　　　學史綱要），SPb，1880．163pp.

0105　古城貞吉　支那文學史
　　　　東京　經濟雜誌社　734 頁　1897 年（明治 30）5 月初版
　　　　東京　富山房，育英舍　585 頁　1902 年（明治 35）訂正
　　　　版；1905 年（明治 38）三刷

0106　古城貞吉著　王燦譯　中國五千年文學史
　　　　開智公司　2 冊　1913 年
　　　　台北　廣文書局　758 頁　1976 年 3 月初版

0107　笹川種郎　支那文學史
　　　　東京　博文館　316 頁　1898 年（明治 31）8 月初版；1910
　　　　年（明治 43）

0108　笹川種郎著　中西書局譯　歷朝文學史
　　　　上海　中西書局　147 頁　1903 年

0109　中根淑　支那文學史要
　　　　東京　金港堂　1900 年（明治 33）9 月初版

0110　Giles Herbert A.：A History of Chinese Literature（中國文學史）．
　　　　London，1901．448pp．N.Y.：Grove Press，1958．448pp．
　　　　Taipei：文星書局 , 1963.10. Rutland, Vermont & Tokyo：
　　　　Charles E. Tuttle, 1973. 448pp.

0111　Grube W.：Geschichte der chinesischen Literatur（中國文學史）.
　　　　Leipzig 1909, 1902, 467pp.

0112　久保天隨　支那文學史
　　　　東京　人文社　438頁　1903年（明治36）11月初版
　　　　東京　平民書房　438頁　1907年（明治40）初版
　　　　東京　早稻田大學出版部　1910年（明明43）初版

0113　林傳甲　中國文學史
　　　　京師大學堂講義　1904年；1906年（署名「林歸雲」）
　　　　武林謀新室　210頁　1910年6月初版；1914年六刷
　　　　廣東　育群書局　2冊
　　　　台北　學海出版社　210頁　1986年3月初版

0114　黃　人　中國文學史
　　　　上海　國學扶輪社　30冊, 2378頁　約1905年

0115　竇警凡　歷朝文學史
　　　　線裝鉛印本　1906年

0116　許指嚴　中國文學史講義
　　　　上海　商務印書館　約在清末出版

0117　兒島獻吉郎　支那文學史綱
　　　　東京　富山房　382頁　1912年（明治45）7月初版；1925
　　　　年（大正14）八刷

0118　松平康國　支那文學史談
　　　　東京　早稻田大學　465頁　1913年（大正2）初版

0119　王夢曾　中國文學史
　　　　上海　商務印書館　98頁　1914年8月初版；1926年8月
　　　　二十刷；1928年10月二十一刷

0120　曾　毅　中國文學史
　　　　上海　泰東圖書局　336頁　1915年9月初版；1918年10
　　　　月二刷；1922年3月三刷；1923年10月五刷

上海　泰東圖書局　2冊，406頁　1929年9月訂正版；
1932年四刷；1935年4月三版

上海　教育書店　406頁　約1929年

台北　文史哲出版社　2冊，406頁　1977年6月初版

0121　張之純　中國文學史

上海　商務印書館　2冊，230頁　1915年12月初版；
1924年12月六刷

0122　朱希祖　中國文學史要略

北京　北京大學出版部　1916年；1920年

0123　錢基厚　中國文學史綱

錫成公司　9頁　1917年8月

0124　謝无量　中國大文學史

上海　中華書局　636頁　1918年10月初版；1919年3月
二刷；1932年9月十七刷

台北　台灣中華書局　636頁　1967年初版；1968年11月
三刷；1970年四刷；1983年12月六刷

0125　鹽谷溫　支那文學概論講話

東京　大日本雄辯會　540頁　1919年（大正8）5月初版

東京　弘道館　2冊（288、187頁）　1946年（昭和21）6
月、1947年（昭和22）8月初版（書名改作「支那文學概
論」）

東京　講談社　330頁　1983年（昭和58）7月初版（書名
改作「中國文學概論」）

0126　鹽谷溫著　陳彬龢譯　中國文學概論

北平　樸社　104頁　1926年3月初版；1929年12月二刷

0127　鹽谷溫著　孫俍工譯　中國文學概論講話

上海　開明書店　572頁　1929年6月初版；1931年10月
四刷

台北　台灣開明書店　572頁　1970年12月初版；1976年
3月二刷（書名改作「中國文學概論」）

0128　鹽谷溫著　孫俍工譯　中國文學概論
台北　台灣開明書店　572頁　1970年12月初版；1976年
3月二刷（書名原作「中國文學概論講話」）

0129　鹽谷溫　支那文學概論
東京　弘道館　2冊（288、187頁）　1946年（昭和21）6
月、1947年（昭和22）8月初版（書名原作「支那文學概
論講話」）

0130　鹽谷溫　中國文學概論
東京　講談社　330頁　1983年（昭和58）7月初版（書名
原作「支那文學概論講話」）

0131　褚石橋　文學蜜史
未標出版者　4冊, 255頁　1919年
台北　廣文書局　512頁　1976年3月初版（作者改用本名
「褚傳誥」）

0132　褚傳誥　文學蜜史
台北　廣文書局　512頁　1976年3月初版（作者原作「褚
石橋」）

0133　周（佚名）　中國文學史
未標出版者及出版年月　73頁

0134　兒島獻吉郎　支那文學考
東京　目黑書店　2冊　1920年（大正9）2月初版

0135　兒島獻吉郎　支那文學雜考
東京　關書院　465頁　1933年（昭和8）10月初版

0136　兒島獻吉郎著　孫俍工譯　中國文學通論
上海　商務印書館　3冊（297、265、297頁）　1935年6
－12月初版（將兒島獻吉郎「支那文學考」及「支那文學

雜考」拼湊譯成）

　　　　　　台北　台灣商務印書館　247 頁　1965 年 8 月初版（同上）

0137　兒島獻吉郎著　胡行之譯　中國文學研究

　　　　　　上海　北新書局　329 頁　1936 年 10 月初版（選譯著者
　　　　　　「支那文學雜考」其中七章）

　　　　　　台北　新文豐出版公司　329 頁　1982 年（同上）

0138　葛遵禮　　中國文學史

　　　　　　上海　會文堂新記書局　152 頁　1921 年 1 月初版；1926
　　　　　　年十刷；1928 年 12 月十二刷；1933 年 11 月三十三刷

　　　　　　上海　會文堂新記書局　180 頁　1939 年 3 月增訂版

0139　劉貞晦、沈雁冰　中國文學變遷史

　　　　　　上海　新文學研究會　114 頁　1921 年 12 月初版

　　　　　　上海　新文化書社　114 頁　1931 年 8 月十刷；1933 年 10
　　　　　　月十一刷

　　　　　　上海　達文書店　110 頁　1936 年 5 月

　　　　　　台北　昌言出版社　113 頁　1971 年 6 月（作者改作「龍
　　　　　　飛」，書名改作「中國文學遞遭史」）

0140　龍　飛　　中國文學遞遭史

　　　　　　台北　昌言出版社　113 頁　1971 年 6 月（即劉貞晦、沈雁
　　　　　　冰合著「中國文學變遷史」）

0141　朱希祖　　中國古代文學史

　　　　　　北平　北平師大講義課　1921 年排印本

0142　徐信符　　中國文學史

　　　　　　廣州　廣東高等師範學院　1922 年

0143　凌獨見　　新著國語文學史

　　　　　　上海　商務印書館　360 頁　1923 年 2 月初版；1923 年 6
　　　　　　月二刷

0144　胡懷琛　　中國文學通評

上海　大東書局　136頁　1923年10月初版；1924年7月二刷

0145　李振鏞　中國文學沿革概論

上海　大東書局　42頁　1924年2月初版；1925年11月四刷

0146　胡懷琛　中國文學史略

上海　梁溪圖書館　200頁　1924年3月初版；1927年8月五刷

上海　大新書局　200頁　1925年初版；1929年六月十刷

上海　慧記書齋　200頁　1931年7月初版

上海　新文化書社　200頁　1935年5月再版

台北　廣文書局　200頁　1980年12月初版（作者改作「佚名」）

0147　佚　名　中國文學史略

台北　廣文書局　200頁　1980年12月初版（作者原作「胡懷琛」）

0148　劉毓盤　中國文學史

上海　古今圖書店　62頁　1924年8月初版

0149　胡毓寰　中國文學源流

上海　商務印書館　344頁　1924年9月初版；1925年10月二刷；1926年10月三刷；1930年5月四刷

上海　商務印書館　338頁　1933年6月再版；1935年5月二刷

台北　天聲出版社　338頁　1966年

台北　台灣商務印書館　338頁　1966年初版

台北　台灣商務印書館　344頁　1971年12月初版；1976年10月二刷；1986年4月六刷

0150　易樹聲　中國文學史

南京　金陵大學　3 冊，538 頁　1924 年

0151　汪劍餘　本國文學史

上海　歷史研究社　248 頁　1925 年 4 月初版

上海　新文化書社　248 頁　1935 年 8 月八刷

台北　華正書局　248 頁　1974 年初版

台北　廣文書局　248 頁　1980 年 12 月初版（作者改作「汪劍愚」）

0152　汪劍愚　本國文學史

台北　廣文書局　248 頁　1980 年 12 月初版（作者原作「汪劍餘」）

0153　譚正璧　中國文學史大綱

上海　光明書局　176 頁　1925 年 9 月初版；1926 年 11 月三版；1927 年 4 月訂正三版；1929 年 8 月六版

上海　光明書局　194 頁　1931 年 3 月改訂八版；1932 年 5 月九版；1935 年 9 月十三版；1936 年 9 月十四版

上海　光明書局　117 頁　1946 年 1 月初版；1947 年 1 月二刷

0154　謝次陶　中國文學史

廣州　廣東國民大學　1925 年

0155　龔道耕　中國文學史略論

成都　薛氏崇禮堂　67 冊　1925 年；1945 年

0156　曹聚仁　中國平民文學概論

上海　梁溪圖書館　76 頁　1926 年 8 月初版

0157　高須芳次郎　東洋文藝十六講

東京　新潮社　1926 年（大正 15）9 月初版

0158　顧　實　中國文學史大綱

上海　商務印書館　331 頁　1926 年 11 月初版；1929 年 9 月四刷

台北縣　文海出版社　331 頁　1971 年初版

台北　台灣商務印書館　331 頁　1976 年 10 月初版

0159　趙景深　中國文學小史

上海　光華書局　212 頁　1926 年 11 月初版；1930 年 2 月
六刷

上海　大光書局　198 頁　1937 年 3 月訂正二十版

台北　啓明書局　206 頁　1958 年（作者改作「啓明書局編
譯所」）

台南　經緯書局　143 頁　1964 年；1967 年（作者改作
「吳雲鵬」，書名改作「中國文學史」）

台北　天人出版社　150 頁　1974 年（作者改作「邵影成」）

台北　中新書局　198 頁　1977 年 7 月初版

台北　莊嚴出版社　203 頁　1982 年 2 月初版

台南　大夏出版社　188 頁　1983 年（作者改作「大夏出版
社編」）

0160　啓明書局編譯所　中國文學小史

台北　啓明書局　206 頁　1958 年（作者原作「趙景深」）

0161　吳雲鵬　中國文學史

台南　經緯書局　143 頁　1964 年；1967 年（即趙景深
「中國文學小史」）

0162　邵影成　中國文學小史

台北　天人出版社　150 頁　1974 年（作者原作「趙景深」）

0163　大夏出版社編　中國文學小史

台南　大夏出版社　188 頁　1983 年（作者原作「趙景深」）

0164　Wilhelm R.（衛禮賢）：Die Chinesische Literatur（中國文學）

Wildpark－Potsdam，1926，200pp.（O. Walzel, Hrsg.,
Handbuch der Literatur Wissenschaft）

0165　鄭振鐸　文學大綱

上海　商務印書館　2168 頁　1927 年 4 月初版；1931 年 4

月三刷；1933 年 8 月再版

台北　台灣商務印書館　2168 頁　1969 年 6 月初版

0166　胡　適　國語文學史

北京　文化學社　340 頁　1927 年 4 月初版

0167　橘文七　（文檢參考）支那文學史要

東京　啓文社　286 頁　1927 年（昭和 2）10 月初版

0168　趙祖抃　中國文學沿革一瞥

上海　光華書局　128 頁　1927 年 11 月初版；1929 年 10 月二刷；1933 年 3 月三刷

上海　大光書局　128 頁　1936 年 7 月三版

台北　廣文書局　127 頁　1980 年初版（作者改作「佚名」）

0169　佚　名　中國文學沿革一瞥

台北　廣文書局　127 頁　1980 年初版（作者原作「趙祖抃」）

0170　西澤道寬　支那文學史概說

東京　同文社　324 頁　1928 年（昭和 3）11 月初版

0171　兒島獻吉郎　支那文學概論

東京　京文社　300 頁　1928 年（昭和 3）初版

0172　兒島獻吉郎著　黃玉齋譯　中國文學概論

廈門　國際學術書社　1928 年

0173　兒島獻吉郎著　胡行之譯　中國文學概論

上海　北新書局　340 頁　1930 年 5 月初版；1933 年 4 月三刷

0174　兒島獻吉郎著　張銘慈譯　中國文學概論

上海　商務印書館　240 頁　1930 年 11 月初版

0175　兒島獻吉郎著　隋樹森譯　中國文學

上海　世界書局　274 頁　1931 年 2 月初版；1932 年 12 月三刷

上海　世界書局　1943年新一版（書名改作「中國文學概論」）

台北　啓明書局　274頁　1958年1月（不著譯者，書名改作「中國文學概論」）

0176　兒島獻吉郎著　隋樹森譯　中國文學概論

上海　世界書局　204頁　1943年11月新一版（書名原作「中國文學」）

0177　佚　名　中國文學概論

台北　啓明書局　274頁　1958年1月（即兒島獻吉郎著、隋樹森譯「中國文學」）

0178　兒島獻吉郎　支那文學史

東京　早稻田大學出版部　376頁　出版年月未詳

0179　周群玉　白話文學史大綱

上海　群學社　175頁　1928年3月初版

0180　胡　適　白話文學史（上）

上海　新月書店　478頁　1928年6月初版；1933年2月六刷

上海　商務印書館　408頁　1934年10月再版；1938年5月四刷

台北　啓明書局　1957年11月

台北　胡適紀念館　407頁　1969年4月初版；1974年4月再版

長沙　岳麓書社　478頁　1986年1月初版

台北　遠流出版公司　第一編：195頁　1986年6月初版；1992年7月四刷　第二編：219頁　1986年7月初版；1992年7月四刷（「胡適作品集」之19、20）

0181　李　笠　中國文學述評

上海　雅宬學社　108頁　1928年8月初版

0182　胡雲翼　　中國文學概論（上編）

上海　啓智書局　146頁　1928年10月初版；1934年5月再版

0183　劉麟生　　中國文學 ABC

上海　世界書局　124頁　1929年5月初版；1932年6月四刷

台北　啓明書局　124頁　1958年初版（書名改作「中國文學講話」）

台北　信誼書局　124頁　1978年7月初版（在「文學研究」內，書名改作「中國文學講話」）

台北　莊嚴出版社　158頁　1983年8月初版（與「文學入門」合冊，書名並改作「中國文學講話與文學入門」）

台北　文鏡文化事業公司　155頁　1985年初版（書名改作「中國文學講話」）

0184　劉麟生著　魚返善雄譯補　中國文學入門

東京　東京大學出版部　221頁　1951年（昭和26）10月初版；1955年（昭和30）；1974年（昭和49）

0185　劉麟生　　中國文學講話

台北　啓明書局　124頁　1958初版（書名原作「中國文學ABC」）

台北　信誼書局　124頁　1978年7月初版（在「文學研究」內，書名原作「中國文學ABC」）

台北　莊嚴出版社　158頁　1983年8月初版（與「文學入門」合冊，書名原作「中國文學ABC」）

台北　文鏡文化事業公司　155頁　1985年（書名原作「中國文學ABC」）

0186　段凌辰　　中國文學概論

上冊：

河南汲縣　瑞安集古齋書社　142 頁　1929 年 7 月初版

下冊：

北平　著者書店　176 頁　1933 年 5 月初版

廣州　國立中山大學出版部　170 頁　出版年月未詳

0187　錢振東　中國文學史（中編上卷）

作者自印本　382 頁　1929 年 9 月初版

0188　譚正璧　中國文學進化史

上海　光明書局　402 頁　1929 年 9 月初版

上海　光明書局　392 頁　1932 年 1 月四版

0189　Margouliès G.：Évolution de la prose artistique chinoise（中國文學散文
的進化）München，1929．336pp．

0190　胡小石　中國文學史

上海　人文社公司　292 頁　1930 年 3 月初版

0191　穆濟波　中國文學史（上）

上海　樂群書店　214 頁　1930 年 3 月初版

0192　張世祿　中國文藝變遷論

上海　商務印書館　136 頁　1930 年 4 月初版

上海　商務印書館　136 頁　1933 年 3 月初版；1934 年 1
月再版

台北　台灣商務印書館　1960 年 4 月初版

0193　蔣鑒璋　中國文學史綱

上海　亞西亞書局　106 頁　1930 年 4 月再版

上海　中國文化服務社　106 頁　1936 年 4 月十刷

0194　李劼人　中國文學史講義

成都大學講義　約 1930 年

0195　鄭振鐸　中國文學史（中世卷　第三篇上）

上海　商務印書館　338 頁　1930 年 5 月初版

0196　歐陽溥存　中國文學史綱

　　　　　上海　商務印書館　236 頁　1930 年 8 月初版；1931 年 12
　　　　　月二刷；1938 年 11 月五刷

　　　　　台北　台灣學生書局　236 頁　1976 年 9 月初版

0197　鄭賓于　中國文學流變史

　　　　　上海　北新書局　3 冊，1296 頁　上冊：1930 年 10 月初
　　　　　版；1931 年 5 月二刷；1936 年 8 月三刷　中冊：1931 年 5
　　　　　月初版；1936 年 8 月二刷　下冊：1933 年 11 月初版；1936
　　　　　年 8 月二刷

　　　　　鄭州　中州古籍出版社　1296 頁　1991 年 9 月初版

0198　王　羽　中國文學提要

　　　　　上海　世界書局　150 頁　1930 年 12 月初版；1931 年 10
　　　　　月二刷

0199　陳彬龢　中國文學論略

　　　　　上海　商務印書館　100 頁　1931 年 1 月初版；1933 年 10
　　　　　月再版

0200　陳　懷　中國文學概論

　　　　　上海　中華書局　52 頁　1931 年 2 月初版

0201　小林甚之助　（文檢參考）支那文學史要

　　　　　東京　大同館　1931 年（昭和 6）7 月初版

0202　胡懷琛　中國文學史概要

　　　　　上海　商務印書館　2 冊，406 頁　1931 年 8 月初版

　　　　　上海　商務印書館　319 頁　1933 年 3 月初版；1935 年 4
　　　　　月三刷

　　　　　台北　台灣商務印書館　319 頁　1958 年 10 月初版；1970
　　　　　年 10 月；1990 年 7 月四刷

　　　　　香港　商務印書館　319 頁　1959 年 6 月初版

0203　陳冠同　中國文學史大綱

　　　　　上海　民智書局　200 頁　1931 年 11 月初版

0204　徐　揚　　中國文學史大綱

上海　神州國光社　2 冊（65、55 頁）　1931 年 12 月、1932 年 6 月初版

0205　賀　凱　　中國文學史綱要

北平　文化學社　396 頁　1931 年 12 月初版

北平　新興文學研究會　408 頁　1933 年 1 月初版

0206　張振鏞　　中國文學史綱要

上海　商務印書館　3 冊　1931 年 12 月、1932 年 1 月（本書共四冊，第四冊原稿毀於炮火，後重寫，並與前三冊改名爲「中國文學史分論」）

0207　張振鏞　　中國文學史分論

上海　商務印書館　4 冊，1050 頁　1934 年 10 月初版；1939 年 2 月再版

0208　胡雲翼　　中國文學史

上海　教育書店　1931 年初版

上海　北新書局　320 頁　1932 年 4 月再版；1936 年 8 月六刷（書名改作「新著中國文學史」）

台北　第一文化社　296 頁　1956 年 10 月初版

台北　第一書局　1957 年 10 月初版

台北　三民書局　295 頁　1966 年 8 月初版；1974 年

台北　順風出版社　207 頁　1974 年 7 月初版

台北　華正書局　320 頁　1974 年 10 月初版（書名改作「新著中國文學史」）

台北　華正書局　352 頁　1975 年初版（江應龍校訂，書名改作「校訂本中國文學史」）

台北　三民書局　326 頁　1979 年 10 月初版（江應龍校訂，書名改作「增訂本中國文學史」）

台北　漢京文化事業公司　296 頁　1983 年初版（書名改作

「新著中國文學史」)

　　　　　　台北　莊嚴出版社　340 頁　1982 年 2 月初版

0209　胡雲翼　新著中國文學史

　　　　　　上海　北新書局　320 頁　1932 年 4 月初版；1935 年 8 月
　　　　　　六刷；1947 年 5 月新一版（書名原作「中國文學史」）

　　　　　　台北　華正書局　320 頁　1974 年 10 月初版（同上）

　　　　　　台北　漢京文化事業公司　296 頁　1983 年初版（同上）

0210　胡雲翼著　井東憲譯　支那文學史

　　　　　　東京　高山書院　364 頁　1941 年（昭和 16）12 月初版

0211　胡雲翼著　張基槿譯　中國文學史

　　　　　　韓國　大韓敎科書株式會社　433 頁　1961 年；1983 年

0212　胡雲翼著　江應龍校訂　校訂本中國文學史

　　　　　　台北　華正書局　352 頁　1975 年初版（書名原作「中國文
　　　　　　學史」）

0213　胡雲翼著　江應龍校訂　增訂本中國文學史

　　　　　　台北　三民書局　326 頁　1979 年 10 月初版（書名原作
　　　　　　「中國文學史」）

0214　胡行之　中國文學史講話

　　　　　　上海　光華書局　386 頁　1932 年 6 月初版

0215　劉麟生　中國文學史

　　　　　　上海　世界書局　444 頁　1932 年 6 月初版；1933 年 2 月
　　　　　　二刷；1934 年 11 月三刷；1935 年 10 月四刷

　　　　　　香港　南島出版社　1956 年 9 月初版

　　　　　　台北　中新書局　444 頁　1977 年 7 月初版

0216　許嘯天　中國文學史解題

　　　　　　上海　群學社　582 頁　1932 年 7 月初版

0217　陸侃如、馮沅君　中國文學史簡編

　　　　　　上海　大江書鋪　284 頁　1932 年 10 月初版

上海　開明書店　284頁　1932年10月再版；1939年五刷
上海　開明書店　192頁　1947年3月七刷；1949年1月八刷
北京　中國青年出版社　1957年4月（修訂本縮編，書名作「中國古典文學簡史」）
北京　作家出版社　326頁　1957年7月修訂版
台北　台灣開明書店　185頁　1957年10月初版；1976年3月四刷（作者改作「台灣開明書店編譯部」）
台北　啓明書局　281頁　1958年（作者僅題「馮沅君」，書名改作「中國文學史」）
台北　信誼書局　1978年7月（作者僅題「馮沅君」，書名改作「中國文學史」，收在「文學研究」內）
台北　莊嚴出版社　230頁　1982年2月初版（作者僅題「馮沅君」，書名改作「中國文學史」）

0218　陸侃如、馮沅君　中國古典文學簡史
北京　中國青年出版社　1957年4月（即「中國文學史簡編」修訂本縮編，並改名）

0219　台灣開明書店編譯部　中國文學史簡編
台北　台灣開明書店　185頁　1957年10月初版；1976年3月四刷（作者原作「陸侃如、馮沅君」）

0220　馮沅君　中國文學史
台北　啓明書局　281頁　1958年（即陸侃如、馮沅君合著「中國文學史簡編」）
台北　信誼書局　1978年7月（同上，收在「文學研究」內）
台北　莊嚴出版社　230頁　1982年2月初版（即陸侃如、馮沅君合著「中國文學史簡編」）

0221　水野平次　新講支那文學史

東京　東洋圖書會社　1932 年（昭和 7）10 月初版

0222　長澤規矩也、內田泉之助　支那文學史綱要

東京　文求堂　106 頁　1932 年（昭和 7）初版；1945 年
（昭和 20）、1948 年（昭和 23）新訂版

0223　鄭振鐸　插圖本中國文學史

北平　樸社　4 冊，1248 頁　1932 年 12 月初版

北京　作家出版社　4 冊，1024 頁　1957 年 12 月再版

北京　人民文學出版社　4 冊，1024 頁　1957 年 12 月再版

北京　文學古籍社　4 冊，1024 頁　1959 年

香港　商務印書館　1961 年 2 月初版

台北　明倫出版社　1024 頁　1969 年 1 月初版；1969 年 5
月二刷（作者改作「本社編輯部」，書名改作「中國文學
史」）

台北　藍星出版社　1024 頁　1969 年初版（不著作者，書
名改作「中國文學史」）

台北　宏業書局　1024 頁　1975 年 6 月初版（作者改作
「西諦」，書名改作「中國文學史（繪圖本）」）

台北　盤庚出版社　1024 頁　1978 年 12 月初版

台北　莊嚴出版社　2 冊，1023 頁　1990 年 9 月初版

0224　明倫出版社編輯部　中國文學史

台北　明倫出版社　1024 頁　1969 年 1 月初版；1969 年 5
月二刷（即鄭振鐸「插圖本中國文學史」）

0225　佚　名　中國文學史

台北　藍星出版社　1024 頁　1969 年初版（即鄭振鐸「插
圖本中國文學史」）

0226　西　諦　中國文學史（繪圖本）

台北　宏業書局　1024 頁　1975 年 6 月初版（即鄭振鐸
「插圖本中國文學史」）

0227　劉大白　　中國文學史

上海　大江書鋪　500 頁　1933 年 1 月初版

上海　開明書店　500 頁　1934 年 10 月再版

香港　復興出版社　311 頁　1959 年初版

0228　陳子展　　中國文學史講話

上海　北新書局　3 冊，1014 頁　1933 年 3 月、1933 年 9
月、1937 年 6 月初版

0229　童行白　　中國文學史綱

上海　大東書局　308 頁　1933 年 4 月初版；1935 年九刷

重慶　大東書局　258 頁　1944 年 10 月四版

上海　大東書局　258 頁　1947 年 2 月初版

台北　地平線出版社　307 頁　1974 年初版

0230　康璧城　　中國文學史大綱

上海　廣益書局　190 頁　1933 年 5 月初版

0231　劉宇光　　中國文學史表解

上海　光華書局　164 頁　1933 年 6 月初版；1935 年 9 月
再版

上海　大光書局　176 頁　1936 年 6 月五版

0232　譚丕模　　中國文學史綱

上海　北新書局　350 頁　1933 年 8 月初版

桂林　文化供應社　1947 年

北京　人民文學出版社　332 頁　1952 年 5 月初版；1958
年 5 月二刷

北京　高等教育出版社　1954 年

北京　商務印書館　234 頁　1954 年 11 月

0233　許嘯天　　文學小史

上海　新華書局　24 頁　1933 年 8 月

0234　馬仲殊　　中國文學體系

　　　　　　　上海　樂華圖書公司　278 頁　1933 年 11 月初版

0235　胡懷琛　　中國文學史
　　　　　　　上海　持志大學講義　1933 年排印本

0236　齊燕銘　　中國文學史略（上）
　　　　　　　出版者及出版年月未詳

0237　鄭作民　　中國文學史綱要
　　　　　　　上海　合衆書店　240 頁　1934 年 4 月初版；1935 年 3 月
　　　　　　　二刷

0238　劉麟生　　中國文學概論
　　　　　　　上海　世界書局　102 頁　1934 年 6 月初版（在「中國文學
　　　　　　　八論」內）
　　　　　　　上海　世界書局　54 頁　1944 年 4 月新一版（同上）
　　　　　　　香港　南國出版社　1961 年 9 月初版（同上）
　　　　　　　台北　泰順出版社　1971 年二刷（同上）
　　　　　　　台北　清流出版社　174 頁　1971 年初版；1975 年 4 月二
　　　　　　　刷（同上）
　　　　　　　台北　文馨出版社　1975 年（同上）
　　　　　　　台北　偉文圖書公司　121 頁　1978 年
　　　　　　　台北　莊嚴出版社　336 頁　1981 年（與傅庚生「中國文學
　　　　　　　欣賞舉隅」合冊，並改名作「中國文學概論與欣賞舉隅」）
　　　　　　　鄭州　中州古籍出版社　1991 年 11 月（在「中國文學八
　　　　　　　論」內）

0239　梁乙眞　　中國文學史話
　　　　　　　上海　元新書局　764 頁　1934 年 7 月初版；1936 年 2 月
　　　　　　　二刷；1937 年三刷；1938 年四刷
　　　　　　　台北縣　一鳴書局　626 頁　1972 年 5 月初版（作者改作
　　　　　　　「丁思文」）
　　　　　　　台北　中華文物出版社　626 頁　1974 年初版（作者改作

「丁思文」)

0240　丁思文　　中國文學史話

台北縣　一鳴書局　626頁　1972年5月初版（作者原作「梁乙眞」）

台北　中華文物出版社　626頁　1974年初版（作者原作「梁乙眞」）

0241　林之棠　　新著中國文學史

北平　華盛書局　3冊，758頁　1934年9月初版

0242　世界書局編　中國文學講座

上海　同編者　550頁　1934年12月初版

　　1.劉麟生　中國文學泛論

　　2.胡懷琛　中國詩論

　　3.金公亮　詩經學新論

　　4.胡雲翼　詞學概論

　　5.吳瞿安　元劇研究

　　6.顧藎丞　文體論

　　7.周侯于　中國歷代文選

0243　劉經庵　　新編分類中國純文學史綱

北平　著者書店　484頁　1935年1月初版

0244　朱子陵　　中國歷朝文學史綱要

北平　作者自印本　188頁　1935年5月初版

0245　金受申　　中國純文學史

文化社　2冊　出版年月未詳

0246　李華卿　　中國文學發展史大綱引論

上海　神州國光社　80頁　1935年5月初版

0247　張希之　　中國文學流變史論

北平　文化學社　396頁　1935年8月初版

0248　柳村任　　中國文學史發凡

蘇州　文怡書局　467 頁　1935 年 8 月初版

台北　西南書局　274 頁　1975 年 6 月（作者改作「錢基博」，書名改作「中國文學史」）

0249　錢基博　中國文學史

台北　西南書局　274 頁　1975 年 6 月（即柳村任「中國文學史發凡」）

0250　譚正璧　新編中國文學史

上海　光明書局　480 頁　1935 年 8 月初版；1936 年 2 月二刷

上海　光明書局　424 頁　1948 年 5 月新一版（書名改作「中國文學史」，刪去「現代文學」部分）

0251　譚正璧著　立仙憲一郎譯　支那文學史

東京　人文閣　2 冊（316、315 頁）　1941 年（昭和 16）3 月初版

0252　容肇祖　中國文學史大綱

北平　樸社　342 頁　1935 年 9 月初版；1937 年二刷

上海　開明書店　270 頁　1939 年 3 月再版；1948 年 4 月四刷

台北　台灣開明書店　270 頁　1957 年 12 月初版；1970 年五刷；1977 年 4 月八刷（作者改作「台灣開明書店」）

台北縣　文海出版社　342 頁　1971 年初版

0253　台灣開明書店編　中國文學史大綱

台北　同編者　270 頁　1957 年 12 月初版；1970 年五刷；1977 年 4 月八刷（作者原作「容肇祖」）

0254　張長弓　中國文學史新編

上海　開明書店　256 頁　1935 年 9 月初版；1947 年 3 月四刷；1949 年 3 月六刷

台北　台灣開明書店　255 頁　1954 年 5 月初版；1957 年

10 月二刷；1960 年三刷；1979 年 4 月六刷

0255　靑木正兒　支那文學概說

東京　弘文堂　247 頁　1935 年（昭和 10）12 月初版；

1952 年（昭和 27）八刷

東京　春秋社　1969 年（昭和 44）（在「青木正兒全集」

內）

0256　靑木正兒著　郭虛中譯　中國文學發凡

上海　商務印書館　192 頁　1936 年 10 月初版

0257　靑木正兒著　隋樹森譯　中國文學概說

上海　開明書店　199 頁　1938 年 11 月初版；1947 年 3 月

再版

台北　台灣開明書店　199 頁　1954 年 5 月初版；1982 年 2

月六刷

台北　盤庚出版社　199 頁　1978 年初版

台北　莊嚴出版社　212 頁　1981 年初版

重慶　重慶出版社　182 頁　1982 年 9 月新一版

0258　趙景深　中國文學史新編

上海　北新書局　352 頁　1936 年 1 月初版；1936 年 8 月

二刷

上海　北新書局　352 頁　1947 年 8 月新一版

台北　華正書局　352 頁　1974 年 10 月初版

0259　劉麟生主編　中國文學八論

上海　世界書局　664 頁　1936 年 6 月初版

上海　世界書局　1944 年 4 月新一版

香港　南國出版社　1961 年 9 月初版

台北　泰順出版社　682 頁　1971 年二刷

台北　淸流出版社　1971 年初版；1975 年 4 月二刷

台北　文馨出版社　664 頁　1975 年重版

鄭州　中州古籍出版社　1991 年 11 月初版

  1.劉麟生　中國文學概論

  2.方孝岳　中國散文概論

  3.瞿兌之　中國駢文概論

  4.胡懷琛　中國小說概論

  5.劉麟生　中國詩詞概論

  6.盧冀野　中國戲曲概論

  7.方孝岳　中國文學批評

  8.蔡正華　中國文藝思潮

0260　趙景深　中國文學史綱要

  上海　中華書局　101 頁　1936 年 6 月初版；1936 年 10 月二刷

  上海　中華書局　101 頁　1947 年 12 月初版

0261　龔啓昌　中國文學史讀本

  上海　樂華圖書公司　256 頁　1936 年 9 月初版

0262　霍衣仙、王頌三　新編高中中國文學史

  廣州　文光印務館　200 頁　1936 年 8 月初版

0263　岡田稔、鄭嘉昌　表解支那文學史要

  名古屋　東文堂　42 頁　1936 年（昭和 11）8 月初版；1942 年（昭和 17）（與「表解支那哲學史要」合冊）

0264　近藤潤治郎著　支那文學史

  東京　中央公論社　1936 年（昭和 11）初版（「世界文藝大辭典」第七卷）

0265　佚　名　中國文學史大綱

  出版者及出版年月未詳　170 頁

0266　陳介白　中國文學史

  北京書店　1937 年

0267　佚　名　中國文學大要

出版者及出版年月未詳　222頁

0268　孫延庚　中國文學史集說及著作

未標出版者及出版年月　317頁

0269　羊達之　中國文學史提要

南京　正中書局　166頁　1937年5月初版

上海　正中書局　166頁　1947年12月

台北　正中書局　166頁　1950年初版；1961年9月三刷；

1964年10月四刷；1974年十刷；1991年7月十二刷

香港　正中書局　166頁　1954年5月初版

0270　何仲英　新著中國文學史大綱

上海　商務印書館　1937年

0271　林山腴　中國文學概要

南京　安徽中學　104頁　未標出版年月（約1941年）

成都　建華書局　1943年

石室文化服務社　90頁　1944年5月增訂版

0272　莫培遠　中國文學史述要

國民大學　出版年月未詳

0273　劉厚滋　中國文學史鈔

北京　未標出版者及出版年月　2冊，360頁　約1937年

0274　張長弓　中國文學史論

出版者及出版年月未詳

0275　楊蔭深　中國文學史大綱

上海　商務印書館　594頁　1938年6月初版；1939年6

月三刷；1947年3月五刷

香港　商務印書館　570頁　1958年4月十二刷；1985年8

月

台北　台灣商務印書館　594頁　1966年4月初版

新加坡　商務印書館　570頁　1968年6月初版；1979年

二刷

台北　華正書局　570頁　1976年10月初版

北京　商務印書館　584頁　1985年11月

0276　張雪蕾　中國文學史表解

長沙　商務印書館　250頁　1938年7月初版；1939年2月二刷

0277　袁厚之　中國文學概要

上海　海雲藝文社　67頁　1938年10初版；1941年5月二刷

0278　長澤規矩也　支那學術文藝史

東京　三省堂　294頁　1938年（昭和13）11月初版

0279　長澤規矩也著　胡錫年譯　中國學術文藝史講話

上海　世界書局　1943年初版

0280　Nagasawa K .（長澤規矩也）: Shina gakujutsu bungeishi（支那學術文藝史）, Tokyo; Geschichte der Chinesischen Literatur undihrer gedanklichen Grundlage nach Nagasawa Kikuya, übersetzt von E. Feifel, Peking 1945, 444pp.（Monumenta Serica, Monograph Series Nr.7）; Geschichte der Chinesischen Literatur, mit Berücksichtigung ihres geistesgeschichtlichen Hintergrundes, Darmstadt 1959, 432pp.

0281　楊蔭深　中國文學家列傳

上海　中華書局　498頁　1939年3月初版

台北　台灣中華書局　498頁　1991年12月六版二刷

0282　朱星元　中國文學史通論

天津　利華印務局　150頁　1939年5月初版

0283　霍衣仙　中國文學史通論

香港　培正書店　1940年初版

0284　宮原民平　支那の口語文學

東京　日本放送出版協會　174 頁　1940 年（昭和 15）初版

0285　劉大杰　中國文學發展史

上海　中華書局　2 冊（408、504 頁）　1941 年 1 月、1949 年 1 月初版

上海　古典文學出版社　3 冊（349、393、367 頁）　1957 年 12 月、1958 年 1、3 月初版

北京　中華書局　3 冊，1355 頁　1962 年 8、9 月、1963 年 7 月修訂本

上海　上海人民出版社　2 冊（386、511 頁）　1973 年 7 月、1976 年 8 月

台北　台灣中華書局　2 冊，912 頁　1956 年初版；1957 年

台北　台灣中華書局　1099 頁　1968 年；1970 年 11 月三刷；1975 年七刷；1983 年 4 月十二刷（作者改作「台灣中華書局編輯部」，書名改作「中國文學發達史」）

台北　華正書局　1104 頁　1976 年初版；1977 年 5 月；1980 年（作者改作「華正書局編輯部」，書名改作「校訂本中國文學發展史」）

台北　華正書局　1392 頁　1985 年；1990 年 7 月（作者改作「華正書局編輯部」，書名改作「校訂本中國文學發展史」）

九龍　三聯書店　3 冊（349、393、367 頁）　1983 年 9 月

台北　漢京文化事業公司　1355 頁　1992 年 6 月初版

香港　三聯書店　3 冊，1355 頁　1992 年 8 月

0286　台灣中華書局編輯部　中國文學發達史

台北　台灣中華書局　1099 頁　1968 年；1970 年 11 月三刷；1975 年七刷；1983 年 4 月十二刷（即劉大杰「中國文學發展史」）

0287　華正書局編輯部　校訂本中國文學發展史

　　　　　　台北　華正書局　1104頁　1976年初版；1977年5月；

　　　　　　1980年（即劉大杰「中國文學發展史」）

　　　　　　台北　華正書局　1392頁　1985年；1990年7月（同上）

0288　倉田涼之助　支那文學史

　　　　　　東京　白揚社　1941年（昭和16）10月初版（在「支那地

　　　　　　理歷史大系」第10卷）

0289　儲皖峰　中國文學史

　　　　　　出版者及出版年月未詳　220頁

0290　施慎之　中國文學史講話

　　　　　　上海　世界書局　200頁　1941年8月初版；1947年二刷

　　　　　　台北　文星書店　3冊　1965年1月初版

　　　　　　台北　學人月刊雜誌社　3冊　1971年初版

0291　田鳴岐　歷代文學小史

　　　　　　奉天　惠迪吉書局　140頁　1943年11月初版

0292　薄成名　中國文學源流

　　　　　　天水　世界書局　1943年

0293　Suppo M.：Sommario storico di letteratura Cinese（中國文學簡史），

　　　　　　　　　Macao，1943.

0294　劉永濟　十四朝文學要略—上古至隋

　　　　　　重慶　中國文化服務社　268頁　1945年5月初版

　　　　　　上海　中國文化服務社　268頁　1946年12月二刷

　　　　　　哈爾濱　黑龍江人民出版社　190頁　1984年2月初版

0295　龔道耕　中國文學史略論

　　　　　　成都　薛氏崇禮堂　67頁　1945年

0296　瞿方書　中國文學史

　　　　　　出版者及出版年月未詳

0297　宋雲彬　中國文學史簡編

重慶　文化供應社　147 頁　1945 年 5 月初版

香港　文化供應社　140 頁　1947 年 3 月初版; 1949 年 2 月三刷

0298　宋雲彬著　小田嶽夫、吉田巖邨譯　中國文學史

東京　創元社　247 頁　1953 年 (昭和 28) 初版

0299　崔榮秀　中國文學史

長春　國民圖書公司　238 頁　1946 年 10 月初版 (封面書名作「中國文學史概略」)

0300　林　庚　中國文學史

廈門　廈門大學　408 頁　1947 年 5 月初版

台北　廣文書局　408 頁　1963 年 12 月初版; 1990 年 12 月二刷 (作者改作「廣文編譯所」)

台北　清流出版社　408 頁　1972 年 12 月初版; 1976 年 (作者改作「林文庚」, 書名改作「中國文學發展史」)

0301　廣文編譯所　中國文學史

台北　廣文書局　408 頁　1963 年 12 月初版; 1990 年 12 月二刷 (作者原作「林庚」)

0302　林文庚　中國文學發展史

台北　清流出版社　408 頁　1972 年 12 月初版; 1976 年 (即林庚「中國文學史」)

0303　劉錫五　中國文學史大綱

開封　中國文化服務社河南分社　80 頁　1947 年 7 月初版

0304　何劍熏　中國文學史 (一)

重慶　寒流社　324 頁　1948 年 4 月初版

0305　鮑文杰　中國文學史略

杭州　中流出版社　72 頁　1948 年 5 月初版; 1948 年 8 月二刷

0306　譚正璧　中國文學史

上海　光明書局　424頁　1948年5月（書名原作「新編中國文學史」，刪去「現代文學」部分）

台北　華正書局　424頁　1974年初版（同上）

台北　莊嚴出版社　424頁　1982年初版（同上）

0307　葛存愻　中國文學史略

北平　大同出版社　178頁　1948年12月初版

0308　澤田瑞穗　中國の文學

學徒援護會　145頁　1948年（昭和23）9月初版

0309　余錫森　中國文學源流纂要

培正中學國文科　230頁　約1948年

0310　聞　宥　文學小史講義

上海　商務印書館函授學校國文科　43頁　出版年月未詳

0311　Kaltenmark – Ghéquier, O.：La littérature chinoise（中國文學史）．Paris：Presses Univ. de France, 1948. 128pp.

0312　カルタンマルクーゲキエ，オディル著　魚返善雄、高田淳譯　中國文學史

東京　白水社　144頁　1957年（昭和32）5月初版

0313　尹永春　中國文學史

韓國　雞林社　207頁　1949年

韓國　白英社　207頁　1954年

0314　Margouliès, G.：Histoire de la littérature chinoise Prose.（中國文學散文史）Paris：Payot, 1949. 336pp. Paris：1951, 417pp.

0315　新垣淑明　中國文學

市ケ谷出版社　176頁　1950年（昭和25）初版

0316　Hightower, James Robert：Topics in Chinese Literature（中國文學專題講話）．Outlines and Bibliographies. Cambridge：Harvard Univ. Press, 1950. 139pp.

0317　長澤規矩也　支那文藝史概說

東京　三省堂　142 頁　1951 年（昭和 26）2 月初版

0318　王集叢　中國文學史問答

台北　帕米爾書店　102 頁　1951 年 8 月初版；1967 年 9 月二刷

0319　吉川幸次郎　中國文學入門

東京　弘文堂　76 頁　1951 年（昭和 26）10 月初版

東京　清水弘文堂書房　126 頁　1967 年（昭和 42）3 月新版

東京　筑摩書房　1968 年（昭和 43）11 月（在「吉川幸次郎全集」第一卷）

東京　講談社　1976 年（昭和 51）初版

0320　長澤規矩也　支那文學概觀

東京　學友社　295 頁　1951 年（昭和 26）10 月初版

東京　山本書店　263 頁　1961 年（昭和 36）初版；1966 年（昭和 41）

0321　李曰剛　中國文學史（簡本）

台北　勝利出版社　1951 年 12 月初版（爲「國學概要」下編）

台北　省立台灣師範大學　140 頁　1964 年 11 月初版

台北　白雲書屋　189 頁　1972 年再版（書名無「簡本」兩字）

台北　文津出版社　189 頁　1978 年 5 月訂正版（同上）

0322　李曰剛　中國文學史

台北　白雲書屋　189 頁　1972 年再版（書名原作「中國文學史（簡本）」）

台北　文津出版社　189 頁　1978 年 5 月訂正版（同上）

0323　橋川時雄　中國文學史梗概

作者自印本　1951 年（昭和 26）初版

0324 吉川幸次郎　中國の文學
　　　　　日本放送出版協會　1951 年（昭和 26）初版

0325 小川環樹　中國文學
　　　　　東京　創元社　1951 年（昭和 26）初版

0326 足立原八束　中國文學小史
　　　　　東京　昌平堂　188 頁　1952 年（昭和 27）3 月初版

0327 李長之　中國文學史略稿
　　　　　北京　五十年代出版社　3 卷（114、127、164 頁）　1954
　　　　　年 6 月、1954 年 6 月、1955 年 2 月初版

0328 姜渭水　中國文學史
　　　　　台北　和平出版社　160 頁　1954 年 9 月初版

0329 林　庚　中國文學簡史
　　　　　上海　上海文藝聯合出版社　386 頁　1954 年 9 月初版；
　　　　　1954 年 11 月三刷
　　　　　上海　古典文學出版社　386 頁　1957 年 1 月新一版
　　　　　北京　北京大學出版社　317 頁　1988 年 9 月修訂一版；
　　　　　1995 年 10 月

0330 許復琴　中國文學簡史
　　　　　香港　新報社　1954 年初版

0331 菊地三郎　中國文學入門
　　　　　東京　新評論社　252 頁　1954 年（昭和 29）初版

0332 大矢根文次郎　中國文學史（上）
　　　　　東京　前野書店　209 頁　1955 年（昭和 30）4 月初版

0333 內田泉之助　中國文學史
　　　　　東京　明治書院　514 頁　1956 年（昭和 31）7 月初版

0334 高　明　中國文學
　　　　　台北　復興書局　80 頁　1956 年初版；1978 年 10 月六刷

0335 趙海金　中國文學史

　　　　　　　　台南　興文齋　122頁　1956年5月初版

0336　柳存仁　中國文學史
　　　　　　　　香港　大公書局　258頁　1956年初版
　　　　　　　　台北　台灣東方書店　255頁　1958年1月初版
　　　　　　　　台北　莊嚴出版社　270頁　1979年1月初版

0337　倉石武四郎　中國文學史
　　　　　　　　東京　中央公論社　277頁　1956年（昭和31）10月初版

0338　車相轅、車柱環、張基槿　中國文學史
　　　　　　　　韓國　東國文化社　812頁　1956年
　　　　　　　　韓國　明文堂　792頁　1985年

0339　Jabloński, Witold：Z dziejów literatury chińskiej（中國文學史）.
　　　　　　　Warszawa：Wiedza Powszechna, 1956. 199pp.

0340　Fedorenko N.T.（費德林）：Kitajskaja literature, Ôčerki po istorii kita-
　　　　　　　jskoj literatury（中國文學，中國文學史綱要），M., 1956.
　　　　　　　730pp.

0341　Kaltenmark M.（康德滿）："Littérature chinoise"（中國文學），in
　　　　　　　Encyclopédie de la Pléiade, Histoire des littératures（收於
　　　　　　　《Pléiade 百科全書‧文學史》），Paris, 1956. p.1167 -
　　　　　　　1304.

0342　佚　名　中國文學史概述（高中語文補充讀物）（上）
　　　　　　　　香港　上海書局　85頁　1957年3月初版

0343　秦淮碧　中國文學史簡話
　　　　　　　　香港　上海書局　93頁　1957年4月初版；1957年11月
　　　　　　　　二刷；1977年5月三版

0344　陸侃如、馮沅君　中國古典文學簡史
　　　　　　　　北京　中國青年出版社　102頁　1957年4月初版

0345　竹田復、倉石武四郎編　中國文學史の問題點
　　　　　　　　東京　中央公論社　322頁　1957年（昭和32）7月初版

0346 馮明之　　中國文學的流派

香港　上海書局　125 頁　1957 年 8 月初版

台北　源流文化事業公司　125 頁　1982 年 11 月初版

0347 詹安泰等　中國文學史

北京　高等教育出版社　352 頁　1957 年 8 月初版

0348 中華人民共和國高等教育部審定　中國文學史教學大綱

北京　高等教育出版社　285 頁　1957 年 8 月初版

0349 楊公驥　中國文學（第一分冊）

長春　吉林人民出版社　1957 年 12 月初版

長春　吉林人民出版社　543 頁　1980 年 5 月重排本

0350 Demiéville P.：Letteratura cinese（中國文學）, in Civilta dell' Oriente,
Vol. II, Roma, 1957. p.861－997.

0351 北京大學中文系文學專門化 1955 級集體編著　中國文學史

北京　人民文學出版社　2 冊, 1101 頁　1958 年 9 月初版;
1958 年 12 月二刷

北京　人民文學出版社　4 冊, 1783 頁　1959 年 9 月修訂
再版; 1959 年 12 月五刷

高雄　文復書店　4 冊（382、624、472、417 頁）　未標出
版年月（編者改作「中國文學史研究委員會」, 書名改作
「新編中國文學史」）

高雄　復文圖書出版社　4 冊（382、624、472、417 頁）
1983 年; 1989 年 11 月（編者改作「許仁圖」）

0352 中國文學史研究委員會　新編中國文學史

高雄　文復書店　4 冊（382、624、472、417 頁）　未標出
版年月（即北京大學中文系文學專門化 1955 級集體編著
「中國文學史」）

0353 許仁圖　新編中國文學史

高雄　復文圖書出版社　4 冊（382、624、472、417 頁）

1983 年；1989 年 11 月（即北京大學中文系文學專門化
1955 級集體編著「中國文學史」）

0354 復旦大學中文系古典文學組學生集體編著　中國文學史
北京　中華書局　3 冊（217、433、516 頁）　1958 年 12
月、1959 年 4 月、1959 年 12 月初版

0355 北京師範大學中文系三、四年級同學及古典文學教研組教師合編　中國
文學講稿
北京　高等教育出版社　3 冊　1958 年 12 月初版

0356 Feng Y. C.（馮沅君）：A Short History of Classical Chinese Literature
（中國古典文學簡史）. P., 1958. 137pp.

0357 易君左　中國文學史
香港　自由出版社　1959 年 1 月初版
台北　海燕出版社　1964 年 5 月初版
台北　華聯出版社　442 頁　1972 年 9 月；1973 年；1979
年 6 月

0358 丁思文　中國文學史話
香港　進修出版社　3 冊，626 頁　1959 年 10 月、12 月、
1960 年 1 月初版
香港　中流出版公司　626 頁　1979 年 8 月初版

0359 趙　聰　中國文學史綱
香港　友聯出版社　208 頁　1959 年初版；1963 年二刷

0360 吉林大學中文系中國文學史教材編寫小組編著　中國文學史稿
長春　吉林人民出版社　4 冊（304、456、244、252 頁）
1961 年 3 月、1959 年 12 月、1959 年 10 月、1960 年 9 月初
版

0361 Bertuccioli, Giuliano: Storia della letteratura Cinese（中國文學史）.
Milano: Nuova Accademia Ed., 1959. 302pp.

0362 Tökei - Miklós: A kinai irodalom rövid története（中國文學史），Budapest, 1960.

0363　馮明之　中國文學史提綱

香港　上海書局　159頁　1961年5月二刷；133頁　1981年5月

台北　木鐸出版社　133頁　1980年（書名改作「中國文學發展史提綱」）

台北　文鏡文化事業公司　185頁　1985年6月初版（同上）

0364　馮明之　中國文學發展史提綱

台北　木鐸出版社　133頁　1980年（書名原作「中國文學史提綱」）

台北　文鏡文化事業公司　185頁　1985年6月初版（同上）

0365　北京大學中文系文學專門化1957級「中國文學發展簡史」編委會編著　中國文學發展簡史

北京　中國青年出版社　485頁　1961年8月初版

瀋陽　遼寧人民出版社　485頁　1962年9月初版

0366　Ch'en Shou－yi（陳受頤）：Chinese Literature：A Historical Introduction（中國文學史），New York；Ronald Pr.，1961. 665pp.

0367　姜書閣　中國文學史綱要

西寧　青海師範學院講義　2冊　1962年4、5月初版

西寧　青海人民出版社　2冊（466、568頁）　1984年2月初版

0368　中國社會科學院文學研究所中國文學史編寫組編寫　中國文學史

北京　人民文學出版社　3冊，1142頁　1962年7月初版；1979年6月六刷；1992年八刷

武漢　湖北人民出版社　3冊，1331頁　1985年初版；

1989 年 5 月五刷；1991 年 5 月七刷

0369 游國恩等　中國文學史大綱

北京　人民文學出版社　330 頁　1962 年 8 月初版

香港　三聯書店　330 頁　1979 年 1 月初版；1981 年 7 月
二刷

0370 馮明之　中國文學史話

香港　宏業書局　3 冊，603 頁　上冊：1964 年 3 月二刷；
1978 年 2 月四刷　中、下冊：1962 年 11 月初版；1978 年 2
月三刷

0371 Watson, Burton：Early Chinese Literature（古代中國文學）．New
York & London：Columbia Univ. Pr. 1962. 304pp.

0372 武茲生（Watson, Burton）著　羅錦堂譯　古代中國文學

台北　華岡出版部　232 頁　1969 年 12 月初版

0373 谷世榮　中國文學簡述

台北　台灣中華書局　158 頁　1963 年初版；1974 年 10 月
四刷

0374 游國恩等主編　中國文學史

北京　人民文學出版社　4 冊　1963 年 7 月—1964 年 3 月
初版

北京　人民文學出版社　4 冊（328、236、272、410 頁）
1980 年 7 月修訂本；1993 年 12 月

香港　中國圖書刊行社　4 冊（328、236、272、410 頁）
1986 年 7 月初版；1987 年 9 月二刷；1988 年 7 月三刷

台北　五南圖書出版公司　2 冊，1448 頁　1990 年 11 月初
版

0375 朱海波　中國文學史綱

香港　教育出版社　1963 年 9 月初版

香港　教育出版社　424 頁　1975 年 10 月增訂本

0376　Lai Ming（黎明）：A History of Chinese Literature（中國文學史），
　　　　New York: John Day, 1964. 439pp. New York：1966.

0377　周祖譔、陳盡忠　中國文學史
　　　　廈門　廈門大學函授部　348頁　1965年10月

0378　易蘇民　中國文學史初稿
　　　　台北　昌言出版社　804頁　1965年初版

0379　葉慶炳　中國文學史
　　　　台北　作者自印本　上冊，1965年11月初版；下冊，1966
　　　　年11月初版；1968年修訂再版；1971年四版
　　　　台北　作者自印本　607頁，1974年1月六版；1978年
　　　　台北　台灣學生書局　2冊（499、434頁）　1982年；
　　　　1987年8月增訂本

0380　華仲麐　中國文學史論
　　　　台北　台灣開明書店　467頁　1965年12月初版；1976年
　　　　3月三刷；1985年10月五刷

0381　李鼎彝　中國文學史
　　　　台北　文星書店　2冊　1966年3月初版
　　　　台北　傳記文學出版社　2冊，384頁　1969年初版；1971
　　　　年；1978年6月新版

0382　菊地三郎　中國文學入門—屈原から趙樹理まで
　　　　三鷹　黃冠社　157頁　1966年（昭和41）初版

0383　Liu wu－chi（柳無忌）：An Introduction to Chiness Literature.（中國文
　　　　學新論）Bloomington and London：Indiana University
　　　　Press, 1966. 321pp.

0384　柳無忌著　倪慶鑅譯　中國文學新論
　　　　北京　中國人民大學出版社　274頁　1993年4月初版

0385　劉　萍　中國文學史話
　　　　台北　旋風出版社　1966年

0386　境武男　　中國文藝概說

　　　　　　　秋田　秋田大學中文研究室　295頁　1967年（昭和42）7
月初版

0387　黃公偉　　中國文學史

　　　　　　　台北　帕米爾書店　713頁　1967年9月初版；1968年9
月

0388　鈴木修次等編　中國文化叢書（5）文學史

　　　　　　　東京　大修館書店　452頁　1968年（昭和43）1月初版

0389　倉石武四郎　中國文學講話

　　　　　　　東京　岩波書店　224頁　1968年（昭和43）11月初版

0390　Li. Tien-Yi（李田意）：The History of Chinese Literature：A Selected
Bibliography.（中國文學史選目）New Haven：Far Eastern
Publications, Yale University, 1970；1968. 98pp.

0391　劉必勁　　中國文學史綱

　　　　　　　台北　環球書局　2冊，686頁　1970年2月初版

0392　佐藤一郎　中國文學史

　　　　　　　東京　慶應通信　157頁　1970年（昭和45）4月初版；
1988年

　　　　　　　東京　高文堂出版社　2冊　1983年（昭和58）2月初版

0393　褚柏思　　中國文學概論

　　　　　　　台北　幼獅文化事業公司　165頁　1970年8月初版

0394　蘇雪林　　中國文學史

　　　　　　　台中　光啓出版社　276頁　1970年10月初版；1980年12
月四刷

0395　錢基博　　中國文學史

　　　　　　　台北　海國書局　2冊，758頁　1971年5月、1970年12
月初版

　　　　　　　北京　中華書局　3冊，1145頁　1993年4月初版

0396　易君左　　中國文學大綱

台北　信明出版社　2 冊　1971 年 6 月初版

0397　賓國振　　中國文學史分論

台北　大中書局　184 頁　1971 年 10 月再版

0398　周億孚　　中國文學概論

香港　珠海書院出版委員會　273 頁　1971 年

台北　經氏出版社　270 頁　1977 年

台北　盤庚出版社　270 頁　1978 年

0399　張迅齊　　中國文壇四千年

台北　康乃馨出版社　180 頁　1972 年 1 月初版

0400　李寶位　　中國文學史略

台北　大聖書局　334 頁　1972 年 2 月初版

0401　褚柏思　　中國文學史類編

台北　台灣商務印書館　263 頁　1972 年 4 月初版；1976
年 8 月二版

0402　蔡慕陶　　中國文學發展史

台北　帕米爾書店　382 頁　1972 年 9 月初版；1974 年 7
月二刷

0403　宋海屏　　中國文學史

台北　中國美術出版社　466 頁　1972 年 9 月初版

台北　台灣學生書局　466 頁　1974 年 10 月再版

0404　文璇奎　　中國文學史

韓國　景仁文化社　352 頁　1972 年

0405　褚柏思　　中國文學史話

台北　東方出版社　285 頁　1973 年初版；1981 年

台北　黎明文化事業公司　379 頁　1982 年 12 月初版

0406　倉石武四郎　中國古典講話

東京　大修館書店　262 頁　1974 年（昭和 49）6 月初版

0407 王宇綏　　中國文學通論

　　　　　台北　五洲出版社　186頁　1974年8月初版

0408 孟　瑤　　中國文學史

　　　　　台北　大中國圖書公司　763頁　1974年8月初版；1976
　　　　　年二刷；1980年3月三刷；1993年6月四刷

0409 陶友蘭　　中國文學史

　　　　　台北　新陸書局　378頁　1974年9月初版

0410 吉川幸次郎述　黑川洋一編　中國文學史

　　　　　東京　岩波書店　395頁　1974年（昭和49）10月初版

0411 吉川幸次郎著　陳順智、徐少舟譯　中國文學史

　　　　　成都　四川人民出版社　251頁　1987年9月初版

0412 丁　平　　中國文學史

　　　　　香港　新文化事業供應公司　330頁　1974年初版

　　　　　台北　黎明文化事業公司　342頁　1984年8月初版

0413 車相轅　　新編中國文學史

　　　　　韓國　文理社　2冊　1974年

　　　　　韓國　世界文化社　2冊　1983年

0414 金學主、丁範鎭　新稿中國文學史

　　　　　韓國　汎學圖書　452頁　1974年（在「中國學叢書」第2
　　　　　卷）

0415 前野直彬編　中國文學史

　　　　　東京　東京大學出版會　306頁　1975年（昭和50）6月初
　　　　　版

0416 前野直彬主編　連秀華、何寄澎譯　中國文學史

　　　　　台北　長安出版社　380頁　1979年9月初版

0417 前野直彬主編　中國文學史

　　　　　上海　上海古籍出版社　309頁　1995年4月初版

0418 尹雪曼　　中國文學概論

台北　三民書局　346頁　1975年12月初版；1991年8月四刷

0419　陳如信主編　中國文學簡史

新加坡　教育出版社　139頁　1976年1月初版；1983年8月九刷

0420　白川靜　中國の古代文學

東京　中央公論社　2冊（351、395頁）　1976年（昭和51）4、11月初版

0421　上海師範大學中文系「簡明中國文學史」編寫組編　簡明中國文學史（上冊）

上海　上海人民出版社　258頁　1976年7月初版

0422　莊嚴出版社編輯部編　簡明插圖中國文學史

台北　莊嚴出版社　184頁　1977年9月初版；1980年

0423　中國文學研究會編　中國文學

東京　汲古書院　1977年（昭和52）初版

0424　楊熾均、楊國權　中國文學簡史（附文學概論）

香港　大華出版公司　208頁　1978年8月初版

0425　王忠林等　中國文學史初稿

台北　石門圖書公司　1278頁　1978年11月初版

台北　福記文化圖書公司　1290頁　1983年5月增訂再版；1985年5月修訂三版（書名改作「增訂中國文學史初稿」）

0426　王忠林等　增訂中國文學史初稿

台北　福記文化圖書公司　1290頁　1983年5月增訂再版；1985年5月修訂三版（書名原作「中國文學史初稿」）

0427　十三所高等院校「中國文學史」編寫組編　中國文學史

南昌　江西人民出版社　3冊，792頁　1979年7月－12月初版

0428　劉健全　中國文學史簡編（1）

香港　波文書局　167 頁　1979 年 9 月

0429　謝采章、伍錦屏　中國文學史

香港　長風出版社　2 冊　1979 年

0430　張廎石　中國文學流變史綱

新加坡　星州世界書局　303 頁

0431　向　明　中國文學發展簡史

香港　宏業書局　2 冊，417 頁　1980 年 7 月初版

0432　鍾樂仁、羅國才　中國文學史精讀

香港　當代教育出版社　2 冊（184、248 頁）　1980 年 8
月初版；1982 年 5 月三刷

0433　屈守元　中國文學簡史

成都　四川人民出版社　341 頁　1980 年 9 月初版

0434　六省市十一院校合編　中國文學簡史

哈爾濱　黑龍江人民出版社　2 冊，850 頁　1980 年 10 月
初版；1982 年 6 月二刷

0435　李道顯　中國文學發展探源（上）

台北　文史哲出版社　327 頁　1981 年 10 月初版

0436　黎淦林　中國文學史綱要

香港　昭明出版社　2 冊　1981 年 12 月初版；1990 年 5 月
十一刷

0437　前野直彬　中國文學序說

東京　東京大學出版會　244 頁　1982 年（昭和 57）4 月初
版

0438　水芙蓉出版社編輯部編　中國文學簡史

台北　水芙蓉出版社　174 頁　1982 年 5 月初版

0439　王夢鷗等　中國文學的發展概述

台北　中央文物供應社　388 頁　1982 年 9 月初版

0440　譚帝森編著　區惠本校訂　中國文學演變史

香港　波文書局　334 頁　1982 年 9 月初版

0441　姜書閣　中國文學史四十講

長沙　湖南人民出版社　544 頁　1982 年 11 月修訂本

0442　中華文化復興運動推行委員會、國家文藝基金管理委員會主編　中國文
學講話

台北　巨流圖書公司　10 冊（610、532、489、534、535、
563、537、629、467、669 頁）　1982 年 12 月 – 1987 年 11
月初版

0443　中國語文研究會　簡明中國文學史

韓國　學文社　1982 年

0444　丁範鎮、河正玉　中國文學史

韓國　學研社　392 頁　1982 年初版

韓國　學研社　373 頁　1988 年修訂版

0445　莊司格一編著　概說中國の文學

東京　高文堂出版社　205 頁　1983 年（昭和 58）4 月初
版；1988 年（昭和 63）

0446　周紹賢　中國文學述論

台北　台灣商務印書館　429 頁　1983 年 9 月初版

0447　褚斌杰等　中國文學史綱要

北京　北京大學出版社　4 冊　1983 年 9 月 – 1984 年 12 月
初版；1986 年 10 月 – 1987 年 10 月再版；1990 年修訂版；
1992 年 11 月；1993 年 4 月

北京　遠距離出版社　3 冊（383、372、531 頁）　1987 年
2 – 11 月（書名改作「中國文學史稿」）

台北　曉園出版社　4 冊，1188 頁　1991 年 8 月初版

0448　褚斌杰等　中國文學史史稿

北京　遠距離出版社　3 冊（383、372、531 頁）　1987 年
2 – 11 月（書名原作「中國文學史綱要」）

0449　金學主　　中國古代文學史
　　　　　　　韓國　民音社　250頁　1983年
0450　北京師範大學中文系古典文學教研室　簡明中國文學史
　　　　　　　北京　北京師範大學出版社　469頁　1984年6月初版
0451　陳玉剛　　簡明中國文學史
　　　　　　　西安　陝西人民出版社　505頁　1985年1月初版
0452　莊司格一等　中國文學史
　　　　　　　東京　高文堂出版社　2冊　1985年（昭和60）2月初版
0453　張大芝主編　中國文學史講座
　　　　　　　杭州　浙江教育出版社　337頁　1985年6月初版
0454　蔣立甫等　中國古代文學簡史
　　　　　　　合肥　安徽教育出版社　516頁　1985年12月初版
0455　《文學知識》編輯部編　中國古代文學史講話
　　　　　　　鄭州　河南人民出版社　188頁　1985年12月初版
0456　金學主　　中國文學史
　　　　　　　韓國　同化出版公社　441頁　1985年
0457　霍松林、高海夫主編　中國古典文學
　　　　　　　西安　陝西人民教育出版社　910頁　1986年1月初版
0458　王小虹　　中國文學史探索
　　　　　　　台北　新文豐出版公司　194頁　1986年2月初版
0459　周乃昌　　中國古典文學概述
　　　　　　　西安　陝西人民出版社　338頁　1986年2月初版
0460　近藤光男等　中國文學概論
　　　　　　　東京　高文堂出版社　233頁　1986年（昭和61）3月初版
0461　袁　珂　　中國文學史簡綱
　　　　　　　成都　四川省社會科學院出版社　125頁　1986年4月初版
0462　孫　靜等　中國文學
　　　　　　　北京　北京大學出版社　4冊（297、311、399、337頁）

1986 年 6-11 月初版

0463　王成驥　　中國文學史三字謠

北京　中國展望出版社　68 頁　1986 年 8 月初版

0464　廖仲安等編、周振甫審訂　中國古代文學（上冊）

北京　北京廣播學院出版社　502 頁　1986 年 9 月初版

0465　遼寧省教育學院系統中國古代文學組編　中國古代文學

瀋陽　遼寧教育出版社　4 冊（358、372、438、368 頁）

1986 年 10-11 月初版

0466　金學主、李東鄉　中國文學史

韓國　韓國放送通信大學　2 冊（335、323 頁）　1986 年

0467　許世旭　　中國古代文學史

韓國　法文社　507 頁　1986 年

0468　湯貴仁等　中國古代文學

天津　天津教育出版社　2 冊（404、378 頁）　1987 年 2、
5 月初版

0469　郭石山、喻朝剛主編　中國古代文學講座

長春　吉林大學出版社　575 頁　1987 年 2 月初版

0470　胡　昭　　中國古代文學

廣州　廣東高等教育出版社　3 冊（590、595、650 頁）
1987 年 2-10 月初版

0471　傅慶升等　中國古典文學

瀋陽　遼寧教育出版社　2 冊（558、606 頁）　1987 年 2、
4 月初版

0472　胡克善等　中國古代文學簡史

濟南　山東大學出版社　2 冊（176、304 頁）　1987 年 3
月初版

0473　饒東原等主編　中國文學史

武昌　華中師範大學出版社　3 冊（325、361、427 頁）

　　　　　　　1987 年 8 月、1988 年 10 月、1989 年 5 月初版

0474　邱俊鵬　　中國文學史話

　　　　　　　成都　四川教育出版社　190 頁　1987 年 8 月初版

0475　張書文　　中國文學概要

　　　　　　　台北　國立中興大學法商學院出版課　428 頁　1987 年 9 月
　　　　　　　初版

0476　尹建章等　古代文學十講

　　　　　　　鄭州　中州古籍出版社　630 頁　1987 年 9 月初版

0477　李　鋆等　中國文學概論

　　　　　　　台北　國立空中大學　上冊：409 頁　1987 年 11 月初版；
　　　　　　　1988 年 9 月二刷　下冊：576 頁　1988 年 1 月初版；1989
　　　　　　　年 9 月三刷

0478　吳文治　　中國文學史大事年表

　　　　　　　合肥　黃山書社　2 冊，1121 頁　1987 年 12 月初版

0479　朱靖華、李永祜主編　簡明中國文學史教程

　　　　　　　濟南　齊魯書社　675 頁　1988 年 1 月初版

0480　劉衍文主編　中國古代文學

　　　　　　　上海　上海教育出版社　2 冊（725、514 頁）　1988 年 1、
　　　　　　　2 月初版

0481　劉毓慶　　中華文學五千年

　　　　　　　太原　北岳文藝出版社　1、2 卷（516、491 頁）　1988 年
　　　　　　　2 月、1991 年 10 月初版；3－6 卷待出

0482　于　非主編　中國古代文學

　　　　　　　北京　高等教育出版社　2 冊（480、565 頁）　1988 年 6
　　　　　　　月初版

0483　中共北京市委黨校文史研究室編著　中國古代文學簡史

　　　　　　　西安　陝西人民教育出版社　369 頁　1988 年 6 月初版

0484　劉　流等　中國古代文學史概述

南京　江蘇教育出版社　141 頁　1988 年 6 月初版

0485　師專「中國古代文學史綱」編寫組編　中國古代文學史綱

蘭州　甘肅人民出版社　636 頁　1988 年 8 月初版

0486　王　孝　　中國文學史

台北　台灣商務印書館　756 頁　1989 年 5 月初版

0487　黃士吉主編　中國古代文學

延吉　延邊大學出版社　3 冊（581、400、488 頁）　1988
年 9－12 月初版

0488　董冰竹　　中國文學史講話

鄭州　河南人民出版社　372 頁　1988 年 12 月初版

0489　金啓華　　新編中國文學簡史

鄭州　中州古籍出版社　585 頁　1989 年 1 月初版

0490　中南五省（區）師專教材編委會「中國古代文學」編寫組編　中國古代
文學

長沙　湖南大學出版社　4 冊　1989 年 2－3 月初版

0491　劉德重　　中國文學編年錄

上海　上海知識出版社　304 頁　1989 年 3 月初版

0492　劉德重編著　清水登譯　中國文學編年錄

東京　東方書店　1992 年

0493　金啓華等主編　中國文學史

南昌　江西教育出版社　1457 頁　1989 年 3 月初版

0494　韋鳳娟等　　新編中國文學史

北京　人民教育出版社　2 卷（424、412 頁）　1989 年 4
月初版

0495　吉林、內蒙古七所高等師範院校古典文學教材編寫組編　中國古代文學
史

瀋陽　遼瀋書社　3 冊，1463 頁　1989 年 6 月初版

0496　皇甫谷　　中國文學發展史（簡編）

香港　田園書屋　317頁　1989年7月初版

0497　王文生主編　中國文學史

北京　高等教育出版社　2冊（657、612頁）　1989年8月初版

0498　趙立生主編　中國文學簡史

北京　高等教育出版社　432頁　1989年9月初版

0499　張一平、潘　靜　中國文學史簡表

太原　山西人民出版社　60頁　1989年9月初版

0500　金學主　中國文學史

韓國　新雅社　689頁　1989年9月

0501　于　非主編　中國古代文學教程

北京　高等教育出版社　2冊（378、440頁）　1989年10月初版

0502　楊公驥主編　中國文學

北京　中央廣播電視大學出版社　536頁　1989年10月初版

0503　鍾尚鈞、閻笑非主編　中國古代文學

長春　東北師範大學出版社　2冊，930頁　1990年3月初版

0504　寧大年主編　中國文學史

北京　北京師範大學　490頁　1990年3月初版

0505　時雁行　文學史基本知識

北京　北京教育出版社　290頁　1990年3月初版

0506　袁行霈　中國文學概論

香港　三聯書店

台北　五南圖書出版公司　298頁　1988年9月初版；1990年7月二刷

北京　高等教育出版社　232頁　1990年6月初版

0507　徐季子主編　中國古代文學

　　　　　上海　華東師範大學出版社　2冊（500、443頁）　1990
　　　　　年6月初版

0508　郭維森、吳枝培主編　中國文學史話

　　　　　南京　南京大學出版社　439頁　1990年6月初版

0509　王更生　　中國文學講話

　　　　　台北　三民書局　323頁　1990年7月初版；1991年3月
　　　　　二刷

0510　陳容舒主編　中國古代文學史

　　　　　重慶　西南師範大學出版社　2冊（475、382頁）　1990
　　　　　年7月、1991年7月初版

0511　周紅興主編　簡明中國古代文學

　　　　　北京　作家出版社　2冊（698、696頁）　1990年10月二
　　　　　版

0512　江西大學中文系編寫　中國文學史

　　　　　南昌　百花洲文藝出版社　747頁　1991年2月初版

0513　興膳宏編　中國文學を學ぶ人のために

　　　　　京都　世界思想社　340頁　1991年（平成3）3月初版；
　　　　　1993年（平成5）3月三版

0514　周雙利、陶　濤主編　中國文學史新編

　　　　　深圳　海天出版社　3冊，1056頁　1991年8月初版

0515　中國社會科學院文學研究所總纂　北京大學、南京師範大學協作編纂
　　　　　中國文學通史

　　　　　北京　人民文學出版社　14冊　1991年12月–
　　　　　1.先秦文學史
　　　　　2.秦漢文學史
　　　　　3.魏晉文學史
　　　　　4.南北朝文學史　536頁　1991年12月初版

5.唐代文學史　2冊

6.宋代文學史　2冊　1995年5月初版

7.元代文學史　610頁　1991年12月初版

8.明代文學史　2冊

9.清代文學史　2冊

10.近代文學史

0516　岩城秀夫　中國文學概論

佛教大學　1991年（平成3）初版

0517　侯　會　中國文學五千年

北京　中國青年出版社　553頁　1992年3月初版

台北　洪葉文化事業公司　2冊　1994年5月初版

0518　馬積高、黃　鈞主編　中國古代文學史

長沙　湖南文藝出版社　3冊（490、555、648頁）　1992
年5月初版

0519　簡明中國文學史編寫組編　簡明中國文學史

西安　陝西人民出版社　314頁　1992年6月初版

0520　郭預衡主編　中國古代文學簡史

北京　北京師範大學出版社　574頁　1992年8月初版

0521　韓兆琦　中國傳統文學史

石家莊　河北教育出版社　466頁　1992年8月初版

0522　曹余章主編　文學五千年（上）

上海　少年兒童出版社　503頁　1993年3月初版

0523　楊子聖　古代文學史簡編

南京　南京大學出版社　536頁　1993年7月初版

0524　中國大百科全書編委會　中國文學史通覽

北京　中國大百科全書出版社　632頁　1994年1月初版

0525　吳復生　中國文學史綱

台北　文史哲出版社　467頁　1994年2月初版

0526　吳　　迪　　中國古代文學史

　　　　　　　　北京　中國電影出版社　275頁　1994年11月初版

0527　馬　　力　　中國文學史題解

　　　　　　　　香港　華風出版社　2冊　1995年2月

0528　編委會　　中國文學史（少年配圖本）

　　　　　　　　二十一世紀出版社　3冊　1995年4月初版

二、斷代史

0529　兒島獻吉郎　支那大文學史古代編

　　　　　　　　東京　富山房　1154頁　1909年（昭治42）3月初版

0530　傅斯年　　中國古代文學史講義

　　　　　　　　台北　國立台灣大學　1952年12月初版（在「傅孟眞先生
　　　　　　　　集」，冊2，頁1－159）

　　　　　　　　台北　聯經出版事業公司　1980年9月初版（在「傅斯年
　　　　　　　　全集」，冊1，頁1－182）

0531　藤田豐八　支那文學史（魏晉末まで）

　　　　　　　　東京　東華堂　312頁　1955年（明治30）5月初版

0532　馮克正　　中國古代文學史講析（先秦兩漢文學）

　　　　　　　　哈爾濱　黑龍江教育出版社　478頁　1988年11月初版

0533　劉持生　　先秦兩漢文學史稿（附錄：魏晉文學）

　　　　　　　　西安　西北大學出版社　388頁　1991年1月初版

0534　聶石樵　　先秦兩漢文學史稿

　　　　　　　　北京　北京師範大學出版社　2冊，1010頁　1994年4月
　　　　　　　　初版

0535　高瀨武次郎　支那文學史─六朝末まで

　　　　　　　　出版者及出版年月不詳

0536　溫洪隆、涂光雍　先秦兩漢魏晉南北朝文學攬勝

武漢　湖北教育出版社　377 頁　1988 年 3 月初版

0537　柳存仁　上古秦漢文學史

上海　商務印書館　172 頁　1948 年 8 月初版

台北　台灣商務印書館　171 頁　1967 年 10 月初版；1973 年 1 月二刷

0538　楊蔭深　先秦文學大綱

上海　華通書局　286 頁　1933 年 8 月初版

0539　游國恩　先秦文學

上海　商務印書館　188 頁　1933 年 12 月初版

香港　商務印書館　187 頁　1964 年 3 月初版

台北　臺灣商務印書館　187 頁　1968 年 6 月初版；1972 年 8 月（作者改作「游天恩」）

0540　游天恩　先秦文學

台北　台灣商務印書館　187 頁　1968 年 6 月初版；1972 年 8 月（作者原作「游國恩」）

0541　唐　蘭　卜辭時代的文學和卜辭文學

北平　清華大學　46 頁　1936 年 7 月

0542　陸侃如、馮沅君　古代文學史

出版者及出版年月未詳

0543　徐北文　先秦文學史

濟南　齊魯書社　228 頁　1981 年 7 月初版

0544　林徐典　先秦文學史稿

新加坡　新加坡國立大學中文系　5 冊　1 冊：1989 年；4 冊：1982 年，其他待出

0545　張志岳　先秦文學簡史

哈爾濱　黑龍江人民出版社　194 頁　1986 年 7 月初版

0546　劉毓慶　古樸的文學

太原　北岳文藝出版社　516 頁　1988 年 2 月初版

0547 蔡守湘主編　先秦文學史

　　　　武漢　武漢大學出版社　280 頁　1992 年 3 月初版

0548 郭預衡主編　中國古代文學史長編（先秦卷）

　　　　北京　北京師範學院出版社　415 頁　1992 年 5 月初版

0549 趙　明主編　先秦大文學史

　　　　長春　吉林大學出版社　989 頁　1993 年 1 月初版

0550 劉棣民　中國遠古暨三代文學史

　　　　北京　人民出版社　199 頁　1994 年 1 月初版

0551 岳　斌　中國春秋戰國文學史

　　　　北京　人民出版社　207 頁　1994 年 1 月初版

0552 吳煒華　中國秦漢文學史

　　　　北京　人民出版社　206 頁　1994 年 1 月初版

0553 劉師培　中古文學史

　　　　北京　國立北京大學出版部　64 頁　1920 年初版；1923 年
9 月　二刷

　　　　寧武　南氏印　1938 年（「劉申叔遺書」第 74 冊）

　　　　北京　人民文學出版社　106 頁　1957 年 7 月初版（書名作
「中國中古文學史講義」）

　　　　北京　人民文學出版社　1959 年 11 月初版；1984 年 5 月三
刷（書名作「中國中古文學史・論文雜記」）

　　　　台北縣　文海出版社　108 頁　1972 年（書名作「中國中古
文學史講義」）

　　　　台北　世界書局　1977 年

　　　　台北　鼎文書局　1977 年（書名改作「中國中古文學史」）

　　　　台北　河洛圖書出版社　106 頁　1980 年 1 月（作者改作
「河洛圖書出版社編審」，書名改作「中國中古文學史」）

0554 劉師培　中國中古文學史講義

　　　　北京　人民文學出版社　106 頁　1957 年 7 月初版（書名原

作「中古文學史」）

台北縣　文海出版社　108 頁　1972 年（同上）

0555　劉師培　中國中古文學史‧論文雜記

北京　人民文學出版社　1959 年 11 月初版；1984 年 5 月三刷（書名原作「中古文學史」）

0556　劉師培　中國中古文學史

台北　鼎文書局　1977 年（書名原作「中古文學史」）

0557　河洛圖書出版社編審　中國中古文學史

台北　河洛圖書出版社　106 頁　1980 年 1 月（即劉師培「中古文學史」）

0558　徐嘉瑞　中古文學概論

上海　亞東圖書館　178 頁　1924 年 4 月初版；1930 年 3 月三刷

台北　台灣啓明書局　178 頁　1958 年

台北　鼎文書局　178 頁　1977 年 2 月初版（在「中古文學概論等五書」內）

台北　信誼書局　178 頁　1978 年（在「文學研究四種」內）

0559　王　瑤　中古文學史論

北平　清華大學中國文學系講義　1946 年

上海　棠棣出版社　1951 年 8 月（分爲「中古文學思想」、「中古文人生活」、「中古文學風貌」三書）

上海　古典文學出版社　1956 年修訂版

香港　中流出版社　1970 年（分爲「中古文學思想」、「中古文人生活」、「中古文學風貌」三書）

台北　鼎文書局　1977 年（將「中古文學思想」與「中古文學風貌」作爲劉師培「中國中古文學史」附錄）

台北　長安出版社　194、134、161 頁　1975 年 10 月初版；

1982 年二刷（分爲「中古文學思想」、「中古文人生活」、「中古文學風貌」三書）

上海　上海古籍出版社　1981 年

北京　北京大學出版社　314 頁　1986 年 1 月初版

0560　王　瑤　中古文學風貌

上海　棠棣出版社　1951 年 8 月（後與「中古文學思想」、「中古文人生活」合爲「中古文學史論」）

香港　中流出版社　1970 年

台北　鼎文書局　1977 年（在劉師培「中國中古文學史」附錄）

台北　長安出版社　161 頁　1975 年 10 月初版；1982 年二刷

0561　王　瑤　中古文人生活

上海　棠棣出版社　1951 年 8 月（後與「中古文學思想」、「中古文學風貌」合爲「中古文學史論」）

香港　中流出版社　1970 年

台北　長安出版社　134 頁　1975 年 10 月初版；1982 年二刷

0562　王　瑤著　石川忠久譯　中國の文人

東京　大修館書店（將王瑤「中古文學史論」中之「中古文學思想」及「中古文人生活」二書中多篇文章翻譯，並改名）

0563　陸侃如　中古文學繫年

北京　人民文學出版社　2 冊，938 頁　1985 年 6 月初版

0564　陳鐘凡　漢魏六朝文學

上海　商務印書館　120 頁　1929 年 10 月初版；1934 年 7 月二刷

台北　台灣商務印書館　119 頁　1967 年初版

0565 狩野直喜　支那文學史—上古より六朝まで

東京　みすず書房　474頁　1970年（昭和45）6月初版

0566 傅正谷　中國夢文學史—先秦兩漢部分

北京　光明日報出版社　307頁　1993年5月初版

0567 魯　迅　中國文學史略

廈門　廈門大學油印講義　約1926年（書名後改作「漢文學史綱要」）

0568 魯　迅　漢文學史綱要

上海　魯迅全集出版社　70頁　1941年10月（魯迅三十年集，第20種）

大連　光華書店　70頁　1947年10月（魯迅三十年集，第20種）

北京　人民文學出版社　55頁　1958年4月

北京　人民文學出版社　60頁　1973年9月

台北　唐山出版社　1989年9月初版（在「魯迅全集」第五卷）

台北　風雲時代出版公司　165頁　1990年11月（書名改作「漢文學史綱」）

0569 魯　迅　漢文學史綱

台北　風雲時代出版公司　165頁　1990年11月（書名原作「漢文學史綱要」）

0570 長澤規矩也　漢文學概說

東京　法政大學出版局　153頁　1952年（昭和27）9月初版

0571 劉毓慶　朦朧的文學

太原　北岳文藝出版社　491頁　1991年10月初版（本書爲「中華文學五千年」第二卷）

0572 沈達材　建安文學概論

北平　樸社　200 頁　1932 年 1 月初版

0573　張芳鈴　建安文學之探述

國立台灣師範大學國文研究所碩士論文　179 頁　1976 年 7 月　邱燮友指導

國立台灣師範大學國文研究所集刊　21 期　頁 787 – 887　1977 年 6 月

0574　劉知漸　建安文學編年史

重慶　重慶出版社　151 頁　1985 年 3 月初版

0575　王　巍　建安文學概論

瀋陽　遼寧教育出版社　333 頁　1991 年 12 月初版

0576　李景華　建安文學述評

北京　首都師範大學出版社　340 頁　1994 年 7 月初版

0577　阮雋釗　魏晉南北朝文學略論

台北　作者自印本　210 頁　1964 年 5 月初版

0578　朱義雲　魏晉風氣與六朝文學

黃埔學報　10 期　頁 27 – 76　1977 年 4 月

台北　文史哲出版社　117 頁　1980 年 8 月初版

0579　胡國瑞　魏晉南北朝文學史

上海　上海文藝出版社　286 頁　1980 年 10 月初版；1983 年二刷

台北　金園出版公司　296 頁　1983 年（作者改作「胡國治」）

0580　胡國治　魏晉南北朝文學史

台北　金園出版公司　296 頁　1983 年（作者原作「胡國瑞」）

0581　景蜀慧　中國魏晉南北朝文學史

北京　人民出版社　229 頁　1994 年 1 月初版

0582　穆克宏　魏晉南北朝文學史

北京　中華書局　340 頁　1995 年 12 月初版

0583　張仁青　六朝唯美文學

台北　文史哲出版社　170 頁　1980 年 11 月初版

0584　張榮基　魏晉志怪文學之研究

私立東吳大學中國文學研究所博士論文　272 頁　1992 年 6
月　邱燮友指導

0585　楊德本　曹魏文學研究

高雄　作者自印本　71 頁　1971 年 3 月初版

0586　張可禮　東晉文藝繫年

濟南　山東教育出版社　830 頁　1992 年 7 月初版

0587　駱玉明、張宗原　南北朝文學

合肥　安徽教育出版社　206 頁　1991 年 8 月初版

0588　中國社會科學院文學研究所總纂　曹道衡、沈玉成編著　南北朝文學史

北京　人民文學出版社　536 頁　1991 年 12 月初版

0589　吳先寧　北朝文學研究

中國社會科學院博士論文　1991 年　曹道衡指導

台北　文津出版社　209 頁　1993 年 9 月初版

0590　李開元　北魏文學簡史

太原　山西人民出版社　229 頁　1993 年 12 月初版

0591　網祐次　中國中世文學研究—南齊永明時代を中心として

東京　新潮社　561 頁　1960 年（昭和 35）6 月初版

0592　劉躍進　永明文學研究

中國社會科學院博士論文　1991 年　曹道衡指導

台北　文津出版社　357 頁　1992 年 3 月初版

0593　周祖譔　隋唐五代文學史

福州　福建人民出版社　218 頁　1958 年 8 月初版

0594　王國安、李光羽　隋唐五代文學史話

上海　上海教育出版社　224 頁　1987 年 5 月初版

0595　羅宗強、郝世峰主編　隋唐五代文學史（上、中）

　　　　　北京　高等教育出版社　402 頁、501 頁　1993 年 3 月、
　　　　　1994 年 12 月初版

0596　郭預衡主編　中國古代文學史長編（隋唐五代卷）

　　　　　北京　北京師範學院出版社　613 頁　1993 年 11 月初版

0597　史仲文　中國隋唐五代文學史

　　　　　北京　人民出版社　279 頁　1994 年 1 月初版

0598　李葆哲主編　唐宋元明清文學講座

　　　　　武漢　華中理工大學出版社　404 頁　1990 年 6 月初版

0599　徐嘉瑞　近古文學概論

　　　　　上海　北新書局　388 頁　1936 年 3 月初版

　　　　　台北　鼎文書局　388 頁　1974 年

　　　　　台北　經氏出版社　388 頁　1976 年

0600　陳子展　唐宋文學史

　　　　　上海　作家書屋　342 頁　1947 年 9 月初版（本書爲「唐代
　　　　　文學史」及「宋代文學史」合冊，並改名）

0601　唐玲玲、馬承五　唐宋文學攬勝

　　　　　武漢　湖北教育出版社　388 頁　1987 年 1 月初版

0602　蔣長棟編著　唐宋文學攬勝

　　　　　鄭州　中州古籍出版社　417 頁　1991 年 8 月初版

0603　林繼中　文化建構文學史綱（中唐—北宋）

　　　　　福州　海峽文藝出版社　208 頁　1993 年 5 月初版

0604　胡雲翼　唐代的戰爭文學

　　　　　上海　商務印書館　88 頁　1927 年 9 月初版；1931 年 5 月
　　　　　再版

　　　　　台北　台灣商務印書館　88 頁　1977 年 7 月初版

0605　朱炳煦　唐代文學概論

　　　　　上海　群衆圖書公司　302 頁　1929 年 4 月初版

上海　光華書局　290頁　1933年1月初版（只出上卷，未見下卷出書）

0606　胡樸安、胡懷琛　唐代文學

上海　商務印書館　70頁　1929年10月初版；1934年7月再版

香港　商務印書館　70頁　1964年3月初版

台北　台灣商務印書館（在萬有文庫第1、2集簡編，118冊）

0607　陳子展　唐代文學史

重慶　作家書屋　158頁　1944年12月初版

上海　作家書屋　1947年9月初版（與「宋代文學史」合冊，書名作「唐宋文學史」）

0608　王士菁　唐代文學史略

長沙　湖南師範大學出版社　456頁　1992年4月初版

0609　林從軍　唐代文學演變史

北京　人民文學出版社　711頁　1993年10月初版

0610　熊　篤　天寶文學編年史

重慶　重慶出版社　200頁　1987年5月初版

0611　楊蔭深　五代文學

上海　商務印書館　122頁　1935年10月初版

香港　商務印書館　122頁　1964年3月初版

0612　吳組緗、沈天佑　宋元文學史稿

北京　北京大學出版社　384頁　1989年5月初版

0613　郭預衡主編　中國古代文學史長編（宋遼金卷）

北京　北京師範學院出版社　534頁　1993年1月初版

0614　章　正、馬勝利、陳　原　中國宋遼金夏文學史

北京　人民出版社　261頁　1994年1月初版

0615　呂思勉　宋代文學

　　　　　上海　商務印書館　120 頁　1929 年 10 月初版；1934 年 7
　　　　　月再版

　　　　　香港　商務印書館　120 頁　1964 年 3 月初版

0616　柯敦伯　宋文學史

　　　　　上海　商務印書館　256 頁　1934 年 4 月初版；1935 年 2
　　　　　月二刷

0617　陳安仁　宋代的抗戰文學

　　　　　長沙　商務印書館　48 頁　1939 年 2 月初版

0618　陳子展　宋代文學史

　　　　　重慶　作家書屋　184 頁　1945 年 4 月初版

　　　　　上海　作家書屋　1947 年 9 月初版（與「唐代文學史」合
　　　　　冊，書名作「唐宋文學史」）

0619　楊志莊　兩宋文學研究

　　　　　台北　台灣商務印書館　214 頁　1973 年 12 月初版

0620　程千帆、吳新雷　兩宋文學史

　　　　　上海　上海古籍出版社　694 頁　1991 年 2 月初版

　　　　　高雄　麗文文化事業公司　778 頁　1993 年 10 初版

0621　常國武　宋代文學史

　　　　　北京　人民文學出版社　2 冊　1995 年 5 月初版

0622　蘇文婷　宋代遺民文學研究

　　　　　台北　作者自印本　283 頁　1979 年 3 月初版

0623　蘇雪林　遼金元文學

　　　　　上海　商務印書館　56 頁　1934 年 1 月初版

　　　　　香港　商務印書館　56 頁　1964 年 9 月初版

　　　　　台北　台灣商務印書館　56 頁　1969 年初版

0624　吳　梅　遼金元文學史

　　　　　上海　商務印書館　168 頁　1934 年 3 月初版

　　　　　台北　河洛圖書出版社　167 頁　1979 年 6 月初版

0625 黃任恆　遼代文學考
　　　　　南海　黃氏述巢雜纂本　1925 年
0626 陳啓佑　遼代之文學背景及其作品
　　　　　私立中國文化學院中國文學研究所碩士論文　344 頁　1979
　　　　　年 6 月　黃永武指導
0627 宮崎繁吉　支那近世文學史
　　　　　東京　早稻田大學出版社　明治末年
0628 鄭靖時　金代文學之研究
　　　　　國立政治大學中國文學研究所博士論文　612 頁　1987 年
　　　　　7 月　羅宗濤指導
0629 詹杭倫　金代文學史
　　　　　台北　貫雅文化事業公司　438 頁　1993 年 5 月初版（本書
　　　　　原名「金代文學思想史」，經作者改寫並改名）
0630 黃　鈞　元明清文學史稿
　　　　　長沙　湖南大學出版社　446 頁　1986 年 5 月初版
0631 李廣柏　元明清文學攬勝
　　　　　武漢　湖北教育出版社　329 頁　1987 年 2 月初版
0632 錢基博　中國元代文學史
　　　　　藍田　新中國書局　47 頁　1943 年 9 月初版
　　　　　浙中圖書局　1943 年
0633 中國社會科學院文學研究所總纂　鄧紹基主編　元代文學史
　　　　　北京　人民文學出版社　610 頁　1991 年 12 月初版
0634 顧建華　中國元代文學史
　　　　　北京　人民出版社　205 頁　1994 年 1 月初版
0635 錢基博　明代文學
　　　　　上海　商務印書館　124 頁　1934 年 1 月初版；1935 年 4
　　　　　月二刷
　　　　　香港　商務印書館　123 頁　1964 年 3 月

台北　台灣商務印書館　123 頁　1973 年 11 月；1984 年 4
月二刷

0636　宋佩韋　明文學史

上海　商務印書館　246 頁　1934 年 9 月初版；1935 年 6
月三刷

0637　吳志達　明清文學史（明代卷）

武漢　武漢大學出版社　577 頁　1991 年 12 月初版；1994
年 3 月二刷

0638　趙景雲、何賢鋒　中國明代文學史

北京　人民出版社　254 頁　1994 年 1 月初版

0639　張宗祥　清代文學

上海　商務印書館　66 頁　1930 年 10 月初版

上海　三聯書店　66 頁　1988 年 2 月

0640　李崇元　清代古文述傳

長沙　商務印書館　103 頁　1940 年 12 月初版

0641　韓石秋　清代文學史

高雄　百成書店　235 頁　1973 年 10 月初版

0642　唐富齡　明清文學史（清代卷）

武漢　武漢大學出版社　494 頁　1991 年 12 月初版；1994
年 3 月二刷

0643　馬子富、劉麗紅　中國清代文學史

北京　人民出版社　226 頁　1994 年 1 月初版

0644　沈雁冰　近代文學體系的研究

上海　新文學研究會　114 頁　1921 年 12 月初版（與劉貞
晦「中國文學變遷史」合冊，書名並改作「中國文學變遷
史」）

上海　新文化書社　114 頁　1931 年 8 月十刷；1933 年 10
月十一刷（同上）

上海　達文書店　110 頁　1936 年 5 月（同上）

台北　昌言出版社　113 頁　1971 年 6 月（與劉貞晦「中國文學變遷史」合冊，書名改作「中國文學遞邅史」，作者改作「龍飛」）

0645　陳炳堃　中國近代文學之變遷

上海　南國藝術學院　145 頁　1928 年 9 月

上海　中華書局　194 頁　1929 年 4 月初版

上海　中華書局　126 頁　1936 年 6 月初版；1941 年 1 月

上海　上海書店　1982 年

0646　盧冀野講　柳升祺等記　近代中國文學講話

上海　會文堂新記書局　132 頁　1930 年 2 月

0647　實藤遠　中國近代文學史

東京　淡路書房新社　2 冊，455 頁　1960 年（昭和 35）8、10 月初版

0648　復旦大學中文系 1956 年級中國近代文學史稿編寫小組編　中國近代文學史稿

北京　中華書局　400 頁　1960 年初版

名古屋　采華書林　400 頁　1969 年（昭和 44）2 月

0649　鄭方澤　中國近代文學史事編年

長春　吉林人民出版社　400 頁　1983 年 11 月初版

0650　唐　弢主編　中國近代文學史簡編

出版者及出版年月未詳

0651　任訪秋　中國新文學淵源

鄭州　河南人民出版社　221 頁　1986 年 9 月初版

0652　陳則光　中國近代文學史（上冊）

廣州　中山大學出版社　310 頁　1987 年 3 月初版

0653　任訪秋主編　中國近代文學史

開封　河南大學出版社　523 頁　1988 年 11 月初版；1993

年 1 月

0654　郭延禮　　中國近代文學發展史

　　　　濟南　山東教育出版社　3 卷，2414 頁　1990 年 3 月、

　　　　1991 年 2 月、1993 年 4 月初版

0655　管　林、鍾賢培主編　中國近代文學發展史

　　　　北京　中國文聯出版公司　878 頁　1991 年 6 月初版

參、現代文學史編

0656 胡　適　五十年來之中國文學
　　　　　　北平　申報館　1923 年 2 月（在「最近之五十年（申報五
　　　　　　十周年紀念刊」）內）
　　　　　　北平　申報館　1924 年 3 月（在「五十年來之世界文學」
　　　　　　內）
　　　　　　北平　黎錦熙等印行　1927 年 4 月（在「國語文學史」內）
　　　　　　上海　亞東圖書館　1930 年 9 月（在「胡適文存（2 集卷
　　　　　　2)」內）
　　　　　　台北　遠東圖書公司　1961 年（在「胡適文存（2 集卷 2)」
　　　　　　內）

0657 胡　適著　橋川時雄譯　輓近の支那文學
　　　　　　東京　東華社　222 頁　1923 年（大正 12）初版

0658 朱自清　中國新文學研究綱要
　　　　　　北平　清華大學講義　1929 年
　　　　　　上海　上海文藝出版社　1982 年

0659 陳炳堃　最近三十年中國文學史
　　　　　　上海　太平洋書店　274 頁　1930 年 11 月初版；1930 年 12
　　　　　　月二刷；1931 年 5 月三刷
　　　　　　上海　上海書店　274 頁　1989 年 10 月

0660 周作人　中國新文學的源流
　　　　　　北平　人文書店　140 頁　1932 年 9 月初版
　　　　　　北平　人文書店　145 頁　1934 年 3 月訂正再版；1934 年
　　　　　　10 月三刷

上海　上海書店　140頁　1988年2月

0661　周作人著　松枝茂夫譯　中國新文學之源流

東京　文求堂書店　122頁　1939年（昭和14）初版

0662　施愼之　中國新文學史講話

上海　世界書局　出版年月未詳

0663　錢基博　現代中國文學史長編

無錫　國專學生會　304頁　1932年12月初版

上海　世界書局　1933年9月再版；1934年9月二刷（書名改作「現代中國文學史」）

上海　世界書局　450頁；1936年9月增訂版（同上）

香港　龍門書店　450頁　1965年9月（同上）

台北　明倫出版社　450頁　1969年11月初版；1971年2月三刷（同上）

長沙　岳麓書社　514頁　1986年5月

0664　錢基博　現代中國文學史

上海　世界書局　1933年9月初版；1934年9月二刷（書名原作「現代中國文學史長編」）

上海　世界書局　450頁　1936年9月增訂版（同上）

香港　龍門書店　450頁　1965年9月（同上）

台北　明倫出版社　450頁　1969年11月初版；1971年2月三刷（同上）

長沙　岳麓書社　514頁　1986年5月（同上）

0665　池田孝　現代支那の文學

東京　東亞研究會　1935年（昭和10）初版

0666　陳　柱　四十年來吾國之文學略談

上海　交通大學　72頁　1936年

0667　吳文祺　新文學概要

上海　中國文化服務社　162頁　1936年4月初版

上海　上海書店　162頁　1989年10月

0668　霍衣仙　　最近二十年文學史綱
　　　　　　　　廣州　北新書局　120頁　1936年8月初版

0669　上田永一　支那現代文學
　　　　　　　　東京　文藝春秋社　1938年（昭和13）2月初版

0670　Briere O.：Littérature chinoise moderne（中國現代文學）. Bellarmino,
　　　　　　　　1939.

0671　Hsiao Ch'ien（蕭乾）：Etching of a Tormented Age：A Glimpse of Con-
　　　　　　　　temporary Chinese Literature（刻骨銘心的年代：當代中國
　　　　　　　　文學一瞥）. London, 1942.

0672　李一鳴　　中國新文學史講話
　　　　　　　　上海　世界書局　194頁　1943年11月初版；1947年10
　　　　　　　　月二刷

0673　任訪秋　　中國現代文學史
　　　　　　　　南陽　前鋒報社　1944年

0674　近藤春雄　現代支那の文學
　　　　　　　　京都　京都印書館　498頁　1945年（昭和20）1月初版

0675　Boven H. van：Histoire de la littérature Chinoise moderne（現代中國文
　　　　　　　　學史）, Peiping, 1946. 187pp.

0676　魚返善雄　民國の文藝
　　　　　　　　育生社　288頁　1948年（昭和23）11月初版

0677　近藤春雄　現代中國の作家と作品
　　　　　　　　名古屋　新泉書房　374頁　1949年（昭和24）1月初版

0678　尹永春　　現代中國文學史
　　　　　　　　韓國　雞林社　1949年
　　　　　　　　韓國　瑞文堂　297頁　1974年

0679　王　瑤　　中國新文學史稿
　　　　　　　　北京　開明書店　上冊, 310頁　1951年9月初版；1951

年 12 月二刷

　　　上海　新文藝出版社　下冊, 543 頁　1953 年 8 月初版

　　　上海　上海文藝出版社　2 冊, 784 頁　1982 年 11 月修訂
重版

0680　王　瑤著　實藤惠秀等譯　現代中國文學講義

　　　東京　河出書房　5 冊, 1194 頁　1955 年（昭和 30）10 月
－1956 年（昭和 31）4 月初版

0681　島田政雄　中國新文學入門

　　　東京　ハト書房　302 頁　1952 年（昭和 27）8 月初版

0682　蔡　儀　中國新文學史講話

　　　上海　新文藝出版社　174 頁　1952 年 11 月初版

0683　蔡　儀著　金子二郎譯　中國新文學史講話

　　　京都　法律文化社　250 頁　1955 年（昭和 30）初版

0684　菊池三郎　中國現代文學史—革命と文學運動

　　　東京　青木書店　535 頁　1953 年（昭和 28）12 月初版

0685　Monsterleet Jean：Sommets de la littérature chinoise contemporaine（新
文學簡史）. Paris, 1953. 167pp.

0686　Monsterleet Jean 著　朱煜仁譯　新文學簡史

　　　香港　1953 年

0687　大芝孝　現代中國文學論

　　　庶民評論社　1954 年（昭和 29）初版

0688　丁　易　中國現代文學史略

　　　北京　作家出版社　456 頁　1955 年 7 月初版；1956 年 11
月四刷

0689　實藤惠秀、實藤遠　中國新文學發展略史

　　　京都　三一書房　318 頁　1955 年（昭和 30）10 月初版

0690　張畢來　新文學史綱

　　　北京　作家出版社　258 頁　1955 年 11 月初版

北京　人民文學出版社　248 頁　1985 年 3 月新 1 版

0691　李　文　當代中國自由文藝

香港　亞洲出版社　1955 年初版

0692　Prüšek, Jaroslav：Literatura osvobozené či ny a jeji lidové tradice（現代中國文學史）. Praha：Nakladatelstvičs . Akademie vŏd,1955. 736pp. 1953. 560pp.

0693　曹聚仁　文壇五十年

香港　文化出版社　1956 年 1 月

0694　劉綏松　中國新文學史初稿

北京　作家出版社　2 冊（410、342 頁）　1956 年 4 月初版

北京　人民文學出版社　727 頁　1979 年 11 月新 1 版；1984 年 5 月六刷

0695　林　莽　中國新文學二十年（1919－1939）

香港　世界出版社　138 頁　1957 年 7 月初版

0696　孫中田等　中國現代文學史

長春　吉林人民出版社　2 冊　1957 年 9 月初版

0697　小野忍　現代の中國文學

東京　每日新聞社　296 頁　1958 年（昭和 33）5 月初版

0698　島田政雄　中國新文學入門

東京　ハト書房　302 頁　1958 年（昭和 33）8 月初版

0699　陳紀瀅　百年來中國文藝的發展

台北　建設雜誌社　1958 年初版

台北　重光文藝出版社　114 頁　1967 年 3 月再版；1977 年

0700　復旦大學中文系現代文學組學生集體編著　中國現代文學史

上海　上海文藝出版社　2 冊　1959 年 8 月初版

0701　吉林大學中文系中國現代文學史教材編寫小組編著　中國現代文學史

長春　吉林人民出版社　2 冊　1959 年 12 月、1960 年 4 月初版；1962 年 8 月增訂再版

0702　Ting Yi: A Short History of Modern Chinese Literature (現代中國文學簡史). Peking: New World Press, 1959. 310pp.

0703　北京大學中文系編著　中國現代文學史（初稿）
北京　作家出版社　1960 年 5 月初版

0704　林志浩主編　中國現代文學史
北京　中國人民大學講義　2 冊　1961 年 12 月、1962 年初版；1964 年修訂版；1978 年 7 月修訂版
北京　中國人民大學出版社　2 冊（367、328 頁）　1979 年 9 月、1980 年 5 月初版；1984 年 4、6 月二版；1991 年 2 月十三刷

0705　Sorokin V ., Ejdlin L.: Kitajskaja literatura (中國現代文學概論), AN SSSR, INA, M., 1962. 251pp.

0706　周　錦　中國新文學史
台北　長歌出版社　940 頁　1970 年 4 月初版；1976 年 4 月
台北　逸群圖書公司　918 頁　1983 年 11 月三版

0707　李輝英　中國現代文學史
香港　東亞書局　364 頁　1970 年 7 月初版；1976 年再版
香港　香港文學研究社　366 頁　1972 年 5 月再版

0708　劉心皇　現代中國文學史話
台北　正中書局　838 頁　1971 年 8 月初版；1986 年 3 月六刷

0709　竹內實　現代中國の文學
東京　研究社　360 頁　1972 年（昭和 47）2 月初版

0710　小野忍　中國の現代文學
東京　東京大學出版會　288 頁　1972 年（昭和 47）6 月初

版

0711 相浦杲　現代の中國文學

　　　　東京　日本放送出版協會　244頁　1972年（昭和47）10
　　　　月初版

0712 司馬長風　中國新文學史

　　　　香港　昭明出版公司　上卷：257頁　1975年1月初版；
　　　　1976年6月再版；293頁　1980年4月三版　中卷：332頁
　　　　　1976年3月初版；1978年11月二版　下卷：374頁
　　　　1978年12月初版

　　　　台北　駱駝出版社　3卷合冊（257、325、374頁）　1987
　　　　年8月

　　　　台北　傳記文學出版社　2冊　1991年

0713 中華民國文藝史編纂委員會編　中華民國文藝史

　　　　台北　正中書局　1078頁　1975年6月初版；1976年7月
　　　　二版

0714 唐弢、嚴家炎主編　中國現代文學史

　　　　北京　人民文學出版社　3冊（228、282、512頁）　1979
　　　　年6、11月、1980年12月初版

0715 北京大學等九院校「中國現代文學史」編寫組編　中國現代文學史

　　　　南京　江蘇人民出版社　556頁　1979年8月初版

0716 中南七院校編著　中國現代文學史

　　　　武漢　長江文藝出版社　2冊，697頁　1979年10月初版

0717 田仲濟、孫昌熙主編　中國現代文學史

　　　　濟南　山東人民出版社　544頁　1979年初版
　　　　濟南　山東文藝出版社　578頁　1985年5月修訂版

0718 周錦　中國新文學簡史

　　　　台北　成文出版社　298頁　1980年5月初版

0719 周錦　中國新文學大事記

台北　成文出版社　214頁　1980年5月初版

0720　陳敬之　中國文學的由舊到新

台北　成文出版社　214頁　1980年5月初版

0721　七省（區）十七院校「中國現代文學史」編寫組編寫　中國現代文學史

呼和浩特　內蒙古教育出版社　734頁　1980年6月初版

0722　十四院校編寫組　中國現代文學史

昆明　雲南人民出版社　766頁　1981年6月初版

0723　尹雪曼　中國新文學史論

台北　中央文物供應社　434頁　1983年9月初版

0724　許志英等　中國現代文學史簡編

南京　江蘇人民出版社　363頁　1983年10月初版

0725　金喆洙　中國新文學史話

韓國　同和出版公司　1983年

0726　瞿光熙　中國現代文學史札記

上海　上海文藝出版社　323頁　1984年1月初版

0727　馮光廉等　中國現代文學史教程

濟南　山東教育出版社　2冊（458、507頁）　1984年4、5月初版

0728　孫中田等　中國現代文學史

瀋陽　遼寧人民出版社　2冊（594、513頁）　1984年5、8月初版

0729　黃修己　中國現代文學簡史

北京　中國青年出版社　563頁　1984年6月初版

0730　蘇慶昌等　中國現代文學簡史

石家莊　花山文藝出版社　481頁　1984年6月初版

0731　葉　鵬主編　中國現代文學

鄭州　河南教育出版社　2冊，1113頁　1984年8月初版

0732　馮光廉等　中國現代文學史題解

　　　　　濟南　山東教育出版社　550頁　1984年9月初版；1993
　　　　　年12月

0733　唐　弢主編　中國現代文學史簡編
　　　　　北京　人民文學出版社　508頁　1984年12月初版
　　　　　武漢　人民文學出版社　584頁　1989年5月八刷

0734　二十三省市教育學院協編　中國現代文學史
　　　　　福州　福建教育出版社　2冊（598、432頁）　1985年5
　　　　　月初版

0735　哈爾濱師範大學中文系現代文學教研室　中國現代文學史簡編
　　　　　哈爾濱　黑龍江人民出版社　365頁　1985年6月初版

0736　劉中樹、金訓敏主編　中國現代文學簡明教程
　　　　　長春　吉林大學出版社　499頁　1985年12月初版

0737　黃修己　中國現代文學史講授綱要
　　　　　瀋陽　遼寧教育出版社　210頁　1986年3月初版

0738　邵伯周主編　簡明中國現代文學史
　　　　　天津　天津人民出版社　523頁　1986年6月初版

0739　蕭新如、吳天霖　中國現代文學史
　　　　　長春　東北師範大學出版社　533頁　1986年6月初版

0740　王　野、張寶華主編　中國現代文學史
　　　　　瀋陽　遼寧教育出版社　2冊（479、245頁）　1986年6
　　　　　月初版

0741　黨秀臣主編　中國現代文學
　　　　　北京　高等教育出版社　515頁　1986年10月初版

0742　朱德發　中國五四文學史
　　　　　濟南　山東文藝出版社　672頁　1986年11月初版

0743　王錦泉主編　中國現代文學專題史
　　　　　杭州　浙江文藝出版社　626頁　1986年12月初版

0744　李復興主編　中國現代文學史

　　　　　　　濟南　山東文藝出版社　311頁　1987年2月初版

0745　袁統邦等　中國現代文學

　　　　　　　西寧　青海人民出版社　133頁　1987年2月初版

0746　錢理群等　中國現代文學三十年

　　　　　　　上海　上海文藝出版社　665頁　1987年3月初版

0747　陳　遼、方全林　中國革命軍事文學史略

　　　　　　　北京　昆侖出版社　506頁　1987年4月初版

0748　劉增人　中國現代文學

　　　　　　　天津　天津教育出版社　502頁　1987年5月初版

0749　曾廣燦、劉慧貞　中國現代文學

　　　　　　　呼和浩特　內蒙古人民出版社　604頁　1987年8月初版

0750　孫昌熙、朱德發主編　中國現代文學史新編

　　　　　　　銀川　寧夏人民出版社　587頁　1987年9月初版

0751　吳　軍、李瑜增主編　中國現代文學

　　　　　　　北京　北京廣播學院　837頁　1987年10月初版

0752　潘人和主編　中國現代文學

　　　　　　　福州　福建科技出版社　2冊　1988年1月初版；1989年5
　　　　　　　月二刷

0753　劉濟獻　中國現代文學

　　　　　　　鄭州　黃河文藝出版社　474頁　1988年2月初版

0754　譚楚良等主編　中國新文學簡史

　　　　　　　蘭州　甘肅人民出版社　668頁　1988年8月初版

0755　顏　雄等　簡明中國現代文學史

　　　　　　　長沙　湖南大學出版社　500頁　1988年8月初版

0756　陳仰高、康立民主編　中國現代文學簡明教程

　　　　　　　成都　四川文藝出版社　478頁　1988年10月初版

0757　孫中田　中國現代文學史

　　　　　　　北京　高等教育出版社　2冊，774頁　1988年10月初版

0758 黃修己　　中國現代文學發展史
　　　　　　北京　中國青年出版社　654 頁　1988 年 11 月初版
0759 黃修己著　高麗大學中國語文研究會譯　中國現代文學發展史
　　　　　　韓國　凡友社　720 頁　1991 年 2 月
0760 葉　凡主編　中國現代文學
　　　　　　瀋陽　遼寧大學出版社　382 頁　1988 年 12 月初版
0761 鄧英華、于　寒主編　中國現代文學史
　　　　　　長春　吉林教育出版社　582 頁　1989 年 1 月初版
0762 陳壽立、胡　鋼主編　中國現代文學簡明教程
　　　　　　北京　中國廣播電視出版社　596 頁　1989 年 1 月初版
0763 殷國明　中國現代文學流派發展史
　　　　　　廣州　廣東高等教育出版社　543 頁　1989 年 3 月初版
0764 屈正平主編　現代文學自學教程
　　　　　　呼和浩特　內蒙古教育出版社　493 頁　1989 年 3 月初版
0765 李復興等主編　現代中國文學專題史
　　　　　　杭州　浙江大學出版社　2 冊，912 頁　1989 年 3 月、5 月
　　　　　　初版
0766 朱德發等　新編中國現代文學史
　　　　　　濟南　明天出版社　772 頁　1989 年 5 月初版
0767 韋啟良主編　中國現代文學
　　　　　　桂林　廣西師範大學出版社　2 冊（527、378 頁）　1989
　　　　　　年 7 月初版
0768 陳玉剛主編　中國翻譯文學史稿
　　　　　　北京　中國對外翻譯公司　405 頁　1989 年 8 月初版
0769 朱德發　中國現代文學簡史
　　　　　　濟南　山東文藝出版社　299 頁　1989 年 8 月初版
0770 十四院校編委會　中國現代文學史新編
　　　　　　昆明　雲南教育出版社　779 頁　1989 年 8 月初版

0771　政治作戰學校中文系編　中國現代文學史

　　　　　　台北　政治作戰學校教育處　230頁　1989年10月初版

0772　王嘉良、李標晶主編　中國現代文學史新編

　　　　　　上海　上海社會科學院出版社　656頁　1990年2月初版

0773　錢蔭愉、平慧源　中國現當代文學

　　　　　　蘭州　甘肅人民出版社　250頁　1990年3月初版

0774　魏紹馨主編　現代中國文學發展史

　　　　　　延吉　延邊大學出版社　621頁　1990年6月初版

0775　李計謀、王居瑞主編　中國現當代文學

　　　　　　長春　東北師範大學出版社　670頁　1990年12月初版

0776　周紅興主編　簡明中國現代文學

　　　　　　北京　作家出版社　643頁　1990年12月二版

0777　吳宏聰、范伯群主編　中國現代文學史（1917－1986）

　　　　　　武漢　武漢大學出版社　741頁　1991年2月初版

0778　李德堯、王澤龍　新編中國現代文學簡史

　　　　　　北京　高等教育出版社　1991年4月初版

0779　李旦初主編　中國現代文學

　　　　　　北京　北京師範大學出版社　523頁　1991年4月初版

0780　馮光廉、劉增人主編　中國新文學發展史

　　　　　　北京　人民文學出版社　612頁　1991年8月初版；1994
　　　　　　年4月

0781　江西大學中文系編寫　中國現代文學史

　　　　　　南昌　百花洲文藝出版社　664頁　1991年12月初版

0782　藤井省三　中國文學この百年

　　　　　　東京　新潮社　1991年（平成3）初版

0783　梁積榮　新文學三十年

　　　　　　石家莊　河北人民出版社　295頁　1992年4月初版

0784　黃政安、馮鎮魁主編　中國現代文學史

哈爾濱　黑龍江教育出版社　417 頁　1992 年 5 月初版

0785　曹允亮主編　中國現代文學

濟南　山東大學出版社　3 冊（557、472、470 頁）　1992 年 6 月初版

0786　朱德發　二十世紀中國文學流派論綱

濟南　山東教育出版社　542 頁　1992 年 12 月初版

0787　凌　宇等主編　中國現代文學史

長沙　湖南師範大學出版社　474 頁　1993 年 4 月初版；1995 年 3 月

0788　郭志剛、孫中國主編　中國現代文學史（上）

北京　高等教育出版社　483 頁　1993 年 5 月初版；1995 年 4 月

0789　葛留青、張占國　中華民國文學史

北京　人民出版社　244 頁　1994 年 1 月初版

0790　王哲甫　中國新文學運動史

北平　人文書局　1931 年初版

北平　景山書店　496 頁　1933 年 9 月初版

香港　遠東圖書公司　496 頁　1965 年 8 月

上海　上海書店　496 頁　1986 年 2 月

0791　張若英　中國新文學運動史資料

上海　光明書局　388 頁　1934 年 4 月初版

0792　王豐園　中國新文學運動述評

北平　新新學社　188 頁　1935 年 9 月

0793　錢杏邨　中國新文學運動史

上海　光明書局　出版年月未詳

0794　李長之　近代中國的文藝復興

北京　商務印書館　1946 年

0795　胡　適　中國新文學運動小史

台北　啓明書局　72 頁　1958 年 6 月初版（將「中國新文學大系」第一冊導言和「逼上梁山」兩文合刊）

台北　胡適紀念館　72 頁　1974 年 4 月再版（同上）

台北　偉文圖書公司　85 頁　1978 年（同上）

0796　增田涉　中國文學史研究—「文學革命」と前夜の人人

東京　岩波書店　428 頁　1967 年（昭和 42）7 月初版

0797　成賢子　中國新文學運動發凡

國立台灣大學中國文學研究所碩士論文　241 頁　1975 年 6 月　黃得時指導

0798　鄭學稼　由文學革命到革文學的命

廣州　勝利出版社廣東分社　98 頁　約 1942 年

香港　亞洲出版社　149 頁　1953 年

0799　尾坂德司　中國新文學運動史—政治と文學の交點，胡適から魯迅へ

東京　法政大學出版局　314 頁　1957 年（昭和 32）11 月初版

0800　菊地三郎　中國革命文學運動史

東京　風間書房　499 頁　1973 年（昭和 48）初版

0801　侯　健　從文學革命到革命文學

台北　中外文學月刊社　284 頁　1974 年 12 月初版

0802　秋吉久紀夫　近代中國文學運動の研究

福岡　九州大學出版會　819 頁　1979 年（昭和 54）7 月初版；860 頁　1982 年（昭和 57 年）

0803　蘇雪林　二三十年代作家與作品

台北　廣東出版社　602 頁　1979 年 12 月初版；1980 年 6 月二刷

台北　純文學出版社　638 頁　1983 年 10 月初版（書名改作「中國二三十年代作家」）

0804　蘇雪林　中國二三十年代作家

— 421 —

台北　純文學出版社　638頁　1983年（書名原作「二三十年代作家與作品」）

0805　阿　英　抗戰期間的文學

廣州　戰時出版社　98頁　1938年5月初版

0806　Chu, Fu－Sung（朱扶孫）：Wartime Chinese Literature in China：After Seven years of war（中國抗戰時期之文學）. ed. Hallington K. Tong. New York, 1945.

0807　藍　海　中國抗戰文藝史

上海　現代出版社　166頁　1947年9月初版

濟南　山東文藝出版社　478頁　1984年3月修訂版

0808　藍　海著　波多野太郎譯　中國抗戰文藝史

東京　評論社　1949年

0809　尾坂德司　續‧中國新文學運動史—抗日鬥爭下的中國文學

東京　法政大學出版局　311頁　1965年（昭和40）3月初版

0810　劉心皇　抗戰時期淪陷區文學史

台北　成文出版社　370頁　1980年5月初版

0811　劉心皇　抗戰時期淪陷區地下文學

台北　正中書局　514頁　1985年5月初版

0812　蘇光文　抗戰文藝概觀

重慶　西南師範大學出版社　221頁　1985年10月初版

0813　文天行　國統區抗戰文學運動史稿

成都　四川教育出版社　300頁　1988年5月初版

0814　劉增杰主編　中國解放區文學史

鄭州　河南大學出版社　347頁　1988年5月初版

0815　許懷中　中國解放區文學史

福州　海峽文藝出版社　785頁　1994年1月初版

0816　張毓茂主編　二十世紀中國兩岸文學史

潘陽　遼寧大學出版社　817頁　1988年8月初版

0817　徐國倫　二十世紀中國兩岸文學史（續編）

潘陽　遼寧大學出版社　637頁　1994年3月初版

0818　黃修己　中國新文學史編纂史

北京　北京大學出版社　1994年初版

肆、大陸當代文學史編

0819 山東大學中文系中國當代文學史編寫組　中國當代文學史（上）
　　　濟南　山東人民出版社　1960 年 6 月初版

0820 華中師範學院中國語言文學系編著　中國當代文學史稿
　　　北京　科學出版社　898 頁　1962 年 9 月初版

0821 中國科學院文學研究所「十年來的新中國文學」編寫組　十年來的新中
　　　國文學
　　　北京　作家出版社　186 頁　1963 年 11 月初版

0822 林曼叔等　中國當代文學史稿
　　　巴黎第七大學東亞出版中心　456 頁　1978 年 4 月初版

0823 二十二院校編寫組　中國當代文學史
　　　福州　福建人民出版社　3 冊（358、416、358 頁）　1980
　　　年 5 月、1981 年 12 月、1985 年 9 月初版
　　　福州　海峽文藝出版社　3 冊　1987 年 4 月二版

0824 張　鐘等　當代文學概觀
　　　北京　北京大學出版社　471 頁　1980 年 7 月初版；1985
　　　年 7 月五刷
　　　北京　北京大學出版社　555 頁　1986 年 6 月修訂版；1987
　　　年 6 月二刷；1991 年 3 月（書名改作「當代中國文學概
　　　觀」）

0825 張　鐘等　當代中國文學概觀
　　　北京　北京大學出版社　555 頁　1986 年 6 月修訂版；1987
　　　年 6 月二刷；1991 年 3 月（書名原作「當代文學概觀」）

0826 郭志剛等　中國當代文學史初稿

北京　人民文學出版社　2 冊　1980 年 12 月、1981 年 7 月初版

北京　人民文學出版社　2 冊（489、408 頁）　1983 年修訂版；1990 年 5 月二版；1994 年 5 月；1995 年 5 月

0827　張　炯、朱　瑢主編　中國當代文學講稿

北京　中央廣播電視大學出版社　401 頁　1983 年 6 月初版

0828　華中師範學院「中國當代文學」編寫組編寫　中國當代文學

上海　上海文藝出版社　3 冊（432、540、612 頁）　1983 年 9 月、1984 年 11 月、1989 年 5 月初版

0829　吉林省五院校編　中國當代文學史

長春　吉林人民出版社　737 頁　1984 年 12 月初版

長春　吉林教育出版社　737 頁　1985 年 11 月二刷

0830　中國社會科學院文學研究所當代文學研究室　新時期文學六年

北京　中國社會科學出版社　551 頁　1985 年 1 月初版

0831　汪華藻等主編　中國當代文學簡史

長沙　湖南人民出版社　621 頁　1985 年 7 月初版

0832　公　仲主編　中國當代文學史新編

南昌　江西教育出版社　673 頁　1985 年 9 月初版

0833　吳　軍等　中國當代文學

北京　北京廣播學院出版社　490 頁　1986 年 3 月初版

0834　邱　嵐主編　中國當代文學

瀋陽　遼寧教育出版社　644 頁　1986 年 6 月初版

0835　譚憲昭、劉清湧主編　中國當代文學史簡編

廣州　廣東高等教育出版社　460 頁　1986 年 7 月初版

0836　王　銳、羅謙怡主編　中國當代文學簡明教程

長春　吉林大學出版社　329 頁　1986 年 8 月初版

0837　周鑒銘　新時期文學

昆明　雲南教育出版社　438 頁　1986 年 10 月初版

0838　吳三元主編　中國當代文學
　　　　　　　天津　天津教育出版社　493頁　1987年6月初版

0839　張　鐘等　中國當代文學
　　　　　　　北京　北京大學出版社　389頁　1988年1月初版

0840　李叢中主編　新中國文學發展史
　　　　　　　昆明　雲南教育出版社　692頁　1988年7月初版；1993
　　　　　　　年7月二版

0841　張暹明主編　當代文學新編
　　　　　　　瀋陽　遼寧大學出版社　420頁　1988年10月初版

0842　邱　嵐　中國當代文學史略
　　　　　　　北京　高等教育出版社　398頁　1988年12月初版

0843　鄭觀年等　中國當代文學教程
　　　　　　　杭州　浙江大學出版社　2冊（443、474頁）　1989年3
　　　　　　　月初版

0844　陳　濤主編　中國當代文學掃描
　　　　　　　成都　四川文藝出版社　592頁　1989年7月初版

0845　張廣益等主編　中國當代文學史簡編
　　　　　　　長春　吉林教育出版社　479頁　1989年8月初版

0846　李達三主編　中國當代文學史略
　　　　　　　杭州　浙江大學出版社　349頁　1989年8月初版

0847　高文升、單占生主編　中國當代文學史稿
　　　　　　　鄭州　河南人民出版社　610頁　1989年12月初版

0848　周紅興主編　簡明中國當代文學
　　　　　　　北京　作家出版社　約1989年初版；1990年11月二版

0849　戴克強、廉文澂主編　中國當代文學
　　　　　　　西安　陝西人民教育出版社　521頁　1990年3月初版

0850　田　怡主編　中國當代文學論稿
　　　　　　　呼和浩特　內蒙古人民出版社　290頁　1990年3月初版

0851　舒其惠、汪華藻主編　新中國文學史

　　　　　　　長沙　湖南文藝出版社　583頁　1990年4月初版

0852　林　湮等主編　中國當代文學發展史

　　　　　　　南京　江蘇教育出版社　660頁　1990年5月初版

0853　江西大學中文系編寫　中國當代文學史

　　　　　　　南昌　百花洲文藝出版社　511頁　1990年7月初版

0854　王惠雲等主編　中國當代文學教程

　　　　　　　石家莊　花山文藝出版社　380頁　1990年8月初版

0855　雷　敢、齊振平主編　中國當代文學

　　　　　　　西安　陝西師範大學出版社　557頁　1990年12月初版

0856　高文池、陳慧忠　中國當代文學概論

　　　　　　　上海　上海外語教育出版社　173頁　1991年6月初版

0857　劉文田　當代中國文學史

　　　　　　　石家莊　河北大學出版社　687頁　1991年6月初版

0858　李旦初主編　中國當代文學

　　　　　　　北京　北京師範大學出版社　347頁　1992年5月初版

0859　金漢、馮雲青　新編中國當代文學發展史

　　　　　　　杭州　杭州大學出版社　723頁　1992年8月初版

0860　陳其光主編　中國當代文學史

　　　　　　　廣州　廣東高等教育出版社　574頁　1992年11月初版

0861　魯原、劉敏言主編　中國當代文學史綱

　　　　　　　北京　中國文聯出版公司　711頁　1993年7月初版

0862　趙俊賢　中國當代文學發展綜史

　　　　　　　北京　文化藝術出版社　2冊，1016頁　1994年7月初版

伍、地方文學史編

0863 陳永正　嶺南文學史

　　　　廣州　廣東高等教育出版社　973 頁　1993 年 9 月初版

0864 張振金　嶺南現代文學史

　　　　廣州　廣東高等教育出版社　329 頁　1989 年 12 月初版

0865 王鴻儒等　貴州當代文學概觀

　　　　貴陽　貴州民族出版社　276 頁　1989 年 8 月初版

0866 陳伯海、袁進編　上海近代文學史

　　　　上海　上海人民出版社　486 頁　1993 年 2 月初版

0867 陳　遼主編　江蘇新文學史

　　　　南京　南京出版社　528 頁　1990 年 3 月初版

0868 章紹嗣等　武漢抗戰文藝史稿

　　　　武漢　長江文藝出版社　254 頁　1988 年 9 月初版

0869 江西師範大學中文系蘇區文學研究室　江西蘇區文學史初稿

　　　　南昌　江西人民出版社　137 頁　1960 年 4 月初版

　　　　南昌　江西人民出版社　211 頁　1984 年 11 月初版（書名
　　　　改作「江西蘇區文學史」）

0870 江西師範大學中文系蘇區文學研究室　江西蘇區文學史

　　　　南昌　江西人民出版社　211 頁　1984 年 11 月初版（書名
　　　　原作「江西蘇區文學史初稿」）

0871 劉建勛　延安文藝史論稿

　　　　西安　陝西人民出版社　324 頁　1992 年 3 月初版

0872 任孚先等　山東解放區文學概觀

　　　　濟南　山東人民出版社　494 頁　1983 年 3 月初版

0873　丁爾綱主編　山東當代作家論

　　　　　　濟南　山東教育出版社　894頁　1989年10月初版

0874　王劍清、馮健男主編　晉察冀文藝史

　　　　　　北京　中國文聯出版公司　665頁　1989年12月初版

0875　屈毓秀等　山西抗戰文學史

　　　　　　太原　北岳文藝出版社　481頁　1988年2月初版

0876　馬清福　東北文學史

　　　　　　瀋陽　春風文藝出版社　558頁　1992年5月初版

0877　畢寶魁　東北古代文學概覽

　　　　　　瀋陽　遼寧少年兒童出版社　385頁　1993年7月初版

0878　沈衛威　東北流亡文學史論

　　　　　　鄭州　河南人民出版社　214頁　1992年8月初版

0879　《東北現代文學史》編寫組　東北現代文學史

　　　　　　瀋陽　瀋陽出版社　307頁　1989年12月初版

0880　韓明安　黑龍江古代文學

　　　　　　北京　光明日報　280頁　1986年3月初版

0881　內蒙古大學中國語文學系編　內蒙古自治區文學史

　　　　　　呼和浩特　內蒙古人民出版社　359頁　1960年12月初版

0882　季成家主編　西部風情與多民族色彩——甘肅文學四十年

　　　　　　北京　紅旗出版社　678頁　1991年8月初版

陸、各體文學史編

一、詩史

1.通代

0883　黃　節　　詩史
　　　　　　　　北平　北京大學講義　1921 年排印本
0884　陳鐘凡　　中國韻文通論
　　　　　　　　上海　中華書局　418 頁　1927 年 2 月初版；1936 年 3 月
　　　　　　　　四刷
　　　　　　　　香港　上海書局　418 頁　1927 年 2 月初版
　　　　　　　　台北　台灣中華書局　418 頁　1958 年初版；1984 年 9 月
　　　　　　　　二刷
　　　　　　　　台北　河洛圖書出版社　418 頁　1979 年
　　　　　　　　香港　中華書局　444 頁
0885　李　維　　詩史
　　　　　　　　北平　石棱精舍　258 頁　1928 年 10 月初版
0886　李　維著　眞田但馬譯　支那詩史
　　　　　　　　東京　大東出版社　520 頁　1943 年（昭和 18）11 月初版
0887　澤田總淸　支那韻文史
　　　　　　　　東京　弘道館　446 頁　1929 年（昭和 4）12 月初版
0888　澤田總淸著　王鶴儀譯　中國韻文史

上海　商務印書館　2 冊，544 頁　1937 年 4 月初版

台北　台灣商務印書館　544 頁　1965 年 1 月初版；1984年；1993 年 1 月五刷

上海　上海書店　2 冊，544 頁　1984 年 3 月

0889　陸侃如、馮沅君　中國詩史

上海　大江書鋪　3 冊，1429 頁　1931 年 1、7、12 月初版

上海　商務印書館　3 冊，1429 頁　1935 年 4 月－1939 年8 月

北京　作家出版社　3 冊，816 頁　1956 年 9 月

香港　古文書局　3 冊　1956 年；1968 年二刷

台北　明倫出版社　818 頁　1969 年 1 月初版（不著作者）

0890　佚　名　中國詩史

台北　明倫出版社　818 頁　1969 年 1 月初版（作者原作「陸侃如、馮沅君」）

0891　劉麟生　中國詩詞概論

上海　世界書局　196 頁　1933 年 8 月初版（在「中國文學八論」內）

上海　世界書局　90 頁　1944 年 10 月新一版（同上）

香港　南國出版社　1961 年 9 月初版

台北　泰順出版社　1971 年二刷（同上）

台北　清流出版社　160 頁　1971 年（同上）

台北　文馨出版社　1975 年（同上）

台北　莊嚴出版社　194 頁　1981 年

北京　中國書店　1985 年

鄭州　中州古籍出版社　1991 年 11 月（在「中國文學八論」內）

0892　丘瓊蓀　詩賦詞曲概論

上海　中華書局　362 頁　1934 年 3 月初版

台北　台灣中華書局　361 頁　1960 年 10 月初版；1983 年
1 月三刷

北京　中國書店　362 頁　1985 年 3 月初版

0893　龍沐勛　中國韻文史

上海　商務印書館　256 頁　1934 年 8 月初版；1935 年 5
月二刷

香港　太平書局　255 頁　1964 年 3 月

台北　樂天出版社　233 頁　1970 年；1974 年

0894　胡懷琛　中國詩論

上海　世界書局　1934 年 12 月初版（「中國文學講座」之
一）

0895　梁啓超　中國之美文及其歷史

上海　中華書局　182 頁　1936 年 3 月初版

台北　台灣中華書局　181 頁　1956 年 10 月初版

0896　梁啓勳　中國韻文概論

上海　商務印書館　196 頁　1938 年 7 月初版

台北　台灣商務印書館　195 頁　1967 年 12 月初版；1977
年 6 月三刷

0897　吳　烈　中國韻文演變史

上海　世界書局　192 頁　1940 年 10 月初版

0898　蔣伯潛、蔣祖怡　詩

上海　世界書局　1942 年初版；1947 年 2 月二刷

台北　世界書局　1956 年 10 月初版

0899　張壽鏞　詩史初稿

作者自印本　1943 年

0900　曾仲鳴　中國詩史

出版者及出版年月未詳

0901　汪辟疆　詩歌史

講義本　出版年月未詳

0902　傅隸樸　中國韻文概論

台北　中華文化出版事業委員會　2 冊，297 頁　1954 年 6 月初版；1954 年 8 月二刷

台北　正中書局　436 頁　1982 年 10 月初版（書名改作「中國韻文通論」）

0903　傅隸樸　中國韻文通論

台北　正中書局　436 頁　1982 年 10 月初版（書名原作「中國韻文概論」）

0904　蔦川芳久　中國詩概說

京都　三和書房　177 頁　1955 年（昭和 30）初版

0905　嵇　哲　中國詩詞演進史

香港　開源書店　316 頁　1954 年 10 月初版；1956 年二刷；1959 年 3 月三刷

台北　力行書局　316 頁　1958 年（書名改作「中國歷代詩詞史」）

台北　華聯出版社　316 頁　1972 年

台北　莊嚴出版社　316 頁　1978 年；1981 年；1990 年 9 月

台北　華嚴出版社　316 頁　1993 年 8 月

0906　王　瑤　中國詩歌發展講話

北京　中國青年出版社　155 頁　1956 年 5 月初版；1982 年五刷

0907　葛賢寧　中國詩史

台北　中華文化出版事業委員會　2 冊，417 頁　1956 年 6、9 月初版

0908　陸道孚　中國歷代韻文文學概論

台北　興漢出版社　53 頁　1957 年初版；1960 年 10 月二

刷

0909　北京師範學院中文系編　中國詩歌史（第一冊）
　　　　　　北京　中華書局　212頁　1960年4月初版

0910　梁　石　中國詩歌發展史
　　　　　　香港　頌文書局　1962年
　　　　　　台北　經氏出版社　541頁　1976年

0911　趙錫民　中國純文學概論
　　　　　　台中　金氏圖書出版社　110頁　1963年12月初版

0912　藤堂明保等　中國詩入門—古代から現代まで
　　　　　　大學書林語學文庫　1966年（昭和41）初版

0913　吉川幸次郎著　高橋和巳編　中國詩史
　　　　　　東京　筑摩書房　2冊（324、285頁）　1967年（昭和42）
　　　　　　10、11月初版

0914　吉川幸次郎著　劉尙仁譯　中國詩史
　　　　　　台北　明文書局　501頁　1983年4月初版

0915　吉川幸次郎著　高橋和巳編　章培恆等譯　中國詩史
　　　　　　合肥　安徽文藝出版社　378頁　1986年12月初版

0916　吉川幸次郎著　高橋和巳編　蔡靖泉等譯　中國詩史
　　　　　　太原　山西人民出版社　546頁　1986年11月初版

0917　張敬文　中國詩歌史
　　　　　　台北　幼獅書店　416頁　1970年12月初版

0918　Watson, Burton: Chinese Lyricism: Shih Poetry from the Second to the
　　　　　　Twelfth Century, with translations.（中國抒情詩：第二世
　　　　　　紀到第十二世紀中國詩之發展）. New York and London:
　　　　　　Columbia University Press, 1971. 232pp.

0919　李曰剛　中國文學流變史（三）—詩歌編
　　　　　　台北　聯貫出版社　2冊（776、940頁）　1976年初版
　　　　　　台北　文津出版社　2冊（776、940頁）　1987年2月初

版 (書名改作「中國詩歌流變史」)

0920　李曰剛　中國詩歌流變史

台北　文津出版社　2 冊（776、940 頁）　1987 年 2 月初版 (本書原名「中國文學流變史（三）─詩歌編」)

0921　祁宗漢　音韻文學演進述要

台北　莒光印刷事業公司　142 頁　1976 年 5 月初版

0922　方子丹　中國歷代詩學通論

台北　大海文化事業公司　1416 頁　1978 年 6 月初版

0923　曾　鐸　詩談（上冊）

南昌　江西人民出版社　395 頁　1979 年 10 月初版

0924　徐　青　古典詩律史

西寧　青海人民出版社　230 頁　1980 年 6 月初版；1982 年 4 月二刷

0925　劉尚文　中國古典詩歌發展簡史

香港　上海書局　145 頁　1981 年 9 月再版

0926　劉尚文　中國詩歌發展簡史

香港　上海書局　145 頁　1981 年 9 月

0927　鄭孟彤　中國詩歌發展史略

哈爾濱　黑龍江人民出版社　361 頁　1981 年 10 月初版；1984 年 6 月二刷

0928　詹同章　中國韻文之演變

台北　作者自印本　460 頁　1984 年 7 月初版

0929　張建業　中國詩歌簡史

北京　中國青年出版社　640 頁　1986 年 12 月初版

0930　韓傳達　古詩的歷程十講

北京　中國青年出版社　316 頁　1987 年 4 月初版

0931　李　慶、武　蓉　中國詩史漫筆

北京　中國文聯出版公司　673 頁　1988 年 6 月初版

0932　麻守中　中國詩歌體裁概論

長春　吉林大學出版社　382頁　1988年9月初版

0933　福田稔　中國韻文史要說

東京　丘書房　186頁　1988年（昭和63）10月初版

0934　葛曉音　八代詩史

西安　陝西人民出版社　354頁　1989年2月初版

0935　程毅中　不絕如縷的歌聲—中國詩體流變

香港　中華書局　243頁　1989年初版

北京　中華書局　165頁　1992年7月初版

0936　王　洪　中國古代詩歌歷程

北京　朝華出版社　454頁　1993年4月初版

0937　王竟時　中國古代詩歌史

瀋陽　遼寧教育出版社　1189頁　1994年8月初版

0938　黃紹清　中國詩歌寫作史

南寧　廣西教育出版社　273頁　1994年8月初版

0939　陳玉剛　中國古代詩詞曲史

南昌　百花洲文藝出版社　1995年4月初版

0940　張建業　中國詩歌史

台北　文津出版社　339頁　1995年6月初版

0941　李岳南　語體詩歌史話

成都　拔提書店　108頁　1945年6月初版

0942　盧冀野　民族詩歌論集

重慶　國民圖書出版社　112頁　1940年12月初版

0943　盧冀野　民族詩歌續論

重慶　國民圖書出版社　76頁　1944年3月初版

0944　祝注先主編　中國少數民族詩歌史

北京　中央民族大學出版社　420頁　1994年11月初版

0945　張仕章　中國古代宗敎詩歌集

上海　廣學會　144 頁　1926 年

0946　張長弓　中國僧伽之詩生活
　　　　　　北平　著者書店　224 頁　1933 年 8 月初版

0947　李文初　中國山水詩史
　　　　　　廣州　廣東高等教育出版社　426 頁　1991 年 5 月初版

0948　丁成泉　中國山水詩史
　　　　　　台北　文津出版社　337 頁　1995 年 8 月初版

0949　蔣瑞珍　吳江詩史
　　　　　　出版者及出版年月未詳

0950　藍華增　雲南詩歌史略—趙藩「仿元遺山論詩絕句論滇詩六十首」箋
　　　　　　釋
　　　　　　昆明　雲南人民出版社　299 頁　1988 年 12 月初版

0951　鈴木虎雄　支那詩論史
　　　　　　東京　弘文堂書房　262 頁　1925 年（大正 14）5 月初版；
　　　　　　1940 年（昭和 15）三刷

0952　鈴木虎雄著　孫俍工譯　中國古代文藝論史
　　　　　　上海　北新書局　2 冊，314 頁　上冊：1928 年 5 月初版；
　　　　　　下冊：1928 年 10 月初版；1929 年 4 月再版（原著書名為
　　　　　　「支那詩論史」）

0953　鈴木虎雄著　洪順隆譯　中國詩論史
　　　　　　台北　台灣商務印書館　213 頁　1972 年 9 月初版

0954　鈴木虎雄著　許　總譯　中國詩論史
　　　　　　南寧　廣西人民出版社　249 頁　1989 年 9 月初版

0955　金達凱　歷代詩論
　　　　　　香港　民主評論社　298 頁　1962 年 3 月初版

0956　森槐南著　神田喜一郎編　中國詩學概說
　　　　　　京都　臨川書店　218 頁　1982 年（昭和 57）12 月初版

0957　蔡鎮楚　中國詩話史

　　　　　　　長沙　湖南文藝出版社　458 頁　1988 年 5 月初版
0958　韓經太　　心靈現實的藝術透視—中國文人心態與古典詩歌藝術
　　　　　　　北京　現代出版社　289 頁　1990 年 2 月初版
0959　劉德重、張寅彭　詩話概説
　　　　　　　北京　中華書局　296 頁　1990 年 8 月初版
0960　莊　嚴　　中國詩歌美學史
　　　　　　　長春　吉林大學出版社　429 頁　1994 年 10 月初版

2. 斷代

0961　張松如　　中國詩歌史（先秦兩漢）
　　　　　　　長春　吉林大學出版社　368 頁　1988 年 7 月初版
　　　　　　　高雄　麗文文化事業公司　429 頁　1994 年 5 月初版
0962　王鐘陵　　中國中古詩歌史
　　　　　　　南京　江蘇教育出版社　867 頁　1988 年 5 月初版
0963　鈴木修次　漢魏詩の研究
　　　　　　　東京　大修館書店　688 頁　1967 年（昭和 42）3 月初版
0964　古層冰　　漢詩研究
　　　　　　　上海　啓智書局　150 頁　1928 年 7 月初版；1933 年 10 月
　　　　　　　三版
0965　金學主　　漢代詩研究
　　　　　　　韓國　光文出版社　177 頁　1974 年
0966　趙敏俐　　兩漢詩歌研究
　　　　　　　東北師範大學博士論文　1988 年　楊公驥指導
　　　　　　　台北　文津出版社　270 頁　1993 年 5 月初版
0967　倪其心　　漢代詩歌新論
　　　　　　　南昌　百花洲文藝出版社　318 頁　1992 年 4 月初版
0968　森野繁夫　六朝詩の研究

東京　第一學習社　1976 年（昭和 51）初版

0969　劉漢初　六朝詩發展述論

國立台灣大學中國文學研究所博士論文　1983 年 5 月　張
敬、葉慶炳指導

0970　Chang Sun , Kang‐i（孫康宜）：Six Dynasties Poetry（六朝詩）.

Princeton：Princeton Univ. Pr.，1986. 216pp.

0971　張松如主編　鍾優民著　中國詩歌史（魏晉南北朝）

長春　吉林大學出版社　517 頁　1989 年 12 月初版

高雄　麗文文化事業公司　631 頁　1994 年 5 月初版

0972　李瑞騰　六朝詩學研究

私立中國文化大學中國文學研究所碩士論文　168 頁　1978
年 6 月　黃永武指導

0973　郭伯恭　魏晉詩歌概論

上海　商務印書館　190 頁　1936 年 4 月初版；1948 年 8
月

0974　方祖燊　魏晉時代詩人與詩歌

師大學報　18 期　頁 39－86　1973 年 6 月

台北　蘭臺書局　106 頁　未標出版年月

0975　王次澄　兩晉五言詩研究

私立東吳大學中國文學研究所碩士論文　218 頁　1976 年
5 月　鄭騫指導

0976　王次澄　南朝詩研究

私立東吳大學中國文學研究所博士論文　1982 年　鄭騫指
導

台北　東吳大學中國學術著作獎助委員會　414 頁　1984 年
9 月初版

0977　盧清青　齊梁詩探微

台北　文史哲出版社　269 頁　1984 年 10 月初版

0978 閻采平　齊梁詩歌研究

　　　　北京　北京大學出版社　271 頁　1994 年 10 月初版

0979 管　雄　隋唐詩歌史論

　　　　南京　南京大學出版社　304 頁　1990 年 3 月初版

0980 張敬文　唐宋詩詞研究

　　　　台北　台灣商務印書館　201 頁　1968 年 8 月初版；1987
年 10 月六刷

0981 許文玉　唐詩綜論

　　　　北京　國立北京大學出版部　98 頁　1929 年 10 月初版

0982 胡雲翼　唐詩研究

　　　　上海　商務印書館　204 頁　1930 年 12 月初版；1933 年 1
月再版

　　　　香港　商務印書館　204 頁　1959 年 7 月初版

　　　　台北　台灣商務印書館　204 頁　1967 年 3 月初版；1974
年 6 月四刷

0983 孫俍工　唐代底勞動文藝

　　　　上海　亞東圖書館　242 頁　1932 年 9 月初版

0984 蘇雪林　唐詩概論

　　　　上海　商務印書館　190 頁　1934 年 2 月初版；1947 年 2
月三刷

　　　　台北　台灣商務印書館　190 頁　1958 年 6 月初版；1967
年二刷；1988 年 4 月五刷

　　　　上海　上海書店　190 頁　1992 年 1 月初版

0985 費有容　唐詩研究

　　　　上海　大東書局　出版年月未詳

0986 豐田穰　唐詩研究

　　　　東京　養德社　294 頁　1948 年（昭和 23）8 月初版

0987 吉川幸次郎　唐代の詩と散文

東京　弘文堂　125頁　1948年（昭和23）3月初版

0988　小川環樹　唐詩概說

東京　岩波書店　252頁　1958年（昭和33）9月初版

0989　前野直彬　唐代の詩人達

東京　東京堂　320頁　1971年（昭和46）12月初版

0990　前野直彬著　洪順隆譯　唐代的詩人們

台北　幼獅文化事業公司　325頁　1976年5月初版；1978年11月二刷

0991　詹　鍈　唐詩

上海　上海古籍出版社　1979年4月初版

台北　國文天地雜誌社　159頁　1990年10月初版；1992年7月二刷

0992　目加田誠　唐代詩史

東京　龍溪書舍　380頁　1981年（昭和56）6月初版

0993　劉開揚　唐詩通論

成都　四川人民出版社　339頁　1983年7月初版

0994　羅宗強　唐詩小史

西安　陝西人民出版社　309頁　1987年9月初版

0995　許　總　唐詩史

南京　江蘇教育出版社　2冊，1210頁　1994年6月初版

0996　張慧娟　唐代女詩人研究

私立中國文化學院中國文學研究所碩士論文　177頁　1978年　邱燮友指導

0997　樂恕人　唐代の女流詩人

東京　每日新聞社　297頁　1980年（昭和55）11月初版

0998　黃盛雄　唐人絕句研究

國立台灣師範大學國文研究所碩士論文　1972年　李漁叔指導

台北　文史哲出版社　174頁　1979年7月初版

0999　周嘯天　唐絕句史

重慶　重慶出版社　228頁　1987年5月初版

1000　趙　謙　唐七律藝術史

台北　文津出版社　428頁　1992年9月初版

1001　方　瑜　唐詩形成的研究

國立台灣大學中國文學研究所碩士論文　184頁　1970年5月　臺靜農指導

台北　嘉新水泥公司文化基金會　116頁　1972年3月初版

台北　牧童出版社　185頁　1975年初版

1002　高大鵬　唐詩演變之研究—唐詩近代化特質形成初探

國立政治大學中國文學研究所博士論文　366頁　1985年6月　王夢鷗、羅宗濤指導

1003　Owen, Stephen：The Poetry of the Early T'ang（初唐詩）. New Haven & London: Yale Univ. Pr., 1977. 455pp.

1004　Owen, Stephen：The Great Age of Chinese Poetry: The High T'ang（中國詩的偉大時代—盛唐）. London New Haven: Yale Univ. Pr., 1981. 440pp.

1005　馬楊萬運　中晚唐詩研究

國立台灣大學中國文學研究所博士論文　3冊　1974年6月　鄭騫指導

1006　王小琳　大曆詩人研究

國立台灣大學中國文學研究所碩士論文　193頁　1983年12月　羅聯添指導

1007　呂正惠　元和詩人研究

私立東吳大學中國文學研究所博士論文　356頁　1983年4月　臺靜農指導

1008　楊啓高　唐代詩學

南京　正中書局　416 頁　1935 年 5 月初版

上海　正中書局　416 頁　1947 年 1 月初版

台北　正中書局　416 頁　1967 年 3 月初版；1973 年 10 月二刷（作者改作「正中書局編審委員會」）

1009　正中書局編審委員會　唐代詩學

台北　正中書局　416 頁　1967 年 3 月初版；1973 年 10 月二刷（作者原作「楊啓高」）

1010　許清雲　現存唐人詩格著述初探

私立東吳大學中國文學研究所碩士論文　149 頁　1978 年 5 月　鄭騫指導

1011　何金蘭　五代詩人及其詩

國立台灣大學中國文學研究所博士論文　436 頁　1977 年 6 月　鄭騫、葉慶炳指導

1012　胡雲翼　宋詩研究

上海　商務印書館　242 頁　1930 年 12 月初版

香港　商務印書館　242 頁　1959 年 7 月

台北　宏業書局　240 頁　1972 年 2 月（作者改作「胡雲」）

1013　胡　雲　宋詩研究

台北　宏業書局　240 頁　1972 年 2 月（作者原作「胡雲翼」）

1014　汪蔚心　宋詩研究

上海　大東書局　出版年月未詳

1015　梁　昆　宋詩派別論

長沙　商務印書館　176 頁　1938 年 7 月初版

台北　東昇出版事業公司　184 頁　1980 年 5 月初版

1016　嚴恩紋　宋詩概論

台北　華國出版社　128 頁　1956 年 10 月初版

1017　吉川幸次郎　宋詩概說

東京　岩波書店　248頁　1962年（昭和37）10月初版

東京　筑摩書店　1968年2月（在「吉川幸次郎全集」13卷）

1018　Watson, Burton（tr.）：An Introduction to Sung Poetry by Kōjirō Yoshikawa（吉川幸次郎著宋詩概說）. Cambridge：Harvard Univ. Pr., 1969; 1967. 191pp.

1019　吉川幸次郎著　鄭清茂譯　宋詩概說

台北　聯經出版事業公司　288頁　1977年4月初版；1988年9月四刷

1020　張高評　宋詩之傳承與開拓

台北　文史哲出版社　604頁　1990年3月初版

1021　許　總　宋詩史

重慶　重慶出版社　863頁　1992年3月初版

1022　潘玲玲　南宋遺民詩研究

國立政治大學中國文學研究所碩士論文　210頁　1986年
董金裕指導

1023　蔡　瑜　宋代唐詩學

國立台灣大學中國文學研究所博士論文　1990年　吳宏一
指導

1024　胡幼峰　金詩研究

私立輔仁大學中國文學研究所碩士論文　1975年　葉慶炳
指導

國立編譯館館刊　6卷2期　頁63-131　1977年12月

1025　吉川幸次郎　元明詩概說

東京　岩波書店　246頁　1963年（昭和38）6月初版

東京　筑摩書房　1969年11月（在「吉川幸次郎全集」15卷）

1026　吉川幸次郎　鄭清茂譯　元明詩概說

台北　幼獅文化事業公司　321頁　1986年6月初版

1027　Yoshikawa, Kōjirō（au.）（吉川幸次郎著）Wixted, John Timothy
（tr.）: Five Hundred Years of Chinese Poetry, 1150 –
1650.（中國詩五百年, 1150 – 1650）. Princeton: Prince-
ton Univ. Pr., 1989. 215pp.

1028　包根弟　元詩研究
台北　幼獅文化事業公司　182頁　1978年1月初版

1029　Radtke, Kurt W.: Poetry of the Yuan Dynasty（元朝詩）. Canberra:
Faculty of Asian Studies Australian National Univ., （Facul-
ty of Asian Studies Monographs: N. S., No. 5）1984.
364pp.

1030　今關天彭　清代及現代の詩文界
北京　今關研究室　132頁　1925年（大正14）

1031　馬亞中　中國近代詩歌史
蘇州大學中文系博士論文　1988年　錢仲聯指導
台北　台灣學生書局　584頁　1992年6月初版

1032　朱則杰　清詩史
南京　江蘇古籍出版社　376頁　1992年2月初版

1033　霍有明　清代詩歌發展史
復旦大學中文系博士論文　1991年　章培恆指導
西安　陝西人民出版社　374頁　1993年6月初版
台北　文津出版社　404頁　1994年11月初版

1034　趙永紀　清初詩歌
北京　光明日報出版社　389頁　1993年初版

1035　李濬之　清畫家詩史
來薰閣　10冊, 1000頁　1930年
北京　中國書店　550頁　1990年7月初版（作者改作「李
浚」）

1036 李　浚主編　清畫家詩史

　　　北京　中國書店　550 頁　1990 年 7 月初版（作者原作「李
　　　濬之」）

1037 施淑儀　清代閨閣詩人徵略

　　　上海　崇明女子師範講習所　4 冊，329 頁　1992 年 10 月
　　　初版

1038 鍾慧玲　清代女詩人研究

　　　國立政治大學中國文學研究所博士論文　433 頁　1981 年 1
　　　月　王夢鷗、羅宗濤指導

1039 嚴　明　清代廣東詩歌研究

　　　蘇州大學博士論文　1990 年　錢仲聯指導

　　　台北　文津出版社　191 頁　1991 年 8 月初版

1040 吳宏一　清代詩學研究

　　　國立台灣大學中國文學研究所博士論文　1973 年　鄭騫指
　　　導

　　　台北　牧童出版社　333 頁　1977 年 2 月初版（書名改作
　　　「清代詩學初探」）

　　　台北　台灣學生書局　310 頁　1985 年 1 月修訂版（書名改
　　　作「清代詩學初探」）

1041 吳宏一　清代詩學初探

　　　台北　牧童出版社　333 頁　1977 年 2 月初版（博士論文原
　　　題「清代詩學研究」）

　　　台北　台灣學生書局　310 頁　1985 年 1 月修訂版（同上）

1042 王英志　清人詩論研究

　　　南京　江蘇古籍出版社　418 頁　1986 年初版

1043 何石松　乾嘉詩學初探

　　　私立中國文化大學中國文學研究所碩士論文　333 頁　1983
　　　年 6 月　王甦指導

3.詩經、辭賦史

1044　金公亮　詩經學新論

上海　世界書局　152頁　1934年12月（「中國文學講座」
之一）

1045　夏傳才　詩經研究史概要

鄭州　中州書畫社　1982年初版

台北　萬卷樓圖書公司　352頁　1993年7月初版

1046　林葉連　中國歷代詩經學

私立中國文化大學中國文學研究所博士論文　1990年6月
潘重規指導

台北　台灣學生書局　468頁　1993年3月初版

1047　郝立權　辭賦史

濟南　齊魯大學講義　1931年排印本

1048　李曰剛　中國文學流變史（二）─辭賦編

台北　聯貫出版社　217頁　1971年8月初版

1976年三刷

台北　文津出版社　217頁　1987年2月初版（書名改作
「辭賦流變史」）

1049　李曰剛　辭賦流變史

台北　文津出版社　217頁　1987年2月初版（書名原作
「中國文學流變史（二）─辭賦編」）

1050　張書文　由文學觀點談楚辭到漢賦的發展與流變

台北　正中書局　1981年初版

台北　正中書局　169頁　1983年4月再版（書名改作「楚
辭到漢賦的衍變」）

1051　張書文　楚辭到漢賦的衍變

台北　正中書局　169頁　1983年4月再版（書名原作「由

文學觀點談楚辭到漢賦的發展與流變」)

1052 葉幼明　辭賦通論
　　　　　長沙　湖南教育出版社　283 頁　1991 年 5 月初版

1053 黃中模　現代楚辭批評史
　　　　　武漢　湖北教育出版社　390 頁　1990 年 7 月初版

1054 易重廉　中國楚辭學史
　　　　　長沙　湖南出版社　611 頁　1991 年 5 月初版

1055 李大明　漢楚辭學史
　　　　　北京　電子科技大學出版社　377 頁　1994 年 10 月初版

1056 鈴木虎雄　賦史大要
　　　　　東京　富山房　336 頁　1936 年（昭和 11）初版

1057 鈴木虎雄著　殷石臞譯　賦史大要
　　　　　重慶　正中書局　318 頁　1942 年 10 月初版
　　　　　台北　正中書局　318 頁　1942 年 10 月初版；1966 年；
　　　　　1992 年 4 月三刷
　　　　　台北縣　地平線出版社　318 頁　1975 年 7 月初版

1058 中島千秋　賦の成立と展開
　　　　　愛媛　關洋紙店印刷所　598 頁　1963 年（昭和 38）12 月
　　　　　初版

1059 Watson, Burton：Chinese Rhyme－Prose：Poems in the Fu Form from
　　　　　the Han and Six Dynasties Periods, translated and with an
　　　　　Introduction.（中國韻文：賦體由漢到六朝之發展，作品譯
　　　　　介）New York and London：Columbia University Press,
　　　　　1971. 128pp.

1060 何沛雄　漢魏六朝賦家論略
　　　　　台北　台灣學生書局　102 頁　1986 年 6 月初版

1061 高光復　賦史述略
　　　　　長春　東北師範大學出版社　193 頁　1987 年 3 月初版

1062 馬積高　賦史

上海　上海古籍出版社　642 頁　1987 年 7 月初版

1063 何新文　中國賦論史稿

北京　開明出版社　286 頁　1993 年 4 月初版

1064 曹道衡　漢魏六朝辭賦

上海　上海古籍出版社　1989 年 8 月初版

台北　國文天地雜誌社　216 頁　1992 年 6 月初版

1065 金秬香　漢代辭賦之發達

上海　商務印書館　112 頁　1934 年 9 月初版

長沙　商務印書館　112 頁　1938 年

1066 陶秋英　漢賦之史的研究

昆明　中華書局　192 頁　1939 年 4 月初版

台北　新文豐出版公司　192 頁　1980 年

1067 張清鐘　漢賦研究

嘉義師專學報　5 期　頁 195－230　1974 年 5 月

台北　台灣商務印書館　65 頁　1975 年 1 月初版

1068 許建章　漢賦研究

台北　崇德書局　142 頁　1985 年 4 月初版

1069 姜書閣　漢賦通義

濟南　齊魯書社　461 頁　1989 年 10 月初版

1070 程章燦　魏晉南北朝賦史

南京　江蘇古籍出版社　434 頁　1992 年 2 月初版

1071 譚澎蘭　六朝小賦研究

私立中國文化大學中國文學研究所碩士論文　232 頁　1984 年 6 月　王熙元指導

1072 蕭湘鳳　魏晉賦研究

私立輔仁大學中國文學研究所碩士論文　164 頁　1980 年 5 月　葉慶炳指導

1073　李瓊英　　宋代散文賦研究

　　　　　　　國立台灣師範大學國文研究所碩士論文　216頁　1991年6
　　　　　　　月　葉慶炳指導

4. 樂府史

1074　羅根澤　　樂府文學史

　　　　　　　北平　文化學社　290頁　1931年1月初版

　　　　　　　台北　文史哲出版社　290頁　1991年1月四刷

1075　王　易　　樂府通論

　　　　　　　上海　神州國光社　218頁　1933年4月初版

　　　　　　　上海　中國聯合出版公司　217頁　1944年12月初版

　　　　　　　上海　中國文化服務社　217頁　1946年10月初版

　　　　　　　台北　廣文書局　217頁　1961年1月初版；1979年5月

1076　楊生枝　　樂府詩史

　　　　　　　西寧　青海人民出版社　540頁　1985年1月初版

1077　蕭滌非　　漢魏六朝樂府文學史

　　　　　　　清華研究院畢業論文　1933年

　　　　　　　重慶　中國文化服務社　378頁　1944年10月初版

　　　　　　　台北　長安出版社　297頁　1976年10月初版

　　　　　　　北京　人民文學出版社　325頁　1984年3月修訂版

1078　李純勝　　漢魏南北朝樂府

　　　　　　　台北　台灣商務印書館　172頁　1966年10月初版；1967
　　　　　　　年6月二刷

1079　陳義成　　漢魏六朝樂府研究

　　　　　　　私立輔仁大學中國文學研究所碩士論文　1973年　王靜芝
　　　　　　　指導

　　　　　　　台北　嘉新水泥公司文化基金會　233頁　1976年10初版

1080　王運熙等　漢魏六朝樂府詩

　　　　　上海　上海古籍出版社　1986 年初版

　　　　　台北　國文天地雜誌社　176 頁　1990 年

1081　沈志方　漢魏文人樂府研究

　　　　　私立東海大學中國文學研究所碩士論文　374 頁　1982 年 4

　　　　　月　邱燮友指導

1082　澤口剛雄　漢代文學の研究第一編—漢樂府の研究

　　　　　東京　朋文社　99 頁　1953 年（昭和 28）初版

1083　鄭開道　漢代樂府詩研究

　　　　　私立中國文化學院中國文學研究所碩士論文　212 頁　1971

　　　　　年　李漁叔指導

1084　張清鐘　兩漢樂府詩之研究

　　　　　嘉義師專學報　8 期　頁 187－266　1978 年 5 月

　　　　　台北　台灣商務印書館　80 頁　1979 年 4 月初版

1085　丌婷婷　兩漢樂府研究

　　　　　台北　學海出版社　368 頁　1980 年 3 月初版

1086　姜鯨求　兩漢民歌樂府研究

　　　　　韓國　嶺南大學碩士論文　95 頁　1984 年

1087　黃羨惠　兩漢樂府古辭研究

　　　　　私立中國文化大學中國文學研究所碩士論文　213 頁　1991

　　　　　年 6 月　邱燮友指導

1088　張永鑫　漢樂府研究

　　　　　南京　江蘇古籍出版社　270 頁　1992 年 6 月初版

1089　李鮮熙　兩漢民間樂府及後人擬作之研究

　　　　　國立台灣師範大學國文研究所碩士論文　297 頁　1983 年 4

　　　　　月　羅宗濤指導

1090　王淳美　兩漢民間樂府及後人擬作之研究

　　　　　國立政治大學中國文學研究所碩士論文　297 頁　1986 年

5月　羅宗濤指導

1091　田寶玉　兩漢民間樂府研究

國立台灣師範大學國文研究所碩士論文　156頁　1985年
12月　楊昌年指導

1092　金慶秋　漢代民歌研究

韓國　成均館大學碩士論文　109頁　1985年

1093　林瑛淑　漢代民間樂府研究

韓國　外大碩士論文　1990年

1094　王運熙　六朝樂府與民歌

上海　上海文藝聯合出版社　183頁　1955年7月
台北　新文豐出版公司　1982年

1095　周誠明　南北朝樂府詩研究

私立中國文化學院中國文學研究所碩士論文　242頁　1971
年　李漁叔指導

1096　金銀雅　南北朝樂府詩之研究

國立政治大學中國文學研究所碩士論文　248頁　1984年
5月　李豐楙指導

1097　金庠澔　南朝樂府民歌研究

中國文學　14輯　頁21-88　1986年12月
韓國　漢城大學碩士論文　69頁　1987年2月

1098　安東煥　北朝樂府詩研究

韓國　全南大學碩士論文　51頁　1988年

1099　張國相　唐代樂府詩之研究

私立東海大學中國文學研究所碩士論文　158頁　1980年
6月　舒衷正指導

1100　黃浴沂　唐代新樂府詩人及其代表作品

台北　學海出版社　144頁　1988年6月初版

1101　金銀雅　盛唐樂府詩研究

國立政治大學中國文學研究所博士論文　245 頁　1990 年
6 月　羅宗濤、李豐楙指導

1102　張修蓉　中唐樂府詩研究

國立政治大學中國文學研究所博士論文　1981 年　羅宗濤、
葉慶炳指導

台北　文津出版社　474 頁　1985 年 10 月初版

5. 詞史

1103　劉毓盤　詞史

北平師大講義　1923 年

東北大學周刊　1、2、7、8、31、34、36、37、38、40、
44、46 期　1926 年 10 月－1928 年 3 月

上海　群眾圖書公司　216 頁　1931 年 2 月初版

上海　中國聯合出版公司　216 頁　1944 年 11 月初版

台北　台灣學生書局　179 頁　1972 年 8 月初版（作者改作
「劉子庚」）

台北　盤庚出版社　179 頁　未標出版年月（作者改作「劉
子庚」）

上海　上海書店　216 頁　1985 年 5 月

1104　劉子庚　詞史

台北　台灣學生書局　179 頁　1972 年 8 月初版（作者原作
「劉毓盤」）

台北　盤庚出版社　179 頁　未標出版年月（同上）

1105　胡雲翼　詞學 ABC

上海　世界書局　98 頁　1930 年 1 月初版

上海　世界書局　1934 年（書名改作「詞學概論」）

香港　實用書局　1950 年（同上）

台北　啓明書局　72頁　1958年（同上）

台北　莊嚴出版社　87頁　1981年9月（同上，在「詞的欣賞與寫作」內，作者改作「莊嚴出版社編輯部」）

1106　胡雲翼　詞學概論

上海　世界書局　1934年（書名原作「詞學ABC」）

香港　實用書局　1950年（同上）

台北　啓明書局　72頁　1958年（同上）

台北　莊嚴出版社　87頁　1981年9月（同上，在「詞的欣賞與寫作」內，作者改作「莊嚴出版社編輯部」）

1107　莊嚴出版社編輯部　詞學概論

台北　莊嚴出版社　87頁　1981年9月（在「詞的欣賞與寫作」內，作者原作「胡雲翼」）

1108　王　易　詞曲史

上海　神州國光社　530頁　1931年11月初版；1932年5月再版

上海　中國聯合出版公司　530頁　1944年12月

上海　中國文化服務社　530頁　1948年11月

台北　廣文書局　530頁　1960年4月初版；1971年7月三刷

台北　洪氏出版社　530頁　1981年1月（書名改作「中國詞曲史」）

1109　王　易　中國詞曲史

台北　洪氏出版社　530頁　1981年1月（書名原作「詞曲史」）

1110　盧冀野　詞曲研究

上海　中華書局　208頁　1934年12月初版；1940年5月；1961年

台北　台灣中華書局　208頁　1960年2月初版；1979年5

月

香港　建文書局　208 頁　1963 年 5 月初版

1111　胡雲翼　　中國詞史略

上海　大陸書局　238 頁　1933 年 6 月初版

1112　胡雲翼　　中國詞史大綱

上海　北新書局　212 頁　1933 年 9 月初版

台北　啓明書局　212 頁　1958 年 12 月初版（書名改作「中國詞史」）

台北　經氏出版社　211 頁　1977 年（同上）

1113　胡雲翼　　中國詞史

台北　啓明書局　212 頁　1958 年 12 月初版（書名原作「中國詞史大綱」）

台北　經氏出版社　211 頁　1977 年（同上）

1114　王念中　　古文詞學史

武昌　益善書局　270 頁　1933 年 11 月初版

1115　蔣伯潛、蔣祖怡　詞曲

上海　世界書局　242 頁　1942 年初版；1946 年 12 月二刷

台北　世界書局　242 頁　1956 年 10 月初版；1975 年 6 月三刷

1116　郭　揚　　千年詞

南寧　廣西人民出版社　315 頁　1987 年 6 月初版；1988 年 8 月二刷

1117　黃拔荊　　詞史（上）

福州　福建人民出版社　415 頁　1989 年 4 月初版

1118　許宗元　　中國詞史

合肥　黃山書社　288 頁　1990 年 12 月初版

1119　金啓華　　中國詞史論綱

南京　南京出版社　181 頁　1992 年 4 月初版

1120　李正輝、李華豐　中國古代詞史

　　　　台北　志一出版社　461頁　1995年12月初版

1121　江潤勳　詞學評論史稿

　　　　香港　龍門書店　341頁　1966年1月初版

1122　梁榮基　詞學理論綜考

　　　　國立台灣大學中國文學研究所博士論文　430頁　1976年

　　　　鄭騫指導

　　　　國立編譯館館刊　8卷1、2期　計136頁　1979年6、12

　　　　月

　　　　北京　北京大學出版社　272頁　1991年8月初版

1123　謝桃坊　中國詞學史

　　　　成都　巴蜀書社　449頁　1993年6月初版

1124　方智範等著　中國詞學批評史

　　　　北京　中國社會科學出版社　481頁　1994年7月初版

1125　姜方錟　唐五代兩宋詞概

　　　　瀘縣　文源印刷廠　1934年12月初版

1126　張敬文　唐宋詩詞研究

　　　　台北　台灣商務印書館　201頁　1968年8月初版；1987

　　　　年10月六刷

1127　村上哲見　宋詞研究—唐五代北宋篇

　　　　東京　創文社　497頁　1976年（昭和51）3月初版

1128　村上哲見著　楊鐵嬰譯　唐五代北宋詞研究

　　　　西安　陝西人民出版社　475頁　1987年8月初版

1129　Chang Sun , Kang－i.（孫康宜）：The Evolution of Chinese Tz'u

　　　　Poetry: From Late T'ang to Northern Sung.（晚唐迄北宋

　　　　詞體演進與詞人風格）Princeton：Princet on University

　　　　Press, 1980. 251pp.

1130　孫康宜著　李奭學譯　晚唐迄北宋詞體演進與詞人風格

台北　聯經出版事業公司　312 頁　1994 年 6 月初版

1131　吳熊和　　唐宋詞通論
杭州　浙江古籍出版社　434 頁　1985 年 1 月初版；467 頁
　　1989 年 3 月再版

1132　吳熊和著　李鴻鎮譯　唐宋詞通論
韓國　1991 年

1133　楊海明　　唐宋詞史
南京　江蘇古籍出版社　584 頁　1987 年 12 月初版

1134　蕭世杰　　唐宋詞史稿
武昌　華中師範大學出版社　265 頁　1991 年 4 月初版

1135　靑山宏　　唐宋詞研究
東京　汲古書院　1991 年（平成 3）

1136　蔡國鈞　　唐五代詞之地域發展
香港　香港詞曲學會　1970 年

1137　陳弘治　　唐五代詞研究
台北　文津出版社　238 頁　1980 年 3 月初版；1985 年 3
月二刷

1138　黃進德　　唐五代詞
上海　上海古籍出版社　158 頁　1987 年 10 月初版
台北　國文天地雜誌社　182 頁　1990 年 11 月初版

1139　廖雪蘭　　評述花間集暨其十八作家
私立中國文化學院中國文學研究所碩士論文　209 頁　1978
年 6 月　高明指導

1140　胡雲翼　　宋詞研究
上海　中華書局　198 頁　1926 年 3 月初版；1928 年 5 月
訂正三版
成都　巴蜀書社　185 頁　1989 年 5 月初版
台南　大行出版社　200 頁　1990 年 6 月初版

1141 薛礪若　宋詞通論

上海　開明書局　350 頁　1937 年 7 月初版；1949 年 4 月
三刷

台北　台灣開明書局　350 頁　1958 年 5 月初版；1980 年 1
月

香港　建文書局　1960 年初版

台北　啓明書局　1974 年初版

上海　上海書店　350 頁　1985 年 6 月初版

1142 中田勇次郎　宋代の詞

東京　弘文堂　1940 年（昭和 15）

1143 周篤文　宋詞

上海　上海古籍出版社　139 頁　1980 年 4 月初版

台北　國文天地雜誌社　176 頁　1991 年 11 月初版

1144 陳邇冬　宋詞縱橫

北京　人民文學出版社　97 頁　1987 年 4 月初版

1145 謝桃坊　宋詞概論

成都　四川文藝出版社　486 頁　1992 年 8 月初版

1146 黃淑愼　宋代女詞人研究

私立中國文化學院中國文學研究所碩士論文　196 頁　1966
年 6 月　楊家駱指導

1147 任日鎬　宋代女詞人及其詞作之研究

國立政治大學中國文學研究所博士論文　393 頁　1982 年 6
月　鄭騫、蕭繼宗指導

台北　台灣商務印書館　268 頁　1984 年 12 月初版（書名
改作「宋代女詞人評述」）

1148 任日鎬　宋代女詞人評述

台北　台灣商務印書館　268 頁　1984 年 12 月初版（博士
論文原題「宋代女詞人及其詞作之研究」）

1149　陶爾夫　　北宋詞壇

　　　　　太原　山西人民出版社　158 頁　1986 年 6 月初版

1150　Liu, James J. Y.（劉若愚）: Major Lyricists of the Northern Sung, A.

　　　　　D. 960 – 1126（北宋六大詞家）. Princeton: Princeton Uni-

　　　　　versity Press, 1974. 7, 215pp.

1151　劉若愚著　王貴苓譯　北宋六大詞家

　　　　　台北　幼獅文化事業公司　195 頁　1986 年 6 月初版; 1990

　　　　　年 4 月二刷

1152　黃文吉　　北宋十大詞家研究

　　　　　台北　文史哲出版社　391 頁　1995 年 3 月初版

1153　黃文吉　　宋南渡詞人研究

　　　　　私立東吳大學中國文學研究所博士論文　328 頁　1984 年 6

　　　　　月　鄭騫指導

　　　　　台北　台灣學生書局　328 頁　1985 年 5 月初版（書名改作

　　　　　「宋南渡詞人」）

1154　黃文吉　　宋南渡詞人

　　　　　台北　台灣學生書局　328 頁　1985 年 5 月初版（博士論文

　　　　　原題「宋南渡詞人研究」）

1155　王兆鵬　　宋南渡詞人群體研究

　　　　　南京師範大學博士論文　1990 年　唐圭璋指導

　　　　　台北　文津出版社　322 頁　1992 年 3 月初版

1156　王偉勇　　南宋詞研究

　　　　　私立東吳大學中國文學研究所博士論文　526 頁　1987 年 6

　　　　　月　鄭騫指導

　　　　　台北　文史哲出版社　526 頁　1987 年 9 月初版

1157　陶爾夫、劉敬圻　南宋詞史

　　　　　哈爾濱　黑龍江人民出版社　529 頁　1992 年 12 月初版

1158　王偉勇　　南宋遺民詞初探

私立東吳大學中國文學研究所碩士論文　141 頁　1979 年 5 月　鄭騫指導

1159　張筱萍　兩宋詞論研究

國立台灣師範大學國文研究所碩士論文　256 頁　1975 年 6 月　王熙元指導

國立台灣師範大學國文研究所集刊　20 期　頁 801－928 1976 年 6 月

1160　張子良　金元詞人述評

國立台灣師範大學國文研究所碩士論文　1971 年　盧元駿指導

國立台灣師範大學國文研究所集刊　16 期（下）　頁 1303－1406　1972 年 6 月

台北　華正書局　301 頁　1979 年 7 月初版（書名改作「金元詞述評」）

1161　張子良　金元詞人述評

台北　華正書局　301 頁　1979 年 7 月初版（碩士論文原題「金元詞人述評」）

1162　黃兆漢　金元詞通論

香港大學中文研究所碩士論文　1969 年　羅忼烈指導

台北　台灣學生書局　327 頁　1992 年 12 月初版（書名改作「金元詞史」）

1163　黃兆漢　金元詞史

台北　台灣學生書局　327 頁　1992 年 12 月初版（碩士論文原題「金元詞通論」）

1164　陳　美　明末忠義詞人研究

私立東吳大學中國文學研究所碩士論文　206 頁　1986 年 4 月　張子良指導

1165　朴永珠　明代詞論研究

私立中國文化大學中國文學研究所碩士論文　180頁　1982
年 6月　王熙元指導

1166　今關天彭　清代及び現代の詩餘駢文界
北京　今關研究室　186頁　1926年（大正15）

1167　徐　珂　清代詞學概論
上海　大東書局　82頁　1926年10月初版
台北　廣文書局　82頁　1979年5月初版

1168　葉恭綽講　孟廉泉記　清代詞學之撮影
上海　暨南大學講演筆記　14頁　1930年5月

1169　賀光中　論清詞
新加坡　東方學會　266頁　1958年4月初版

1170　汪　中　清詞金荃
台北　台灣學生書局　170頁　1965年6月初版
台北　文史哲出版社　173頁　1971年11月初版

1171　嚴迪昌　清詞史
南京　江蘇古籍出版社　564頁　1990年1月初版

1172　李京奎　清初詞學綜論
國立台灣大學中國文學研究所博士論文　315頁　1990年
6月　吳宏一指導

1173　林玫儀　晚清詞論研究
國立台灣大學中國文學研究所博士論文　522頁　1979年7
月　鄭騫指導

6. 曲 史

1174　任　訥　散曲概論
上海　中華書局　109頁　1931年1月（「散曲叢刊」第14
種）

　　　　　　台北　台灣中華書局　109頁　1984年6月三刷（「散曲叢
刊」第14種）

　　　　　　台北　里仁書局　106頁　1984年9月初版（作者改作「任
二北」；書名改作「散曲之研究」；在「元曲研究」內）

1175　任二北　散曲之研究

　　　　　　台北　里仁書局　106頁　1984年9月初版（即任訥「散曲
概論」；在「元曲研究」內）

1176　王　易　詞曲史

　　　　　　上海　神州國光社　530頁　1931年11月初版；1932年5
月再版

　　　　　　上海　中國聯合出版公司　530頁　1944年12月

　　　　　　上海　中國文化服務社　530頁　1948年11月

　　　　　　台北　廣文書局　530頁　1960年4月初版；1971年7月
三刷

　　　　　　台北　洪氏出版社　530頁　1981年1月（書名改作「中國
詞曲史」）

1177　王　易　中國詞曲史

　　　　　　台北　洪氏出版社　530頁　1981年1月（書名原作「詞曲
史」）

1178　盧冀野　詞曲研究

　　　　　　上海　中華書局　208頁　1934年12月初版；1940年5
月；1961年

　　　　　　台北　台灣中華書局　208頁　1960年2月初版；1979年5
月

　　　　　　香港　建文書局　208頁　1963年5月初版

1179　蔣伯潛、蔣祖怡　詞曲

　　　　　　上海　世界書局　242頁　1942年初版；1946年12月二刷

　　　　　　台北　世界書局　242頁　1956年10月初版；1975年6月

三刷

1180　盧　前　　中國散曲概論

上海　世界書局　1944 年

1181　盧冀野　　散曲史

出版者及出版年月未詳

1182　許之衡　　曲史

北京大學講義本　出版年月未詳

1183　羅錦堂　　中國散曲史

國立台灣大學中國文學研究所碩士論文　1956 年　鄭騫指
導

台北　中華文化出版事業委員會　2 冊，245 頁　1956 年 12
月初版；1957 年 1 月二刷

台北　中國文化大學出版部　298 頁　1983 年 8 月新 1 版

1184　李昌集　　中國古代散曲史

上海　華東師範大學出版社　761 頁　1991 年 8 月初版

1185　羊春秋　　散曲通論

長沙　岳麓書社　430 頁　1992 年 12 月初版

1186　李鍾馨　　元代散曲之研究

香港珠海大學中文研究所碩士論文　1975 年　何敬群指導

1187　王忠林、應裕康　元曲六大家

台北　東大圖書公司　262 頁　1977 年 2 月初版；1979 年 9
月二刷

1188　趙義山　　元散曲通論

成都　巴蜀書社　350 頁　1993 年 7 月初版

1189　梁乙眞　　元明散曲小史

上海　商務印書館　470 頁　1934 年 12 月初版

1190　吳曉華　　晚清散曲研究

私立東吳大學中國文學研究所碩士論文　232 頁　1992 年

6月　王安祈指導

7.現代詩史

1191　草川未雨　中國新詩壇的昨日今日和明日

北平　海音書局　276頁　1929年5月初版

上海　上海書店　276頁　1985年初版

1192　朱右白　中國詩的新途徑

上海　商務印書館　132頁　1936年1月初版

1193　蒲　風　現代中國詩壇

廣州　詩歌出版社　196頁　1938年3月初版

1194　石田武夫　中國現代詩

東京　弘文堂　1957年（昭和32）初版

1195　葛賢寧、上官予　五十年來的中國詩歌

台北　正中書局　247頁　1965年3月初版；1970年；

1992年3月四刷

1196　周伯乃　中國新詩之回顧

台北　廣文書局　308頁　1969年初版

1197　Lin, Julia C.：Modern Chinese Poetry：An Introduction.（中國現代詩

概說）Seattle and London：University of Washington Press，

1972. 264pp.

1198　高　準　中國新詩風格發展論

台北　華岡出版部　176頁　1973年12月初版

1199　蘇振邦　中國新詩發展述論

香港珠海大學中文研究所碩士論文　1973年　李璜指導

1200　王志健　現代中國詩史

台北　台灣商務印書館　333頁　1975年12月初版；1991

年11月二刷

1201 瘂 弦　中國新詩研究

　　　台北　洪範書店　248頁　1981年1月初版

1202 區啓森　五四以來新詩之發展及其評論

　　　香港新亞學院新亞研究所碩士論文　1981年　涂公遂指導

1203 祝 寬　五四新詩史

　　　西安　陝西師大出版社　448頁　1987年12月初版

1204 Feifel, Eugen: Moderne Chinesische Poesie Von 1919 bis 1982. Ein
　　　überblick. (中國現代詩1919 - 1982) Hildesheim, Zürich:
　　　Georg Olms Verl., 1988. 321pp.

1205 王淸波　詩潮與詩神—中國現代詩歌三十年

　　　北京　中國人民大學出版社　433頁　1989年7月初版

1206 潘頌德　中國現代鄉土詩史略

　　　延吉　延邊大學出版社　260頁　1990年8月初版

1207 蘇智華　中國現代新詩史

　　　西安　陝西師範大學出版社　217頁　1991年12月初版

1208 楊里昂　中國新詩史話

　　　長沙　湖南文藝出版社　301頁　1992年10月初版

1209 柯文溥　中國新詩流派史

　　　福州　海峽文藝出版社　355頁　1993年2月初版

1210 許 霆、魯德俊　新格律詩研究

　　　銀川　寧夏人民出版社　299頁　1991年6月初版

1211 黃憲作　新格律詩研究（1917 - 1937）

　　　私立中國文化大學中國文學研究所碩士論文　207頁　1991
　　　年　李瑞騰指導

1212 蘇光文　抗戰詩歌史稿

　　　成都　四川教育出版社　349頁　1991年12月初版

1213 洪子誠、劉登翰　中國當代新詩史

　　　北京　人民文學出版社　550頁　1993年5月初版

二、戲劇史

1214 笹川種郎　支那小說戲曲小史
　　　　東京　東華堂　1897 年（明治 30）5 月初版

1215 宮原民平　支那小說戲曲史概說
　　　　東京　共立社　334 頁　1925 年（大正 14）12 月初版

1216 吳　梅　中國戲曲概論
　　　　上海　大東書局　142 頁　1926 年 10 月初版
　　　　香港　太平書局　1964 年 8 月
　　　　台北　廣文書局　94 頁　1971 年
　　　　台北　學海出版社　140 頁　1979 年 10 月初版
　　　　上海　上海書店　1989 年 10 月

1217 佟晶心　新舊戲曲之研究
　　　　上海　戲曲研究會　336 頁　1927 年 3 月再版

1218 培　良　中國戲劇概評
　　　　上海　泰東圖書局　164 頁　1928 年 4 月初版；1929 年 7
　　　　月二刷

1219 靑木正兒　支那近世戲曲史
　　　　東京　弘文堂書房　919 頁　1930 年（昭和 5）4 月初版；
　　　　1938 年（昭和 47）二刷
　　　　東京　春秋社　1972 年（昭和 47）初版（在「靑木正兒全
　　　　集」內）

1220 靑木正兒著　鄭震編譯　中國近代戲曲史
　　　　上海　北新書局　458 頁　1933 年 3 月初版（本書節譯著者
　　　　「支那近世戲曲史」）

1221 靑木正兒著　王古魯譯　中國近世戲曲史
　　　　上海　商務印書館　738 頁　1936 年 2 月初版

北京　中華書局　1954 年 10 月增訂版

上海　上海文藝聯合出版社　773 頁　1956 年

北京　作家出版社　788 頁　1958 年 1 月初版

香港　中華書局　1975 年

台北　台灣商務印書館　2 冊，737 頁　1965 年 3 月初版；1970 年 8 月二刷；1982 年四刷；1988 年 3 月五刷（譯者改作「王吉廬」）

1222　靑木正兒著　王吉廬譯　中國近世戲曲史

台北　台灣商務印書館　2 冊，737 頁　1965 年 3 月初版；1970 年 8 月二刷；1982 年四刷；1988 年 3 月五刷（譯者原作「王古魯」）

1223　靑木正兒著　江俠庵譯　南北戲曲源流考

長沙　商務印書館　106 頁　1938 年 10 月初版

台北　台灣商務印書館　105 頁　1967 年 3 月初版

1224　盧冀野　中國戲劇概論

上海　世界書局　300 頁　1934 年 3 月初版（在「中國文學八論」內）

上海　世界書局　160 頁　1944 年 4 月新一版（同上）

香港　南國出版社　1961 年 9 月（同上）

台北　泰順出版社　1971 年二刷（同上）

台北　清流出版社　160 頁　1971 年（同上）

台北　文馨出版社　1975 年（同上）

台北　莊嚴出版社　306 頁　1981 年

鄭州　中州古籍出版社　1991 年 11 月（在「中國文學八論」內）

台北　華嚴出版社　306 頁　1993 年 8 月

1225　周貽白　中國戲劇史略

上海　商務印書館　106 頁　1936 年 9 月初版；1940 年再

版

1226　周貽白　　中國劇場史

上海　商務印書館　120 頁　1936 年 9 月初版；1940 年 2 月二刷

台北　長安出版社　120 頁　1976 年 1 月初版（作者改作「周白」）

1227　周　白　　中國劇場史

台北　長安出版社　120 頁　1976 年 1 月初版（作者原作「周貽白」）

1228　許之衡　　曲　史

北平師大講義　約 1935 年 6 月

1229　齊燕銘　　中國戲劇源流

出版者未詳　約 1937 年 7 月前

1230　徐慕雲　　中國戲劇史

上海　世界書局　385 頁　1938 年 12 月初版

台北　世界書局　357 頁　1977 年 5 月初版

1231　鄭過宜　　古今優伶劇曲史

上海　世界書局　1938 年 12 月初版（在徐慕雲「中國戲劇史」內）

台北　世界書局　1977 年 5 月初版（同上）

1232　周貽白　　中國戲劇史

北京　中華書局　1940 年

上海　中華書局　3 冊，788 頁　1953 年 3 月初版

北京　人民文學出版社　662 頁　1960 年 1 月初版（修定並改名爲「中國戲劇史長編」）

上海　上海古籍出版社　1979 年（同上）

1233　周貽白　　中國戲劇史長編

北京　人民文學出版社　662 頁　1960 年 1 月初版（書名原

作「中國戲劇史」)

上海　上海古籍出版社　1979 年（同上）

台北　學藝出版社　1990 年（同上，將作者「中國劇場史」
三章合併於此書，並改名爲「中國戲劇發展史」）

1234　周貽白　中國戲劇發展史

台北　學藝出版社　1990 年（將作者「中國劇場史」三章
與「中國劇戲史長編」合冊，並改名）

1235　安藤德器　支那演劇史

東京　白揚社　1941 年（昭和 16）10 月初版（在「支那地
理歷史大系」第 10 卷）

1236　周貽白　中國戲劇小史

上海　永祥印書館　84 頁　1945 年 5 月初版；1946 年 2 月
二刷

1237　董每戡　中國戲劇簡史

上海　商務印書館　162 頁　1949 年 7 月初版；1950 年 9
月二刷

台中　藍燈文化事業公司　160 頁　1987 年 9 月初版

1238　鄧綏寧　中國戲劇史

台北　中華文化出版事業委員會　155 頁　1956 年 9 月初
版；1963 年 5 月三刷

台北　國立藝術專科學校　143 頁　1971 年初版

1239　桑原武夫　中國の戲劇

東京　人文書院　1956 年（昭和 31）11 月初版

1240　Scott, A. C.：The Classical Theatre of China（中國古典戲曲）. Lon-
don: George Allen & Unwin. 1957. 256pp.

1241　周貽白　中國戲曲史講座

北京　中國戲劇出版社　269 頁　1958 年 5 月初版；1981
年 12 月三刷

台北　木鐸出版社　282 頁　1988 年 9 月初版（書名改作「中國戲劇史」）

1242　周貽白　中國戲劇史

台北　木鐸出版社　282 頁　1988 年 9 月初版（書名原作「中國戲曲史講座」）

1243　孟　瑤　中國戲曲史

台北　傳記文學出版社　4 冊，910 頁　1960 年 1 月初版；1976 年 7 月；1979 年 11 月

台北　文星書店　4 冊，910 頁　1965 年 4 月再版

1244　馮明之　中國戲劇史

香港　上海書店　148 頁　1960 年 2 月初版；1978 年 10 月再版

1245　祝肇年　中國戲曲

北京　作家出版社　190 頁　1962 年 12 月初版

北京　作家出版社　198 頁　1963 年 11 月二版

1246　鄧綏寧　中國的戲劇

台中　台灣省政府新聞處　88 頁　1969 年 6 月初版

1247　田士林　中國戲劇發展史略

台北　台灣商務印書館　71 頁　1972 年 4 月初版

1248　岩城秀夫　中國戲曲演劇研究

東京　創文社　690 頁　1973 年（昭和 48）2 月初版

1249　Dolby, William：A History of Chinese Drama.（中國戲劇史）．London：Paul Elek, 1976. 327pp.

1250　唐文標　中國古代戲劇史初稿

現代文學　復刊 2 期　頁 113－132　1977 年 10 月（只登上編「中國戲劇的起源問題」）

中山學術文化集刊　26、27 期　頁 373－434、頁 401－476　1980 年 11 月、1981 年 11 月

台北　聯經出版事業公司　278 頁　1984 年 5 月初版；1985
年 5 月二刷

北京　中國戲劇出版社　250 頁　1985 年 8 月初版；1986
年 8 月二刷（書名改作「中國古代戲劇史」）

1251　唐文標　中國古代戲劇史

北京　中國戲劇出版社　250 頁　1985 年 8 月再版（書名原
作「中國古代戲劇史初稿」）

1252　周貽白　中國戲劇史發展綱要

上海　上海古籍出版社　563 頁　1979 年 10 月初版

1253　張　庚、郭漢城主編　中國戲曲通史

北京　中國戲劇出版社　3 冊（452、422、319 頁）　1980
年 4 月、1981 年 5 月、12 月初版；1992 年 4 月

台北　丹青圖書公司　3 冊（443、415、318 頁）　1985 年
初版；1987 年 8 月

1254　吳國欽　中國戲劇史漫話

上海　上海文藝出版社　320 頁　1980 年 6 月初版

台北　木鐸出版社　298 頁　1983 年 8 月初版（書名改作
「中國戲曲史漫話」）

1255　吳國欽　中國戲曲史漫話

台北　木鐸出版社　298 頁　1983 年 8 月初版（書名原作
「中國戲劇史漫話」）

1256　葉大兵　中國百戲史話

杭州　浙江人民出版社　168 頁　1985 年 3 月初版

1257　彭隆興　中國戲劇史話

北京　知識出版社　333 頁　1985 年 4 月初版

1258　余秋雨　中國戲劇文化史述

長沙　湖南人民出版社　500 頁　1985 年 10 月初版

台北縣　駱駝出版社　551 頁　1987 年 8 月初版

1259 史煥章　中華國劇史
台北　台灣商務印書館　613 頁　1985 年 11 月初版

1260 彭　飛　中國的戲劇
北京　中國青年出版社　348 頁　1986 年初版

1261 費雲文　中華戲劇史
台北　國立復興劇藝實驗學校　2 冊（203、189 頁）　1988
年 6 月初版

1262 楊世祥　中國戲曲簡史
北京　文化藝術出版社　411 頁　1989 年 6 月初版

1263 隗　芾　戲曲史簡編
長春　吉林大學出版社　250 頁　1990 年 1 月初版

1264 俞爲民　中國古代戲曲簡史
南京　江蘇文藝出版社　249 頁　1991 年 1 月初版

1265 李慶番　中國戲曲文學史
石家莊　花山文藝出版社　594 頁　1991 年 9 月初版

1266 魏子雲　中國戲劇史
台北　台灣學生書局　180 頁　1992 年 3 月初版

1267 狩野直喜　支那小說戲曲史
東京　みすず書房　1993 年（平成 5）2 月初版

1268 張燕瑾　中國戲劇史
台北　文津出版社　340 頁　1993 年 7 月初版

1269 張　庚　中國戲曲通論
上海　上海文藝出版社　684 頁　1993 年 11 月初版

1270 余　從等　中國戲曲史略
北京　人民音樂出版社　344 頁　1993 年 12 月初版

1271 許金榜　中國戲曲文學史
北京　中國文學出版社　446 頁　1994 年 6 月初版

1272 劉士杰　中國戲曲史話

上海　上海文藝出版社　131 頁　1995 年 1 月初版

1273　謝柏梁　中國悲劇史綱
上海　學林出版社　330 頁　1993 年 12 月初版

1274　楊建文　中國古典悲劇史
武漢　武漢出版社　384 頁　1994 年 4 月初版

1275　莊永平　戲曲音樂史概述
上海　上海音樂出版社　424 頁　1990 年 7 月初版

1276　廖　奔　中國戲曲聲腔源流史
台北　貫雅文化事業公司　280 頁　1992 年 7 月初版

1277　夏寫時　中國戲劇批評的產生和發展
北京　中國戲劇出版社　145 頁　1982 年 10 月初版

1278　葉長海　中國戲劇學史稿
上海　上海文藝出版社　548 頁　1986 年 6 月初版
台北縣　駱駝出版社　709 頁　1987 年 8 月初版
台北縣　駱駝出版社　744 頁　1993 年 11 月二版（書名改
作「中國戲劇學史」）

1279　葉長海　中國戲劇學史
台北縣　駱駝出版社　744 頁　1993 年 11 月二版（書名原
作「中國戲劇學史稿」）

1280　譚　帆　中國古典戲劇理論史
北京　中國社會科學出版社　345 頁　1993 年 4 月初版

1281　謝柏梁　中國分類戲曲學史綱
台北　台灣商務印書館　607 頁　1994 年 6 月初版

1282　吳毓華　古代戲曲美學史
北京　文化藝術出版社　294 頁　1994 年 8 月初版

1283　陳季蔓　唐宋小戲研究
國立台灣大學中國文學研究所碩士論文　217 頁　1987 年 6
月　曾永義指導

1284　任半塘　唐戲弄

北京　作家出版社　1958 年 6 月初版

上海　上海古籍出版社　2 冊，1416 頁　1984 年 10 月增訂版

1285　王國維　宋元戲曲史

上海　商務印書館　200 頁　1915 年 9 月初版；1921 年 12 月二刷；1927 年 7 月六刷；1930 年 4 月；1933 年 3 月；1935 年 5 月

長沙　商務印書館　1940 年 2 月（書名作「宋元戲曲考」，在「海寧王靜安先生遺書」第 43 卷）

北京　中國戲劇出版社　1957 年 11 月；1984 年新一版（書名作「宋元戲曲考」，在「王國維戲曲論文集」內）

台北　台灣商務印書館　176 頁　1964 年 10 月初版；1968 年 8 月；1973 年 12 月三刷；1982 年 8 月；1994 年 12 月二版

台北　文星書店　1965 年 1 月初版

台北　藝文印書館　174 頁　1969 年 10 月二刷（書名作「宋元戲曲考」）

台北　文華出版公司　1968 年 3 月（書名作「宋元戲曲考」，在「王觀堂先生全集」第十四卷）

台北　純眞出版社　148 頁　1982 年 9 月（書名作「宋元戲曲考」，在「王國維戲曲論著·宋元戲曲考等八種」內）

上海　上海古籍出版社　1983 年 9 月（書名作「宋元戲曲考」，在「王國維遺書」第十五卷）

1286　王國維　宋元戲曲考

長沙　商務印書館　1940 年 2 月（在「海寧王靜安先生遺書」第 43 卷，書名原作「宋元戲曲史」）

北京　中國戲劇出版社　1957 年 11 月；1984 年新一版（在

「王國維戲曲論文集」內，書名同上）

台北　藝文印書館　174 頁　1969 年 10 月二刷（書名同上）

台北　文華出版公司　1968 年 3 月（在「王觀堂先生全集」第十四卷，書名同上）

台北　純眞出版社　148 頁　1982 年 9 月（在「王國維戲曲論著·宋元戲曲考等八種」內，書名同上）

上海　上海古籍出版社　1983 年 9 月（在「王國維遺書」第十五卷，書名同上）

1287　汪天成　諸宮調研究

國立政治大學中國文學研究所碩士論文　202 頁　1979 年 6 月　李殿魁指導

1288　林振輝　宋元戲文研究

私立中國文化學院中國文學研究所碩士論文　216 頁　1978 年 6 月　李殿魁指導

1289　錢南揚　戲文概論

上海　上海古籍出版社　268 頁　1981 年 3 月初版

台北　木鐸出版社　268 頁　1982 年 2 月初版；1988 年 9 月

1290　劉念茲　南戲新證

北京　中華書局　309 頁　1986 年初版

1291　Zbikowski, Tadeusz: Early Nan－hsi Plays of the Southern Sung Period （南宋初的南戲）. Warszawa: Wydawnictwa Uniwersytetu Warszawskiego, 1974. 194pp.

1292　陳萬鼐　元明清劇曲史

台北　中國學術著作獎助委員會　540 頁　1966 年 2 月初版

台北　鼎文書局　732 頁　1974 年 10 月增訂版；1987 年 11 月三刷

1293　謝朝栻　金元雜劇之研究

私立中國文化學院藝術研究所碩士論文　98 頁　1964 年 5
月　鄧昌國指導

1294　顧學頡　元明雜劇
上海　上海古籍出版社　1978 年 9 月初版
台北　國文天地雜誌社　197 頁　1991 年 2 月初版；1993
年 7 月二刷

1295　吳　梅　元劇研究 ABC（上）
上海　世界書局　126 頁　1929 年 7 月初版
上海　世界書局　1934 年（「中國文學講座」之一；書名改
作「元劇研究」，作者改作「吳瞿安」）
台北　啓明書局　125 頁　1958 年（書名改作「元劇研究」）
北京　中國戲劇出版社　1983 年（在「吳梅戲曲論文集」
內，書名改作「元劇研究」）

1296　吳瞿安　元劇研究
上海　世界書局　1934 年（「中國文學講座」之一；書名原
作「元劇研究 ABC（上）」，作者原作「吳梅」）
北京　中國戲劇出版社　1983 年（在「吳梅戲曲論文集」
內，書名原作「元劇研究 ABC（上）」）

1297　吳　梅　元劇研究
台北　啓明書局　125 頁　1958 年（書名原作「元劇研究
ABC（上）」）

1298　賀昌群　元曲概論
上海　商務印書館　184 頁　1930 年 4 月初版
台北　台灣商務印書館　184 頁　1967 年初版（作者改作
「賀應群」）
台北　莊嚴出版社　175 頁　1982 年 1 月初版
台北　里仁書局　175 頁　1984 年 9 月初版（在「元曲研
究」內）

台北　華嚴出版社　175頁　1993年8月

1299　賀應群　　元曲概論

台北　台灣商務印書館　184頁　1967年初版（作者原作「賀昌群」）

1300　靑木正兒　　元人雜劇序說

東京　弘文堂書房　210頁　1937年（昭和12）初版

東京　春秋社　1972年（昭和47）初版（在「靑木正兒全集」內）

1301　靑木正兒著　隋樹森譯　元人雜劇序說

上海　開明書店　190頁　1941年7月初版

北京　中國戲劇出版社　166頁　1957年7月初版；1985年7月二刷（書名改作「元人雜劇概說」）

香港　建文書局　190頁　1959年3月初版

台北　長安出版社　190頁　1976年1月初版

台北　里仁書局　142頁　1984年9月初版（在「元曲研究」內）

1302　靑木正兒著　隋樹森譯　元人雜劇概說

北京　中國戲劇出版社　166頁　1957年7月初版；1985年7月二刷（書名原作「元人雜劇序說」）

1303　朱志泰　　元曲研究

上海　永祥印書館　90頁　1947年4月初版

1304　鹽谷溫著　隋樹森譯　元曲概說

上海　商務印書館　84頁　1947年11月初版；1958年修訂版（本書原著爲鹽谷溫所譯我國「元曲選」書前自撰之一篇文章）

1305　吉川幸次郎　　元雜劇研究

東京　岩波書店　514頁　1948年（昭和23）3月初版

東京　筑摩書房　1969年（昭和44）初版（在「吉川幸次

郎全集」內)

1306 吉川幸次郎著　鄭淸茂譯　元雜劇研究
　　　　　台北縣　藝文印書館　310 頁　1960 年初版；1977 年 1 月
　　　　　二刷；1981 年 2 月三刷；1987 年 10 月四刷

1307 Shih, Chung－Wen（時鍾雯）: The Golden Age of Chinese Drama.
　　　　　Yüan "Tsa－chü".（中國戲劇的黃金時代—元雜劇）
　　　　　Princeton: Princeton Univ. Pr., 1976. 312pp.

1308 時鍾雯　中國戲劇的黃金時代—元雜劇
　　　　　太原　山西人民出版社　173 頁　1991 年 12 月初版

1309 陳誠中　元雜劇研究
　　　　　花蓮　作者自印本　98 頁　1978 年 5 月初版

1310 Gimm, Martin: Chinesische Dramen der Yuan－Dynastie.（中國元代戲
　　　　　劇）Wiesbaden: Steiner,（Sinologica Coloniensia, 6）1978.
　　　　　616pp.

1311 李春祥　元雜劇史稿
　　　　　開封　河南大學出版社　308 頁　1989 年 5 月初版

1312 季國平　元雜劇發展史
　　　　　揚州師範學院博士論文　1991 年　任中敏指導
　　　　　台北　文津出版社　449 頁　1993 年 3 月初版

1313 盧冀野　明淸戲曲史
　　　　　南京　鍾山書局　114 頁　1933 年 12 月初版
　　　　　上海　商務印書館　108 頁　1935 年 6 月初版
　　　　　香港　商務印書館　107 頁　1961 年 5 月初版
　　　　　台北　台灣商務印書館　107 頁　1971 年 10 月初版；1976
　　　　　年 8 月二刷；1988 年 6 月三刷；1994 年 12 月二版

1314 張　敬　明淸傳奇導論
　　　　　國家長期發展委員會獎助論文　1960 年（原名「明淸傳奇
　　　　　研究」）

　　　　　　　台北　東方書店　184 頁　1961 年 3 月初版

　　　　　　　台北　華正書局　198 頁　1986 年 10 月再版

1315　朱承樸、曾慶全　明清傳奇概說

　　　　　　　香港　三聯書店香港分店　140 頁　1985 年 4 月初版

　　　　　　　台北縣　龍泉書屋　140 頁　1987 年 2 月

　　　　　　　台北　滄浪出版社　140 頁　1987 年

　　　　　　　廣州　廣東人民出版社　1988 年 4 月

1316　郭英德　明清文人傳奇研究

　　　　　　　北京師範大學中文系博士論文　1988 年　啓功指導

　　　　　　　台北　文津出版社　272 頁　1991 年 1 月初版

　　　　　　　北京　北京師範大學出版社　332 頁　1992 年 5 月再版

1317　王永健　中國戲劇文學的瑰寶—明清傳奇

　　　　　　　南京　江蘇教育出版社　1989 年

1318　陳　竹　明清言情劇作學史稿

　　　　　　　武漢　華中師範大學出版社　406 頁　1991 年 8 月初版

1319　朱尙文　明代劇曲史

　　　　　　　台北　高長印書局　176 頁　1959 年 10 月初版

1320　曾永義　明雜劇研究

　　　　　　　國立台灣大學中國文學研究所博士論文　494 頁　1971 年 6
　　　　　　　月　鄭騫指導

　　　　　　　台北　學海出版社　405 頁　1979 年 4 月初版（書名改作
　　　　　　　「明雜劇概論」）

1321　曾永義　明雜劇概論

　　　　　　　台北　學海出版社　405 頁　1979 年 4 月初版（博士論文原
　　　　　　　題「明雜劇研究」）

1322　張盈盈　明代一折短劇研究

　　　　　　　國立政治大學中國文學研究所碩士論文　202 頁　1988 年 6
　　　　　　　月　呂凱指導

1323　陳芳英　明代劇學研究

　　　　　國立台灣大學中國文學研究所博士論文　406 頁　1983 年 6
　　　　　月　張敬指導

1324　周妙中　清代戲曲史

　　　　　鄭州　中州古籍出版社　560 頁　1987 年 12 月初版

1325　陳　芳　清代雜劇研究

　　　　　台北　學海出版社　306 頁　1991 年 4 月初版

1326　流　沙　宜黃諸腔源流探—清代戲曲聲腔研究

　　　　　北京　人民音樂出版社　262 頁　1993 年 12 月初版

1327　羅麗容　清代曲論研究

　　　　　私立東吳大學中國文學研究所博士論文　354 頁　1984 年 5
　　　　　月　張敬指導

1328　田　禽　中國戲劇運動

　　　　　重慶　商務印書館　144 頁　1944 年 11 月初版
　　　　　上海　商務印書館　144 頁　1946 年 6 月初版

1329　Schyns, Jos . and others：1500 Modern Chinese Novels and Plays（現代
　　　　　小說和戲劇一千五百種）. Peiping: Catholic Univ. Press,
　　　　　1948．484pp.

1330　洪　深　抗戰十年來中國的戲劇運動與教育

　　　　　上海　中華書局　1948 年 10 月初版

1331　Mackerrns , Colin P.：The Chinese Theatre in Modern Time：From
　　　　　1840 to the Present Day.（現代中國戲劇：從 1840 迄今）
　　　　　London：Thamecs & Hudson, 1975．256pp.

1332　陳白塵、董　健主編　中國現代戲劇史稿

　　　　　北京　中國戲劇出版社　732 頁　1989 年 7 月初版

1333　高文升主編　中國當代戲劇文學史

　　　　　南寧　廣西人民出版社　442 頁　1990 年 12 月初版

1334　田本相　中國現代比較戲劇史

北京　文化藝術出版社　692頁　1993年6月初版

1335　孫慶升　中國現代戲劇思潮史
北京　北京大學出版社　326頁　1994年12月初版

1336　謝柏梁　中國當代戲曲文學史
北京　中國社會科學出版社　404頁　1995年11月初版

1337　陸樹枏　崑曲簡史
江蘇研究社　1937年4月（在「吳風集」中，封面署名「陸曼炎」）

1338　羅藝光　崑曲簡史・話劇簡史
上海　世界書局　1938年12月初版（在徐慕雲「中國戲劇史」內）
台北　世界書局　1977年5月初版（同上）

1339　劉文六　崑曲研究
私立中國文化學院藝術研究所碩士論文　1968年　鄧昌國、夏煥新指導
台北　嘉新水泥公司文化基金會　140頁　1969年初版

1340　波多野乾一　支那劇とその名優
出版者未詳　1925年（大正14）初版

1341　波多野乾一著　鹿原學人編譯　京劇二百年之歷史
上海　大報館、北京順天時報館、東方時報館　424頁
1926年9月初版；1926年10月二刷（原著書名作「支那劇とその名優」）
上海　泰東書局　1945年
台北　傳記文學出版社　1974年（收在「平劇史料叢刊」內）

1342　齊如山　戲劇之變遷
齊如山劇學叢書之二　43頁　1927年（序）
北平　北平國劇學會　122頁　1935年5月增訂版（書名改

作「京劇之變遷」）

1343　齊如山　京劇之變遷
　　　　　北平　北平國劇學會　122 頁　1935 年 5 月增訂版（書名原
　　　　　作「戲劇之變遷」）

1344　張謬子　京劇發展略史
　　　　　上海　大公報　62 頁　1951 年 10 月初版

1345　周志輔　近百年的京劇
　　　　　香港　作者自印本　130 頁　1962 年 2 月初版
　　　　　台北　傳記文學出版社　1974 年（在「平劇史料叢刊」內，
　　　　　書名改作「京戲近百年瑣記」）

1346　周志輔　京劇近百年瑣記
　　　　　台北　傳記文學出版社　1974 年（在「平劇史料叢刊」內，
　　　　　書名原作「近百年的京劇」）

1347　Colin P. Mackerras：The Rise of the Peking Opera, 1770 – 1870. Social
　　　　　Aspects of the Theatre in Manchu China.（清代京劇百年史）
　　　　　. Oxford：Clarendon Pr., 1972. 316pp.

1348　葛林・馬克拉斯著　馬德程譯　清代京劇百年史
　　　　　台北　中國文化大學出版部　340頁　1989 年 8 月初版

1349　李浮生　中華國劇史
　　　　　台北　作者自印本　1969 年 8 月初版；1970 年 1 月二刷
　　　　　台北　作者自印本　604 頁　1983 年 1 月增訂版

1350　陶君起　京劇史話
　　　　　北京　中華書局　41 頁　1982 年 10 月二版

1351　蘇　移　京劇二百年概觀
　　　　　北京　燕山出版社　403 頁　1989 年 6 月初版

1352　北京市藝術研究所、上海市藝術研究所合編　中國京劇史
　　　　　北京　中國戲劇出版社　上、中（677、858 頁）　1990 年
　　　　　1、11 月初版

台北　商鼎文化出版社　2 冊　1991 年 11 月初版（作者改作「馬少波」，書名改作「中國京劇發展史」）

1353　馬少波　中國京劇發展史

台北　商鼎文化出版社　2 冊　1991 年 11 月初版（即北京市藝術研究所、上海市藝術研究所合編「中國京劇史」）

1354　齊如山　五十年來的國劇

台北　正中書局　175 頁　1962 年 3 月初版；1980 年 4 月四刷

1355　陳汝衡　說書小史

上海　中華書局　112 頁　1936 年 2 月初版

台北　環宇出版社　158 頁　未標出版年月

北京　作家出版社　1958 年（同上）

北京　人民文學出版社　272 頁　1987 年 5 月新一版（同上）

1356　陳汝衡　說書史話

北京　作家出版社　1958 年（書名原作「說書小史」）

北京　人民文學出版社　272 頁　1987 年 5 月新一版（書名原作「說書小史」）

1357　陳汝衡　宋代說書史

上海　上海文藝出版社　168 頁　1979 年 10 月初版

1358　薛寶琨　中國的相聲

北京　人民出版社　195 頁　1985 年 6 月初版

1359　中國藝術研究院曲藝研究所編　說唱藝術簡史

北京　文化藝術出版社　228 頁　1988 年 5 月初版

1360　倪鐘之　中國曲藝史

瀋陽　春風文藝出版社　528 頁　1991 年 3 月初版

1361　孫楷第　傀儡戲考原

上海　上雜出版社　123 頁　1952 年 9 月初版

1362　丁言昭　　中國木偶史

　　　　　　　　上海　學林出版社　159頁　1991年8月初版

1363　王子龍　　中國影劇史

　　　　　　　　台北　建國出版社　160頁　1960年3月初版

1364　朱雙雲　　新劇史

　　　　　　　　出版者未詳　130頁　1914年5月

1365　辛島驍　　中國の新劇

　　　　　　　　東京　昌平堂　232頁　1948年（昭和23）2月初版

1366　吳　若、賈亦棣　中國話劇史

　　　　　　　　台北　行政院文化建設委員會　472頁　1985年3月初版

1367　黃會林　　中國現代話劇史略

　　　　　　　　合肥　安徽教育出版社　373頁　1990年3月初版

1368　葛一虹主編　中國話劇通史

　　　　　　　　北京　文化藝術出版社　459頁　1990年4月初版

1369　張　炯主編　新中國話劇文學概觀

　　　　　　　　北京　中國戲劇出版社　390頁　1990年4月初版

1370　柏　杉　　中國話劇史稿

　　　　　　　　上海　上海翻譯出版社　318頁　1991年8月初版

1371　袁國興　　中國話劇的孕育與生成

　　　　　　　　東北師範大學博士論文　1991年　孫中田指導

　　　　　　　　台北　文津出版社　263頁　1993年3月初版

1372　程季華等　中國電影發展史（初稿）

　　　　　　　　北京　中國電影出版社　2卷（800、646頁）　1963年2月初版

1373　鐘　雷　　五十年來的中國電影

　　　　　　　　台北　正中書局　158頁　1965年4月初版；1978年2月二刷

1374　杜雲之　　中國電影史

台北　台灣商務印書館　3 冊（194、168、210 頁）　1972
年 4、5、7 月初版

1375　周曉明　中國現代電影文學史
北京　高等教育出版社　2 冊（327、340 頁）　1985 年 3
月、1987 年 3 月初版

1376　程季華　中國映畫史
東京　平凡社　474 頁　1987 年（昭和 62）10 月初版

1377　杜雲之　中華民國電影史
台北　行政院文化建設委員會　2 冊，700 頁　1988 年 6 月
初版

1378　胡星亮　中國電影史
北京　中央廣播電視大學出版社　500 頁　1995 年 9 月初版

1379　徐夢麟　雲南農村戲曲史
昆明　國立雲南大學西南文化研究室　288 頁　1943 年 7 月
初版
昆明　雲南人民出版社　303 頁　1958 年 6 月修訂版（作者
改作「徐嘉瑞」）

1380　徐嘉瑞　雲南農村戲曲史
昆明　雲南人民出版社　303 頁　1958 年 6 月修訂版（作者
原作「徐夢麟」）

1381　楊　明、顧　峰主編　滇劇史
北京　中國戲劇出版社　391 頁　1986 年 6 月初版

1382　陸萼庭著　趙景深校　崑劇演出史稿
上海　上海文藝出版社　361 頁　1980 年 1 月初版
民俗曲藝（台北）　4－12 期　1981 年 4－12 月

1383　胡　忌、劉致中　昆劇發展史
北京　中國戲劇出版社　758 頁　1989 年 6 月初版

1384　魏緒文　黔劇史話

貴陽　貴州人民出版社　67 頁　1985 年 10 月初版

1385　高　倫　貴州地方戲簡史

貴陽　貴州人民出版社　93 頁　1985 年 11 月初版

1386　貴州省文化出版廳「戲曲志」編輯部　貴州花燈史話—東路、南路、西
路

貴陽　貴州人民出版社　279 頁　1987 年 4 月初版

1387　嵊縣文化局越劇發展史編寫組編　早期越劇發展史

杭州　浙江人民出版社　118 頁　1983 年 1 月初版

1388　賴伯疆、黃鏡明　粵劇史

北京　中國戲劇出版社　402 頁　1988 年 7 月初版

1389　鄧運佳　中國川劇通史

成都　四川大學出版社　871 頁　1993 年 7 月初版

1390　韋　人、韋明鏵　揚州曲藝史話

北京　中國曲藝出版社　276 頁　1985 年 4 月初版

1391　蔣中崎　甬劇發展史述

杭州　浙江文藝出版社　331 頁　1991 年 5 月初版

1392　龍　華　湖南戲曲史稿

長沙　湖南大學出版社　349 頁　1988 年 9 月初版

1393　章壽松、洪　波　婺劇簡史

杭州　浙江人民出版社　384 頁　1985 年 10 月初版

1394　王永年述　劉巨才、段樹人編寫　晉劇百年史話

太原　山西人民出版社　346 頁　1985 年 9 月初版

1395　李近義　澤州戲曲史稿

太原　山西人民出版社　400 頁　1989 年 6 月初版

1396　焦文彬主編　秦腔史稿

西安　陝西人民出版社　608 頁　1987 年 3 月初版

1397　馬龍文、毛達志　河北梆子簡史

北京　中國戲劇出版社　207 頁　1982 年 10 月初版

1398　紀根垠　　柳子戲簡史

　　　　　　北京　中國戲劇出版社　1988 年

1399　胡　沙　　評劇簡史

　　　　　　北京　通俗讀物出版社　223 頁　1958 年 5 月初版

　　　　　　北京　中國戲劇出版社　322 頁　1982 年 9 月初版

1400　毛　鷹　　布依戲史話

　　　　　　貴陽　貴州人民出版社　60 頁　1985 年 11 月初版

1401　李忠奇等　老調簡史

　　　　　　北京　中國戲劇出版社　155 頁　1985 年 11 月初版

1402　蔣中崎等編　姚劇發展簡史

　　　　　　天津　百花文藝出版社　264 頁　1994 年 3 月初版

三、小説史

1403　笹川種郎　支那小說戲曲小史

　　　　　　東京　東華堂　1897 年（明治 30）5 月初版

1404　鹽谷溫著　郭希汾譯　中國小說史略

　　　　　　上海　中國書局　96 頁　1921 年 5 月初版（本書爲鹽谷溫
　　　　「支那文學概論講話」第六章）

　　　　　　上海　新文化書社　96 頁　1933 年 7 月初版；1934 年 11
　　　　月五刷（同上）

1405　張靜廬　　中國小說史大綱

　　　　　　上海　泰東圖書局　60 頁　1920 年 6 月初版；1921 年 3 月
　　　　訂正版

1406　鹽谷溫　　中國小說の研究

　　　　　　東京　弘道館　1949 年（昭和 24）10 月初版（本書原爲
　　　　「支那文學概論講話」之小說篇，由鹽谷溫弟子內田泉之助
　　　　補訂刊行）

1407　魯　迅　小說史大略

北京大學、北京高等師範學校油印本講義　1920 年

長春　吉林人民出版社　320 頁　1980 年 5 月初版

西安　陝西人民出版社　128 頁　1981 年 4 月初版

1408　魯　迅　中國小說史大略

北京大學、北京高等師範學校排印本講義　約 1921－22 年
(書名原作「小說史大略」，只 17 篇，本書增爲 26 篇，文字
亦有更動)

1409　魯　迅　中國小說史略

北京　新潮社　上卷：164 頁　1923 年 12 月初版；166 頁
　1925 年 2 月再版；下卷：190 頁　1924 年 6 月初版（書
名原作「小說史大略」，共 17 篇。又曾名作「中國小說史大
略」，內容增至 26 篇）

上海　北新書局　1925 年 9 月；1926 年 11 月三版；1929
年 1 月五版；1931 年 7 月訂正本初版；1933 年 3 月九版；
1936 年 10 月十一版

上海　魯迅全集出版社　1941 年 10 月（在「魯迅三十年
集」內）

重慶　作家書屋　240 頁　1943 年 9 月初版

大連　光華書店　1947 年 10 月（在「魯迅三十年集」內）

北京　人民文學出版社　1952 年初版；1953 年五刷

北京　人民文學出版社　1957 年；1981 年（在「魯迅全集」
內）

北京　人民文學出版社　309 頁　1973 年 8 月（內容較以前
的版本增加一個附錄，題目爲「中國小說的歷史變遷」）

台北　明倫出版社　314 頁　1969 年（作者改作「明倫出版
社編輯部」）

台北　唐山出版社　1989 年 9 月初版（在「魯迅全集」第

三卷）

　　台北　風雲時代出版公司　367 頁　1989 年 10 初版；1992
　　年 10 月五刷

　　台北　谷風出版社　301 頁　未標出版年月

　　台北　里仁書局　273 頁　1992 年 9 月初版（在「魯迅小說
　　史論文集」內）

1410　魯迅著　鹽谷溫譯　支那小說史

　　東京　支那文學大觀刊行會　1926 年（昭和 1）初版（「支
　　那文學大觀」第八卷內）

1411　魯　迅著　增田涉譯　支那小說史

　　東京　サイレン社　2 冊，509 頁　1935 年（昭和 10）初版

　　東京　天正堂　1938 年（昭和 13）初版

　　東京　岩波書店　2 冊　1941－42 年（昭和 16－17）初版

　　東京　岩波書店　2 冊　1962 年（昭和 37）12 月（書名改
　　作「中國小說史」）

1412　魯　迅著　增田涉譯　中國小說史

　　東京　岩波書店　2 冊　1962 年（昭和 37）12 月（書名原
　　作「支那小說史」）

1413　魯　迅著　丁來東、丁範鎮譯　中國小說史

　　韓國　錦文社　390 頁　1964 年

1414　魯　迅著　今村與志雄譯　中國小說史略

　　東京　學習研究社　2 冊

1415　Lu H.（魯迅）: A Brief History of Chinese Fiction,（中國小說史略）

　　P. 1959, 462 pp. 3 Ed. Peking: Foreign Language Pr.,
　　1976. 437pp.

1416　魯　迅著　丁範鎮譯　中國小說史略

　　韓國　汎學圖書　1978 年

　　韓國　學研究　345 頁　1987 年

1417 明倫出版社編輯部 中國小說史略

　　　　台北　明倫出版社　314 頁　1969 年（作者原作「魯迅」）

1418 魯　迅　中國小說的歷史變遷

　　　　西安講學講稿　1924 年 7 月

　　　　香港　三聯書店　41 頁　1958 年 7 月初版

　　　　北京　人民文學出版社　1973 年 8 月（在「中國小說史略」

　　　　附錄）

1419 魯　迅著　丸尾常喜譯注　小說の歴史的變遷

　　　　東京　凱風社　166 頁　1987 年（昭和 65）7 月初版

1420 宮原民平　支那小說戲曲史概說

　　　　東京　共立社　334 頁　1925 年（大正 14）12 月初版

1421 陳景新　小說學

　　　　上海　泰東圖書局　202 頁　1926 年 4 月初版

1422 范煙橋　中國小說史

　　　　蘇州　秋葉社　340 頁　1927 年 12 月初版

　　　　台北　長安出版社　340 頁　1982 年 2 月二刷

　　　　台北　漢京文化事業公司　312 頁　1983 年

1423 胡懷琛　中國小說研究

　　　　上海　商務印書館　144 頁　1929 年 10 月初版；1933 年 4

　　　　月

1424 孫俍工　中國小說史綱

　　　　出版者及出版年月未詳

1425 胡懷琛　中國小說的起源及其演變

　　　　南京　正中書局　132 頁　1934 年 8 月初版

1426 胡懷琛　中國小說概論

　　　　上海　世界書局　134 頁　1934 年 11 月初版（在「中國文

　　　　學八論」內）

　　　　上海　世界書局　54 頁　1944 年 4 月新一版（同上）

香港　南國出版社　1961 年 9 月初版（同上）

台北　泰順出版社　1971 年二刷（同上）

台北　清流出版社　160 頁　1971 年（同上）

台北　文馨出版社　1975 年（同上）

鄭州　中州古籍出版社　1991 年 11 月（同上）

1427　譚正璧　中國小說發達史

上海　光明書局　472 頁　1935 年 8 月初版

台北　啓業書局　471 頁　1976 年三刷（作者改作「譚嘉定」）

1428　譚嘉定　中國小說發達史

台北　啓業書局　471 頁　1976 年三刷（作者原作「譚正璧」）

1429　沈從文　中國小說史講義

上海　暨南大學　出版年月未詳

1430　孔另境　中國小說史料

上海　中華書局　216 頁　1936 年 7 月初版

上海　古典文學出版社　1957 年 5 月修訂本

上海　中華書局　1959 年 6 月新一版；1961 年二刷

上海　上海古籍出版社　309 頁　1982 年 12 月新一版

1431　郭箴一　中國小說史

長沙　商務印書館　2 冊，712 頁　1939 年 5 月初版

香港　泰興書局　712 頁　1961 年 10 月初版

上海　上海書店　2 冊，712 頁　1984 年 3 月初版

台北　台灣商務印書館　544 頁　1965 年 6 月初版；1988 年 2 月八刷

1432　葛賢寧　中國小說史

台北　中華文化出版事業委員會　213 頁　1956 年 11 月初版；1956 年 12 月二刷

1433 北京大學中文系一九五五級「中國小說史稿」編委會 中國小說史稿
　　　北京 人民文學出版社 591頁 1960年4月初版
　　　北京 人民文學出版社 413頁 1973年12月新一版

1434 秦孟瀟 中國小說史初稿
　　　香港 世界書局 217頁 1960年初版
　　　新加坡 星洲世界書局 217頁
　　　台北 河洛圖書出版社 217頁 1978年初版

1435 孟 瑤 中國小說史
　　　台北 文星書店 4冊 1966年3月初版
　　　台北 傳記文學出版社 4冊，706頁 1980年10月初版
　　　台北 傳記文學出版社 2冊，706頁 1986年1月再版；
　　　1991年4月二刷

1436 Hsia C. T. (夏志清)：The Classic Chinese Novel：A Critical Introduc-
　　　tion. （中國古典小說評介）New York and London：
　　　Columbia University Press, 1968. 413pp.

1437 Li Tien－yi（李田意）：Chiness Fiction：A Bibliography of Books and
　　　Articles in Chinese and English. （中國小說中英文論著書
　　　目）New Haven：Far Eestern Publications, Yale University,
　　　1968. 365pp.

1438 李輝英 中國小說史
　　　香港 東亞書局 1970年初版

1439 前野直彬 中國小說史考
　　　東京 秋山書店 406頁 1975年（昭和50）10月初版

1440 前野直彬 中國小說史
　　　東京 東京大學出版會 1976年（昭和51）初版

1441 北京大學中文系編 中國小說史
　　　北京 人民文學出版社 383頁 1978年11月初版

1442 南開大學中文系編 中國小說史簡編

北京　人民文學出版社　368 頁　1979 年 5 月初版

1443　劉子清　中國歷代著名小說史話

台北　黎明文化事業公司　207 頁　1980 年 12 月初版

1444　談鳳梁　中國古代小說簡史

南京　江蘇古籍出版社　324 頁　1988 年 5 月初版

1445　宋浩慶等　中國古代小說史十五講

台北　木鐸出版社　188 頁　1988 年 9 月初版

1446　楊子堅　新編中國古代小說史

南京　南京大學出版社　440 頁　1990 年 6 月初版

1447　齊裕焜　中國古代小說演變史及其他

蘭州　敦煌文藝出版社　558 頁　1991 年 9 月初版

1448　張國風　中國古代的小說

北京　商務印書館　129 頁　1991 年 11 月初版

1449　徐君慧　中國小說史

南寧　廣西教育出版社　568 頁　1991 年 12 月初版

1450　李悔吾　中國小說史漫稿

武漢　湖北教育出版社　591 頁　1992 年 7 月初版

台北　洪葉文化事業公司　631 頁　1995 年 4 月初版（書名
改作「中國小說史」）

1451　李悔吾　中國小說史

台北　洪葉文化事業公司　631 頁　1995 年 4 月初版（書名
原作「中國小說史漫稿」）

1452　狩野直喜　支那小說戲曲史

東京　みすず書房　1993 年（平成 5）2 月初版

1453　韓秋白、顧青　中國小說史

台北　文津出版社　363 頁　1995 年 6 月初版

1454　侯忠義　中國文言小說史稿

北京　北京大學出版社　2 冊（359、390 頁）　1990 年 3

月、1993 年 2 月初版

1455　陳文新　　中國文言小說流派研究
　　　　　　　武漢　武漢大學出版社　252 頁　1993 年 9 月初版

1456　吳志達　　中國文言小說史
　　　　　　　濟南　齊魯書社　816 頁　1994 年 9 月初版

1457　Hanan, Patrick (au.)（韓南）: The Chinese Vernacular Story.（中國白
　　　　　話小說史）Cambridge, Mass.: Harvard Univ. Pr., (Har-
　　　　　vard East Asian Ser. 94) 1981. 276pp.

1458　P. 韓南著　尹慧珉譯　中國白話小說史
　　　　　　　杭州　浙江古籍出版社　299 頁　1989 年初版

1459　杜貴晨　　中國古代短篇小說史
　　　　　　　鄭州　中州古籍出版社　368 頁　1991 年 6 月初版

1460　吳禮權　　中國筆記小說史
　　　　　　　台北　台灣商務印書館　317 頁　1993 年 8 月初版

1461　陳文新　　中國筆記小說史
　　　　　　　台北　志一出版社　533 頁　1995 年 3 月初版

1462　胡懷琛　　中國寓言研究
　　　　　　　上海　商務印書館　84 頁　1930 年 11 月初版

1463　陳蒲清　　中國古代寓言史
　　　　　　　長沙　湖南教育出版社　302 頁　1983 年 11 月初版
　　　　　　　台北　駱駝出版社　333 頁　1987 年 8 月初版

1464　安秉卨　　中國寓言傳記研究
　　　　　　　國立政治大學中國文學研究所博士論文　304 頁　1987 年 7
　　　　　　　月　高明、呂凱指導
　　　　　　　韓國　國民大學出版部　311 頁　1988 年初版

1465　凝　溪　　中國寓言文學史
　　　　　　　昆明　雲南人民出版社　642 頁　1992 年 1 月初版

1466　劉　燦　　先秦寓言

上海　上海古籍出版社　1988 年 8 月初版

台北　國文天地雜誌社　121 頁　1990 年 3 月初版

1467　寧稼雨　中國志人小說史

潘陽　遼寧人民出版社　395 頁　1991 年 10 月初版

1468　王海林　中國武俠小說史略

太原　北岳文藝出版社　264 頁　1988 年 10 月初版

1469　羅立群　中國武俠小說史

潘陽　遼寧人民出版社　383 頁　1990 年 10 月初版

1470　劉蔭柏　中國武俠小說史（古代部分）

石家莊　花山文藝出版社　308 頁　1992 年 3 月初版

1471　黃岩柏　中國公案小說史

潘陽　遼寧人民出版社　287 頁　1991 年 5 月初版

1472　齊裕焜、陳惠琴　中國諷刺小說史

潘陽　遼寧人民出版社　429 頁　1993 年 5 月初版

1473　吳禮權　中國言情小說史

台北　台灣商務印書館　420 頁　1995 年 3 月初版

1474　周　天　中國前小說性格描繪史稿

上海　三聯書店　411 頁　1990 年 12 月初版

1475　劉上生　中國古代小說藝術史

長沙　湖南師範大學出版社　517 頁　1993 年 6 月初版

1476　陳謙豫　中國小說理論批評史

上海　華東師範大學出版社　231 頁　1989 年 10 月初版

1477　方正耀著　郭豫適審訂　中國小說批評史略

北京　中國社會科學出版社　308 頁　1990 年 7 月初版

1478　劉良明　中國小說理論批評史

武漢　武漢大學出版社　291 頁　1991 年 11 月初版

1479　陳　洪　中國小說理論史

合肥　安徽文藝出版社　388 頁　1992 年 9 月初版

1480 胡邦煒、山崎由美 古老心靈的回音——中國古代小說的文化——心理
學闡釋
成都 四川文藝出版社 345 頁 1991 年 3 月初版
1481 侯忠義 漢魏六朝小說史
瀋陽 春風文藝出版社 234 頁 1989 年 3 月初版
1482 劉葉秋 魏晉南北朝小說
北京 中華書局 69 頁 1961 年 12 月初版
上海 上海古籍出版社 76 頁 1978 年 12 月初版
台北 國文天地雜誌社 91 頁 1990 年 9 月初版
1483 全寅初 六朝小說之研究
國立台灣大學中國文學研究所碩士論文 171 頁 1972 年 5
月 葉慶炳指導
1484 Golygina K．（戈雷金娜） 六朝小說研究
莫斯科 東方文學出版社 239 頁 1983 年初版
1485 李劍國 唐前志怪小說史
天津 南開大學出版社 487 頁 1984 年 5 月初版
1486 周次吉 六朝志怪小說研究
國立政治大學中國文學研究所碩士論文 1971 年 王夢鷗
指導
台北 文津出版社 162 頁 1986 年初版；1989 年 8 月二
刷；1990 年 9 月三刷
1487 全寅初 魏晉南北朝志怪小說研究
國立台灣師範大學國文研究所博士論文 317 頁 1979 年 9
月 王靜芝、金榮華指導
1488 王國良 魏晉南北朝志怪小說研究
私立東吳大學中國文學研究所博士論文 371 頁 1984 年 1
月 臺靜農指導
台北 文史哲出版社 371 頁 1984 年 7 月初版

1489 內山知也 隋唐小說研究

東京 木耳社 634 頁 1977 年（昭和 52）1 月初版

1490 劉開榮 唐代小說研究

上海 商務印書館 234 頁 1947 年 11 月初版；1950 年 7月二刷

上海 商務印書館 227 頁 1955 年 6 月修訂版

香港 商務印書館 224 頁 1964 年 4 月初版

台北 台灣商務印書館 220 頁 1966 年 7 月初版

台北 台灣商務印書館 239 頁 1994 年 5 月二版

1491 近藤春雄 唐代小說の研究

東京 笠間書院 466 頁 1978 年（昭和 53）12 月初版

1492 黃競剛 唐代小說研究

香港珠海大學歷史研究所碩士論文 1978 年 何文員指導

1493 丁範鎭 唐代小說研究

韓國 成均館大學大東文化研究院 330 頁 1982 年

1494 程毅中 唐代小說史話

北京 文化藝術出版社 341 頁 1990 年 12 月初版

1495 陳文新 中國傳奇小說史話

台北 正中書局 573 頁 1995 年 3 月初版

1496 全寅初 漢唐傳奇小說研究

韓國 延世大學碩士論文 1969 年

1497 祝秀俠 唐代傳奇研究

台北 中華文化出版事業委員會 156 頁 1957 年 5 月初版

台北 中國文化大學出版部 152 頁 1982 年 11 月再版

1498 丁範鎭 唐代傳奇及其影響

台灣省立師範大學國文研究所碩士論文 155 頁 1961 年李辰冬指導

1499 金揆鎭 傳奇小說研究

韓國　漢城大學碩士論文　70 頁　1963 年

1500　于兆莉　唐代傳奇研究

私立中國文化學院中國文學研究所碩士論文　1968 年　高明指導

1501　洪文珍　唐傳奇研究

私立東海大學中國文學研究所碩士論文　292 頁　1973 年趙滋蕃指導

1502　陳舜臣　唐代傳奇

東京　朝日新聞社　196 頁　1974 年（昭和 49）初版

1503　丁範鎭　唐代傳奇研究

韓國　成均館大學博士論文　145 頁　1978 年 8 月

1504　吳志達　唐人傳奇

上海　上海古籍出版社　1981 年 3 月初版

台北　國文天地雜誌社　171 頁　1990 年 9 月初版

1505　劉　瑛　唐代傳奇研究

台北　正中書局　402 頁　1982 年 11 月初版

台北 • 聯經出版事業公司　475 頁　1994 年 10 月初版

1506　鄭惠璟　唐代志怪小說研究

國立台灣大學中國文學研究所碩士論文　236 頁　1989 年 6 月　葉慶炳指導

1507　胡士瑩　話本小說概論

北京　中華書局　2 冊，755 頁　1980 年 5 月初版

台北　丹青圖書公司　729 頁　1983 年

1508　歐陽代發　話本小說史

武漢　武漢出版社　491 頁　1994 年 5 月初版

1509　李本燿　宋元明話本研究

國立台灣師範大學國文研究所碩士論文　155 頁　1973 年楊家駱指導

國立台灣師範大學國文研究所集刊　18 期　頁 1219－1373
1974 年 6 月

1510　樂蘅軍　宋代話本文學之研究
國立台灣大學中國文學研究所碩士論文　1967 年　張敬指
導
台北　國立台灣大學文學院　234 頁　1969 年 12 月初版
(書名改作「宋代話本研究」)

1511　樂蘅軍　宋代話本研究
台北　國立台灣大學文學院　234 頁　1969 年 12 月初版
(碩士論文原題「宋代話本文學之研究」)

1512　何志平　宋話本的研究
私立東海大學中國文學研究所碩士論文　300 頁　1973 年
趙滋蕃指導

1513　吳雙翼　明清小說講話
香港　上海書局　112 頁　1957 年 7 月

1514　Hegel, Robert E.：The Novel in Seventeenth－Century China（十七世
紀中國小說）. N.Y.：Colunbia Univ. Pr., 1981. 336pp.

1515　Semanov. V.（謝馬諾夫）：中國章回小說的演變—十八世紀末至二十
世紀初
莫斯科　東方文學出版社　342 頁　1970 年初版

1516　李漢秋等　清代小說
合肥　安徽教育出版社　260 頁　1992 年 8 月初版

1517　阿　英　晚清小說史
上海　商務印書館　288 頁　1937 年 5 月初版
北京　作家出版社　190 頁　1955 年 8 月初版
香港　太平書局　193 頁　1966 年 1 月初版
台北　未標出版者　1968 年
香港　中華書局　190 頁　1973 年 6 月初版；1973 年 11 月

二刷

　　　北京　人民文學出版社　192 頁　1980 年 8 月新一版

　　　台北　天宇出版社　190 頁　1988 年

1518　阿英著　會澤卓司、長尾光之、山口健治譯　清末の中國小說

　　　沖繩　榮光堂印刷出版部　323 頁　1978 年（昭和 53）2 月
　　　初版

1519　阿英著　飯冢朗、中野美代子譯　晚清小說史

　　　出版者未詳　1979 年

1520　阿英著　全寅初譯　中國近代小說史

　　　韓國　正音社　351 頁　1987 年

1521　金永浩　　晚清小說之研究

　　　韓國　漢城大學碩士論文　96 頁　1959 年

1522　韓相虎　　晚清小說之研究

　　　韓國　成均館大學碩士論文　112 頁　1961 年

1523　時　萌　　晚清小說

　　　上海　上海古籍出版社　138 頁　1989 年 6 月初版

　　　台北　國文天地雜誌社　151 頁　1990 年 9 月初版

1524　方正耀　　晚清小說研究

　　　上海　華東師範大學出版社　365 頁　1991 年 6 月初版

1525　王先霈、周偉民　明清小說理論批評史

　　　廣州　花城出版社　819 頁　1988 年 10 月初版

1526　張曼娟　　明清小說評點之研究

　　　私立東吳大學中國文學研究所博士論文　441 頁　1990 年 5
　　　月　吳宏一指導

1527　李騰淵　　晚明代小說理論研究

　　　韓國外大碩士論文　1991 年

1528　康來新　　晚清小說理論研究

　　　台北　大安出版社　336 頁　1986 年 6 月初版；1990 年 8

　　　　　　　月二刷

1529　邱茂生　　晚清小說理論發展述論

　　　　私立中國文化大學中國文學研究所碩士論文　318 頁　1987
　　　　年 3 月　洪順隆指導

　　　　台北　敦美堂出版社　318 頁　1987 年初版

1530　Schyns, Jos. and others：1500 Modern Chinese Novels and Plays（現代
　　　　小說和戲劇一千五百種）. Peiping：Catholic Univ. Press,
　　　　1948. 484pp.

1531　Hsia C. T.（夏志清）：A History of Modern Chinese Fiction 1917 –
　　　　1957,（中國現代小說史：1917 – 1957）New Haven：Yale
　　　　Univ. Pr., 1961. 662pp. 1971. 701pp.

1532　夏志清著　劉紹銘等編譯　中國現代小說史

　　　　香港　友聯出版公司　562 頁　1979 年 7 月初版；1982 年 2
　　　　月二刷

　　　　台北　傳記文學出版社　576 頁　1979 年 9 月初版；1991
　　　　年 11 月二刷

1533　田仲濟、孫昌熙主編　中國現代小說史

　　　　濟南　山東文藝出版社　584 頁　1984 年 1 月初版；1984
　　　　年二刷

1534　趙遐秋、曾慶瑞　中國現代小說史

　　　　北京　中國人民大學出版社　2 冊（670、900 頁）　1984
　　　　年 3 月、1985 年 7 月初版；1985 年 11 月二刷

1535　楊　義　中國現代小說史

　　　　北京　人民文學出版社　3 冊（671、739、763 頁）　1986
　　　　年 9 月、1988 年 10 月、1991 年 5 月初版；1993 年 7 月

1536　葉子銘主編　中國現代小說史

　　　　南京　南京大學出版社　2 卷（310、340 頁）　1991 年 10
　　　　月、1992 年 8 月初版

1537 許懷中 美的心靈歷程——中國現代小說發展中的一條軌跡
     南昌 江西人民出版社 313頁 1987年3月初版
1538 嚴家炎 中國現代小說流派史
     北京 人民文學出版社 337頁 1989年8月初版
1539 陳平原 二十世紀中國小說史(一)
     北京 北京大學出版社 301頁 1989年12月初版
1540 許懷中 中國現代小說理論批評的變遷
     上海 上海文藝出版社 393頁 1990年4月初版
1541 Albert Borowitz：Fiction in Communist China 1949－1953（中國大陸之
     小說 1949－1953）．Cambridge：Center for International
     Studies，Massachusetts Inst．of Technology，1954．124pp．
1542 楊樹茂 新時期小說史稿
     廣州 花城出版社 386頁 1989年5月初版
1543 趙俊賢 中國當代小說史稿—人物形象系列論
     北京 人民文學出版社 329頁 1989年12月初版
1544 金 漢 中國當代小說史
     杭州 杭州大學出版社 416頁 1990年12月初版
1545 汪名凡主編 中國當代小說史
     南寧 廣西人民出版社 607頁 1991年1月初版
1546 王萬森 新中國中篇小說史稿
     濟南 山東文藝出版社 335頁 1992年3月初版

四、散駢文史

1547 王念中 古文詞學史
     武昌 益善書局 270頁 1933年11月初版
1548 蔣伯潛、蔣祖怡 駢文與散文
     上海 世界書局 236頁 1941年12月初版

　　　　　　台北　世界書局　236 頁　1956 年 10 月；1983 年 12 月四
　　　　　　刷

1549　方孝岳　中國散文概論
　　　　　　上海　世界書局　78 頁　1935 年 12 月初版（在「中國文學
　　　　　　八論」內）
　　　　　　上海　世界書局　42 頁　1944 年 4 月新一版（同上）
　　　　　　香港　南國出版社　1961 年 9 月初版（同上）
　　　　　　台北　泰順出版社　1971 年二刷（同上）
　　　　　　台北　清流出版社　126 頁　1971 年（同上）
　　　　　　台北　文馨出版社　1975 年（同上）
　　　　　　台北　莊嚴出版社　207 頁　1981 年（與瞿兌之「中國駢文
　　　　　　概論」合冊，並改名作「中國散駢文概論」）
　　　　　　鄭州　中州古籍出版社　1991 年 11 月（在「中國文學八
　　　　　　論」內）

1550　方孝岳、瞿兌之　中國散駢文概論
　　　　　　台北　莊嚴出版社　207 頁　1981 年（即方孝岳「中國散文
　　　　　　概論」與瞿兌之「中國駢文概論」合冊，並改名）

1551　陳　柱　中國散文史
　　　　　　上海　商務印書館　316 頁　1937 年 5 月初版
　　　　　　台北　台灣商務印書館　315 頁　1965 年 1 月重版；1980
　　　　　　年 8 月六刷；1991 年 3 月八刷
　　　　　　上海　上海書店　315 頁　1984 年 3 月

1552　吉川幸次郎　中國散文論
　　　　　　東京　弘文堂　252 頁　1949 年（昭和 24）6 月初版
　　　　　　東京　筑摩書房　267 頁　1966 年（昭和 41）初版

1553　馮其庸　中國古代散文的發展
　　　　　　北京　北京出版社　48 頁　1964 年 4 月初版

1554　倪志僩　中國散文演進史

　　　　　　台北　長白出版社　2冊，604頁　1985年11月初版

1555　郭預衡　中國散文史

　　　　　　上海　上海古籍出版社　上、中（580、759頁）　1986年
　　　　　　5月、1993年10月初版

1556　劉振東　中國古代散文發展史

　　　　　　鄭州　中州古籍出版社　522頁　1991年6月初版

1557　謝楚發　中國散文簡史

　　　　　　武漢　長江文藝出版社　277頁　1992年10月初版

1558　劉　衍　中國散文史綱

　　　　　　武漢　湖北教育出版社　668頁　1994年6月初版

1559　貴州人民出版社編委會　中國古代散文史

　　　　　　貴陽　貴州人民出版社　1994年12月初版

1560　漆緒邦　中國散文通史

　　　　　　長春　吉林教育出版社　2冊，1976頁　1994年12月初版

1561　郭預衡　中國散文簡史

　　　　　　北京　北京師範大學出版社　627頁　1995年3月初版

1562　劉一沾、石旭紅　中國散文史

　　　　　　台北　文津出版社　353頁　1995年6月初版

1563　吳小林　中國散文美學史

　　　　　　哈爾濱　黑龍江人民出版社　416頁　1993年5月初版

1564　譚家健、鄭君華　先秦散文綱要

　　　　　　太原　山西人民出版社　306頁　1987年6月初版
　　　　　　台北　明文書局　354頁　1991年3月初版

1565　羅常培　漢魏六朝專家文研究

　　　　　　南京　獨立出版社　75頁　1945年11月初版；1946年10
　　　　　　月二刷
　　　　　　台北　台灣中華書局　66頁　1969年初版
　　　　　　台北　大林出版社　92頁　1977年初版

1566　韓兆琦、呂伯濤　漢代散文史稿

太原　山西人民出版社　362頁　1986年5月初版

1567　吳慶鵬　唐宋散文史

貴州　熙民印書館　1945年

1568　葛曉音　唐宋散文

上海　上海古籍出版社　1990年

台北　國文天地雜誌社　168頁　1992年

1569　邱燮友　古文運動史略

台灣省立師範大學國文研究所碩士論文　204頁　1959年6月　高明指導

1570　錢冬父　唐宋古文運動

上海　上海古籍出版社　87頁　1962年5月初版；1965年四刷

台北　國文天地雜誌社　101頁　1991年7月初版；1992年7月二刷

1571　呂武志　唐末五代散文研究

國立台灣師範大學國文研究所碩士論文　1988年　王更生指導

台北　台灣學生書局　458頁　1989年2月初版

1572　何寄澎　北宋的古文運動

國立台灣大學中國文學研究所博士論文　468頁　1984年葉慶炳指導

台北　幼獅文化事業公司　502頁　1992年8月初版

1573　今關天彭　清代及現代の詩文界

北京　今關研究室　132頁　1925年（大正14）

1574　葉　龍　桐城派文學史

香港　龍門書店　120頁　1975年

1575　魏際昌　桐城古文學派小史

石家莊　河北教育出版社　246頁　1988年4月初版

1576　金秬香　　駢文概論

上海　商務印書館　141 頁　1933 年 12 月初版；1947 年 2 月三刷

1577　瞿兌之　　中國駢文概論

上海　世界書局　128 頁　1934 年 12 月初版（在「中國文學八論」內）

上海　世界書局　56 頁　1944 年 4 月新版（同上）

香港　南國出版社　1961 年 9 月初版（同上）

台北　泰順出版社　1971 年二刷（同上）

台北　清流出版社　140 頁　1971 年（同上）

台北　文馨出版社　1975 年（同上）

台北　莊嚴出版社　207 頁　1981 年（與方孝岳「中國散文概論」合冊，並改名作「中國散駢文概論」）

鄭州　中州古籍出版社　1991 年 11 月（在「中國文學八論」內）

1578　劉麟生　　中國駢文史

上海　商務印書館　166 頁　1936 年 12 月初版；1937 年 5 月五刷

台北　台灣商務印書館　165 頁　1965 年 1 月初版；1980 年 8 月五刷

上海　上海書店　165 頁　1984 年 1 月

1579　鈴木虎雄　駢文史序說

京都　京都大學文學部中國語學文學研究室　200 頁　1961 年 6 月初版

1580　張仁靑　　中國駢文發展史

國立台灣師範大學國文研究所碩士論文　1969 年　成惕軒指導

台北　台灣中華書局　2 冊，658 頁　1970 年初版；1979 年

5 月二刷

1581 姜書閣 騈文史論
北京 人民文學出版社 540 頁 1986 年 11 月初版

1582 廖蔚卿 六朝文論
台北 聯經出版事業公司 369 頁 1978 年 4 月初版；1981 年 3 月二刷

1583 劉渼 魏晉南北朝文論佚書鈎沈
國立台灣師範大學國文研究所碩士論文 234 頁 1990 年 5 月 王更生指導

1584 林伯謙 劉宋文研究
私立東吳大學中國文學研究所碩士論文 269 頁 1985 年 4 月 于大成指導

1585 于景祥 唐宋騈文學史
瀋陽 遼寧人民出版社 238 頁 1991 年 5 月初版

1586 江菊松 宋四六文研究
台北 華正書局 108 頁 1977 年 9 月初版

1587 今關天彭 清代及び現代の詩餘騈文界
北京 今關研究室 186 頁 1926 年（大正 15）

1588 陳耀南 清代騈文通義
作者自印本 1970 年
台北 台灣學生書局 141 頁 1977 年 9 月初版

1589 張仁青 六十年來之騈文
台北 正中書局 1975 年 5 月（在「六十年來之國學」第五冊內）
台北 文史哲出版社 60 頁 1977 年 4 月初版

1590 姜濤、趙華 古代傳記文學史稿
瀋陽 遼寧大學出版社 218 頁 1990 年 11 月初版

1591 韓兆琦主編 中國傳記文學史

石家莊　河北教育出版社　466頁　1992年8月初版

1592　楊正潤　傳記文學史綱
南京　江蘇教育出版社　642頁　1994年11月初版

1593　李祥年　漢魏六朝傳記文學史稿
上海　復旦大學出版社　195頁　1995年4月初版

1594　張嘯虎　中國政論文學史稿
武漢　武漢出版社　741頁　1992年10月初版

1595　張春寧　中國報告文學史稿
北京　群言出版社　448頁　1993年7月初版

1596　朱子南　中國報告文學史
南昌　百花洲文藝出版社　1995年5月初版

1597　陳左高　中國日記史略
上海　上海翻譯出版公司　216頁　1990年10月初版

1598　許世旭　中國隨筆小史
韓國　乙酉文化社　290頁　1981年

1599　邵傳烈　中國雜文史
上海　上海文藝出版社　539頁　1991年5月初版

1600　陳書良、鄭憲春　中國小品文史
長沙　湖南出版社　269頁　1991年12月初版

1601　李準根　晚明小品文研究
私立輔仁大學中國文學研究所碩士論文　130頁　1982年5月　王靜芝指導

1602　李錫鎭　兩漢魏晉論體之形成及演變
國立台灣大學中國文學研究所碩士論文　252頁　1981年6月　齊益壽指導

1603　陳邦禎　兩宋文話初探
私立中國文化大學中國文學研究所碩士論文　129頁　1980年6月　王更生指導

1604　劉懋君　　兩宋文話述評

私立東吳大學中國文學研究所碩士論文　130 頁　1982 年 5
月　王更生指導

1605　盧冀野　　八股文小史

上海　商務印書館　106 頁　1937 年 5 月初版

1606　鄧雲鄉　　清代八股文

北京　人民大學出版社　301 頁　1994 年 3 月初版

1607　譚彼岸　　晚清的白話文運動

武漢　湖北人民出版社　44 頁　1956 年 12 月初版

1608　植栢燊　　五四運動以後中國散文的發展

香港珠海大學中文研究所碩士論文　1973 年　王韶生指導

1609　黃肖玉　　五四運動以後的散文

香港珠海大學中文研究所碩士論文　1979 年　王韶生指導

1610　周麗麗　　中國現代散文的發展

台北　成文出版社　223 頁　1980 年 7 月初版

1611　林　非　　中國現代散文史稿

北京　中國社會科學出版社　204 頁　1981 年 4 月初版

1612　俞元桂主編　中國現代散文史

濟南　山東文藝出版社　724 頁　1988 年 11 月初版

1613　范培松　　中國現代散文史

南京　江蘇教育出版社　626 頁　1993 年 9 月初版

1614　陳瓊婷　　民初白話文運動（1917－1919）

私立輔仁大學中國文學研究所碩士論文　223 頁　1989 年
龔鵬程指導

1615　趙遐秋　　中國現代報告文學史

北京　中國人民大學出版社　390 頁　1987 年 1 月初版

1616　張　華主編　中國現代雜文史

西安　西北大學出版社　396 頁　1987 年 9 月初版

1617 編委會　中國現代雜文史論

　　　　北京　人民文學出版社　1995 年 6 月初版

1618 朱德發主編　中國現代遊記文學史

　　　　濟南　山東友誼書社　398 頁　1990 年 9 月初版

1619 盧啓元主編　中國當代散文史

　　　　南寧　廣西人民出版社　291 頁　1990 年 12 月初版

五、民間文學史

1620 楊蔭深　中國民間文學概說

　　　　上海　華通書局　190 頁　1930 年 1 月初版

1621 陳光堯　中國民衆文藝論

　　　　上海　商務印書館　60 頁　1935 年 1 月初版；1935 年 3 月
　　　　二刷

1622 洪　亮　中國民俗文學史略

　　　　上海　群衆圖書公司　156 頁　1934 年 6 月初版

1623 鄭振鐸　中國俗文學史

　　　　長沙　商務印書館　2 冊（270、462 頁）　1938 年 8 月初
　　　　版

　　　　北京　作家出版社　730 頁　1954 年 7 月初版

　　　　上海　上海書店　2 冊（270、462 頁）　1984 年 6 月初版

　　　　台北　台灣商務印書館　2 冊（270、462 頁）　1965 年 6
　　　　月初版；1992 年 11 月九刷（作者改作「鄭篤」）

　　　　台北　明倫出版社　上下合冊（270、462 頁）　1971 年 2
　　　　月初版（作者改作「西諦」）

1624 鄭　篤　中國俗文學史

　　　　台北　台灣商務印書館　2 冊（270、462 頁）　1965 年 6
　　　　月初版；1992 年 11 月九刷（作者原作「鄭振鐸」）

1625 西　諦　　中國俗文學史

　　　　　　台北　明倫出版社　上下合冊（270、462 頁）　1971 年 2
　　　　　　月初版（作者原作「鄭振鐸」）

1626 近藤圭　　支那俗文學小史

　　　　　　東京　東亞研究會　81 頁　1939 年（昭和 14）初版

1627 石崎又造　日本に於ける支那俗文學史

　　　　　　東京　弘文堂　1940 年（昭和 15）10 月初版

1628 楊蔭深　　中國俗文學概論

　　　　　　上海　世界書局　128 頁　1946 年 2 月初版

　　　　　　台北　世界書局　128 頁　1961 年

1629 蔣祖怡　　中國人民文學史

　　　　　　上海　北新書局　244 頁　1950 年 4 月初版

　　　　　　上海　上海文藝出版社　244 頁　1991 年 5 月初版

1630 馮明之　　中國民間文學講話

　　　　　　香港　上海書局　106 頁　1957 年 9 月初版

1631 北京師範大學中文系 1955 級學生集體編寫　中國民間文學史（初稿）

　　　　　　北京　人民文學出版社　2 冊（459、408 頁）　1958 年 12
　　　　　　月初版

1632 段寶林　　中國民間文學概要

　　　　　　北京　北京大學出版社　327 頁　1981 年 1 月初版

1633 門巋、張燕瑾　中國俗文學史

　　　　　　台北　文津出版社　339 頁　1995 年 6 月初版

1634 金岡昭光　敦煌の文學

　　　　　　東京　大藏出版　285 頁　1971 年（昭和 46）6 月初版

1635 林聰明　　敦煌俗文學研究

　　　　　　私立東吳大學中國文學研究所博士論文　361 頁　1983 年 9
　　　　　　月　臺靜農、潘重規指導

　　　　　　台北　私立東吳大學中國學術著作獎助委員會　361 頁

1984 年 7 月初版

1636 婁子匡、朱介凡　五十年來中國的俗文學
　　　　台北　正中書局　351 頁　1963 年 5 月初版；1991 年 10 月
　　　　六刷

1637 姚居順、孟慧英　新時期民間文學搜集出版史略
　　　　瀋陽　遼寧大學出版社　199 頁　1989 年 10 月初版

1638 玄　珠　中國神話研究 ABC
　　　　上海　世界書局　2 冊，214 頁　1929 年 1 月初版
　　　　天津　百花文藝出版社　1981 年 4 月初版（與「神話雜
　　　　論」、「北歐神話 ABC」合冊，書名作「神話研究」，作者署
　　　　名「茅盾」）
　　　　台北　未標出版者及出版年月　107 頁（不著作者）

1639 玄珠著　伊藤彌太郎譯　支那の神話
　　　　東京　地平社　335 頁　1943 年（昭和 18）9 月初版

1640 佚　名　中國神話研究 ABC
　　　　台北　未標出版者及出版年月　107 頁（作者原作「玄珠」）

1641 出石城彥　支那神話傳說の研究
　　　　東京　中央公論社　790 頁　1943 年（昭和 18）11 月初版

1642 森三樹三郎　支那古代神話
　　　　京都　大雅堂　324 頁　1944 年（昭和 19）3 月初版
　　　　東京　清水弘文堂書房　324 頁　1969 年（昭和 44）初版
　　　　（書名改作「中國古代神話」）

1643 森三樹三郎　中國古代神話
　　　　東京　清水弘文堂書房　324 頁　1969 年（昭和 44）初版
　　　　（書名原作「支那古代神話」）

1644 袁　珂　中國神話史
　　　　上海　上海文藝出版社　494 頁　1988 年 10 月初版
　　　　台北　時報文化出版公司　518 頁　1991 年 5 月初版

1645 陳天水 中國古代神話

上海 上海古籍出版社 1988 年 12 月初版

台北 國文天地雜誌社 132 頁 1990 年 3 月初版

1646 胡懷琛 中國民歌研究

上海 商務印書館 122 頁 1925 年 9 月初版

1647 張紫晨 歌謠小史

福州 福建人民出版社 360 頁 1982 年 3 月初版

1648 澤田瑞穗 寶卷の研究

名古屋 采華書林 255 頁 1963 年（昭和 38）7 月初版

1649 澤田瑞穗 增補寶卷の研究

東京 國書刊行會 462 頁 1975 年（昭和 50）6 月初版

1650 曾子良 寶卷之研究

國立政治大學中國文學研究所碩士論文 166 頁 1975 年 5 月 鄧綏寧指導

1651 錢南揚 謎史

廣州 國立中山大學語言歷史研究所 120 頁 1928 年 7 月初版

上海 上海文藝出版社 117 頁 1986 年 12 月

1652 谷向陽等 中國姓氏對聯史話

長春 北方婦女兒童出版社 361 頁 1990 年 2 月初版

1653 湯哲聲 中國現代滑稽文學史略

台北 文津出版社 242 頁 1992 年 8 月初版

六、民族文學史

1654 石 人 中國民族文藝之史的研究

北平 星光出版社 68 頁 1934 年 11 月

1655 趙景深 民族文學小史

上海　世界書局　139頁　1940年1月初版

1656　陳易園　中國民族文學講話

福州　中國文化建設協會福建省分會　220頁　1940年4月初版

1657　陳遵統　中國民族文學講話

福建永安　建國出版社　226頁　1943年2月增訂再版

1658　梁乙眞　中國民族文學史

重慶　三友書店　496頁　1943年5月初版

1659　楊亮才等　中國少數民族文學

北京　人民文學出版社　298頁　1985年6月初版

1660　桑吉扎西　中國少數民族文學

北京　商務印書館　131頁　1991年11月初版

1661　馬學良　中國少數民族文學史

北京　中央民族學院出版社　2冊，593頁　1992年1月初版

1662　吳重陽　中國當代民族文學概觀

內部教材（書名作「中國當代少數民族文學簡史」）

北京　中央民族學院出版社　378頁　1986年1月初版

1663　中南民族學院本書編寫組　中國當代少數民族文學史稿

武漢　長江文藝出版社　587頁　1986年11月初版

1664　特賽音巴雅爾　中國少數民族當代文學史

桂林　漓江出版社　942頁　1993年11月初版

1665　滿　昌編　蒙古文學史

呼和浩特　內蒙古教育出版社　577頁　1980年8月初版

1666　內蒙社科院文研所本書編寫組　蒙古族文學簡史

呼和浩特　內蒙古人民出版社　340頁　1981年5月初版

1667　孟・伊德木札布　蒙古文學史話

台北　中央文物供應社　3 76頁　1988年7月初版

1668 蒙古族文學史編寫組　蒙古族文學史

　　　　瀋陽　遼寧民族出版社　1994 年 7 月初版

1669 米哈依洛夫著　張草紉譯　蒙古現代文學簡史

　　　　北京　作家出版社　239 頁　1958 年 7 月初版

1670 青海民族學院中文專科編　藏族文學史簡編（初稿）

　　　　西寧　青海人民出版社　1960 年 10 月初版

1671 中央民族學院「藏族文學史」編寫組　藏族文學史

　　　　成都　四川民族出版社　691 頁　1985 年 9 月初版

　　　　台北　文殊出版社　2 冊，789 頁　1987 年 3 月初版（作者
　　　　改作「西藏學叢書編委會」，書名改作「西藏文學史」，篇目
　　　　略有更動）

1672 西藏學叢書編委會　西藏文學史

　　　　台北　文殊出版社　2 冊，789 頁　1987 年 3 月初版（即中
　　　　央民族學院「藏族文學史」編寫組編「藏族文學史」，篇目
　　　　略有更動）

1673 王沂暖、唐景福　藏族文學史略

　　　　西寧　青海民族出版社　316 頁　1988 年 2 月初版

1674 耿予方　藏族當代文學

　　　　北京　中國藏學出版社　328 頁　1994 年 6 月初版

1675 張迎勝、丁生俊主編　回族古代文學史

　　　　銀川　寧夏人民出版社　310 頁　1988 年 7 月初版

1676 李樹江　回族民間文學史綱

　　　　銀川　寧夏人民出版社　374 頁　1989 年 6 月初版

1677 李國香　維吾爾文學史

　　　　蘭州　蘭州大學出版社　316 頁　1992 年 5 月初版

1678 趙志輝主編　滿族文學史（一）

　　　　瀋陽　瀋陽出版社　436 頁　1989 年 5 月初版

1679 歐陽若修等　壯族文學史

南寧　廣西人民出版社　3 冊，1112 頁　1986 年 7 月初版

1680　梁庭望、農學冠　壯族文學概要

南寧　廣西民族出版社　486 頁　1991 年 9 月初版

1681　廣西僮族文學史編輯室、廣西師範學院中文系　廣西僮族文學（初稿）

廣西僮族自治區出版社　445 頁　1961 年 7 月初版

1682　王弋丁　仫佬族、毛難族、京族文學概觀

南寧　廣西人民出版社　161 頁　1982 年 11 月初版

1683　龍殿寶等　仫佬族文學史

南寧　廣西教育出版社　389 頁　1993 年 8 月初版

1684　蒙國榮等　毛難族文學史

南寧　廣西人民出版社　386 頁　1992 年 7 月初版

1685　蘇維光等　京族文學史

南寧　廣西教育出版社　342 頁　1993 年 5 月初版

1686　黃書光等　瑤族文學史

南寧　廣西人民出版社　391 頁　1988 年 1 月初版

1687　張文勛主編　白族文學史

昆明　雲南人民出版社　1959 年 12 月初版

昆明　雲南人民出版社　565 頁　1983 年 7 月修訂版

1688　李纘緒　白族文學史略

北京　中國民間文藝出版社　355 頁　1984 年 3 月初版

1689　西雙版納傣族自治州民族事務委員會編　傣族文學簡史

昆明　雲南民族出版社　490 頁　1988 年 5 月初版

1690　王　松　傣族詩歌發展初探

北京　中國民間文藝出版社　315 頁　1983 年 5 月初版

1691　雲南省民族民間文學麗江調查隊　納西族文學史（初稿）

昆明　雲南人民出版社　433 頁　1959 年 12 月初版

1692　和鍾華、楊世光主編　納西族文學史

成都　四川民族出版社　828 頁　1992 年 8 月初版

1693 貴州省社會科學院文學研究所　布依族文學史

　　　　　貴陽　貴州人民出版社　455 頁　1983 年 9 月初版

1694 黔西南布依苗族自治州民族事務委員會、貴州大學中文系合編　布依族文學史

　　　　　南寧　廣西人民出版社　429 頁　1983 年 12 月初版

1695 何積全、陳立浩主編　布依族文學史

　　　　　貴陽　貴州民族出版社　494 頁　1992 年 5 月初版

1696 貴州省民間文學工作組編著　苗族文學史

　　　　　貴陽　貴州人民出版社　437 頁　1981 年 8 月初版

1697 范　禹主編　水族文學史

　　　　　貴陽　貴州人民出版社　354 頁　1987 年 11 月初版

1698 那人位等　侗族文學史

　　　　　貴陽　貴州民族出版社　468 頁　1988 年 12 月初版

1699 彭繼寬、姚紀彭主編　土家族文學史

　　　　　長沙　湖南文藝出版社　636 頁　1989 年 9 月初版

1700 楊繼中等　楚雄彝族文學簡史

　　　　　北京　中國民間文藝出版社　456 頁　1986 年 6 月初版

1701 彝族文學史編委會　彝族文學史

　　　　　成都　四川民族出版社　668 頁　1994 年 1 月初版

七、婦女兒童文學史

1702 謝无量　中國婦女文學史

　　　　上海　中華書局　346 頁　1916 年 10 月初版；1931 年 6 月八刷、1933 年再版

　　　　台北　台灣中華書局　346 頁　1973 年初版；1979 年 8 月二刷

　　　　鄭州　中州古籍出版社　1992 年 9 月

1703 譚正璧　中國女性的文學生活
上海　光明書局　466頁　1930年11月初版
上海　光明書局　530頁　1931年8月修訂版
上海　光明書局　1934年三版（書名改作「中國女性文學史」）
上海　光明書局　2冊, 598頁　1935年7月增訂版（書名改作「中國女性文學史」）
天津　百花文藝出版社　486頁　1984年12月修訂版（書名改作「中國女性文學史話」）
台北　河洛圖書出版社　486頁　1977年

1704 譚正璧　中國女性文學史
上海　光明書局　1934年三版（書名原作「中國女性的文學生活」）
上海　光明書局　2冊, 598頁　1935年7月增訂版（同上）

1705 譚正璧　中國女性文學史話
天津　百花文藝出版社　486頁　1984年12月修訂版（書名原作「中國女性的文學生活」）

1706 梁乙真　中國婦女文學史綱
上海　開明書店　430頁　1932年9月初版
上海　上海書店　429頁　1990年12月

1707 陶秋英　中國婦女與文學
上海　北新書局　308頁　1933年4月初版
台中　藍燈出版社　506頁　1975年

1708 蘇之德　中國婦女文學史話
香港　上海書局　130頁　1977年5月三版

1709 張明葉　中國古代婦女文學簡史
瀋陽　遼寧教育出版社　534頁　1993年11月初版

1710　梁乙眞　　清代婦女文學史

上海　中華書局　360頁　1927年2月初版；1932年12月二刷

台北　台灣中華書局　360頁　1958年9月初版；1979年2月三版

1711　盛　英　　二十世紀中國女性文學史

天津　天津人民出版社　2冊，1109頁　1995年6月初版

1712　雷僑雲　　中國兒童文學研究

國立台灣師範大學國文研究所博士論文　1988年　潘重規、葉詠琍指導

台北　台灣學生書局　854頁　1988年9月初版

1713　胡從經　　晚清兒童文學鈎沈

上海　少年兒童出版社　242頁　1982年4月初版

1714　方衛平　　中國兒童文學理論批評史

南京　江蘇少年兒童出版社　429頁　1993年8月初版

1715　蔣　鳳主編　中國現代兒童文學史

石家莊　河北少年兒童出版社　341頁　1987年6月初版

1716　張香還　　中國兒童文學史（現代部分）

杭州　浙江少年兒童出版社　528頁　1988年4月初版

1717　張之偉　　中國現代兒童文學史稿

上海　華東師範大學出版社　397頁　1993年6月初版

1718　陳子君主編　中國當代兒童文學史

濟南　明天出版社　551頁　1991年2月初版

1719　方衛平、韋　葦等著　中國當代兒童文學史

石家莊　河北少年兒童出版社　564頁　1991年8月初版

1720　劉守華　　中國民間童話概說

成都　四川民族出版社　375頁　1985年8月初版

1721　金燕玉　　中國童話史

南京　江蘇少年兒童出版社　596頁　1992年7月初版

1722　吳其南　中國童話史

石家莊　河北少年兒童出版社　372頁　1992年8月初版

1723　朱莉美　中國古代童話研究

私立中國文化大學中國文學研究所碩士論文　232頁　1992
年6月　朱鳳玉指導

八、音樂文學史

1724　朱謙之　音樂的文學小史

上海　泰東圖書局　128頁　1925年8月初版；1929年6
月二刷

1725　朱謙之　中國音樂文學史

上海　商務印書館　238頁　1935年10月初版

台北　學藝出版社　238頁　1983年

1726　朱謙之著　中村嗣次譯　支那音樂史

東京　人文閣　304頁　1940年（昭和15）12月初版

1727　許建吾　歷代歌詞述要

台北　華岡出版公司　130頁　1970年11月初版

九、宗教文學史

1728　加地哲定　中國佛教文學研究

和歌山　高野山大學中國哲學研究室　278頁　1965年（昭
和40）10月初版

1729　加地哲定著　劉衛星譯　中國佛教文學

北京　今日中國出版社　282頁　1990年12月初版

1730　詹石窗　道教文學史

上海　上海文藝出版社　581頁　1992年5月初版

柒、台灣文學史編

1731 王國璠、邱勝安　三百年來台灣作家與作品

　　　高雄　台灣時報社　339 頁　1977 年 8 月初版

1732 葉石濤　台灣文學史綱

　　　高雄　文學界雜誌社　352 頁　1987 年 2 月初版；1991 年 9
　　　月二刷

1733 劉登翰等主編　台灣文學史

　　　福州　海峽文藝出版社　2 卷（644、948 頁）　1991 年 6
　　　月、1993 年 1 月初版

1734 陳少廷　台灣新文學運動簡史

　　　台北　聯經出版事業公司　204 頁　1977 年 5 月初版；1981
　　　年 11 月三刷

1735 陳美妃　日據時期台灣漢語文學析論

　　　私立輔仁大學中國文學研究所碩士論文　79 頁　1981 年 5
　　　月　王靜芝指導

1736 黃重添等　台灣新文學概觀

　　　廈門　鷺江出版社　2 冊（275、393 頁）　1986 年 7 月、
　　　1991 年 6 月初版

　　　台北　稻禾出版社　711 頁　1992 年 3 月初版

1737 王晉民　台灣當代文學

　　　南寧　廣西人民出版社　498 頁　1986 年 9 月初版

1738 白少帆等　現代台灣文學史

　　　瀋陽　遼寧大學出版社　931 頁　1987 年 12 月初版

1739 包恆新　台灣現代文學簡述

上海　上海社會科學院出版社　178頁　1988年3月初版

1740　公　仲、汪義生　台灣新文學史初編

南昌　江西人民出版社　390頁　1989年8月初版

1741　于　寒、金宗洙　台灣新文學七十年

延吉　延邊大學出版社　2冊（251、310頁）　1990年8月初版

1742　潘亞暾主編　台灣文學導論

北京　高等教育出版社　478頁　1990年9月初版

1743　彭瑞金　台灣新文學運動四十年

台北　自立晚報社文化出版部　233頁　1991年3月初版；1992年2月二刷

1744　周永芳　七十年代台灣鄉土文學研究

私立中國文化大學中國文學研究所碩士論文　188頁　1992年6月　尉天驄指導

1745　王晉民　台灣當代文學史

南寧　廣西教育出版社　814頁　1994年2月初版

1746　古繼堂　台灣新文學理論批評史

瀋陽　春風文藝出版社　452頁　1993年6月初版

1747　古遠清　台灣當代文學理論批評史

武漢　武漢出版社　922頁　1994年8月初版

1748　趙圖南　台灣詩史

南昌　作者自印本　78頁　1947年9月初版

1749　廖雪蘭　台灣詩史

私立中國文化大學中國文學研究所博士論文　332頁　1983年　林尹、成惕軒指導

台北　武陵出版社　332頁　1989年8月初版

1750　周滿枝　清代台灣流寓詩人及其詩之研究

國立政治大學中國文學研究所碩士論文　225頁　1980年6

月　黃志民指導

1751　古繼堂　台灣新詩發展史

北京　人民文學出版社　427 頁　1989 年 5 月初版

台北　文史哲出版社　506 頁　1989 年 7 月初版

1752　呂訴上　台灣電影戲劇史

台北　銀華出版社　576 頁　1961 年 9 月初版

台北　東方文化書局　576 頁　1974－1988 年重版（在婁子匡編「國立北京大學中國民俗學會民俗叢書」，冊 126－127，書名改作「台灣電影戲劇」）

1753　呂訴上　台灣電影戲劇

台北　東方文化書局　576 頁　1974－1988 年重版（在婁子匡編「國立北京大學中國民俗學會民俗叢書」，冊 126－127，書名原作「台灣電影戲劇史」）

1754　葉龍彥　光復初期台灣電影史

台北　財團法人國家電影資料館　267 頁　1995 年 1 月初版

1755　邱坤良　舊劇與新劇—日治時期台灣戲劇之研究（1895－1945）

台北　自立晚報社文化出版部　468 頁　1992 年 6 月初版

1756　曾永義　台灣歌仔戲的發展與變遷

台北　聯經出版事業公司　175 頁　1988 年 5 月初版；1993 年 2 月二刷

1757　林清涼　台灣子弟戲之研究

私立中國文化學院藝術研究所碩士論文　167 頁　1978 年 6 月　姚一葦指導

1758　柯秀蓮　台灣皮影戲的技藝與淵源

私立中國文化學院藝術研究所碩士論文　100 頁　1976 年 6 月　俞大綱指導

1759　許俊雅　日據時期台灣小說研究

國立台灣師範大學國文研究所博士論文　700 頁　1992 年 5

月　李鋈、陳萬益指導

台北　文史哲出版社　838頁　1995年2月初版

1760　封祖盛　台灣小說主要流派初探

福州　福建人民出版社　323頁　1983年10月初版

1761　古繼堂　台灣小說發展史

北京　人民文學出版社　427頁　1989年5月初版

台北　文史哲出版社　624頁　1989年7月初版

瀋陽　春風文藝出版社、遼寧教育出版社　434頁　1989年11月初版

1762　黃重添　台灣長篇小說論

福州　海峽文藝出版社

台北縣　稻禾出版社　263頁　1992年8月初版

1763　曾子良　台灣閩南語說唱文學「歌仔」之研究及閩南語歌仔叙錄與存目

私立東吳大學中國文學研究所博士論文　253頁　1990年6月　鄭騫、曾永義指導

1764　臧汀生　台灣民間歌謠研究

國立政治大學中國文學研究所碩士論文　1979年　羅宗濤指導

台北　台灣商務印書館　329頁　1980年5月初版；1984年4月二刷（書名改作「台灣閩南語歌謠研究」）

1765　臧汀生　台灣閩南語歌謠研究

台北　台灣商務印書館　329頁　1980年5月初版；1984年4月二刷（碩士論文原題「台灣民間歌謠研究」）

1766　臧汀生　台灣閩南語民間歌謠新探

國立政治大學中國文學研究所博士論文　306頁　1989年6月　羅宗濤、曾永義指導

1767　洪文瓊　台灣兒童文學史

台北　傳文文化公司　154頁　1994年6月初版

中國文學史總書目作者索引

編輯説明

一、本索引按作者姓名筆畫之多寡排列。

二、西文作者依英文字母順序，排在最後。有中文名者，和中、日、韓文作者混合排列，以便檢查。

三、同一作者著作有以本名或字號發表者，一律將編號繫於通用之姓名下，並於其它名字下，註明見×××，如：上官予　見王志健。

四、作者姓名經竄改者，則不與原名合併，如胡雲翼被改爲胡雲，胡雲的條目編號不併入胡雲翼，以方便檢索。

五、各著作有不題作者者，皆繫於七畫「佚名」下。

六、本索引由東吳大學中文研究所研究生汪嘉玲編纂完成，特誌謝忱。

二　畫

〔一〕

三　畫

〔一〕

〔丨〕

〔丿〕

四　畫

〔、〕

529

伍錦屏	0429			
任二北	見任 訥			
任日鎬	1147	1148		
任半塘	見任 訥			
任孚先	0872			
任訪秋	0651	0653	0673	
任 訥	1174	1175	1284	
全寅初	1483	1487	1496	1520
向 明	0431			
朱子南	1596			
朱子陵	0244			
朱介凡	1636			
朱右白	1192			
朱自清	0658			
朱希祖	0122	0141		
朱志泰	1303			
朱扶孫	0806			
朱尙文	1319			
朱承樸	1315			
朱東潤	0067			
朱則杰	1032			
朱星元	0282			
朱炳煦	0605			
朱恩彬	0031			
朱海波	0375			
朱莉美	1723			
朱煜仁	0686			
朱義雲	0578			
朱靖華	0479			
朱 寨	0058			

朱榮智	0035	0092		
朱維之	0043	0044		
朱德發	0742	0750	0766	0769
	0786	1618		
朱謙之	1724	1725	1726	
朱雙雲	1364			
朱 瑢	0827			
竹內實	0709			
竹田復	0003	0004	0345	

七 畫

〔、〕

宋佩韋	見宋雲彬			
宋海屏	0403			
宋浩慶	1445			
宋雲彬	0297	0298	0636	
宋耀良	0059			
沈天佑	0612			
沈玉成	0588			
沈志方	1081			
沈從文	1429			
沈雁冰	0139	0644	1638	1639
沈達材	0572			
沈衛威	0878			
汪 中	1170			
汪天成	1287			
汪名凡	1545			
汪華藻	0831	0851		

汪義生	1740		
汪辟疆	0901		
汪劍愚	0152		
汪劍餘	0151		
汪蔚心	1014		
汪馥泉	0002		
汪耀明	0014		
辛島驍	1365		

〔一〕

尾坂德司	0799	0809		
李一鳴	0672			
李大明	1055			
李　文	0691			
李文初	0947			
李曰剛	0321	0322	0919	0920
	1048	1049		
李旦初	0779	0858		
李本燿	1509			
李正輝	1120			
李永朱	0078			
李永祜	0479			
李田意	0390	1437		
李光羽	0594			
李何林	0053			
李京奎	1172			
李岳南	0941			
李忠奇	1401			
李昌集	1184			
李東鄉	0466			

李近義	1395		
李長之	0327	0794	
李建中	0041	0042	
李春祥	1311		
李炳漢	0078		
李計謀	0775		
李家源	0045		
李悔吾	1450	1451	
李振鏞	0145		
李浮生	1349		
李　浚	1036		
李純勝	1078		
李國香	1677		
李崇元	0640		
李祥年	1593		
李　笠	0181		
李復興	0744	0765	
李景華	0576		
李華卿	0246		
李華豐	1120		
李開元	0590		
李準根	1601		
李瑞騰	0022	0023	0972
李瑜增	0751		
李葆哲	0598		
李道顯	0435		
李達三	0846		
李鼎彝	0381		
李漢秋	1516		
李　維	0885	0886	

林　庚	0300	0329
林玫儀	1173	
林　非	1611	
林徐典	0544	
林振輝	1288	
林曼叔	0822	
林從軍	0609	
林淸涼	1757	
林　莽	0695	
林　湮	0852	
林傳甲	0113	
林瑛淑	1093	
林葉連	1046	
林聰明	1635	
林繼中	0603	
松平康國	0118	
松枝茂夫	0661	

武茲生	0371	0372	0918	1018
	1059			
武　蓉	0931			
邵伯周	0738			
邵傳烈	1599			
邵影成	0162			
長尾光之	1518			
長澤規矩也	0222	0278	0279	0280
	0317	0320	0570	
門　鬲	1633			
阿　英	0791	0793	0805	1517
	1518	1519	1520	
靑山宏	1135			

靑木正兒	0001	0002	0005	0006
	0007	0019	0020	0021
	0046	0047	0255	0256
	0257	1219	1220	1221
	1222	1223	1300	1301
	1302			
靑海民族學院中文專科　1670				

〔丨〕

岡田稔	0263	
岩城秀夫	0516	1248
易君左	0357	0396
易重廉	1054	
易樹聲	0150	
易蘇民	0378	
明倫出版社編輯部　0224　1417		

〔丿〕

兒島獻吉郎	0117	0134	0135	0136
	0137	0171	0172	0173
	0174	0175	0176	0178
	0529			
和鍾華	1692			
周（佚名）	0133			
周乃昌	0459			
周　天	1474			
周永芳	1744			
周　白	1227			
周次吉	1486			
周作人	0660	0661		

九　畫

〔、〕

十 一 畫

〔 、 〕

張　健	0076	0093		
張曼娟	1526			
張國相	1099			
張國風	1448			
張基槿	0211	0338		
張寅彭	0959			
張清鐘	1067	1084		
張畢來	0690			
張雪蕾	0276			
張紫晨	1647			
張　華	1616			
張　敬	1314			
張敬文	0917	0980	1126	
張毓茂	0816			
張壽鏞	0899			
張榮基	0584			
張銘慈	0174			
張嘯虎	1594			
張廣益	0845			
張慧娟	0996			
張暹明	0841			
張燕瑾	1268	1633		
張靜廬	1405			
張寶華	0740			
張　鐘	0824	0825	0839	
張廈石	0430			
張筱萍	1159			
張鏐子	1344			
曹允亮	0785			
曹余章	0522			

曹道衡	0588	1064		
曹聚仁	0156	0693		
盛　英	1711			
連秀華	0416			
陳子君	1718			
陳子展	0228	0600	0607	0618
	0645	0659		
陳介白	0266			
陳天水	1645			
陳少廷	1734			
陳文新	1455	1461	1495	
陳左高	1597			
陳平原	1539			
陳弘治	1137			
陳永正	0863			
陳玉剛	0451	0768	0939	
陳白塵	1332			
陳立浩	1695			
陳仰高	0756			
陳光堯	1621			
陳如信	0419			
陳安仁	0617			
陳汝衡	1355	1356	1357	
陳　竹	1318			
陳伯海	0866			
陳邦禎	1603			
陳其光	0860			
陳受頤	0366			
陳季蔓	1283			
陳易園	1656			

十 三 畫

〔、〕

廉文澂　　0849

新垣淑明　0315

溫洪隆　　0536

溫儒敏　　0102

瘂　弦　　1201

〔一〕

隗　芾　　1263

楊子堅　　1446

楊子聖　　0523

楊公驥　　0349　0502

楊世光　　1692

楊世祥　　1262

楊正潤　　1592

楊生枝　　1076

楊志莊　　0619

楊里昂　　1208

楊　明　　0085　1381

楊亮才　　1659

楊建文　　1274

楊海明　　1133

楊國權　　0424

楊啓高　　1008

楊　義　　1535

楊德本　　0585

楊蔭深　　0275　0281　0538　0611
　　　　　1620　1628

楊樹茂　　1542

楊熾均　　0424

楊繼中　　1700

楊鐵嬰　　0021　1128

賈亦棣　　1366

雷　敢　　0855

雷僑雲　　1712

〔｜〕

嵊縣文化局越劇發展史編寫組　1387

萬迪鶴　　0083

葉　凡　　0760

葉大兵　　1256

葉子銘　　1536

葉幼明　　1052

葉石濤　　1732

葉　易　　0024　0049

葉長海　　1278　1279

葉恭綽　　1168

葉慶炳　　0379

葉　龍　　1574

葉龍彥　　1754

葉　鵬　　0731

葛一虹　　1368

葛存恣　　0307

葛林·馬克拉斯　1347　1348

葛留青　　0789

葛賢寧　　0907　1195　1432

劉師培　　0553　0554　0555　0556

劉振東　　1556

劉偉林　　0040

劉健全　　0428

劉敏言　　0861

劉清湧　　0835

劉紹銘　　1532

劉棣民　　0550

劉登翰　　1213　1733

劉　萍　　0385

劉開揚　　0993

劉開榮　　1490

劉敬圻　　1157

劉毓慶　　0481　0546　0571

劉毓盤　　0148　1103　1104

劉　瑛　　1505

劉經庵　　0243

劉葉秋　　1482

劉漢初　　0969

劉綏松　　0694

劉增人　　0748　0780

劉增杰　　0052　0814

劉德重　　0491　0492　0959

劉慧貞　　0749

劉蔭柏　　1470

劉衛星　　1729

劉錫五　　0303

劉戀君　　1604

劉濟獻　　0753

劉　燦　　1466

劉麗紅　　0643

劉躍進　　0592

劉麟生　　0183　0184　0185　0215
　　　　　0238　0259　0891　1578

劉　渼　　1583

樂恕人　　0997

樂蘅軍　　1510　1511

編委會　　0528　1617

衛禮賢　　0164

魯　迅　　0567　0568　0569　1407
　　　　　1408　1409　1410　1411
　　　　　1412　1413　1414　1415
　　　　　1416　1418　1419

魯　原　　0861

魯德俊　　1210

黎　明　　0376

黎淦林　　0436

興膳宏　　0030　0513

十 六 畫

〔、〕

凝　溪　　1465

澤口剛雄　1082

澤田瑞穗　0308　1648　1649

澤田總清　0887　0888

諶兆麟　　0028

龍沐勛　　0893

龍　飛　　0140

引用及參考書目

一、中國文學史專門書目

1. 中國文學史書目　梁容若、黃得時編　圖書館學報　2 期　頁 113－131　1960年 7 月

2. 中國文學史書目補正　郭宜俊編　圖書館學報　4 期　頁 133－137　1962年 8 月

3. 重訂中國文學史書目　梁容若、黃得時編　幼獅學誌　6 卷 1 期　頁 1－36　1967年 5 月

4. 中國文學史書目補正　江應龍編　文壇　85 期　頁 22－26　1967 年 7 月

5. 三訂中國文學史書目　梁容若、黃得時編　文壇　87 期　頁 19－37　1967 年 9 月

6. 中國文學史書目新編—清末迄今　靑霜編　書評書目　40、41、43 期　計 17 頁　1976 年 8、9、11 月

7. 中國文學史研究　梁容若著　台北　三民書局　1967 年 7 月初版，1990年 2 月四刷

8. 中國文學史書目提要　陳玉堂著　合肥　黃山書社　1986 年 8 月初版

9. 中國文學史著版本概覽　吉平平、黃曉靜編著　瀋陽　遼寧大學出版社　1992年 6 月初版

10. 歐美文中國文學史評介　H.Martin（馬漢茂）著　書和人　79 期　頁 1－8　1968 年 3 月 9 日

11. 最近的歐美文中國文學史　梁一成著　書和人　208 期　頁 4－5　1973年 4 月 14 日

12. 英文本中國文學史初探　羅錦堂主講　黃沛榮筆記　書和人　220 期　頁 2-7　1973 年 9 月 29 日

二、綜合性書目、索引

13. 民國時期總書目（文學理論·世界文學·中國文學）　北京圖書館編　北京 書目文獻出版社　1992 年 11 月

14. 中華民國出版圖書目錄彙編、續輯、3 輯、4 輯、5 輯、6 輯　國立中央圖 書館編目組編　台北　國立中央圖書館　1964 年 9 月—1988 年

15. 中華民國出版圖書目錄（民國 78 年、79 年、80 年、81 年、82 年）　國 立中央圖書館編目組編　台北　國立中央圖書館　1989 年—1994 年 1 月

16. 中華民國新書目錄　中國書目季刊資料室編　中國書目季刊（23 卷 4 期 -29 卷 2 期）　台北　台灣學生書局　1990 年 3 月-1995 年 9 月

17. 新書提要　林慶彰、黃文吉輯　中國書目季刊（16 卷 1 期-29 卷 2 期） 台北　台灣學生書局　1982 年 6 月-1995 年 9 月

18. 全國新書目（1950.1-1994.12）　中國版本圖書館　全國新書目編輯部 編　北京　中國版本圖書館　1950 年 1 月-1994 年 12 月

19. 全國總書目（1949-1955）　新華書店編　北京　同編者　1955 年

20. 全國總書目（1956 年-1986 年）　中國版本圖書館編　北京　中華書局 1959-1989 年

21. 1949-1986 全國內部發行圖書總目　中國版本圖書館編　北京　中華書 局　1988 年 6 月

22. 中國國家書目（1985）　北京圖書館中國國家書目編委會主編　北京　書 目文獻出版社　1987 年 10 月

23. 廈門大學中文圖書目錄　林文慶編　廈門　廈門大學　1937 年 6 月

24. 東京大學東洋文化研究所漢籍分類目錄　東京　東京大學東洋文化研究所 1973 年（昭和 48）2 月

25. 商務印書館圖書目錄（1897-1949）　商務印書館編　北京　同編者

1981 年 5 月

26. 商務印書館圖書目錄（1949－1980）　商務印書館編　北京　同編者
1981 年 5 月

27. 學峰書屋最新書目　學峰書屋編　香港　同編者　1991 年 10 月 10 日－
1995 年 9 月

28. 中國文化研究論文目錄（第 2 冊）　國立中央圖書館編　台北　商務印書
館　1988 年 1 月

29. 中華民國期刊論文索引　國立中央圖書館期刊股編　台北　該館　1970
年 1 月－1993 年 2 月

30. 中華民國期刊論文索引彙編（民國 66 年－79 年）　國立中央圖書館採訪
組期刊股編　台北　該館　1978 年－1991 年

31. 漢學研究通訊（1 卷 1 期－13 卷 4 期）　漢學研究中心聯絡組編　1982
年 1 月－1995 年 12 月

32. 書評索引　方邁、晞林編　書評書目　1 期－100 期　1972 年 9 月－1981
年 9 月

33. 書評索引　國林、簡映、黃明霞編　書目季刊　16 卷 1 期－20 卷 4 期、
22 卷 1 期－25 卷 1 期　1982 年 6 月－1987 年 3 月、1988 年 6 月－1991
年 6 月

34. 全國博碩士論文分類目錄（民國 38－64 年）、（民國 65－69 年）、（民國
70－72 年）、（民國 73－75 年）、（民國 76－78 年）　國立政治大學社會
科學資料中心編　台北　國立政治大學　1977 年 7 月－1991 年 10 月

35. 七十九學年度中華民國博士論文摘要暨碩士論文目錄　行政院國家科學委
員會科學技術資料中心編　台北　同編者　1992 年 2 月

36. 東洋史研究文獻類目（1934－1962）　京都大學東方文化研究所編　京都
同編者　1935 年（昭和 10）－1963 年（昭和 38）

37. 東洋學文獻類目（1963－1990）　京都大學人文科學研究所附屬東洋文學
文獻中心編　京都　同編者　1966 年（昭和 41）3 月－1993 年（平成 5）
3 月

38. 日本中國學會報（43 號 – 45 號）　日本中國學會編　東京　同編者 1991 年（平成 3）– 1993 年（平成 5）9 月

39. 中國譯日本書綜合目錄　實藤惠秀監修　譚汝謙主編　香港　中文大學出版社　1980 年初版

40. 日本譯中國書綜合目錄　實藤惠秀監修　譚汝謙主編　香港　中文大學出版社　1981 年初版

三、專科書目、索引

41. 中國文學古籍博覽　李樹蘭編著　太原　山西人民出版社　1988 年 3 月

42. 中外六朝文學研究文獻目錄（增訂版）　洪順隆主編　台北　漢學研究中心　1992 年 6 月

43. 唐代文學論著集目（1906 年 – 1978 年 6 月）　羅聯添、王國良編　台北　台灣學生書局　1979 年 7 月

44. 詞學研究書目（1912 – 1992）　黃文吉主編　台北　文津出版社　1993 年 4 月

45. 宋遼金史書籍論文目錄通檢（1900 – 1975）　陳慶浩編　法蘭西學院漢學研究所

46. 宋史研究論文與書籍目錄　宋晞編　台北　中國文化大學出版部　1983 年 8 月增訂本

47. 中國文學研究文獻要覽（1945 – 1977）　吉田誠夫、高野由紀夫、櫻田芳樹編　東京　日外アソシェーツ株式會社　1979 年（昭和 54）10 月

48. 國立國會圖書館所藏主題別圖書目錄（昭和 23 – 43 ）(23)文學 IV(外國文學)　東京　日外アソシェーツ株式會社　1985 年（昭和 60）9 月

49. 日本漢文學大事典　近藤春雄著　東京　明治書院　1985 年（昭和 60）3 月初版；1991 年（平成 3）8 月四刷

50. 漢文研究の手びき（增訂新版）　中國詩文研究會編　東京　同編者 1990年（平成 2）4 月增訂新版二刷

51. 日本研究中國現當代文學論著索引（1919－1989）　孫立川、王順洪編　北京　北京大學出版社　1991 年 8 月初版

52. 國內中國語文學研究論著目錄（1945－1990）　徐敬浩編　韓國　正一出版社　1991 年 10 月

53. 唐代文學西文論著選目　倪豪士主編　台北　漢學研究中心　1988 年 3 月

四、作者生平資料

54. 國立台灣大學、國立政治大學、國立台灣師範大學、私立東海大學、私立輔仁大學、私立東吳大學、私立中國文化大學等校各年度畢業年刊、畢業紀念冊

55. 台灣地區 70 年度—80 年度博士題名錄（漢學部分）　漢學研究通訊　1 卷 2 期—11 卷 2 期　1982 年 4 月—1992 年 6 月

56. 中華民國當代名人錄　中華民國當代名人錄編輯委員會編　台北　台灣中華書局　1979 年 11 月

57. 中華民國現代名人錄　中國名人傳記中心編輯委員會編　台北　中國名人傳記中心　1982 年 6 月初版；1984 年 1 月增訂二版；1991 年 3 月增訂三版

58. 中華民國當代文藝作家名錄　國立中央圖書館編　台北　中華叢書編審委員會　1970 年 7 月初版

59. 中華民國作家作品目錄　應鳳凰、鍾麗惠編　台北　行政院文化建設委員會　1984 年 6 月

編撰者簡介

黃文吉（1951－　　），台灣省彰化縣人。私立東吳大學中文系、中文研究所碩士班、博士班畢業。曾任私立亞東工專副教授、政治作戰學校中文系副教授，現任國立彰化師範大學國文系副教授。著有《朱敦儒詞研究》、《千家詩詳析》、《宋南渡詞人》、《國中國文古典詩詞曲鑑賞》、《北宋十大詞家研究》，編有《詞學研究書目（1912－1992）》等。

連文萍（1963－　　），台灣省新竹市人。私立東吳大學中文系、中文研究所碩士班畢業，現就讀於東吳大學中文研究所博士班。曾任《國文天地》雜誌主編，私立亞東工專兼任講師，現任東吳大學中文系兼任講師、行政院文建會《文化通訊》記者。著有《明代茶陵派詩論研究》，現正撰寫博士論文《明代詩話研究》。

黃惠菁（1965－　　），台灣省台北縣人。私立銘傳商專觀光事業科、私立東吳大學中文系、國立台灣師範大學國文研究所碩士班畢業，現就讀於國立高雄師範大學國文系博士班，並任私立華夏工商專科學校講師。著有《東坡文藝理論研究》，現正撰寫博士論文《唐宋陶學研究》。

張惠淑（1968－　　），台灣省雲林縣人。私立德明商專會統科、私立東吳大學中文系畢業，現就讀於國立台灣師範大學國文研究所碩士班。曾參與編輯《經學研究論著目錄續編（1988－1992）》，現正撰寫碩士論文《公羊傳七等例研究》。

林明珠（1959－　　），台北市人。台北市立女師專、私立東吳大學中文系、中文研究所碩士班畢業，現就讀於東吳大學中文研究所博士班。曾任小學教師多年，現任國立花蓮師範學院語文教育系講師。著有《白居易的敘事詩研究》，現正撰寫博士論文《白居易詩的藝術成就》。

孫秀玲（1963－　　），江蘇省贛榆縣人。私立東吳大學中文系、中文研究所

碩士班畢業。現任國立中央圖書館約聘助理研究員、私立中原大學及亞東工專兼任講師。著有《葛立方韻語陽秋詩論研究》等。

國立中央圖書館出版品預行編目資料

臺灣出版中國文學史書目提要. 1949-1994／
黃文吉編著；連文萍等撰稿. --初版. --
臺北市：萬卷樓發行；三民總經銷，民85
面；　公分.
參考書目；面
ISBN 957-739-143-5(精裝)

1.中國文學-歷史-目錄

016.8209　　　　　　　　　　　　85000623

台灣出版中國文學史書目提要
（1949-1994）

著　　　者：黃文吉
發　行　人：許錟輝
總　編　輯：許錟輝
發　行　所：萬卷樓圖書有限公司
　　　　　　台北市和平東路一段67號14樓之1
　　　　　　電話(02)3216565・3952992
　　　　　　FAX(02)3944113
　　　　　　劃撥帳號15624015
總　經　銷：三民書局股份有限公司
　　　　　　台北市復興北路386號
　　　　　　訂書專線(02)5006600（代表號）
　　　　　　FAX(02)5164000・5084000
承印廠商：采邑製版有限公司
定　　價：1000元
出版日期：民國85年2月初版
出版登記證：新聞局局版臺業字第伍陸伍伍號